D0608417

UNIVERSAL
DICTIONARY

LANGENSCHEIDT

DICCIONARIO
UNIVERSAL

LANGENSCHEIDT
DICCIONARIO UNIVERSAL

INGLÉS-ESPAÑOL
ESPAÑOL-INGLÉS

*Enteramente revisado
y puesto al día*

LANGENSCHEIDT
BERLÍN · MUNICH · NUEVA YORK

LANGENSCHEIDT'S
UNIVERSAL DICTIONARY

ENGLISH-SPANISH
SPANISH-ENGLISH

Completely new and revised edition

LANGENSCHEIDT

BERLIN · MUNICH · NEW YORK

Contents
Indice

Abbreviations

Abreviaturas

The tilde (~, when the initial letter changes: ⌒) stands for the catchword at the beginning of the entry or the part of it preceding the vertical bar (|).

La tilde (~, si la inicial cambia: ⌒) sustituye la voz-guía entera, o bien la parte que precede a la raya vertical (|).

Examples:

Ejemplos:

abus|e; ~ive = abusive
noche; ⌒buena = Nochebuena
Españ|a; ⌒ol(a) = español(a)

abani|car; ~co = abanico
china; ⌒ = China.
Easter; ⌒n = eastern

a adjective, *adjetivo*	*compar* comparative, · *comparativo*
adv adverb, *adverbio*	*conj* conjunction, *conjunción*
aer aeronautics, *aeronáutica*	*cost* sewing, *costura*
agr agriculture, *agricultura*	*dep* sports, *deportes*
Am America, *América*	*eccl* ecclesiastic, *eclesiástico*
anat anatomy, *anatomía*	*elec* electricity, *electricidad*
arch, arq architecture, *arquitectura*	*f* feminine, *femenino*
arti artillery, *artillería*	*fam* familiar, *familiar*
aut automobile, motoring, *automóvil*	*farm* pharmacy, *farmacia*
b a fine arts, *bellas artes*	*f c* railway, *ferrocarril*
biol biology, *biología*	*fig* figurative, *figurado*
bot botany, *botánica*	*for* forensic, law, *voz forense*
carp carpentry, *carpintería*	*fort* fortification, *fortificación*
cine films, *cinema*	*foto* photography, *fotografía*
cir surgery, *cirujía*	*geog* geography, *geografía*
coc cookery, *cocina*	*geol* geology, *geología*
com commerce, *comercio*	*gram* grammar, *gramática*

6

ict ichthyology, fish, *ictiología*
igl church, *iglesia*
impr printing, *imprenta*
Ingl England, *Inglaterra*
interj interjection, *interjección*
interrog interrogative, *interrogativo*
lit literature, *literatura*
m masculine, *masculino*
mar marine, *marina*
mat mathematics, *matemática*
mech, *mec* mechanics, *mecánica*
med medical, *medicina*
metal metallurgy, *metalurgia*
mil military, *militar*
min mining, *minería*
mus, *mús*, music *música*
naut nautical, *navegación*
ópt optics, *óptica*
orn ornithology, birds, *ornitología*
pint painting, *pintura*
pl plural, *plural*

pol politics, *política*
prep preposition, *preposición*
pron pers personal pronoun, *pronombre personal*
pron pos possessive pronoun, *pronombre posesivo*
quim chemistry, *química*
rel relative, *relativo*
relig religion, *religión*
s substantive, *substantivo*
SA South America, *Sud América* [*lativo*]
superl superlative, *super-*}
surg surgery, *cirugía*
t also, *también*
theat, *teat* theatre, *teatro*
tecn technology, *tecnología*
tel telephone, *teléfono*
tv television, *televisión*
v/aux auxiliary verb, *verbo auxiliar*
v/i intransitive verb, *verbo intransitivo*
v/r reflexive verb, *verbo reflexivo*
v/t transitive verb, *verbo transitivo*
zool zoology, *zoología*

Pronunciation key to English words

Llave de pronunciación para las palabras inglesas

Vocales y Diptongos

[ɑ:] como en *bajo*: father ['fɑ:ðə], *palm* [pɑ:m]

[ʌ] sonido parecido al de la *a* en *para*: butter ['bʌtə], *mother* ['mʌðə]

[æ] sonido parecido al de la *a* en *parra*: fat [fæt], *man* [mæn]

[ɛə] diptongo compuesto de una *e* muy abierta y una *e* átona: there [ðɛə], *care* [kɛə]

[ai] diptongo parecido al *ai* en *baile*: time [taim], *eye* [ai]

[au] diptongo parecido al *au* en *causa*: count [kaunt], *how* [hau]

[ei] diptongo compuesto de un sonido como el de la *e* en *pelo* y una *i* débil: day [dei], *eight* [eit]

[e] como la *e* en *perro*: men [men], *said* [sed]

[i:] sonido como la *i* en *brisa*: tea [ti:], *meet* [mi:t]

[i] sonido breve parecido al de la *i* en *esbirro* pero más abierto: bit [bit], *city* ['siti]

[iə] diptongo compuesto de [i] y [ə]: fear [fiə], *here* [hiə]

[əu] diptongo compuesto de un sonido como el de la *o* en *como* y una *u* débil: soap [səup], *go* [gəu]

[ɔ:] sonido largo algo parecido a la *o* en forma: ball [bɔ:l], *or* [ɔ:]

[ɔ] sonido breve parecido al de la *o* en *porra* pero más cerrado: dog [dɔg], *wash* [wɔʃ]

[ɔi] diptongo parecido al sonido de *oy* en *soy*: point [pɔint], *boy* [bɔi]

[ə] sonido átono parecido al de la *e* en el artículo francés *le*: silent ['sailənt], *about* [ə'baut]

[ə:] forma más larga del sonido anterior que se encuentra en sílabas acentuadas; su sonido

es parecido al de *eu* en la lengua francesa *leur*: *bird* [bə:d], *learn* [lə:n]

[u:] sonido largo parecido al de la *u* en *una*: *do* [du:], *fruit* [fru:t]

[uə] diptongo compuesto de [u] y [ə]: *poor* [puə], *lure* [ljuə]

[u] sonido corto como el de la *u* en *culpa*: *put* [put], *took* [tuk]

Consonantes

[b] como la *b* en *ambos*: *hobby* ['hɔbi], *boat* [bəut]

[d] como la *d* en *andar*: *ladder* ['lædə], *day* [dei]

[f] como la *f* en *fácil*: *fall* [fɔ:l], *fake* [feik]

[g] como la *g* en *goma*: *go* [gəu], *again* [ə'gen]

[h] como la *j* en *jerga*, pero mucho más suave: *hard* [ha:d], *who* [hu:]

[j] como la *y* de *yo*: *yet* [jet], *few* [fju:]

[k] como la *c* en *casa*: *cat* [kæt], *back* [bæk]

[l] como la *l* en *lágrima*: *leaf* [li:f], *along* [ə'lɔŋ]

[m] como la *m* en *madre*: *make* [meik], *team* [ti:m]

[n] como la *n* en *nata*: *no* [nəu], *tin* [tin]

[p] como la *p* en *tapa*: *pay* [pei], *top* [tɔp]

[r] se pronuncia sólo cuando precede a una vocal, sin la vibración de la *r* española: *rate* [reit], *worry* ['wɅri]

[s] como la *s* en *cosa*: *sun* [sʌn], *fast* [fɑ:st]

[t] como la *t* en *tos*: *tip* [tip], *letter* ['letə]

[v] no existe el sonido en español; es parecido al de la *v* en la palabra francesa *avec*: *vain* [vein], *above* [ə'bʌv]

[w] como la *u* en *huevo*: *wine* [wain], *quaint* [kweint]

[z] como la *s* en *mismo*: *zeal* [zi:l], *hers* [hə:z]

[ʒ] no existe en español; su sonido es parecido al de la *j* en la palabra francesa *jolie*: *vision* ['viʒən], *measure* ['meʒə]

[ʃ] no existe en español; su sonido corresponde al de la *ch* en la palabra francesa *charmant*: *sheet* [ʃi:t], *dish* [diʃ]

[θ] como la *c* en *dice* y la *z* en *zapato*: *thin* [θin], *path* [pɑ:θ]

[ð] sonido parecido a la *d* en *hada*: *there* [ðeə], *bother* ['bɔðə]

[ŋ] como la *n* en *tengo*: *long* [lɔŋ], *singer* ['siŋə]

[dʒ] combina la [d] y la [ʒ]: *jaw* [dʒɔ:], *edge* [edʒ]

[tʃ] combina la [t] y la [ʃ]; como la *ch* en *mucho*: *chest* [tʃest], *watch* [wɔtʃ]

Sufijos sin pronunciación figurada

Para ahorrar espacio, no se ha indicado pronunciación figurada para los sufijos siguientes:

-ability [əbiliti]
-able [-əbl]
-age [-idʒ]
-al [-(ə)l]
-ally [-(ə)li]
-an [-(ə)n]
-ance [-(ə)ns]
-ancy [-ənsi]
-ant [-ənt]
-ar [-ə]
-ary [-(ə)ri]
-ation [-eiʃ(ə)n]
-cious [-ʃəs]
-cy [-si]
-dom [-dəm]
-ed [-d; -t; -id]
-edness [-dnis; -tnis; -idnis]
-ee [-i:]
-en [-n]
-ence [-(ə)ns]
-ent [-(ə)nt]
-er [-ə]
-ery [-əri]
-ess [-is]
-fication [-fikeiʃ(ə)n]
-ial [-(ə)l]
-ian [-(jə)n]
-ible [-əbl]
-ic(s) [-ik(s)]
-ical [-ik(ə)l]

-ily [-ili]
-iness [-inis]
-ing [-iŋ]
-ish [-iʃ]
-ism [-iz(ə)m]
-ist [-ist]
-istic [-istik]
-ite [-ait]
-ity [-iti]
-ive [-iv]
-ization [-aizeiʃ(ə)n]
-ize [-aiz]
-izing [-aiziŋ]
-less [-lis]
-ly [-li]
-ment(s) [-mənt(s)]
-ness [-nis]
-oid [-oid]
-oidic [-oidik]
-or [-ə]
-ous [-əs]
-ry [-ri]
-ship [-ʃip]
-(s)sion [-ʃ(ə)n]
-sive [-siv]
-ties [-tiz]
-tion [-ʃ(ə)n]
-tious [-ʃəs]
-trous [-trəs]
-try [-tri]
-y [-i]

English-Spanish Vocabulary

A

a [ei; ə] un *m*, una *f*; **not ~ ni** un(a)

aback [ə'bæk] (hacia) atrás; **~ taken** ~ desconcertado

abandon [ə'bændən] *v/t* abandonar; dejar; **~ment** abandono *m*

abate [ə'beit] *v/t* mitigar, reducir; *v/i* moderarse

abbess ['æbis] abadesa *f*

abbey ['æbi] abadía *f*

abbot ['æbət] abad *m*

abbreviat|e [ə'bri:vieit] *v/t* abreviar; **~ion** [~'eiʃən] abreviatura *f*

abdicate ['æbdikeit] *v/t*, *v/i* abdicar, renunciar, dimitir

abdomen ['æbdəmen] abdomen *m*, vientre *m*

abduct [æb'dʌkt] *v/t* secuestrar, raptar

abed [ə'bed] en cama, acostado

abet [ə'bet] *v/t* instigar, excitar

abeyance [ə'beiəns] suspensión *f*, expectativa *f*; **in ~** en suspenso

abhor [əb'hɔ:] *v/t* aborrecer, detestar; **~rence** aborrecimiento *m*, odio *m*

abide [ə'baid] *v/i* habitar, permanecer; **~ by** cumplir con; *v/t* esperar; soportar

ability [ə'biliti] facultad *f*, habilidad *f*, aptitud *f*, talento *m*, ingenio *m*

abject ['æbdʒekt] vil, despreciable; servil

abjure [əb'dʒuə] *v/t* abjurar, repudiar; retractarse de

able ['eibl] capaz, hábil, apto, competente; **to be ~** poder

abnormal [æb'nɔ:məl] anormal

aboard [ə'bɔ:d] a bordo

abode [ə'bəud] residencia *f*, domicilio *m*, morada *f*

aboli|sh [ə'boliʃ] *v/t* abolir; **~tion** [æbəu'liʃən] abolición *f*

abominable [ə'bɔminəbl] abominable

abominate [ə'bɔmineit] *v/t* abominar, detestar

abortion [ə'bɔ:ʃən] aborto *m*

abound [ə'baund] *v/i* abundar; **~ in** *o* **with** abundar en, ser rico en

about [ə'baut] *prep* alrededor, cerca (de); *adv* casi; **to be ~ to (do)** estar a punto de (hacer)

above [ə'bʌv] *adv, prep* sobre, (por) encima (de)

abreast [ə'brest] lado a lado; **to keep ~** correr parejas; estar al corriente

abridge [ə'bridʒ] *v/t* abreviar, condensar

abroad [ə'brɔːd] en el (al) extranjero

abrupt [ə'brʌpt] abrupto, brusco

abscess ['æbsis] absceso *m*

absen|ce ['æbsəns] ausencia *f*; falta *f*; **~t** ['æbsent] *a* ausente; *v/r* [æb'sent] ausentarse, retirarse; **~t-minded** distraído

absolute ['æbsəluːt] absoluto; **~ly** absolutamente, en absoluto

absolution [æbsə'luːʃən] absolución *f*, perdón *m*

absolve [əb'zɔlv] *v/t* absolver, dispensar [ber]

absorb [əb'sɔːb] *v/t* absor-ʃ

abstain [əb'stein] *v/i* abstenerse

abstemious [əb'stiːmjəs] abstemio, abstinente

abstention [əb'stenʃən] abstención *f*

abstinence ['æbstinəns] abstinencia *f*

abstract [əb'strækt] *a* abstracto; *s* resumen *m*, extracto *m*; *v/t* [æb'strækt] abstraer, resumir

absurd [əb'səːd] absurdo

abundan|ce [ə'bʌndəns] abundancia *f*, plenitud *f*; **~t** abundante, copioso

abus|e [ə'bjuːs] abuso *m*; in-

juria *f*; *v/t* [ə'bjuːz] abusar; insultar; **~ive** abusivo; injurioso [ma *f*]

abyss [ə'bis] abismo *m*, si-ʃ

academ|ic [ækə'demik] *a, s* académico *m*; **~y** [ə'kædəmi] academia *f*

accede [æk'siːd] *v/i* acceder, consentir

accelerat|e [æk'seləreit] *v/t* acelerar; *v/i* apresurarse; **~or** acelerador *m*

accent ['æksənt] *s* acento *m*; *v/t* [æk'sent] acentuar; **~uate** [~'sentjueit] *v/t* acentuar

accept [ək'sept] *v/t* aceptar, admitir; **~able** aceptable; **~ance** aceptación *f*; acogida *f*; *com* aceptación (*de un giro, de una letra*); **~ation** [æksep'teiʃən] *gram* acepción *f*, significado *m*

access ['ækses] acceso *m*; paso *m*, entrada *f*; **~ible** [æk'sesəbl] asequible, accesible

accessor|y [æk'sesəri] *a* accesorio, secundario; *s for* cómplice *m*; **~ies** accesorios *m/pl*

accident ['æksidənt] accidente *m*; **by ~** accidentalmente, por casualidad; **~al** [~'dentl] accidental, casual

acclaim [ə'kleim] *v/t* aclamar, aplaudir

acclimatize [ə'klaimətaiz] *v/t* aclimatar

accomodat|e [ə'kɔmədeit] *v/t* acomodar; alojar; complacer; **~e with** proveer de;

v/i acomodarse, conformarse; **~ion** [əkɔmə'deiʃən]
adaptación f; acomoda-
miento m; alojamiento m
accompan|iment [ə'kʌm-
pənimənt] acompañamien-
to m; **~y** v/t acompañar
accomplice [ə'kɔmplis]
cómplice m
accomplish [ə'kɔmpliʃ] v/t
realizar, efectuar; **~ed** consumado, perfecto; **~ment**
realización f; logro m; talento m, habilidad f
accord [ə'kɔ:d] s acuerdo m;
mús acorde m; v/t conceder,
otorgar; v/i convenir, concordar; **~ance** conformidad f; concordancia f; **~ing
to** según, conforme a;
~ingly por consiguiente;
en conformidad
accost [ə'kɔst] v/t dirigirse a
account [ə'kaunt] s cuenta f;
relación f; informe m; **of
no ~** sin importancia; **on ~**
a cuenta; **on ~ of** por; a
causa de; **on no ~** de ningún modo; **to take into ~**
tomar en cuenta; **to turn
to ~** sacar provecho de; v/t
tener por, considerar; **to ~
for** explicar; responder de;
~ancy contabilidad f; **~ant**
contable m   [ditar
accredit [ə'kredit] v/t acre-
accrue [ə'kru:] v/i crecer,
aumentar; com acumular
(interés, capital)
accumulate [ə'kju:mjuleit]
v/t, v/i acumular(se)
accura|cy ['ækjurəsi] exac-

titud f, precisión f; **~te**
exacto, preciso; fiel
accus|ation [ækju:'zeiʃən]
acusación f; **~ative** [ə'kju:-
zətiv] gram acusativo m;
~e [ə'kju:z] v/t acusar, culpar; **~er** acusador m
accustom [ə'kʌstəm] v/t,
v/i acostumbrar(se); soler
ace [eis] as m (t fig)
ache [eik] v/i doler; s dolencia f; dolor m
achieve [ə'tʃi:v] v/t ejecutar; conseguir, lograr;
~ment ejecución f; logro m,
proeza f
acid ['æsid] s, a ácido m
acknowledg|e [ək'nɔlidʒ]
v/t reconocer; confirmar;
~e receipt acusar recibo;
~ment reconocimiento m;
confirmación f
acorn ['eikɔ:n] bellota f
acoustics [ə'ku:stiks] acústica f
acquaint [ə'kweint] v/t instruir, familiarizar (con);
enterar, informar; **to be
~ed with** conocer; **~ance**
conocimiento m; conocido
m
acquiesce [ækwi'es] v/i
asentir, acceder
acqui|re [ə'kwaiə] v/t ad-
quirir, alcanzar; **~sition**
[ækwi'ziʃən] adquisición f
acquit [ə'kwit] v/t absolver;
~ oneself desempeñarse;
~tal absolución f, descargo
m
acre ['eikə] acre m (= 40,47
áreas); yugada f

acrid ['ækrid] acre (*t fig*)

acrobat ['ækrəbæt] acróbata *m*

across [ə'krɔs] a través de; al otro lado; **to come ~** encontrarse con

act [ækt] *s* acto *m*; hecho *m*; **for ley** *f*; **~ of faith** acto *m* de fe; *v/i* actuar, obrar; *teat* actuar; **to ~ a part** desempeñar un papel; **~ion** ['ækʃən] acción *f*, operación *f*; *mil* batalla *f*; **for** demanda *f*; proceso *m*, litigio *m*; **out of ~ion** no funciona; **~ive** a activo, enérgico; *s gram* (voz) activa *f*; **~ivity** [..'tiviti] actividad *f*; **~or** actor *m*; **~ress** actriz *f*

actual ['æktʃuəl] real, verdadero; actual; **~ly** en efecto

acute [ə'kju:t] agudo

adapt [ə'dæpt] *v/t* adaptar, ajustar

add [æd] *v/t* añadir, agregar; **to ~ up** sumar

adder ['ædə] víbora *f*

addict ['ædikt] *med* adicto *m*, narcómano *m*; **~ed** [ə'diktid] **~ed (to)** adicto (a *drogas*)

addition [ə'diʃən] adición *f*; añadidura *f*; **in ~** por añadidura; **in ~ to** además de; **~al** adicional

address [ə'dres] *v/t* dirigir (*carta, sobre, protesta*); dirigir la palabra a; **to ~ oneself** dirigirse a; *s* señas *f/pl*, dirección *f*; discurso *m*; **~ee** [ædrə'si:] destinatario *m*

adequate ['ædikwit] adecuado

adhere [əd'hiə] *v/i* adherirse (a); **~nt** adherente, adicto, secuaz

adhesive [əd'hi:siv] substancia *f* adhesiva; **~ tape** esparadrapo *m*; cinta *f* adhesiva

adjacent [ə'dʒeisənt] adyacente, contiguo, colindante

adjoin [ə'dʒɔin] *v/t* juntar; *v/i* lindar; **~ing** contiguo, colindante

adjourn [ə'dʒə:n] *v/t* diferir, aplazar; trasladar; suspender

adjust [ə'dʒʌst] *v/t* ajustar, arreglar; **~ment** ajuste *m*, arreglo *m*

administer [əd'ministə] *v/t* administrar; suministrar; **~ration** [..'streiʃən] administración *f*; gobierno *m*; suministro *m*; **~rative** [..trətiv] administrativo, gubernamental; **~rator** [..treitə] administrador *m*, albacea *m*

admirable ['ædmərəbl] admirable; **~ation** [ædmə'reiʃən] admiración *f*; **~e** [əd'maiə] *v/t* admirar; **~er** admirador *m*

admissible [əd'misəbl] admisible; **~ion** admisión *f*; entrada *f*

admit [əd'mit] *v/t* admitir; permitir; reconocer, confesar; **~tance** admisión *f*,

afflict

entrada *f*; **no ~tance** pro-
hibida la entrada

admonish [əd'mɔniʃ] *v/t*
amonestar, reprender

ado [ə'duː] bullicio *m*; dificultad *f*, fatiga *f*; **much ~
about nothing** mucho
ruido y pocas nueces

adopt [ə'dɔpt] *v/t* adoptar;
ahijar; **~ion** [~ʃən] *s* adop-
ción *f*

ador|able [ə'dɔːrəbl] adora-
ble; **~ation** [ædɔː'reiʃən]
adoración *f*; **~e** *v/t* adorar

adorn [ə'dɔːn] *v/t* adornar,
ataviar

adroit [ə'drɔit] diestro, há-[bil]

adult ['ædʌlt] *a, s* adulto
m; **~erate** [ə'dʌltəreit] *v/t*
adulterar; falsificar; **~ery**
adulterio *m*

advance [əd'vɑːns] *v/t*
avanzar; adelantar (*hora,
reloj, dinero*); *v/i* progresar;
avanzar (*tropas*); *s* avance
m, progreso *m*; anticipo *m*,
adelanto *m*; aumento *m*; **~d**
avanzado, progresista

advantage [əd'vɑːntidʒ]
ventaja *f*; **to take ~ of** aprovecharse de; **~ous** [ædvən-
'teidʒəs] ventajoso

adventur|e [əd'ventʃə] *s*
aventura *f*; **~er** aventurero
m; **~ous** aventurado

adverb ['ædvəːb] *gram* adverbio *m*

advers|ary ['ædvəsəri] ad-
versario *m*; enemigo *m*; **~e**
adverso; contrario

advertis|e ['ædvətaiz] *v/t*
anunciar, publicar; **~ement**
[əd'vəːtismənt]

anuncio *m*; **~er** anunciador
m, anunciante *m*; **~ing** publicidad *f*

advice [əd'vais] consejo *m*;
com aviso *m*; **~** comunicación *f*; **to take ~** seguir un consejo

advis|able [əd'vaizəbl]
aconsejable; **~e** *v/t* aconse-
jar; *com* avisar, informar;
~er consejero *m*, asesor *m*

advocate ['ædvəkeit] *v/t*
abogar por; defender;
['ædvəkit] *s* abogado *m*

aerial ['ɛəriəl] *a* aéreo; atmosférico; *s* antena *f*

aero... ['ɛərəu] aéreo, aero-
náutico; **~drome** ['ɛərə-
drəum] aeródromo *m*, campo *m* de aviación; **~dyna-
mic** aerodinámico; **~nau-
tics** [ɛərə'nɔːtiks] aeronáu-
tica *f*; **~plane** ['ɛərəplein]
aeroplano *m*, avión *m*

affable ['æfəbl] afable

affair [ə'fɛə] asunto *m*; negocio *m*; aventura *f* amorosa

affect [ə'fekt] *v/t* afectar;
impresionar; influir en;
~ed afectado, artificioso;
emocionado, conmovido;
~ionate [~ʃnit] afectuoso,
cariñoso

affinity [ə'finiti] afinidad *f*

affirm [ə'fəːm] *v/t* afirmar;
ratificar; **~ation** [æfə'mei-
ʃən] afirmación *f*; **~ative**
[ə'fəːmətiv] *a* afirmativo; *s*
aserción *f*

afflict [ə'flikt] *v/t* afligir,
acuitar, angustiar

affluen|ce ['æfluens] afluencia *f*; opulencia *f*; abundancia *f*; **~t** afluente, copioso; opulento, rico

afford [ə'fɔːd] *v/t* permitirse el lujo de; proporcionar

affront [ə'frʌnt] *v/t* afrentar; insultar; ultrajar; *s* afrenta *f*, insulto *m*; injuria *f*

afire [ə'faiə] ardiendo

aflame [ə'fleim] en llamas

afore [ə'fɔː] antes; **~said** antedicho

afraid [ə'freid] temeroso, miedoso; **to be ~** tener miedo

African ['æfrikən] *a, s* africano(a) *m* (*f*)

after ['ɑːftə] *prep* después de, detrás de; **~ all** después de todo, al fin y al cabo; **~math** [~mæθ] segunda siega *f*; **~noon** tarde *f*; **~wards** [~wədz] luego, después

again [ə'gein] otra vez, de nuevo; **now and ~** de vez en cuando; **once and ~** repetidas veces; ¿otra vez?

age [eid3] *s* edad *f*; **of ~, under ~** mayor, menor de edad; *v/t, v/i* envejecer(se)

aged ['eid3id] viejo

agen|cy ['eid3ənsi] agencia *f*, representación *f*; medio *m*; **~t** agente *m*, representante *m*

aggravat|e ['ægrəveit] *v/t* agravar; **~ing** agravante, irritante

aggress|ion [ə'greʃən] agre-

sión *f*, asalto *m*; **~ive** agresivo

aghast [ə'gɑːst] espantado, horrorizado

agitat|e ['æd3iteit] *v/t* agitar; **~ion** agitación *f*; **~or** agitador *m*

ago [ə'gəu] hace, ha; **how long ~?** ¿cuánto tiempo hace?; **long ~** hace mucho tiempo

agon|ize ['ægənaiz] *v/i* agonizar; **~izing** angustioso, agonizante; **~y** agonía *f*; angustia *f*

agrarian [ə'greəriən] *a, s* agrario

agree [ə'griː] *v/i* estar de acuerdo, concordar; **~** convenir en; **~able** agradable; **~d** convenido; **~ment** acuerdo *m*; convenio *m*

agricultur|al [ægri'kʌltərəl] agrícola, agrario; **~e** agricultura *f*

ague ['eigjuː] fiebre *f* intermitente; escalofríos *m/pl*

ahead [ə'hed] delante, al frente, adelante

aid [eid] *v/t* ayudar; *s* ayuda *f*

ail [eil] *v/t* afligir, molestar; *v/i* sufrir; **~ing** enfermo

aim [eim] *v/t* apuntar (*arma*); dirigir; *v/i* aspirar; proponerse; *s* puntería *f*; designio *m*; finalidad *f*, fin *m*; **to miss one's ~** errar el tiro; **~less** sin objeto

air [eə] aire *m*; **in the open ~** al aire libre; **to be on the ~** transmitir (*por la radio*); **~ base** base *f* aérea;

-brake freno *m* neumático;
~-conditioned con aire *m*
acondicionado; **~craft**
avión *m*; **~craft carrier**
portaaviones *m*; **~-cushion**
almohada *f* neumática; **~
force** *mil* fuerza *f* aérea;
~ hostess azafata *f*, aeromoza *f* (*SA*); **~ing** ventilación *f*; **~line** línea
f aérea, compañía *f*
de aviación; **~liner** avión
m de línea comercial; **~-
mail** correo *m* aéreo; **~-
plane** aeroplano *m*, avión
m; **~port** aeropuerto *m*; **~
raid** ataque *m* aéreo; **~-
-raid shelter** refugio *m*
antiaéreo; **~-sick** mareado;
~-tight hermético

aisle [ail] pasillo *m*

ajar [əˈdʒɑː] entreabierto

akin [əˈkin] consanguíneo,
emparentado

alarm [əˈlɑːm] *v/t* alarmar,
preocupar; *s* alarma *f*; tumulto *m*; **~-clock** desper-
tador *m*; **~ing** alarmante,
perturbador

alas! [əˈlɑːs] ¡ay!

alcohol [ˈælkəhəl] alcohol
m; **~ic** [ˌhɔlik] alcohólico

ale [eil] cerveza *f* inglesa
fuerte

alert [əˈləːt] *a* vivo, activo;
vigilante; *s* alerta *f*; **on the
~** sobre aviso

alibi [ˈælibai] coartada *f*

alien [ˈeiljən] *a* ajeno, extraño; *s* extranjero *m*; forastero *m*; **~ate** *v/t* enajenar; quitar

alight [əˈlait] *v/i* apearse;
aer aterrizar

alike [əˈlaik] igual; del
mismo modo

alimony [ˈælimɔni] *for* ali-
mentos *m/pl*

alive [əˈlaiv] vivo, viviente;
activo

all [ɔːl] todo; todos, todo el
mundo; **~ along** siempre;
~ but casi; **not at ~** de
ningún modo; **~ over** por
todas partes; **it is ~ over**
se acabó; **~ right** muy bien;
satisfactorio; **~ that** todo
eso; **~ the better** tanto
mejor; **~ the worse** tanto
peor

allay [əˈlei] *v/t* aliviar, mitigar

alleged [əˈledʒd] alegado;
supuesto

alleviate [əˈliːvieit] *v/t* aliviar; aligerar

alliance [əˈlaiəns] alianza
f; **~ied** aliado; **~y** aliado *m*,
confederado *m*

allot [əˈlɔt] *v/t* adjudicar,
asignar; **~ment** asignación
f; cuota *f*, lote *m*

allow [əˈlau] *v/t*, *v/i* permitir; conceder; **~ for**
tener en cuenta; **~ance**
concesión *f*; pensión *f*, me-
sada *f*; *com* descuento *m*

alloy [əˈlɔi] aleación *f*

all-round [ˈɔːlˈraund] completo; versátil; de uso variado

allu|de [əˈluːd] *v/i* aludir;
~sion alusión *f*; **~sive** alu-
sivo

allure [ə'ljuə] v/t atraer, fascinar, seducir

almanac ['ɔ:lmənæk] almanaque m, calendario m

almighty [ɔ:l'maiti] a, s todopoderoso m

almond ['ɑ:mənd] almendra f

almost ['ɔ:lmaust] casi

alone [ə'laun] a solo; adv sólo; **to leave ~** dejar en paz; **let ~** mucho menos

along [ə'lɔŋ] a lo largo de

aloof [ə'lu:f] lejos; apartado

aloud [ə'laud] fuerte, alto

alphabet ['ælfəbit] alfabeto m, abecedario m

Alps [ælps] Alpes m/pl

already [ɔ:l'redi] ya

also ['ɔ:lsəu] también

altar ['ɔ:ltə] altar m

alter ['ɔ:ltə] v/t alterar, modificar

alternate ['ɔ:ltə:neit] v/t, v/i alternar, modificar[se]; [~'tə:nit] a alterno; s suplente m; **~ing current** corriente f alterna

although [ɔ:l'ðəu] aunque, a pesar de que

altitude ['æltitju:d] altura f

alto ['æltəu] mús contralto m

altogether [ɔ:ltə'geðə] en conjunto; por completo

aluminium [ælju'minjəm] aluminio m

always ['ɔ:lwəz] siempre

am [æm]: **I ~** soy; estoy

amass [ə'mæs] v/t acumular [nado m]

amateur ['æmətə:] aficio-ʃ

amaze [ə'meiz] v/t asombrar; **~ment** asombro m

ambassador [æm'bæsədə] embajador m

amber ['æmbə] ámbar m

ambiguous [æm'bigjuəs] ambiguo

ambition [æm'biʃən] ambición f; **~ous** ambicioso

ambulance ['æmbjuləns] ambulancia f

ambush ['æmbuʃ] v/t acechar, emboscar; s emboscada f, celada f

amen [ɑ:'men] amén m

amend [ə'mend] v/t enmendar, mejorar; **~ment** enmienda f; **~s** reparación f; indemnización f

America [ə'merikə] América f; **~n** a, s americano(a) m (f)

amiability [eimjə'biliti] amabilidad f

amicable ['æmikəbl] amistoso, amigable

amid(st) [ə'mid(st)] en medio de, entre

amiss [ə'mis] fuera de lugar, inoportuno; **to take ~** tomar a mal

ammunition [æmju'niʃən] munición f

among(st) [ə'mʌŋ(st)] entre (varios)

amorous ['æmərəs] enamorado, amoroso

amount [ə'maunt] v/i ascender (a), elevarse (a); s cantidad f, importe m

ample ['æmpl] amplio, extenso; **~ifier** [~lifaiə] amplificador

m; ~ify v/t ampliar, amplificar

amputate ['æmpjuteit] v/t amputar

amuse [ə'mju:z] v/t divertir, entretener; **to ~ oneself** divertirse; **~ment** diversión f; entretenimiento m

an [æn, ən] un, uno, una

anaemia [ə'ni:miə] anemia f

analog|ous [ə'næləgəs] análogo; **~y** [~dʒi] analogía f

analy|se ['ænəlaiz] v/t analizar; **~sis** [ə'næləsis] análisis m, f

anarch|ic [æ'nɑ:kik] anárquico; **~ist** ['ænəkist] anarquista m

anatomy [ə'nætəmi] anatomía f

ancest|or ['ænsistə] antepasado m; **~ry** linaje m, abolengo m

anchor ['æŋkə] v/t anclar; s ancla f, áncora f

anchovy ['æntʃəvi] anchoa f

ancient ['einʃənt] antiguo

and [ænd, ənd] y, e

anew [ə'nju:] de nuevo, otra vez

angel ['eindʒəl] ángel m

ang|er ['æŋgə] ira f; enfado m; **~ry** furioso, enfadado m

angle ['æŋgl] s ángulo m, esquina f; v/t pescar con caña

Anglican ['æŋglikən] s, a anglicano(a) m (f)

Anglo-Saxon ['æŋglou-'sæksən] s, a anglosajón

anguish ['æŋgwiʃ] angustia f, ansia f

animal ['æniməl] animal m

animate ['ænimeit] v/t animar, alentar; **~d cartoon** película f de dibujos animados

animosity [æni'mositi] animosidad f; rencor m

ankle ['æŋkl] tobillo m

annex [ə'neks] v/t anexar, juntar, unir; [~neks] s anexo m; arq pabellón m

annihilate [ə'naiəleit] v/t aniquilar

anniversary [æni'və:səri] aniversario m

annotat|e ['ænəuteit] v/t anotar, glosar; **~ion** anotación f; apunte m

announce [ə'nauns] v/t anunciar; **~ment** anuncio m, aviso m; **~r** locutor m

annoy [ə'nɔi] v/t molestar, enojar; **~ance** molestia f; **~ing** molesto, enojoso

annual ['ænjuəl] anual

annul [ə'nʌl] v/t anular; **~ment** anulación f

anomalous [ə'nɔmələs] anómalo

anonymous [ə'nɔniməs] anónimo

another [ə'nʌðə] otro, otra

answer ['ɑ:nsə] v/t, v/i contestar; **~for** responder de; s contestación f, respuesta f

ant [ænt] hormiga f; **~hill** hormiguero m

antagonis|m [æn'tægənizəm] antagonismo m; **~t** antagonista m

antarctic [æn'ɑ:ktik] antártico   [lope m〉

antelope ['æntiləup] antí-〉
anthem ['ænθəm] himno m

anti|-aircraft ['ænti'eə-
kra:ft] antiaéreo; **biotic**
['bai'ɔtik] s, a antibiótico
m   [f/pl〉

antics ['æntiks] payasadas〉

anticipat|e [æn'tisipeit] v/t
anticipar; prever; adelan-
tar(se); **ion** anticipación f;
adelantamiento m

anti|dote ['æntidəut] antí-
doto m; **freeze** [ˌfri:z]
anticongelante m

antipathy [æn'tipəθi] antipatía f

antiqu|ated ['æntikweitid]
anticuado; **e** [æn'ti:k] antiguo; **ity** [ˌ'tikwiti] anti-
güedad f

antler ['æntlə] asta f, cor-
namenta f

anvil ['ænvil] yunque m

anxi|ety [æŋ'zaiəti] ansia f;
ansiedad f; preocupación
f; **ous** ['æŋkʃəs] ansioso,
inquieto; anheloso

any ['eni] cualquier(a); not
~ ningún(o), a, os, as; as;
body, **one** alguno; cualquiera, quienquiera; not
body, **one** nadie; **how**
de cualquier modo; **thing**
cualquier cosa; not **thing**
nada; **where** en cualquier
parte; not **where** en ninguna parte; **have you ~
money?** ¿tienes, tiene Vd
dinero?

apart [ə'pɑ:t] aparte; **~**

ment cuarto m; Am piso
m; SA departamento m

apath|etic [æpə'θetik] apá-
tico; **y** ['æpəθi] apatía f

ape [eip] mono m   [vo m〉
aperitif [ə'peritiv] aperiti-〉
aperture ['æpətjuə] abertura f; rendija f

apiary ['eipiəri] colmenar m

apiece [ə'pi:s] (a, por, para)
cada uno

apologize [ə'pɔlədʒaiz] v/i
disculparse; **y** disculpa f;
excusa f

apoplexy ['æpəupleksi]
apoplejía f

apostle [ə'pɔsl] apóstol m

apostrophe [ə'pɔstrəfi]
gram apóstrofo m

appal [ə'pɔ:l] v/t asombrar,
pasmar

apparatus [æpə'reitəs] aparato m; aparejo m

apparent [ə'pærənt] aparente; patente

appeal [ə'pi:l] v/i for apelar;
~ to apelar a; interesar a,
atraer; s for apelación f;
petición f; instancia f

appear [ə'piə] v/i aparecer;
personarse; parecer; for
comparecer; **ance** apa-
riencia f; aspecto m; apari-
ción f; for comparecencia f

appease [ə'pi:z] v/t apaciguar; **ment** apacigua-
miento m

append|icitis [əpendi'sai-
tis] apendicitis f; **ix**
[ə'pendiks] apéndice m

appertain [æpə'tein] v/i
pertenecer

appeti|te ['æpitait] apetito *m*; **~zing** apetitoso, tentador

applau|d [ə'plɔ:d] *v/t* aplaudir; *v/i* dar palmadas; **~se** [~z] aplauso *m*

apple ['æpl] manzana *f*; **~ of the eye** pupila *f*; **~-pie** pastel *m* de manzana, tarta *f* de manzana; **~-tree** manzano *m*

appliance [ə'plaiəns] aparato *m*; dispositivo *m*, artefacto *m*

application [æpli'keiʃən] aplicación *f*; solicitud *f*

apply [ə'plai] *v/t* aplicar, utilizar; *v/i* ser pertinente, corresponder; **~ for** pedir

appoint [ə'pɔint] *v/t* nombrar; decretar, fijar; **~ment** cita *f*, compromiso *m*; nombramiento *m*

apportion [ə'pɔ:ʃən] *v/t* repartir, asignar

apprecia|te [ə'pri:ʃieit] *v/t* apreciar, estimar; *v/i com* subir de valor; **~tion** apreciación *f*

apprehen|d [æpri'hend] *v/t*, *v/i* comprender, percibir; recelar; aprehender, prender, capturar; **~sive** aprensivo, receloso; perspicaz; **~siveness** aprensión *f*; recelo *m*

apprentice [ə'prentis] *v/t* contratar como aprendiz; *s* aprendiz *m*; **~ship** aprendizaje *m*

apprise [ə'praiz] *v/t* informar, avisar

approach [ə'prəutʃ] *v/t*, *v/i* aproximar(se); acercar(se); *s* acceso *m*; paso *m*

approbation [æprə'beiʃən] aprobación *f*

appropriate [ə'prəuprieit] *v/t* apropiarse de; [ə'prəupriit] *a* apropiado, apto, a propósito

approv|al [ə'pru:vəl] aprobación *f*; asentimiento *m*; **~e** *v/t* sancionar, aprobar

approximate [ə'prɔksimeit] *v/t*, *v/i* aproximar(se); [ə'prɔksimit] *a* aproximado

apricot ['eiprikɔt] albaricoque *m*; *SA* damasco *m*

April ['eipril] abril *m*

apron ['eiprən] delantal *m*

apse [æps] ábside *m*

apt [æpt] apto; propenso; **~itude** ['æptitju:d] aptitud *f*

aqu|arium [ə'kwɛəriəm] acuario *m*; **~atic** [ə'kwætik] acuático; **~atics** deportes *m/pl* acuáticos

aquiline ['ækwilain] aguileño

Arab ['ærəb] *s*, *a* árabe; **~ian** [ə'reibjən] arábico, arábigo; **~ian Nights** Las Mil y una Noches; **~ic** árabe *m*; lengua *f* árabe

arable ['ærəbl] cultivable, arable

arbitrary ['ɑ:bitrəri] arbitrario

arbour ['ɑ:bə] glorieta *f*, cenador *m*

arc [ɑ:k] arco *m*; **~ade** [ɑ:'keid] arcada *f*

arch [ɑːtʃ] *arq* arco *m*; bóveda *f*; *a* socarrón; insigne

archaeolog|ist [ɑːki'ɔlə-dʒist] arqueólogo *m*; **~y** arqueología *f*

archaic [ɑː'keiik] arcáico, antiguado

arch|angel ['ɑːkeindʒəl] arcángel *m*; **~bishop** ['ɑːtʃ-'biʃəp] arzobispo *m*; **~er** ['ɑːtʃə] arquero *m*; **~ery** [~əri] tiro *m* de arco

architect ['ɑːkitekt] arquitecto *m*; **~ure** arquitectura *f*

arctic ['ɑːktik] ártico

ard|ent ['ɑːdənt] ardiente, vehemente; **~our** ardor *m*, pasión *f*; **~uous** arduo, duro, muy difícil

are [ɑː] eres, somos, sois, son; estás, estamos, estáis, están

area ['ɛəriə] área *f*, zona *f*

arena [ə'riːnə] arena *f*; *fig* campo *m*, terreno *m*

Argentine ['ɑːdʒəntain] *s* Argentina *f*; *a* argentino

argu|e ['ɑːgjuː] *v/t*, *v/i* argüir, discutir; razonar; **~ment** argumento *m*; discusión *f*, disputa *f*

arid ['ærid] árido

arise [ə'raiz] *v/i* elevarse, surgir; resultar (de)

arithmetics [ə'riθmətiks] aritmética *f*

ark [ɑːk] arca *f*

arm [ɑːm] *s* brazo *m*; *v/t*, *v/i* armar; **~ament** [~mənt] armamento *m*; **~chair** butaca *f*; **~ful** brazada *f*; **~istice** armisticio *m*;

~let brazal *m*, brazalete *m*; **~our** coraza *f*; **~oured car** carro *m* blindado; **~oury** armería *f*; **~pit** sobaco *m*; **~s** armas *f/pl*; **~y** ejército *m*; tropas *f/pl*

around [ə'raund] *adv* alrededor; *prep* alrededor de

arouse [ə'rauz] *v/t* despertar, excitar

arrange [ə'reindʒ] *v/t* arreglar; disponer; **~ment** arreglo *m*; disposición *f*

arrears [ə'riəz] atrasos *m/pl*, deudas *f/pl*

arrest [ə'rest] *v/t* detener, arrestar; *s* detención *f*, arresto *m*; paro *m*

arriv|al [ə'raivəl] llegada *f*; (el que ha) llegado *m*; **~e** *v/i* llegar; alcanzar éxito

arrogan|ce ['ærəgəns] arrogancia *f*; **~t** arrogante

arrow ['ærəu] flecha *f*

arsenic ['ɑːsnik] arsénico *m*

arson ['ɑːsn] *for* incendio *m* premeditado

art [ɑːt] arte *m*, *f*; destreza *f*; maña *f*; **~ful** mañoso; artificioso; **~fulness** astucia *f*; **~s** humanidades *f/pl*; letras *f/pl*

artichoke ['ɑːtitʃouk] alcachofa *f*

article ['ɑːtikl] artículo *m*

articulate [ɑː'tikjuleit] *v/t* articular, pronunciar; [~'tikjulit] *a* articulado; inteligible

artific|e ['ɑːtifis] artificio *m*, estratagema *m*; **~ial** [~'fiʃəl] artificial

assignment

artillery [ɑ:'tiləri] artillería f   [m]
artisan [ɑ:ti'zæn] artesano
artist ['ɑ:tist] artista m; ~e
[ɑ:'tist] artista m (del circo,
baile, etc); ~ic artístico
artless ['ɑ:tlis] natural, sencillo
as [æz, əz] adv como; ~ ... ~
tan(to) ... como; ~ far ~ en
cuanto; ~ good ~ práctica-
mente; ~ many ~ tantos
como; ~ soon ~ tan pronto
como; ~ well también; ~
well ~ así como (también);
conj como; aunque; ~ to en
cuanto a
ascend [ə'send] v/t, v/i ascender, subir; ~sion ascen-
sión f; ~t subida f; ascenso
m
ascertain [æsə'tein] v/t averiguar; cerciorarse de
ascetic [ə'setik] s, a ascético
ascribe [əs'kraib] v/t atribuir, achacar
aseptic [æ'septik] aséptico
ash [æʃ] fresno m; ceniza f
ashamed [ə'ʃeimd] avergonzado; to be ~ of feel ~ of
estar avergonzado de
ash|es ['æʃiz] ceniza f; ~-
-tray cenicero m
ashore [ə'ʃɔ:] en tierra, a
tierra; to go ~ bajar a tierra
Asia ['eiʃə] Asia f; ~tic a, s
[eiʃi'ætik] asiático(a) m (f)
aside [ə'said] de lado, a
parte; aparte (s teat)
ask [ɑ:sk] v/t preguntar;
formular (una pregunta);
pedir; invitar, convidar

askew [əs'kju:] torcido, la-
deado
asleep [ə'sli:p] dormido; to
fall ~ quedarse dormido
asparagus [əs'pærəgəs] espárrago m
aspect ['æspekt] aspecto m
asphyxiate [æs'fiksieit] v/t,
v/i asfixiar
aspir|ant [əs'paiərənt] as-
pirante m; candidato m; ~e
v/i aspirar
aspirin ['æspərin] aspirina f
ass [æs] asno m, burro m
assail [ə'seil] v/t asaltar,
acometer
assassin [ə'sæsin] asesino
m; ~ate v/t asesinar; ~a-
tion asesinato m
assault [ə'sɔ:lt] v/t asaltar;
s asalto m
assembl|age [ə'semblidʒ]
tecn montaje m; ~e
[ə'sembl] v/t juntar; tecn
montar; v/i reunirse; ~y
asamblea f, junta f; mon-
tura f, montaje m; ~y line
tecn línea f de montaje
assent [ə'sent] s asentimiento m; beneplácito m; v/i ~
to asentir a
assert [ə'sɜ:t] v/t afirmar,
aseverar
assess [ə'ses] v/t avaluar;
acotar; fijar
assets ['æsets] activo m, haber m
assiduous [ə'sidjuəs] asiduo; perseverante
assign [ə'sain] v/t asignar;
señalar, destinar; ~ment
asignación f; cesión f

assimilate [ə'simileit] v/t asimilar

assist [ə'sist] v/t asistir, ayudar; **~ance** ayuda f, auxilio m, asistencia f; **~ant** ayudante m; dependiente m (de comercio)

assizes [ə'saiziz] pl sesiones f/pl periódicas de un tribunal

associat|e [ə'əufieit] v/t asociar; v/i asociarse; adherirse; s socio m; **~ion** asociación f, sociedad f; **~ion football** balompié m, fútbol m

assort|ed [ə'sɔːtid] surtido, mixto; **~ment** surtido m

assum|e [ə'sjuːm] v/t asumir; presumir; usurpar; **~ed** supuesto; **~ption** [ə'sʌmpʃən] asunción f; postulado m, supuesto m

assur|ance [ə'ʃuərəns] seguridad f; promesa f; aseveración f; aplomo m; com seguro m; **~e** v/t asegurar, afirmar; **~ed** seguro, cierto; com asegurado

asthma ['æsmə] asma f

astonish [əs'tɔniʃ] v/t sorprender, asombrar; **~ed** sorprendido; **~ing** sorprendente, asombroso; **~ment** asombro m; sorpresa f

astound [əs'taund] v/t, v/i pasmar, consternar

astray [əs'strei]: **to go ~** extraviarse, perderse

astride [əs'traid] a horcajadas

astringent [əs'trindʒənt] med astringente

astronaut ['æstrənɔːt] astronauta m

astronom|er [əs'trɔnəmə] astrónomo m; **~y** astronomía f

astute [əs'tjuːt] astuto, sagaz

asunder [ə'sʌndə] en partes, en dos, a pedazos

asylum [ə'sailəm] asilo m

at [æt, ət] de; por; a, en; **~ best** en lo mejor de los casos; **~ home** en casa; **~ work** trabajando

atheist ['eiθiist] ateo m

athlet|e ['æθliːt] atleta m; **~ic** [ˌ'letik] atlético; **~ics** atletismo m

Atlantic [ət'læntik] atlántico

atmosphere ['ætməsfiə] atmósfera f

atom ['ætəm] átomo m; **~ bomb** bomba f atómica; **~ splitting** fisión f del átomo; **~ic** atómico; **~ic era** era f atómica; **~ic pile** pila f atómica; **~izer** pulverizador m

atroci|ous [ə'trəuʃəs] atroz; **~ty** [ˌ'sɔiti] atrocidad f

attach [ə'tætʃ] v/t atar, ligar; vincular; apegar; **~ment** apego m; afecto m

attack [ə'tæk] v/t atacar; s ataque m

attain [ə'tein] v/t conseguir

attempt [ə'tempt] v/t intentar; s tentativa f, prueba f

attend [ə'tend] v/t asistir a, concurrir a; atender, cuidar; ~ance asistencia f; presencia f; atención f; séquito m; ~ant ayudante m; asistente m; concurrente m

attention [ə'tenʃən] atención f; ~ion! ¡ojo!; ~ion please! ¡su atención, por favor!; ~ive atento

attest [ə'test] v/t atestiguar, certificar

attic ['ætik] desván m

attire [ə'taiə] atavío m; vestido m

attitude ['ætitju:d] actitud f

attorney [ə'tɔ:ni] for apoderado m; Am abogado m

attract [ə'trækt] v/t, v/i atraer; ~ion atracción f; ~ive atractivo

attribute [ə'tribju(:)t] v/t atribuir; ['ætribju:t] s atributo m

auburn ['ɔ:bən] castaño

auction ['ɔ:kʃən] subasta f pública; almoneda f; remate m

audacious [ɔ:'deiʃəs] audaz; ~ity [~'dæsiti] audacia f

audible ['ɔ:dəbl] oíble, perceptible; ~ence público m; audiencia f; audición f, entrevista f; ~tor interventor m, revisor m de cuentas

augment [ɔ:g'ment] v/t, v/i aumentar, crecer

August ['ɔ:gəst] agosto m

aunt [ɑ:nt] tía f

auspicious [ɔ:s'piʃəs] propicio, favorable

austere [ɔs'tiə] austero; ~ity [~'teriti] austeridad f

Australian [ɔs'treiljən] a, s australiano(a) m (f)

Austrian ['ɔstriən] a, s austríaco(a) m (f)

author ['ɔ:θə] autor m; escritor m; ~itative [ɔ:'θɔritətiv] autoritario; autorizado; perentorio; ~ity autoridad f; ~ize ['~raiz] autorizar, facultar; ~ship paternidad f literaria

auto|**matic** [ɔ:tə'mætik] automático; ~mation f automatización f

automobile ['ɔ:təməubi:l] automóvil m

autumn ['ɔ:təm] otoño m

avail [ə'veil] s provecho m; **of no** ~ fútil; v/i valer; **to** ~ **oneself of** servirse de; ~**able** disponible; aprovechable [alud m]

avalanche ['ævəlɑ:ntʃ]

avaric|**e** ['ævəris] avaricia f; ~**ious** [~'riʃəs] avaro, avaricioso [vengar]

avenge [ə'vendʒ] v/t, v/i

avenue ['ævinju:] avenida f; alameda f

average ['ævəridʒ] s promedio m; com avería f; **on the** ~ por término medio, en promedio; a mediano, ordinario

averse [ə'və:s] adverso, contrario

avert [ə'və:t] v/t desviar; prevenir

aviat|ion [eivi'eiʃən] avia-
ción *f*; **~or** ['eitə] aviador
m

avoid [ə'void] *v/t* evitar

avow [ə'vau] *v/t* confesar;
~al confesión *f*

await [ə'weit] *v/t* aguardar

awake [ə'weik] *v/t, v/i* des-
pertar(se); *a* despierto

award [ə'wɔːd] *v/t, v/i* otorgar; conceder, conferir; *s
for* fallo *m*; premio *m*

aware [ə'weə] sabedor; enterado

away [ə'wei] fuera, ausente;
far ~ lejos; **to go ~** marcharse

aw|e [ɔː] temor *m* reverente;
~e-struck espantado, despavorido; **~ful** terrible, espantoso; *fam* pésimo, atroz;
tremendo

awhile [ə'wail] (por) un
rato

awkward ['ɔːkwəd] torpe;
embarazoso, desagradable;
delicado (*situación, etc*)

awning ['ɔːniŋ] toldo *m*

awry [ə'rai] *a*, *adv* oblicuo;
de soslayo

ax(e) [æks] hacha *f*

axis ['æksis] eje *m*

axle ['æksl] *mec* eje *m*

azure ['æʒə] azul *m* celeste

B

babble ['bæbl] *v/t, v/i* balbucear; parlotear; barbo-
tar; *s* barboteo *m*; parloteo
m

babe [beib] criatura *f*; niño
m, cándido *m*

baboon [bə'buːn] mandril *m*

baby ['beibi] criatura *f*;
bebé *m*; **~hood** primera infancia *f* [*m*]

bachelor ['bætʃələ] soltero*

back *s* [bæk] espalda(s)*f(pl)*;
dorso *m*; reverso *m*, revés
m; *dep* zaguero *m*; *v/t*
apoyar; apostar a; financiar;
v/i retroceder, dar
marcha atrás; *adv* de vuelta;
atrás; **~bone** espina *f*
dorsal; **~fire** petardeo *m*; **~ground** fondo *m*; fundamento *m*; antecedentes
m/pl; **~stairs** escalera *f* de

servicio; **~stroke** brazada *f*
de espaldas (*en natación*);
~ward(s) *a* atrasado; *adv*
(hacia) atrás

bacon ['beikən] tocino *m*

bacterium [bæk'tiəriəm]
bacteria *f*

bad [bæd] malo; **too ~** ¡qué
lástima!; **~ly** mal; muchísimo

badge [bædʒ] distintivo *m*

badger ['bædʒə] tejón *m*

badminton ['bædmintən]
juego *m* del volante

baffle ['bæfl] *v/t* desconcertar; frustrar

bag [bæg] saco *m*; fardel *m*;
bolsa *f*; **~gage** *Am* equipaje *m*; *mil* bagaje *m*

bag|gy ['bægi] abolsado;
abombado; **~pipe** gaita *f*)

bail [beil] fianza *f*

bailiff ['beilif] alguacil *m*
bait [beit] cebo *m*
bake [beik] *v/t* cocer (*al horno*); *~r* panadero *m*; *~ry* panadería *f*
balance ['bæləns] *s* balanza *f*; balance *m*; equilibrio *m*; volante *m* (*de reloj*); *com* balance *m*; *v/t* balancear; equilibrar; *com* saldar
balcony ['bælkəni] balcón *m*; *teat* galería *f*
bald [bɔ:ld] calvo
bale [beil] *s* bala *f*; fardo *m*; *v/t* embalar; **to ~ out** saltar en paracaídas
balk [bɔ:k] *s carp* viga *f*; impedimento *m*; *v/t* impedir, frustrar; *v/i* plantarse (*caballo*)
ball [bɔ:l] pelota *f*; bola *f*; baile *m*; globo *m*; yema *f* (*del dedo*); *~ad* ['bæləd] romance *m*; *~ast* ['bæləst] lastre *m*; *~-bearing(s) tecn* cojinete *m* de bolas
ballet ['bælei] ballet *m*, baile *m* artístico
ballistics [bə'listiks] balística *f*
balloon [bə'lu:n] globo *m* (aerostático)
ballot ['bælət] balota *f*; votación *f*; *~ box* urna *f* electoral
ball-point pen ['bɔ:lpɔint pen] bolígrafo *m*, rotulador *m*
balm [bɑ:m] bálsamo *m*; *~y* balsámico; *fam* tonto, chiflado

Baltic ['bɔ:ltik] (**Sea**) (Mar) Báltico *m*
balustrade [bæləs'treid] barandilla *f* [*m*]
bamboo [bæm'bu:] bambú
ban [bæn] *s* prohibición *f* (oficial); *relig* excomunión *f*; *v/t* prohibir [*m*]
banana [bə'nɑ:nə] plátano
band [bænd] cinta *f*; *mús* banda *f*; *~age* venda *f*, vendaje *m*; *~box* sombrera *f*
bandit ['bændit] bandido *m*
bang [bæŋ] *s* estampido *m*; golpe *m* resonante; *v/t* golpear; cerrar de golpe
banish ['bæniʃ] *v/t* proscribir; desterrar; *~ment* destierro *m*
banisters ['bænistəz] pasamano *m*; barandilla *f*
bank [bæŋk] orilla *f*; banco *m*; banca *f*; *v/t* depositar en el banco; *~ account* cuenta *f* bancaria; *~er* banquero *m*; *~ing* operaciones *f/pl* bancarias; banca *f*; *~note* billete *m* de banco; *~rate* tipo *m* de descuento; *~rupt* ['~rʌpt] quebrado; *~ruptcy* quiebra *f*, bancarrota *f*
banner ['bænə] bandera *f*
banns [bænz] amonestaciones *f/pl*
banquet ['bæŋkwit] *s* banquete *m* [(cear]
banter ['bæntə] *v/i* chanza)
bapti|sm ['bæptizm] bautismo *m*; *~ze* ['~taiz] *v/t* bautizar

bar [ba:] *s* barra *f*; mostrador *m*; bar *m*; *fig* obstáculo *m*; **~s** rejas *f/pl*; *v/t* atrancar; enrejar; impedir

barbar|ian [ba:'beəriən] bárbaro *m*; **~ous** ['~bərəs] bárbaro

barbed [ba:bd]: **~ wire** alambre *m* de púas

barber ['ba:bə] barbero *m*, peluquero *m*

bare [beə] desnudo; escaso; mero; **~faced** descarado; **~foot(ed)** descalzo; **~headed** descubierto; **~ly** apenas

bargain ['ba:gin] *s* pacto *m*; ganga *f*; *v/t*, *v/i* negociar; regatear

barge [ba:dʒ] barcaza *f*; gabarra *f*

bark [ba:k] *s* corteza *f* (*de un árbol*); *mar* barca *f*; *v/i* ladrar

barkeeper ['ba:ki:pə] tabernero *m*

barley ['ba:li] cebada *f*

barmaid ['ba:meid] cantinera *f*

barn [ba:n] granero *m*; pajar *m*; hórreo *m*

barometer [bə'rɔmitə] barómetro *m*

barrack ['bærək] cuartel *m*

barrel ['bærəl] barril *m*; cañón *m*; **~ organ** organillo *m*   [árido]

barren ['bærən] estéril,]

barricade [bæri'keid] *s* barricada *f*; *v/t* obstruir

barrier ['bæriə] barrera *f*; obstáculo *m*

barrister ['bæristə] abogado *m*

barter ['ba:tə] *s* trueque *m*; *v/t* trocar; *v/i* traficar

base [beis] *a* bajo, vil, villano; *s* base *f*; *mil*, *quim* base *f*; *v/t* basar; apoyar; fundar; **~less** infundado; **~ment** sótano *m*

bashful ['bæʃful] tímido

basic ['beisik] básico

basin ['beisn] palangana *f*; *geog* cuenca *f*

bask [ba:sk] *v/i* tomar el sol

basket ['ba:skit] cesta *f*; canasta *f*; **~ball** baloncesto *m*

bass [beis] *mús* bajo *m*

bastard ['bæstəd] bastardo *m*

bat [bæt] *zool* murciélago *m*

bath [ba:θ] *s* baño *m*; *v/t* bañar (*niño, enfermo, etc*); **~e** [beið] *v/t* bañar; *v/i* bañarse (*al aire libre*); **~ing-costume** traje *m* de baño; **~tub** [ba:θ-] bañera *f*

baton ['bætən] vara *f*; *mús* batuta *f*

batter ['bætə] *v/t* golpear; demoler; **~ed** abollado; **~y** batería *f*

battle ['bætl] *s* batalla *f*; lucha *f*; *v/i* luchar; **~ship** acorazado *m*

bawl [bɔ:l] *v/i* bramar; llorar a gritos

bay [bei] *a* bayo; *s* bahía *f*; rada *f*; *bot* laurel *m*; *arq* entrepaño *m*; **at ~** acorralado; *v/t* ladrar; **~-window** mirador *m*

be [bi:, bi] *v/i* ser; estar; **to**

~ **in** estar (en *casa*, *etc*); to
~ **out** haber salido; **to** ~ **to**
deber
beach [bi:tʃ] playa *f*
beacon ['bi:kən] baliza *f*;
faro *m*
bead [bi:d] cuenta *f*; abalorio *m*; burbuja *f*; ~**s** rosario *m*
beak [bi:k] pico *m*
beam [bi:m] *s* arq viga *f*;
rayo *m* (de *luz*; *sol*); mar manga *f*; *v/t* emitir; ~**ing** radiante; alegre, vivo
bean [bi:n] haba *f*; judía *f*;
SA frijol *m*; habichuela *f*
bear [beə] *s* zool oso *m*; com bajista *m*; *v/t* aguantar;
dar a luz, parir; ~ **out** confirmar [barbudo]
beard [biəd] barba *f*; ~**ed**|
bear|er ['beərə] portador
m; ~**ing** porte *m*; ~**ings**
rumbo *m*, orientación *f*
beast [bi:st] bestia *f*; ~**ly**
brutal; asqueroso
beat [bi:t] *v/t* batir; pegar;
mús llevar (*el compás*); tocar; derrotar; *v/i* latir, palpitar; ~ **about the bush**
andarse por las ramas; *s*
golpe *m*; latido *m*; ronda *f*
(*del policía*); mús compás *m*
beaut|iful ['bju:təful] hermoso, bello; ~**ify** [~ifai]
v/t embellecer; ~**y** hermosura *f*; belleza *f*; ~**y parlour** salón *m* de belleza
beaver ['bi:və] castor *m*
because [bi'kɔz] *adv* porque; ~ **of** *prep* por; por causa de

beckon ['bekən] *v/t* llamar
por señas
become [bi'kʌm] *v/i* llegar
a ser; hacerse; volverse;
ponerse; *v/t* convenir a;
~**ing** que siente bien (*vestido*); ~**ing to** digno de
bed [bed] cama *f*; lecho *m*;
to go to ~ acostarse; ~**ding**
ropa *f* de cama; ~**ridden**
postrado en cama; ~**room**
dormitorio *m*; alcoba *f*; ~**spread** colcha *f*; ~**time**
hora *f* de acostarse
bee [bi:] abeja *f*; ~**hive** colmena *f*; ~**line** línea *f* recta
beech [bi:tʃ] haya *f*
beef [bi:f] carne *f* de res *o*
de vaca; ~**eater** alabardero
m del Tower; ~**steak** biftec
m; SA bife *m*; ~**tea** caldo
m
beer [biə] cerveza *f*
beet [bi:t] remolacha *f*
beetle ['bi:tl] escarabajo *m*
beetroot [bi:tru:t] raíz *f* de
remolacha
befall [bi'fɔ:l] *v/i* suceder;
sobrevenir
befit [bi'fit] *v/t* convenir a
before [bi'fɔ:] *adv* delante
(*lugar*); antes (*tiempo*); *prep*
delante de (*lugar*); ante;
antes de (*tiempo*); ~ **all**
ante todo; antes de nada;
~**hand** de antemano
beg [beg] *v/t* rogar; pedir;
v/i mendigar
beget [bi'get] *v/t* engendrar
beggar ['begə] mendigo *m*
begin [bi'gin] *s* comienzo *m*;
v/t, *v/i* empezar, comenzar

iniciar; **~ner** principiante
m; **~ning** comienzo m

beguile [bi'gail] v/t engañar; seducir

behalf [bi'hɑːf]: **on ~ of**
por; en nombre de; por
parte de

behav|e [bi'heiv] v/t, v/i
(com)portarse; obrar; con-
ducirse; **~iour** conducta f

behead [bi'hed] v/t decapitar

behind [bi'haind] adv atrás;
detrás; prep detrás de; tras;
s trasero m; fam culo m

being ['biːiŋ] ser m; persona
f; **for the time ~** por
ahora

belated [bi'leitid] tardío;
atrasado

belch [beltʃ] v/i regoldar,
eructar

belfry ['belfri] campanario
[m]

Belgi|an ['beldʒən] a, s belga;
~um ['~əm] Bélgica f

belie [bi'lai] v/t desmentir

belie|f [bi'liːf] creencia f;
~vable creíble; **~ve** v/t, v/i
creer; **to make ~ve** fingir;
~ver creyente m, fiel m

belittle [bi'litl] v/t menospreciar

bell [bel] (iglesia) campana
f; (eléctrico) timbre m; (ganado) cencerro m; **~boy**
botones m

belligerent [bi'lidʒərənt] a,
s beligerante

bellow ['beləu] v/i bramar;
gritar; **~s** fuelle m

belly ['beli] vientre m; panza f

belong [bi'lɔŋ] v/i pertenecer; **~ings** posesiones f/pl

beloved [bi'lʌvid] a, s que-
rido(a) m (f)

below [bi'ləu] adv abajo;
prep bajo; debajo de

belt [belt] cinturón m; faja
f; mec correa f

bench [ben(t)ʃ] banco m;
tribunal m

bend [bend] s vuelta f; curva f; v/t doblar; inclinar;
v/i encorvarse; torcerse

beneath [bi'niːθ] adv abajo;
debajo; prep bajo, debajo
de

bene|diction [beni'dikʃən]
bendición f; **~factor** ['~-
fæktə] bienhechor m; **~-
ficial** [~'fiʃəl] benéfico;
beneficioso; **~fit** ['~fit] beneficio m, provecho m; **~-
volent** [bi'nevələnt] béné-
volo

benzene ['benziːn] benceno
m

benzine ['benziːn] bencina f

bequeath [bi'kwiːð] v/t
legar

bequest [bi'kwest]legado m

bereave [bi'riːv] v/t privar;
~ment s duelo m; v/t deso-
lar, afligir

beret ['berei] boina f

berry ['beri] baya f

berth [bəːθ] s amarradero
m; camarote m; litera f; v/t
atracar

beseech [bi'siːtʃ] v/t implorar; suplicar

beside [bi'said] prep al lado
de, junto a; **~s** adv además

besiege [bi'si:dʒ] v/t sitiar; asediar

best [best] el (lo) mejor; óptimo; superior; **~ man** padrino *m* de boda; **~ seller** éxito *m* de librería; **to do one's ~** hacer todo lo posible; **to make the ~ of it** salir lo mejor posible

bestow [bi'stəu] v/t conferir; otorgar

bet [bet] s apuesta *f*; v/t, v/i apostar

betray [bi'trei] v/t traicionar; revelar; **~al** traición *f*; **~er** traidor *m*

betrothed [bi'trəuðd] prometido(a) *m* (*f*)

better ['betə] a, adv mejor; **it is ~ to** más vale; **so much the ~** tanto mejor; **to get ~** mejorarse; v/t mejorar

between [bi'twi:n] entre

bevel ['bevəl] bisel *m*

beverage ['bevəridʒ] bebida *f*

beware [bi'weə] v/t, v/i precaverse; **~ of ...!** ¡cuidado con (*el perro, etc.*)!

bewilder [bi'wildə] v/t dejar perplejo; aturdir; **~ment** aturdimiento *m*

bewitch [bi'witʃ] v/t hechizar, embrujar

beyond [bi'jɔnd] adv al otro lado; allende; prep más allá de; además de; allende

bias ['baiəs] s sesgo *m*; prejuicio *m*, parcialidad *f*; v/t predisponer

bib [bib] babero *m*

Bible ['baibl] Biblia *f*

bicarbonate [bai'kɑ:bənit] bicarbonato *m*

bicycle ['baisikl] bicicleta *f*

bid [bid] v/t mandar; expresar; licitar; pujar; **~ding** orden *f*; mandato *m*; oferta *f*, licitación *f*

bier [biə] féretro *m*

big [big] grueso; grande; **~ game** caza *f* mayor; **~ head** presunción *f*; **to talk ~** fanfarronear; **~time** influyente; **~wig** fam pez *m* gordo, hombre *m* de fuste

bike [baik] fam bicicleta *f*

bile [bail] bilis *f*; hiel *f*

bill [bil] com cuenta *f*, nota *f*; factura *f*; billete *m*; cédula *f*; lista *f*; proyecto *m* de ley; cartel *m*, letrero *m*; pico *m* (*de ave*); **~ of exchange** letra *f* de cambio; **~ of fare** menú *m*; minuta *f*; **~ of lading** conocimiento *m* de embarque

billet ['bilit] s mil acantonamiento *m*; v/t acantonar

billiards ['biljədz] billar *m*

billion ['biljən] billón *m*, *Am* mil millones *m/pl*

billow ['biləu] v/i ondular; s ola *f*, onda *f*

bind [baind] v/t sujetar, atar, ligar; encuadernar; obligar; **~ing** *a* obligatorio; s encuadernación *f*; ligadura *f*

biography [bai'ɔgrəfi] biografía *f*   [gía *f*]

biology [bai'ɔlədʒi] biolo-

birch [bə:tʃ] abedul *m*

bird [bə:d] ave *f*; pájaro *m*; **~ of passage** ave *f* de paso; **~ of prey** ave *f* de rapiña; **~'s-eye view** (a) vista *f* de pájaro

birth [bə:θ] nacimiento *m*; **to give ~ (to)** dar a luz; **~control** control *m* de la natalidad; **~day** cumpleaños *m*; **~place** lugar *m* de nacimiento; **~rate** natalidad *f*

biscuit ['biskit] galleta *f*

bishop ['biʃəp] obispo *m*; alfil *m* (*de ajedrez*)

bison ['baisn] bisonte *m*

bit [bit] poquito *m*; bocado *m*; **a little ~** un poquito; **~ by ~** poco a poco

bitch [bitʃ] perra *f*

bite [bait] *s* mordisco *m*; bocado *m*; *v/t*, *v/i* morder; picar

bitter ['bitə] *a* amargo; severo; penoso; **~s** amargo *m*; licor *m* amargo; **~ness** amargura *f*

black [blæk] *a*, *s* negro(a) *m* (*f*); tie *f* de negro; *v/t* embetunar (*zapatos*); **~berry** zarzamora *f*; **~bird** mirlo *m*; **~board** pizarra *f*; **~eye** ojo *m* amoratado; **~mail** chantaje *m*; **~market** mercado *m* negro; **~out** apagón *m*; **~smith** herrero *m*

bladder ['blædə] vejiga *f*; ampolla *f*

blade [bleid] hoja *f* (*de espada, de cuchillo*); pala *f* (*de remo*); hoja *f* (*de hélice*)

blame [bleim] *s* censura *f*; culpa *f*; *v/t* censurar, culpar; **~less** inocente

bland [blænd] blando

blank [blæŋk] *a* en blanco; vacío; vago, sin expresión (*mirada, etc*); sin interés; **~verse** verso *m* libre; *s* formulario *m*

blanket ['blæŋkit] manta *f*; *SA* frazada *f*

blast [bla:st] *s* ráfaga *f*; soplo *m*; carga *f* explosiva; explosión *f*; *v/t* volar (*con dinamita*); **~ furnace** alto horno *m*; **~ (it)!** ¡maldito sea!; **~off** despegue *m* (*de un cohete*)

blaze [bleiz] *s* llamarada *f*; *v/i* arder; llamear

bleach [bli:tʃ] *v/t* blanquear

bleak [bli:k] desierto, yermo; frío; desolado, sombrío

bleat [bli:t] *v/i* balar; *s* balido *m*

bleed [bli:d] *v/t* sangrar; *v/i* sangrar, perder sangre

blemish ['blemiʃ] *v/t* denigrar; manchar; *s* tacha *f*; defecto *m*

blend [blend] mezcla *f*; combinación *f*; *v/t* mezclar, combinar

bless [bles] *v/t* bendecir; **~ my soul!** ¡válgame Dios!; **~ed** bendito; **~ing** bendición *f*; gracia *f*

blind [blaind] *a* ciego; *s* celosía *f*; persiana *f*; *fig* pretexto *m*; *v/t* cegar; deslumbrar; **~alley** callejón *f*

sin salida; **~ness** ceguera f, ceguedad f

blink [bliŋk] s guiño m; centelleo m; v/t guiñar; pasar por alto

bliss [blis] felicidad f

blister ['blistə] ampolla f

blizzard ['blizəd] ventisca f

bloat [bləut] v/t hinchar; **~er** arenque m ahumado

block [blɔk] s bloque m; zoquete m; obstrucción f; **~ of houses** manzana f (casas), SA cuadra f; v/t obstruir; bloquear; **~ade** [blɔ'keid] bloqueo m; **~-head** zopenco m; **~ letter** letra f de imprenta

blond(e) [blɔnd] a, s rubio(a) m (f)

blood [blʌd] sangre f; **in cold ~** a sangre fría; **~shed** matanza f; **~shot** ensangrentado; **~thirsty** sanguíneo; **~ vessel** vaso m sanguíneo; **~y** sangriento; fam maldito

bloom [blu:m] s florecimiento m; v/i florecer

blossom ['blɔsəm] s flor f; v/i florecer

blot [blɔt] s borrón m; mancha f; v/t **~ out** borrar, tachar; **~ting paper** papel m secante

blouse [blauz] blusa f

blow [bləu] s golpe m; revés m; soplido m; v/t soplar; mús tocar; **~ one's nose** sonarse; **~ up** v/t volar; foto ampliar; v/i estallar;

~pipe soplete m; cerbatana f [porra f]

bludgeon ['blʌdʒən] cachi-

blue [blu:] azul; animado, triste; **~bell** campánula f; **~bottle** moscón m; **~print** calco m azul; fig plan m de acción

bluff [blʌf] s fanfarronada f; v/i aparentar, baladronear

blunder ['blʌndə] s patochada f; disparate m; v/t disparatar, equivocarse

blunt [blʌnt] desafilado; romo; obtuso; rudo; brusco

blur [blə:] s mancha f; v/t empañar, manchar

blush [blʌʃ] s sonrojo m; v/i sonrojarse, ruborizarse

bluster ['blʌstə] v/i bravear

boar [bɔ:] verraco m; **wild ~** jabalí m

board [bɔ:d] tabla f; tablero m; pensión f; **~ and lodging** cuarto y comida; **♀ of Trade** Ministerio m de Comercio; **on ~** a bordo; v/t subir a bordo de; enmaderar; **~er** huésped m; alumno m interno; **~ing-house** pensión f; casa f de huéspedes; **~ing-school** internado m

boast [bəust] s jactancia f; v/t ostentar; v/i alardear; jactarse, vanagloriarse

boat [bəut] bote m; barco m; barca f; **~ing** paseo m en bote; **~-race** regata f; **~swain** ['bəusən] contramaestre m

bob

bob [bɔb] *s fam* chelín *m*;
v/t, v/i menear(se)

bobby ['bɔbi] *fam* policía *m*

bodice ['bɔdis] corpiño *m*

body ['bɔdi] cuerpo *m*; casco *m* (*de barco*); carrocería *f* (*de coche*); gremio *m*, corporación *f*; **~guard** guardaespaldas *m*

bog [bɔg] pantano *m*

boil [bɔil] *v/t, v/i* hervir,
cocer; *s* furúnculo *m*; **~ over** rebosar(se); **~ed egg**
huevo *m* pasado por agua;
~er caldero *m*; caldera *f*

boisterous ['bɔistərəs] ruidoso, alborotado

bold [bəuld] atrevido, audaz; valiente

Bolshevik ['bɔlʃəvik] *s, a*
bolchevique

bolster ['bəulstə] travesero
m

bolt [bəult] *s* perno *m*; pasador *m*; rayo *m*; saeta *f*; *v/t*
acerrojar; **~ upright** enhiesto

bomb [bɔm] *s* bomba *f*; *v/t*
bombardear; **~er** bombardero *m*

bombard [bɔm'ba:d] *v/t*
bombardear

bond [bɔnd] *s* lazo *m*; ligazón *f*; *com* bono *m*, título
m; *v/t* hipotecar; **~age** servidumbre *f*, esclavitud *f*;
~ed afianzado, depositado
bajo fianza; **~ed warehouse** depósito *m* de aduanas [na]

bone [bəun] hueso *m*; espina *f*

bonfire ['bɔnfaiə] hoguera *f*

bonnet ['bɔnit] gorra *f*; toca
f

bonus ['bəunəs] prima *f*;
premio *m*; gratificación *f*

bony ['bəuni] huesudo

book [buk] *s* libro *m*; *teat*
libreto *m*; *v/t* reservar (*cuarto, etc*); asentar; **~binder**
encuadernador *m*; **~case**
armario *m* para libros; **~ing
clerk** taquillero *m*; **~ing
-office** despacho *m* de billetes, taquilla *f*; *SA* boletería *f*; **~keeper** tenedor
m de libros; **~let** ['~lit] folleto *m*; **~maker** corredor
m de apuestas; **~seller** librero *m*; **~shop** librería *f*

boom [bu:m] prosperidad
f; auge *m* repentino

boor [buə] patán *m*

boost [bu:st] *s tecn* incremento; *v/t* levantar; fomentar

boot [bu:t] bota *f*; botín *m*;
maletera *f* (*de automóvil*);
to ~ para colmos, además;
~black limpiabotas *m*; **~jack** sacabotas *m*; **~y** botín
m [frontera *f*]

border ['bɔ:də] borde *m*;

bor|e [bɔ:] *v/t* taladrar;
aburrir, dar la lata a; *s* latoso *m*, pelmazo *m*; **~edom**
aburrimiento *m*; **~ing** aburrido, latoso

borough ['bʌrə] villa *f*;
pueblo *m*

borrow ['bɔrəu] *v/t, v/i* pedir, tomar prestado

bosom ['buzəm] seno *m*;
pecho *m*

boss [bɔs] *s* jefe *m*, patrón *m*, amo *m*, cacique *m*; *v/t* dominar

botany ['bɔtəni] botánica *f*

botch [bɔtʃ] *s* chapucería *f*; *v/t* frangollar, embarullar

both [bəuθ] *a* ambos; *pron* los (las) dos, ambos(as); ~ ... **and** tanto ... como

bother ['bɔðə] *s* molestia *f*, fastidio *m*; *v/t* fastidiar, molestar; *v/i* preocuparse; molestarse

bottle ['bɔtl] *s* botella *f*; ~ **up** embotellar; *fig* reprimir [*m*; trasero *m*)

bottom ['bɔtəm] *s* fondo)

bough [bau] rama *f*

boulder ['bəuldə] pedrón *m* rodado, pedrejón *m*

bounce [bauns] *v/i* rebotar

bound [baund] *v/t* confinar, limitar; *v/i* saltar; *s* límite *m*, término *m*; *a* atado, ligado; ~ **for** destinado a; con rumbo a; **~ary** límite *m*, linde *m*; **~less** infinito, ilimitado

bounty ['baunti] generosidad *f*; merced *f*

bouquet [bu'kei] ramo *m* de flores; nariz *f* (*del vino*)

bout [baut] tanda *f*, turno *m*; *med* ataque *m*; *dep* asalto *m*

bow [bəu] *s* arco *m*; [bau] saludo *m*; *mar* proa *f*; *v/t* doblar; saludar; *v/i* inclinarse, hacer reverencia

bowels ['bauəlz] intestinos *m/pl*

bower ['bauə] cenador *m*

bowl [bəul] *s* escudilla *f*; bolo *m*; *v/i* jugar a las bochas

bowler ['bəulə] (sombrero *m* de) hongo *m*

box [bɔks] *v/i* boxear; *v/t* abofetear; *s* caja *f*; *teat* palco *m*; casilla *f*; **~ing** boxeo *m*; **~ office** taquilla *f*

boy [bɔi] muchacho *m*; niño *m*; **~hood** niñez *f*; **~ish** amuchachado; **~ scout** niño *m* explorador

boycott ['bɔikɔt] *v/t* boicotear

bra [brɑː] *fam* sostén *m*

brace [breis] *v/t* arriostrar, apuntalar; asegurar; *s* abrazadera *f*, riostra *f*; **~let** brazalete *m*; pulsera *f*; **~s** tirantes *m/pl*

bracket ['brækit] *v/t* poner entre paréntesis; *s* ménsula *f*; soporte *m*; grupo *m*; **~s** paréntesis *m*

brag [bræg] *v/t*, *v/i* jactarse, fanfarronear; **~gart** ['~ɔt] bravucón *m*, fanfarrón *m*

braid [breid] *s* trencilla *f*; *v/t* trenzar

brain [brein] cerebro *m*; **~s** *fig* sesos *m/pl*; **~washing** *fig* lavado *m* del cerebro; **~wave** idea *f* luminosa, inspiración *f* súbita

brake [breik] *s* freno *m*; *bot* helecho *m*; *v/t* frenar

bramble ['bræmbl] zarza *f*

branch [brɑːntʃ] *v/i* ramificarse; *s* rama *f*; ramo *m*; sucursal *f*, sección *f*; **~line** ramal *m*

brand [brænd] s tizón m
(*fuego*); hierro m (*ganado*);
marca f, estigma m; **~new**
flamante

brandy ['brændi] coñac m;
aguardiente m

brass [braːs] latón m

brassière ['bræsiə] sostén m

brat [bræt] mocoso m, rapaz
m

brave [breiv] v/t desafiar;
a valiente; **~ry** valentía f;
proeza f

bravo! ['braːvəu] ¡olé!;
¡bravo!

brawl [brɔːl] s alboroto m;
camorra f; v/i armar ca-
morra

bray [brei] rebuzno m

brazen ['breizn] de bronce,
bronceado; **~ly** descarado

Brazilian [brə'ziljən] a, s
brasileño(a) m (f)

breach [briːtʃ] v/t, v/i abrir
una brecha (en); s rotura f,
rompimiento m; s infrac-
ción f, violación f; brecha f

bread [bred] pan m; **~ and
butter** pan m con mante-
quilla; fig pan m de cada día

breadth [bredθ] ancho m

break [breik] s pausa f; rotura f; quiebra f; grieta f;
v/t romper, quebrar; frac-
turar; infringir (*ley*); aba-
tir; comunicar (*noticia*);
hacer saltar (*la banca*); v/i
romperse; abrirse; partirse;
quebrar(se); **~ away** escaparse; **~ down** perder el
ánimo; desplomarse; **~ out**
estallar; **~down** colapso m;

mec avería f; **~fast** ['brek-
fəst] desayuno m; **~up** di-
solución f; desintegración f

breast [brest] pecho m;
seno m; **to make a clean ~
of** confesar

breath [breθ] aliento m; **to
hold one's ~** contener el
aliento; **~e** [briːð] v/i respi-
rar; vivir; **~ing** respiración
f; **~less** ['breθlis] falto de
aliento, sofocado

breeches ['britʃiz] calzones
m/pl

breed [briːd] s casta f; raza
f; v/t engendrar; criar; v/i
multiplicarse; **~ing** crianza
f; educación f

breeze [briːz] brisa f

brethren ['breðrin] relig
hermanos m/pl

brew [bruː] s infusión f;
mezcla f; v/t fabricar (*cerveza*); tramar; v/i amenazar (*tormenta*); **~ery** cerve-
cería f, fábrica f de cerveza

bribe [braib] s soborno m;
v/t sobornar; **~ry** cohecho
m

brick [brik] s ladrillo m; v/t
enladrillar; **~layer** albañil
m; **~work** albañilería f

brid|al ['braidl] nupcial; **~e**
novia f, desposada f; **~e-
groom** novio m, desposa-
do m; **~esmaid** madrina f
de boda

bridge [bridʒ] v/t tender un
puente sobre; **~ a gap** fig
llenar un vacío; s puente m,
f; bridge m (*juego de naipes*)

bubble

bridle ['braidl] v/t embridar; v/i erguirse; s brida f; **~-path** camino m de herradura

brief [bri:f] s sumario m; resumen m; for escrito m, alegato m; relig breve m apostólico; a corto, sumario; **~case** cartera f

brigand ['brigənd] bandolero m; **~age** latrocinio m

bright [brait] claro, brillante; despierto, inteligente; **~en** v/t iluminar; avivar; v/i aclararse; avivarse; **~ness** resplandor m; claridad f, agudeza f, viveza f de ingenio

brillian|ce, ~cy ['briljəns, '~si] brillantez f; **~t** brillante

brim [brim] borde m; labio m (de vasija); ala f (de sombrero); **~ful** repleto

brine [brain] salmuera f

bring [briŋ] v/t traer; conducir; rendir; **~ about** originar, causar; **~ forth** producir; parir; **~ forward** com llevar (saldo); **~ up** criar, educar

brink [briŋk] borde m

brisk [brisk] vivo; rápido, activo

bristle ['brisl] v/t, v/i erizar(se); s cerda f

brittle ['britl] quebradizo, frágil

broach [brəutʃ] v/t introducir (tópico)

broad [brɔːd] ancho; amplio; **~cast** v/t, v/i emitir;

radiar; s emisión f; **~en** v/t, v/i ensanchar(se); **~-minded** tolerante; generoso

broil [brɔil] v/t soasar, abrasar; v/i asarse

broke [brəuk] fam arruinado; **to be ~** estar sin blanca

broker ['brəukə] corredor m; agente m

bronze [brɔnz] bronce m

brooch [brəutʃ] broche m

brood [bruːd] v/t empollar; v/i **~ over** rumiar; s cría f; camada f

brook [bruk] arroyo m

broom [bruːm] escoba f; retama f

broth [brɔθ] caldo m

brothel ['brɔθl] burdel m

brother ['brʌðə] hermano m; **~hood** hermandad f; **~-in-law** cuñado m; **~ly** fraternal

brow [brau] ceja f; frente f

brown [braun] a marrón; moreno; castaño; pardo; **~ paper** papel m de estraza; v/t tostar, broncear

bruise [bruːz] s contusión f; magulladura f; v/t magullar

brush [brʌʃ] s cepillo m; brocha f; v/t cepillar; **~ up** pulir; fig repasar; **~ against** v/t rozar

Brussels ['brʌslz] Bruselas f; **~ sprouts** col f de Bruselas

brut|al ['bruːtl] brutal; **~ality** ['~tæliti] brutalidad f; **~e** [bruːt] bruto m; bestia f

bubble ['bʌbl] s burbuja f; **~ bath** baño m espumoso; v/i burbujear; bullir

buck [bʌk] macho *m* cabrío;
gamo *m*; *fig* pisaverde *m*

bucket ['bʌkit] cubo *m*

buckle ['bʌkl] *v/t* abrochar
con hebilla; *v/i* encorvarse;
s hebilla *f*   [rán *m*]

buckram ['bʌkrəm] buca-ſ

buckskin ['bʌkskin] piel *f*
de ante

bud [bʌd] *v/t* injertar; *v/i*
brotar; *s* brote *m*, cogollo
m; yema *f*

budget ['bʌdʒit] presupuesto *m*

buff|alo ['bʌfələu] búfalo
m; **~er** ['bʌfə] amortiguador *m*; tope *m*; **~et**
['bʌfit] *v/t* abofetear; *s* bofetada *f*; ['bufei] aparador
m

bug [bʌg] sabandija *f*;
chinche *f*; **~bear** espantajo
m

bugle ['bjuːgl] corneta *f*,
clarín *m*; **~r** corneta *m*

build [bild] *v/t* construir;
edificar; establecer; **~er**
constructor *m*; **~ing** construcción *f*; edificio *m*

built-in ['bilt'in] empo-
trado; incorporado

bulb [bʌlb] *bot* bulbo *m*;
elec bombilla *f*

bulge [bʌldʒ] *v/t*, *v/i* com-
bar(se); *s* comba *f*; protuberancia *f*

bulk [bʌlk] masa *f*; volumen
m; (la) mayor parte *f*; **in ~**
(*mercancías*) a granel; **~y**
voluminoso

bull [bul] *zool* toro *m*; bula
f; *com* alcista *m*

bullet ['bulit] bala *f*

bulletin ['bulitin] boletín *m*

bull|fight ['bulfait] corrida
f de toros; **~fighter** torero
m; **~-headed** terco; **~ring**
plaza *f* de toros

bullion ['buljən] lingote *m*
(*de oro, etc*)

bully ['buli] *v/t* intimidar

bump [bʌmp] *v/t* golpear;
v/i chocar contra; *s* choque
m; chichón *m*; **~er** parachoques *m*

bun [bʌn] bollo *m*; (*de pelo*)
moño *m*

bunch [bʌntʃ] manojo *m*;
racimo *m*

bundle ['bʌndl] *s* lío *m*; haz
m (*de leña*); *v/t* liar, atar

bungalow ['bʌŋgələu] casita *f* campestre

bungle ['bʌŋgl] *v/t* estropear, chapucear, frangollar

bunk [bʌŋk] litera *f*; tarima
f; **~er** carbonera *f*

bunny ['bʌni] conejillo *m*

buoy [bɔi] *s* boya *f*; **~ant**
boyante; animado

burden ['bəːdn] *s* carga *f*;
v/t cargar; **~some** pesado;
oneroso

bureau [bjuəˈrəu] oficina *f*

burgl|ar ['bəːglə] ladrón *m*;
~ary robo *m* con allanamiento (*de morada*)

burly ['bəːli] corpulento

burn [bəːn] *v/t* quemar; *v/i*
arder; *s* quemadura *f*; **~er**
mechero *m*; **~ing** ardiente,
en llamas

burnish ['bəːniʃ] *v/t* bruñir

burst [bəːst] *v/t* reventar,

　　　　　　　　　　　　　　　　　　cackle

romper; v/i estallar, reventar; ~ **into tears** desatarse en lágrimas; s estallido m; explosión f; ~ **of laughter** carcajada f

bury ['beri] v/t enterrar

bus [bʌs] autobús m

bush [buʃ] arbusto m; ~**y** tupido, espeso

business ['biznis] negocio m; ocupación f; asunto m; ~ **hours** horas f/pl de oficina; ~ **letter** carta f comercial; ~**like** sistemático, práctico; ~**man** hombre m de negocios; ~ **trip** viaje m de negocios; ~ **year** ejercicio m

bust [bʌst] busto m; pecho m

bustle ['bʌsl] v/i apresurarse; s animación f; ajetreo m

busy ['bizi] ocupado

but [bʌt] pero; sino; excepto; solamente; ~ **for** a no ser por; ~ **then** pero por otra parte

butcher ['butʃə] v/t matar; s carnicero m; ~**y** carnicería f

butler ['bʌtlə] mayordomo m

butt [bʌt] tonel m; cabo m

butter ['bʌtə] s mantequilla f; v/t untar con mantequilla; ~**cup** bot ranúnculo m; ~**fly** mariposa f

buttock ['bʌtɒk] nalga f

button ['bʌtn] v/t abotonar; s botón m; ~**hole** ojal m

buttress ['bʌtris] arq contrafuerte m; **flying** ~ arbotante m

buxom ['bʌksəm] rolliza

buy [bai] comprar; ~**er** comprador m

buzz [bʌz] v/i zumbar; s zumbido m

by [bai] prep por; al lado de; junto a; adv al lado; aparte; cerca; ~ **day** de día; ~ **and** ~ poco a poco; ~**election** elección f parcial; ~**gone** pasado; ~**law** estatuto m; reglamento m; ~**pass** desvío m; ~**product** producto m secundario; ~**stander** circunstante m, espectador m; ~**street** callejuela f; ~**-way** camino m apartado; ~**word** refrán m

bye-bye! ['bai'bai] fam ¡adiós!

C

cab [kæb] coche m; taxi m

cabbage ['kæbidʒ] col f; repollo m

cabin ['kæbin] cabaña f; mar camarote m; cabina f; ~**et** ['~it] gabinete m; ~**et council** consejo m de ministros; ~**etmaker** ebanista m

cable ['keibl] s cable m; v/t, v/i cablegrafiar

cabstand ['kæbstænd] parada f de taxis

cackle ['kækl] s cacareo m; v/i cacarear

cactus ['kæktəs] cacto *m*

cadger ['kædʒə] gorrón *m*

café ['kæfei] café *m*, cafetería *f*; restaurante *m*

cage [keidʒ] *s* jaula *f*; *v/t* enjaular

cake [keik] pastel *m*; torta *f*; pastilla *f* (*de jabón*)

calamity [kə'læmiti] calamidad *f*, desastre *m*

calcula|te ['kælkjuleit] *v/t* calcular; **~tion** cálculo *m*

calendar ['kælində] almanaque *m*; calendario *m*

calf [kɑːf] *zool* ternero(a) *m* (*f*); *anat* pantorilla *f*

calibre ['kælibə] calibre *m* (*t fig*)

call [kɔːl] *s* llamada *f*; llamamiento *m*; vocación *f*; visita *f*; *v/t* llamar; proclamar; ~ **back** volver a llamar; ~ llamar; dar voces; ~ **at** pasar por, visitar; *mar* hacer escala en (*puerto*); ~ **for** ir por; pedir; ~ **on** visitar; **~box** cabina *f* telefónica; **~er** visitante *m*; llamador *m*; **~ing** vocación *f*

calm [kɑːm] *a* sereno, tranquilo; *s* calma *f*; tranquilidad *f*; serenidad *f*; *v/t* calmar; *v/i* ~ **down** tranquilizarse

calorie ['kæləri] caloría *f*

columniate [kə'lʌmnieit] *v/t*, *v/i* calumniar; **~y** ['kæləmni] calumnia *f*

cambric ['keimbrik] batista *f*

camel ['kæməl] camello *m*

camera ['kæmərə] foto cá-

mara *f*; **~man** cine operador *m*

camomile ['kæməumail] manzanilla *f*

camouflage ['kæmuflɑːʒ] *s* camuflaje *m*; disfraz *m*; *v/t* camuflar; enmascarar

camp [kæmp] *s* campamento *m*; campo *m*; *v/i* acampar; **~bed** catre *m* (*de tijera*); **~stool** silla *f* plegadiza

campaign [kæm'pein] campaña *f* [for *m*]

camphor ['kæmfə] alcanfor *m*

can [kæn] *s* lata *f*; *v/t* enlatar; **~opener** abrelatas *m*

can *defectivo usado como verbo auxiliar:* poder; saber; **I ~ go** puedo ir; **I ~ read** sé leer

Canadian [kə'neidjən] *a*, *s* canadiense *m*, *f*

canal [kə'næl] canal *m*

canary [kə'nɛəri] canario *m*

cancel ['kænsəl] *v/t* cancelar; revocar; **~lation** cancelación *f*; anulación *f*

cancer ['kænsə] cáncer *m*

candid ['kændid] cándido; sincero

candidate ['kændidit] candidato *m* [rado]

candied ['kændid] almibarado]

candle ['kændl] candela *f*; vela *f*; bujía *f*; **~stick** candelero *m*; palmatoria *f*

cane [kein] caña *f*; bastón *m*

canister ['kænistə] lata *f*

cannon ['kænən] cañón *m*; (*billar*) carambola *f*; **~shot** cañonazo *m*

carriage

canoe [kə'nu:] canoa *f*; piragua *f* [regla *f*]

canon ['kænən] canon *m*;

canteen [kæn'ti:n] cantina *f*

canter ['kæntə] *s* medio galope *m*

canvas ['kænvəs] lona *f*; lienzo *m*; **~s** *v/t* solicitar (*votos, etc*)

cap [kæp] gorra *f*; tapa *f*

capa|bility [keipə'biliti] capacidad *f*; **~ble** capaz; **~city** [kə'pæsiti] capacidad *f*; cabida *f*

cape [keip] *geog* cabo *m*; capa *f*

caper ['keipə] *bot* alcaparra *f*; brinco *m*; cabriola *f*

capital ['kæpitl] *s com* capital *m*; (*ciudad*) capital *f*; *arq* capitel *m*; *a* capital; magnífico; **~ letter** mayúscula *f*; **~ism** capitalismo *m*

capitulate [kə'pitjuleit] *v/i* capitular (*prichoso*)

capricious [kə'priʃəs] caprichoso

capsize [kæp'saiz] *v/t, v/i* zozobrar; volcar(se)

capstan ['kæpstən] cabrestante *m*

captain ['kæptin] capitán *m*

caption ['kæpʃən] encabezamiento *m*; leyenda *f*; *cine* subtítulo *m*

captiv|ate ['kæptiveit] *v/t* captar; **~e** *s, a* cautivo; **~ity** [.'tiviti] cautiverio *m*

capture ['kæptʃə] *v/t* capturar, apresar; *fig* cautivar; *s* captura *f*

car [ka:] coche *m*; auto *m*; *SA* carro *m*

caravan [kærə'væn] caravana *f*; carromato *m*

carbon ['ka:bən] carbono *m*; **~ paper** papel *m* carbón

carbuncle ['ka:bʌŋkl] (*piedra*) carbunclo *f*; *med* carbunco *m*

card [ka:d] *s* tarjeta *f*; carta *f*; (*baraja*) naipe *m*; *v/t* cardar; **~board** cartón *m*; **~igan** ['.igən] chaleco *m* de punto

cardinal ['ka:dinl] carde-*f*

care [keə] *s* cuidado *m*; atención *f*; preocupación *f*; **take ~ of** cuidar; *v/i* **~ for** cuidar; querer; gustarle a uno; **~free** despreocupado; **~ful** cuidadoso; **~less** descuidado; **~taker** guardián *m*; **~worn** agobiado

career [kə'riə] carrera *f*

caress [kə'res] caricia *f*

cargo ['ka:gəu] carga *f*; cargamento *m*

caricature [kærikə'tjuə] caricatura *f*

carnation [ka:'neiʃən] clavel *m* [val *m*]

carnival ['ka:nivəl] carna-

carol ['kærəl] villancico *m*

carp [ka:p] *s* carpa *f*; *v/i* criticar

carpenter ['ka:pintə] carpintero *m*

carpet ['ka:pit] alfombra *f*

carriage ['kæridʒ] carruaje *m*; vagón *m*; coche *m*; transporte *m*; acarreo *m*; *com* porte *m*

carrier ['kæriə] transportador *m*; compañía *f* de transportes; *med* portador *m*; *aer* portaaviones *m*

carrot ['kærət] zanahoria *f*

carry ['kæri] *v/t* llevar; transportar; tener (encima); *com* tener en existencia; **~ away** llevarse; *v/i* **~ on** continuar, seguir; **~ out** realizar

cart [kɑːt] *s* carro *m*; carreta *f*; *v/t* acarrear; **~er** carretero *m*; **~-load** carretada *f*

cartoon [kɑː'tuːn] caricatura *f*; *cine* dibujo *m* animado; **~ist** caricaturista *m*

cartridge ['kɑːtridʒ] cartucho *m*

carv|e [kɑːv] *v/t*, *v/i* tallar; esculpir; (*carne*) trinchar; **~er** tallista *m*; trinchante *m*; **~ing** escultura *f*; entalladura *f*

cascade [kæs'keid] cascada *f*

cas|e [keis] *s* caso *m*; caja *f*; estuche *m*; cubierta *f* *for* causa *f*, pleito *m*; **in any ~e** de todos modos; **~ement** ventana *f* a bisagra

cash [kæʃ] *s* dinero *m* efectivo; **~ down** al contado; **~ on delivery** pago *m* contra entrega; **~ register** caja *f* registradora; *v/t* cobrar; hacer efectivo; **~ier** [kæ'ʃiə] cajero *m*

cask [kɑːsk] cuba *f*; barril *m*; **~et** cofrecito *m*

cassock ['kæsək] sotana *f*

cast [kɑːst] *s* lanzamiento *m*;

tirada *f*; molde *m*; *teat* reparto *m*; *v/t* tirar, lanzar; fundir (*metales*); *teat* repartir (*papeles*); echar; **~ out** arrojar, expulsar; **~ iron** hierro *m* fundido; **~-iron** de hierro fundido; *fig* de hierro, firme; irrefutable

caste [kɑːst] casta *f*

castle ['kɑːsl] castillo *m*; (*ajedrez*) torre *f*

castor ['kɑːstə] vinagrera *f*; **~ oil** aceite *m* de ricino; **~ sugar** azúcar *m* de lustre

casual ['kæʒjuəl] casual; indiferente; **~ty** desastre *m*; víctima *f*; *mil* baja *f*

cat [kæt] gato(a) *m* (*f*)

catalogue ['kætələg] *s* catálogo *m*; *v/t* catalogar

cataract ['kætərækt] catarata *f*

catarrh [kə'tɑː] catarro *m*

catastrophe [kə'tæstrəfi] catástrofe *f*

catcall ['kætkɔːl] rechifla *f*, *SA* silbatina *f*

catch [kætʃ] *v/t*, *v/i* coger; agarrar, atrapar; captar, entender; **~ cold** resfriarse; **~ fire** prender fuego; encenderse; **~ up with** alcanzar; **~ as ~ can** lucha *f* libre; *s* pesca *f*; presa *f*; *mec* retén *m*; engañifa *f*; **~ing** pegadizo; contagioso; **~word** lema *m*, mote *m*

category ['kætigəri] categoría *f*

cater ['keitə]: **~ for** proveer, abastecer

caterpillar ['kætəpilə] oru-ga f [dral f)
cathedral [kə'θi:drəl] cate-
Catholic ['kæθəlik] a, s ca-tólico(a) m (f)
cattle [kætl] ganado m
cauldron ['kɔ:ldrən] caldera f
cauliflower ['kɔliflauə] coliflor f
cause [kɔ:z] s causa f, motivo m; v/t causar, motivar; **~less** infundado; **~way** arrecife m; calzada f
caution ['kɔ:ʃən] s cautela f; advertencia f; v/t advertir; **~ous** cauteloso, cauto
cavalry ['kævəlri] caballería f
cave [keiv] cueva f; **~rn** ['kævən] caverna f; **~ity** cavidad f
cease [si:s] v/t suspender, parar; v/i cesar; **~less** incesante
cede [si:d] v/t, v/i ceder
ceiling ['si:liŋ] techo m; **~ price** precio m máximo
celebr|ate ['selibreit] v/t celebrar; **~ated** célebre; **~ation** fiesta f; **~ity** [si'lebriti] celebridad f
celerity [si'leriti] celeridad f
celery ['seləri] apio m
celestial [si'lestjəl] celeste, celestial [m)
celibacy ['selibəsi] celibato∫
cell [sel] celda f; célula f (t elec)
cellar ['selə] sótano m; bodega f [loide m)
celluloid ['seljuloid] celu-∫

Celt [kelt] celta m; **~ic** céltico
cement [si'ment] s cemento; v/t cimentar (t fig); metal cementar
cemetery ['semitri] cementerio m
cens|or ['sensə] s censor m; v/t censurar; **~orship** censura f; **~ure** ['senʃə] s censura f, reprobación f; v/t reprobar, reprender
cent [sent] céntimo m; centavo m; **per ~** por ciento; **~enary** a, s centenario m
centimetre ['sentimi:tə] centímetro m
cent|ral ['sentrəl] central, céntrico; **~ral heating** calefacción f central; **~ralize** v/t centralizar; **~re** centro m; **~re-forward** delantero m centro; **~re-half** medio m centro
century ['sentʃuri] siglo m
cereal ['siəriəl] a, s cereal m
ceremon|ial [seri'məunjəl] a, s ceremonial; **~ious** ceremonioso; **~y** ['~məni] ceremonia f
certain ['sɔ:tn] cierto; **~ly** ciertamente, por cierto; **~ty** certeza f; certidumbre f
certif|icate [sə'tifikit] certificado m; diploma m; partida f (de nacimiento, etc); **~y** ['sə:rtifai] v/t certificar
cession ['seʃən] cesión f
chafe [tʃeif] v/t, v/i rozar (-se); irritar(se)

chaff [tʃɑːf] barcia *f*, ahechaduras *f/pl* [zón *m*]

chaffinch ['tʃæfintʃ] pin-

chagrin ['ʃægrin] desazón *f*, mortificación *f*

chain [tʃein] *s* cadena *f*; serie *f*; *v/t* encadenar

chair [tʃeə] silla *f*; cátedra *f* (*de universidad*); presidencia *f*; **~lift** telesilla *f*; **~man** presidente *m*

chalk [tʃɔːk] creta *f*; tiza *f*

challenge ['tʃælindʒ] *s* desafío *m*; *v/t* desafiar

chamber ['tʃeimbə] cámara *f*; aposento *m*; **~maid** camarera *f*; **~pot** orinal *m*

chamois ['ʃæmwɑː] gamuza *f* [champaña *m*]

champagne [ʃæm'pein]

champion ['tʃæmpjən] campeón *m*; **~ship** campeonato *m*

chance [tʃɑːns] *a* accidental, casual; *s* casualidad *f*; ocasión *f*; suerte *f*; **by ~** por casualidad; **to take one's ~** correr el albur

chancellery ['tʃɑːnsələri] cancillería *f*; **~or** canciller *m*; **~or of the Exchequer** Ministro *m* de Hacienda

chandelier [ʃændi'liə] araña *f*

change [tʃeindʒ] *s* cambio *m*; vuelta *f*; *v/t* cambiar; cambiar de (*ropa, tren, opinión*); **~able** variable; **~less** inmutable

channel ['tʃænl] canal *m* (*t fig*); *v/t* acanalar; encauzar

chap [tʃæp] *s* grieta *f*; *fam* mozo *m*; tipo *m*; *v/t* agrietar

chapel ['tʃæpəl] capilla *f*

chaperon ['ʃæpərəun] *s* dueña *f*; señora *f* de compañia; *v/t* acompañar

chaplain ['tʃæplin] capellán *m*; **~ter** ['~tə] *igl* cabildo *m*; capítulo *m*

character ['kæriktə] carácter *m*; *teat* personaje *m*; **~istic** [~'ristik] característico

charcoal ['tʃɑːkəul] carbón *m* de palo

charge [tʃɑːdʒ] *s* carga *f*; cargo *m*; gasto *m*; acusación *f*; **free of ~** gratis; **in ~ of** encargado de; *v/t* cargar; mandar, encargar; acusar; *mil* atacar

charitable ['tʃæritəbl] caritativo; **~y** caridad *f*

charm [tʃɑːm] *s* gracia *f*; encanto *m*; hechizo *m*; amuleto *m*; *v/t* encantar; **~ing** encantador

chart [tʃɑːt] *s* carta *f* de navegar; gráfica *f*; esquema *m*; *v/t* trazar (*mapa*); **~er** ['~ə] *s* carta *f*, cédula *f*; *v/t* mar fletar

charwoman ['tʃɑː'wumən] criada *f* por horas

chase [tʃeis] *s* caza *f*; *v/t* cazar; perseguir

chassis ['ʃæsi] armazón *f*; chasis *m*

chaste [tʃeist] *a* casto, puro; **~ity** ['tʃæstiti] castidad *f*

chat [tʃæt] *s* charla *f*; *v/i*

charlar; **~ter** *s* cháchara *f*; *v/i* parlotear; chacharear; **~terbox** parlanchín(ina) *m* (*f*)

chauffeur ['ʃəufə] chófer *m*

cheap [tʃi:p] barato; vulgar; **~en** *v/t* abaratar

cheat [tʃi:t] *s* tramposo *m*; trampa *f*; *v/t* engañar

check [tʃek] *s* freno *m*; impedimento *m*; comprobación *f*, control *m*; talón *m*, contraseña *f*; cuadro *m*; tela *f* de cuadros; (*ajedrez*) jaque *m*; *v/t* frenar; comprobar; *v/i* **~ in** registrarse en (*un hotel*); **~ out** pagar la cuenta y salir (*de un hotel*); **~mate** (*ajedrez*) mate *m*

cheek [tʃi:k] mejilla *f*; descaro *m*; **~y** descarado

cheer [tʃiə] *s* alegría *f*; *v/t* aplaudir; vitorear; *v/i* **~ up** animarse; **~ful** alegre; **~less** triste

cheese [tʃi:z] queso *m*

chemi|cal [kemikəl] *a* químico; *s* producto *m* químico; **~st** químico *m*; farmacéutico *m*; boticario *m*; **~stry** química *f*; **~st's** botica *f*

cheque [tʃek] cheque *m*; talón *m*; **~book** talonario *m* de cheques

chequered [tʃekəd] *a* cuadros (*tela, etc*); *fig* variado

cherish ['tʃeriʃ] *v/t* acariciar

cherry ['tʃeri] cereza *f*

cherub ['tʃerəb] querubín *m*

chess [tʃes] ajedrez *m*; **~-**

~board tablero *m* de ajedrez

chest [tʃest] cofre *m*, cajón *m*; pecho *m*; **~ of drawers** cómoda *f*

chestnut ['tʃesnʌt] *a* castaño; *s* castaña *f*

chew [tʃu:] *v/t, v/i* masticar; **~ing-gum** chicle *m*

chicken [tʃikin] pollo *m*; **~-hearted** cobarde; **~-pox** ['~pɔks] viruelas *f/pl* locas

chief [tʃi:f] *a* principal; *s* jefe *m*; **~tain** ['~tən] cacique *m*

chilblain ['tʃilblein] sabañón *m*

child [tʃaild] hijo(a), niño(a) *m* (*f*); **~birth** parto *m*; **~hood** niñez *f*; **~ish** pueril; **~like** como un niño; **~ren** ['tʃildrən] niños(as), hijos(as) *m/pl* (*f/pl*)

chill [tʃil] *s* frío *m*; escalofrío *m*; *v/t* enfriar; **~y** frío

chime [tʃaim] *s* repique *m*; campaneo *m*; *v/i* repicar; *v/t* tocar

chimney ['tʃimni] chimenea *f*; **~ sweep(er)** deshollinador *m*

chin [tʃin] barbilla *f*

chin|a ['tʃainə] porcelana *f*; **2a China** (*f*) China *f*; **2ese** *a, s* chino(a) *m* (*f*)

chip [tʃip] *s* astilla *f*; ficha *f*; *v/t* astillar; *v/i* desportillarse; **~board** madera *o* aglomerada; **~s** patatas *f/pl* fritas

chirp [tʃə:p] *s* gorjeo *m*; *v/i* piar; chirriar

chisel ['tʃizl] *s* escoplo *m*;
    cincel *m*; *v/t, v/i* cincelar

chivalr|ous ['ʃivəlrəs] caballeresco, caballeroso; **~y**
    caballerosidad *f*

chlor|ide ['klɔːraid] cloruro
    m; **~ine** [‗iːn] cloro *m*; **~oform** cloroformo *m*

chocolate ['tʃɔkəlit] chocolate *m*

choice [tʃɔis] *a* selecto; *s*
    elección *f*; preferencia *f*

choir ['kwaiə] coro *m*

choke [tʃouk] *v/t, v/i* estrangular, sofocar(se); *s mec*
    estrangulador *m*

cholera ['kɔlərə] cólera *f*

choose [tʃuːz] *v/t* escoger,
    elegir

chop [tʃɔp] *s* corte *m*; tajada
    f, coc chuleta *f*; *v/t* cortar;
    tajar; *coc* picar

chord [kɔːd] cuerda *f*; *mús*
    acorde *m*

chorus ['kɔːrəs] coro *m*; estribillo *m*; **~ girl** *teat* corista *f*

Christ [kraist] Jesucristo *m*;
    2en ['krisn] *v/t* bautizar;
    ~ian ['kristjən] *a, s* cristiano(a) *m* (*f*); **~mas** ['krisməs] Navidad *f*; **~mas Eve**
    nochebuena *f*

chromium ['krəumjəm]
    cromo *m*

chronic ['krɔnik] crónico

chron|icle ['krɔnikəl] *s* crónica *f*; **~ological** [krɔnə'lɔdʒikəl] cronológico

chuck [tʃʌk] *v/t* fam tirar

chuckle ['tʃʌkl] *s* risa *f* ahogada; *v/i* reírse entre dientes   [rada *m, f*]

chum [tʃʌm] *fam* cama-]

chunk [tʃʌŋk] pedazo *m*;
    trozo *m*

church [tʃəːtʃ] iglesia *f*; **2 of
    England** iglesia anglicana;
    ~yard cementerio *m*

churn [tʃəːn] *s* mantequera
    f; *v/t* (*leche*) batir; agitar

cider ['saidə] sidra *f*

cigar [si'gɑː] cigarro *m*;
    puro *m*; **~ette** [sigə'ret]
    cigarrillo *m*; pitillo *m*;
    ~ette-case pitillera *f*;
    ~ette-holder boquilla *f*

cinder ['sində] carbonilla *f*;
    escoria *f*; **~s** cenizas *f/pl*; **~
    track** *dep* pista *f* de cenizas

cinema ['sinimə] cine *m*

cipher ['saifə] *s* cifra *f*; clave *f*; cero *m* (*t fig*); *v/t* cifrar

circle ['səːkl] *s* círculo *m*;
    v/t rodear, circundar

circuit ['səːkit] circuito *m*

circula|r ['səːkjulə] circular; **~r letter** circular *f*;
    ~te [‗it] circular; **~tion** circulación *f*

circum|ference [sə'kʌmfərəns] circunferencia *f*;
    ~scribe ['‗skraib] *v/t* circunscribir

circumstan|ce ['səːkəmstəns] circunstancia *f*; condición *f*; **~tial** [‗'stænʃəl]
    circunstancial; circunstanciado

circus ['səːkəs] circo *m*

cistern ['sistən] cisterna *f*

cit|ation [sai'teiʃən] cita
    (-ción) *f*; **~e** *v/t* citar

cit|izen ['sitizn] ciudada-
no(a) *m* (*f*); vecino(a) *m*
(*f*); **~izenship** ciudadanía*f*
city ['siti] ciudad *f*; **~ council** concejo *m* municipal,
ayuntamiento *m*

civ|ic ['sivik] cívico; civil;
~ics educación *f* cívica; **~il**
civil; cortés; **~il service**
administración *f* pública;
~ilian [si'viljən] paisano *m*;
~ility cortesía*f*; **~ilization**
civilización *f*; **~ilize** ['sivi-
laiz] *v/t* civilizar

claim [kleim] *s* derecho *m*;
reclamación *f*; demanda *f*;
v/t reclamar, demandar

clam [klæm] almeja*f*

clam|orous ['klæmərəs]
ruidoso; **~our** *s* clamor *m*;
ruido *m*; *v/i* gritar, vociferar   [*v/t* sujetar]

clamp [klæmp] *s* grapa *f*;

clan [klæn] clan *m*

clandestine [klæn'destin]
clandestino

clap [klæp] *s* ruido *m* seco;
palmada *f*; **~ of thunder**
trueno *m*; *v/t* **~ one's
hands** dar palmadas

claret ['klærət] clarete *m*

clarity ['klæriti] claridad *f*

clash [klæʃ] *s* choque *m*,
conflicto *m*; *v/i* chocar

clasp [klɑːsp] *s* broche *m*,
apretón *m* (de manos); **~-
knife** navaja *f* (de muelle);
v/t abrochar; apretar

class [klɑːs] *s* clase *f*; distinción *f*; calidad *f*; **~-
mate** compañero(a) *m* (*f*)
de clase; *v/t* clasificar

classic ['klæsik] *a, s* clásico
m; **~al** clásico

class|ification [klæsifi'kei-
ʃən] clasificación *f*; **~ify**
['klæsifai] *v/t* clasificar

clatter ['klætə] *s* chacoloteo
m; *v/i* chacolotear

clause [klɔːz] cláusula *f*; artículo *m*   [arañar]

claw [klɔː] *s* garra *f*; *v/t*

clay [klei] arcilla *f*; barro *m*

clean [kliːn] *a* limpio; *v/t*
limpiar; **~ up** poner en
orden; **~ers** tintorería *f*,
SA lavandería *f*; **~ing** limpieza *f*; aseo *m*; **~ness** limpieza *f*; **~se** [klenz] *v/t* limpiar, purificar

clear [kliə] *a* claro; libre;
v/t aclarar; despejar (camino, etc); *v/i* despejarse;
~ out marcharse; **~ing** claro
m; *com* compensación *f* (de
balances); **~ness** claridad *f*

cleave [kliːv] *v/t* partir,
hender

clef [klef] *mús* clave *f*

cleft [kleft] abertura *f*; hendidura *f*

clemency ['klemənsi] cle-
mencia *f*

clench [klentʃ] *v/t* cerrar;
apretar

cler|gy ['klɔːdʒi] clero *m*;
~gyman clérigo *m*; cura *m*;
~ical ['klerikəl] eclesiástico; de oficina (*error, etc*)

clerk [klɑːk] oficinista *m*.

clever ['klevə] hábil; listo;
mañoso; inteligente

click [klik] golpecito *m* seco;
chasquido *m* (*de la lengua*);

v/t dar un golpecito a; chascar

client ['klaiənt] cliente *m, f*

cliff [klif] risco *m*, peñasco *m*

climate ['klaimit] clima *m*

climax ['klaimæks] culminación *f*; punto *m* culminante

climb [klaim] *s* subida *f*; *v/t, v/i* subir, escalar; trepar

clinch [klintʃ] forcejeo *m* (*de boxeadores*)

cling [kliŋ] *v/i* adherirse, pegarse, quedar fiel

clinic ['klinik] clínica *f*

clink [kliŋk] *v/i* retiñir, tintinear

clip [klip] *s* prendedor *m*; recorte *m*; sujetapapeles *m*; grapa *f*; *v/t* cortar; (*ovejas*) esquilar; acortar; recortar; ~**pings** recortes *m/pl*

cloak [kləuk] manto *m*; capa *f* (*t fig*); ~-**room** guardarropa *f*; ropería *f*

clock [klɔk] reloj *m*

clod [klɔd] terrón *m*, gleba *f*

clog [klɔg] zueco *m*; chanclo *m*

cloister ['klɔistə] claustro *m*; monasterio *m*

clos|e [kləus] *a* cerrado; estrecho; estricto; callado; cercano; exacto; tacaño; *adv* cerca; *s* fin *m*; [kləuz] *v/t, v/i* cerrar; terminar; ~**down** cerrar definitivamente; ~**et** ['klɔzit] gabinete *m*; ~**e-up** ['kləusʌp] vista *f* de primer plano

cloth [klɔθ] paño *m*; tela *f*; ~**e** [kləuð] *v/t* vestir; ~**es** [kləuðz] ropa *f*; ~**es-hanger** percha *f*; colgador *m* de ropa; ~**ing** ['kləuðiŋ] ropa *f*

cloud [klaud] *s* nube *f*; *v/t, v/i* anublar(se); ~**less** despejado; ~**y** nublado

clove [kləuv] *bot* clavo *m*; ~**r** trébol *m*

clown [klaun] payaso *m*

club [klʌb] porra *f*; palo *m*; club *m*; círculo *m*; ~**s** (*naipes*) tréboles *m/pl*

clue [klu:] indicio *m*; pista *f*

clump [klʌmp] *s* masa *f*; grupo *m*

clumsy ['klʌmzi] desmañado

cluster ['klʌstə] *s bot* racimo *m*; (*gente*) grupo *m*; *v/i* arracimarse; apiñarse

clutch [klʌtʃ] *s* agarro *m*; garra *f*; *mec* embrague *m*; *v/t* agarrar

coach [kəutʃ] coche *m*; *dep* entrenador *m*; *v/t* entrenar; preparar

coal [kəul] carbón *m*; hulla *f*; ~ **field** yacimiento *m* de carbón

coalition [kəuə'liʃən] coalición *f*   [tosco]

coarse [kɔ:s] basto; vulgar;

coast [kəust] *s* costa *f*; litoral *m*; **the ~ is clear** no hay moros en la costa

coat [kəut] *s* chaqueta *f*; americana *f*; abrigo *m*; capa *f*, mano *f* (*de pintura*); ~ **of arms** escudo *m* de armas; *v/t* cubrir; ~**ing** capa *f*; revestimiento *m*

coax ['kəuks] *v/t* engatusar

cobalt [kə'bɔːlt] cobalto *m*

cobweb ['kɔbweb] telaraña *f*

cock [kɔk] *s* gallo *m*; macho *m*; grifo *m*; llave *f*; **~ and bull story** cuento *m* chino; *v/t* amartillar (*fusil*); levantar; **~atoo** [‿ə'tuː] cacatúa *f*; **~pit** *aer* cabina *f* de piloto

cockroach ['kɔkrəutʃ] cucaracha *f*

cocktail ['kɔkteil] cóctel *m*

cocoa ['kəukəu] cacao *m*

coconut ['kəukənʌt] coco *m*; **~tree** cocotero *m*

cocoon [kə'kuːn] capullo *m*

cod [kɔd] bacalao *m*

code [kəud] *s* código *m*; clave *f*; *v/t* cifrar

codex ['kəudeks] códice *m*

coexist ['kəuig'zist] *v/i* coexistir; **~ence** coexistencia *f*

coffee ['kɔfi] café *m*; **~-bean** grano *m* de café; **~-house** café *m*; **~-mill** molinillo *m* de café; **~-pot** cafetera *f*

coffin ['kɔfin] ataúd *m*

cog [kɔg] *mec* diente *m*; **~wheel** rueda *f* dentada

coherence [kəu'hiərəns] coherencia *f*

coiffeur [kwa:'fjuə] peluquero *m*

coil [kɔil] *s* rollo *m*; bobina *f*; espiral *f*; *v/t*, *v/i* enrollar (-se)

coin [kɔin] *s* moneda *f*; *v/t* acuñar (*t fig*); **~age** acuñación *f*; moneda *f*

coincide [kəuin'said] *v/i*

coincidir; **~nce** [kəu'insidəns] coincidencia *f*

coke [kəuk] coque *m*; *fam* Coca Cola *f*

cold [kəuld] *a* frío (*t fig*); muerto; *s* frío *m*; resfriado *m*; catarro *m*; **~ness** frialdad *f*, indiferencia *f*

colic ['kɔlik] cólico *m*

collaborat|e [kə'læbəreit] *v/t* colaborar; **~ion** colaboración *f*; **~or** colaborador *m*

collaps|e [kə'læps] *s* fracaso *m*; *med* colapso *m*; *v/i* desplomarse; **~ible** plegadizo

collar ['kɔlə] cuello *m*; collar *m* (*de perro*); **~bone** clavícula *f* [*m, f*]

colleague ['kɔliːg] colega]

collect [kə'lekt] *v/t* juntar; reunir; coleccionar (*sellos, etc*); cobrar; **~ion** (*dinero*) colecta *f*; colección *f*; *com* cobranza *f*; **~ive** colectivo; **~or** coleccionista *m*; (*dinero*) cobrador *m*, recaudador *m*; *elec* colector *m*

college ['kɔlidʒ] colegio *m*

collide [kə'laid] *v/i* chocar

colliery ['kɔljəri] mina *f* de carbón [sión *f*]

collision [kə'liʒən] coli-]

colloquial [kə'ləukwiəl] oral, familiar

colon ['kəulən] *gram* dos puntos *m/pl*

colonel ['kɔːnl] coronel *m*

colon|ial [kə'ləunjəl] colonial; **~ialism** colonialismo *m*; **~ist** ['kɔlənist] colono *m*; **~ize** *v/t* colonizar; **~y** colonia *f*

colour ['kʌlə] s color *m*;
colorido *m*; *v/t* colorar;
colorear, teñir; **~-bar** dis-
criminación *f* racial; **~
-blind** daltoniano; **~ed**
colorado; de color (*personas*); **~ful** lleno de colorido; **~ing** colorido *m*; **~less**
incoloro; pálido; *fig* apagado

colt [kəult] potro *m*

column ['kɔləm] columna *f*

comb [kəum] s peine *m*; *v/t*
peinar

combat ['kɔmbət] s combate *m*; *v/t*, *v/i* combatir;
~ant combatiente *m*

combin|ation [kɔmbi'nei-
ʃən] combinación *f*; **~e**
[kəm'bain] *v/t*, *v/i* combi-
nar(se); ['kɔmbain] s *agr*
segadora *f* trilladora

combusti|ble [kəm'bʌs-
təbl] *a*, *s* combustible *m*;
~on [~stʃən] combustión *f*

come [kʌm] *v/i* venir; llegar; resultar; **~ about**
acaecer; **~ across** encontrarse con; **~ along!**
¡vamos!; **~ back** volver; **~
down** bajar; **~ in** entrar; **~
off** salir; **~ up** subir; surgir; salir, brotar; **~ to
terms** convenirse; **~ what
may** pase lo que pase; **~
-back** rehabilitación *f*

comed|ian [kə'miːdiən] có-
mico *m*; comediante *m*; **~y**
['kɔmidi] comedia *f*

comfort ['kʌmfət] s comodidad *f*; consuelo *m*; *v/t*

consolar; **~able** cómodo;
~er bufanda *f* de lana

comic ['kɔmik] gracioso;
cómico; **~s, ~ strips** tiras
f/pl cómicas, historietas
f/pl, tebeos *m/pl*

command [kə'mɑːnd] s
mando *m*; orden *f*; dominio *m*; *mil* comando *m*; *v/t*
mandar; dominar; **~er** comandante *m*; **~er-in-chief**
comandante *m* en jefe; jefe
m supremo; **~ment** man-
damiento *m*; precepto *m*

commemorate [kə'memə-
reit] *v/t* conmemorar

commence [kə'mens] *v/t*,
v/i comenzar, empezar; **~
ment** comienzo *m*

commend [kə'mend] *v/t*
encomendar; alabar; **~able**
loable

comment ['kɔment] s co-
mentario *m*; *v/i* comentar;
~ator [~eiteitə] comenta-
rista *m*; (*radio*) locutor *m*

commerc|e ['kɔmɔːs] co-
mercio *m*; **~ial** [kə'mɔːʃəl]
comercial; **~ial law** derecho *m* mercantil

commission [kə'miʃən] s
comisión *f*, encargo *m*; *mil*
patente *f*; *v/t* encargar;
nombrar; **~er** comisario *m*,
comisionado *m*

commit [kə'mit] *v/t* come-
ter; encomendar; compro-
meter; **~ oneself** comprometerse; **~ment** compromiso *m*; promesa *f*

committee [kə'miti] comité
m; comisión *f*

commodity [kə'mɔditi] producto m; mercancía f, SA mercadería f

common ['kɔmən] a común; ordinario, corriente; público; vulgar; **in** ~ en común; **~er** plebeyo m; **~ market** mercado m común; **~place** s lugar m común; a trivial, común; **~ Chamber** f Baja; **~ sense** sentido m común; **the (British) ~wealth** la Mancomunidad f (británica)

commotion [kə'məuʃən] conmoción f; alboroto m

communicate [kə'mju:nikeit] v/t comunicar; igl comulgar; **~ication** comunicación f; aviso m; **~icative** [~kətiv] comunicativo; **~ion** [~ʃən] comunión f; **~ism** ['kɔmjunizəm] comunismo m; **~ist** a, s comunista; **~ity** [kə'mju:niti] comunidad f, sociedad f

commute [kə'mju:t] v/t conmutar

compact [kəm'pækt] a compacto; s pacto m

companion [kəm'pænjən] compañero(a) m (f); socio(a) m (f); **~able** sociable; **~ship** compañerismo m; compañía f

company ['kʌmpəni] compañía f

comparable ['kɔmpərəbl] comparable; **~ative** [kəm'pærətiv] a (ciencia) comparado; **~e** [~'pɛə] v/t comparar; v/i

ser comparable; **~ison** [~'pærisn] comparación f

compartment [kəm'pɑ:tmənt] compartimiento m; departamento m

compass ['kʌmpəs] s compás m; alcance m; v/t circundar; lograr

compassion [kəm'pæʃən] compasión f; **~ate** [~it] compasivo

compatible [kəm'pætəbl] compatible

compatriot [kəm'pætriət] compatriota m

compel [kəm'pel] v/t obligar, forzar

compensate ['kɔmpenseit] v/t compensar, indemnizar; **~ion** compensación f; indemnización f

compete [kəm'pi:t] v/i competir; **~ence** ['kɔmpitəns] competencia f; **~ent** ['kɔmpitənt] competente; capaz; **~ition** [kɔmpi'tiʃən] competición f; **~itor** [kəm'petitə] competidor m, rival m

compile [kəm'pail] v/t recopilar

complain [kəm'plein] v/i quejarse; **~t** queja f; dolencia f

complaisant [kəm'pleizənt] afable, complaciente

complete [kəm'pli:t] a completo; perfecto; v/t completar, concluir; **~ion** terminación f; cumplimiento m

complexion [kəm'plekʃən] tez f; cutis m

complicate ['komplikeit]
v/t complicar

compliment ['kompli-
mənt] cumplido *m*; galantería *f*; ⁓s saludos *m/pl*

comply [kəm'plai]: ⁓(with)
v/i cumplir (con); acatar

component [kəm'pəunənt]
a, s componente

compos|e [kəm'pəuz] *v/t*
componer; ⁓e oneself cal-
marse; ⁓ed sereno; ⁓er
compositor *m*; ⁓ition composición *f*; ⁓ure compostura *f*, serenidad *f*

compote ['kompot] compota *f*

compound ['kompaund] *a*
compuesto; *s* mezcla *f*;
[kəm'paund] *v/t* componer;
combinar; *v/i* transigir; ⁓
interest *com* interés *m*
compuesto

comprehen|d [kompri-
'hend] *v/t* comprender;
contener; ⁓sible inteligible; ⁓sion comprensión *f*,
⁓sive comprensivo; amplio

compress [kəm'pres] *v/t*
comprimir, condensar

comprise [kəm'praiz] *v/t*
comprender, incluir

compromise ['komprə-
maiz] arreglo *m*, compone-
nda *f*

compuls|ion [kəm'pʌlʃən]
compulsión *f*, coacción *f*;
⁓ory obligatorio

compunction [kəm'pʌŋk-
ʃən] remordimiento *m*,
compunción *f*

computer [kəm'pju:tə] or-
denador *m*

comrade ['komreid] camarada *m, f*; ⁓ship camara-
dería *f*; compañerismo *m*

conceal [kən'si:l] *v/t* ocultar; ⁓ment ocultación *f*;
disimulo *m*, encubrimiento
m

conceit [kən'si:t] presunción *f*; ⁓ed engreído, presumido

conceiv|able [kən'si:vəbl]
concebible; ⁓e *v/t, v/i* con-
cebir

concentrat|e ['konsentreit]
v/t, v/i concentrar(se);
⁓ion concentración *f*

conception [kən'sepʃən]
concepción *f*

concern [kən'sə:n] *s* interés
m; inquietud *f*; asunto *m*;
empresa *f*; *v/t* concernir,
interesar; tratar de; preocupar; ⁓ed preocupado;
⁓ing concerniente a, to-
cante a

concert ['konsət] *s* concierto
m; [kən'sə:t] *v/t* concertar;
⁓ed unido, combinado

concession [kən'seʃən] concesión *f*

conciliate [kən'silieit] *v/t*
conciliar

concise [kən'sais] conciso;
⁓ness concisión *f*; brevedad *f*

conclu|de [kən'klu:d] *v/t*
concluir, terminar; inferir;
deducir; decidir; ⁓sion
[⁓ʒən] conclusión *f*; deducción *f*; decisión *f*

concord ['kɔŋkɔːd] concordia *f*; *mús*, *gram* concordancia *f*

concrete ['kɔnkriːt] *s* hormigón *m*, *SA* concreto *m*; *a* concreto

concur [kən'kəːr] *v/i* concurrir, coincidir

concussion [kən'kʌʃən] *med* concusión *f*; ⁓ **of the brain** concusión *f* cerebral

condemn [kən'dem] *v/t* condenar; sentenciar; ⁓**ation** [kɔndem'neiʃən] condenación *f*

condens|e [kən'dens] *v/t*, *v/i* condensar(se); ⁓**er** condensador *m*

condescend [kɔndi'send] *v/i* condescender, dignarse

condition [kən'diʃən] *s* condición *f*; *v/t* condicionar, estipular; acondicionar; ⁓**al** condicional; ⁓**ed reflex** reflejo *m* condicionado

condole [kən'dəul] *v/i* dar el pésame; ⁓**nce** pésame *m*

conduct ['kɔndʌkt] *s* conducta *f*, gestión *f*, dirección *f*; [kən'dʌkt] *v/t* conducir, dirigir; manejar; ⁓**or** *mús* director *m* de orquesta; (*autobús*) cobrador *m*; *elec* conductor *m*

cone [kəun] cono *m*

confection [kən'fekʃən] confección *f*; confitura *f*, dulce *m*; ⁓**er** confitero *m*; ⁓**ery** repostería *f*; confites *m/pl*, confitura *f*

confedera|cy [kən'fedərəsi], ⁓**tion** confederación *f*; alianza *f*; ⁓**te** *a*, *s* aliado(a) *m* (*f*); *v/t* confederar, unir; *v/i* aliarse, confederar(se)

confer [kən'fəːr] *v/t* conferir, otorgar; *v/i* conferenciar; consultar; ⁓**ence** ['kɔnfərəns] conferencia *f*; entrevista *f*

confess [kən'fes] *v/t*, *v/i* confesar(se); ⁓**ion** confesión *f*; credo *m*; ⁓**or** confesor *m*; penitente *m*

confid|e [kən'faid] *v/t*, *v/i* confiar, fiar(se); ⁓**ence** ['kɔnfidəns] confianza *f*; confidencia *f*; ⁓**ent** confiado, cierto, seguro; ⁓**ential** [⁓'denʃəl] confidencial

confine [kən'fain] *s* límite *m*; *v/t* limitar; encerrar; **to be ⁓d** *med* estar de parto; ⁓**ment** encierro *m*; prisión *f*; *med* parto *m*

confirm [kən'fəːm] *v/t* confirmar; ratificar; ⁓**ation** [kɔnfə'meiʃən] confirmación *f*   [confiscar]

confiscate ['kɔnfiskeit] *v/t*

conflict ['kɔnflikt] *s* conflicto *m*; [kən'flikt] *v/i* pugnar; contradecirse; ⁓**ing** antagónico, opuesto

conform [kən'fɔːm] *v/t*, *v/i* conformar(se); ⁓**ity** conformidad *f*

confound [kən'faund] *v/t* confundir; ⁓ **it!** ¡maldito sea! ⁓**ed** *fam* maldito

confront [kən'frʌnt] *v/t* confrontar; afrontar

confus|e [kənˈfjuːz] *v/t*
confundir; **~ed** confuso;
~ion [~ʒən] confusión *f*

congeal [kənˈdʒiːl] *v/t, v/i*
cuajar(se); coagular(se)

congestion [kənˈdʒestʃən]
med congestión *f*; embotellamiento *m* (*del tráfico*);
fig aglomeración *f*

congratulat|e [kənˈgrætju-
leit] *v/t* felicitar; **~ion** enhorabuena *f*; felicitación *f*

congregat|e [ˈkɔŋgrigeit]
v/t, v/i congregar(se); **~ion**
reunión *f*; asamblea *f*; *igl*
congregación *f*

congress [ˈkɔŋgres] congreso *m*

conjecture [kənˈdʒektʃə]
conjetura *f*

conjugal [ˈkɔndʒugəl] conyugal

conjugat|e [ˈkɔndʒugeit]
v/t conjugar; **~ion** conju-
gación *f*

conjunct|ion [kənˈdʒʌŋk-
ʃən] conjunción *f*; coyuntura *f*; **~ive** conjuntivo *m*

conjur|e [kənˈdʒuə] *v/t*
suplicar; [ˈkʌndʒə] *v/t, v/i*
invocar; practicar la
magia; **~er** mago *m*, prestidigitador *m*

connect|e [kəˈnekt] *v/t* juntar;
unir; conectar; asociar;
relacionar; *v/i* unirse; co-
nectarse; empalmar (*tren*);
~ed unido; conexo; **~ing
train** tren *m* de enlace;
~ion conexión *f*; acopla-
miento *m*; enlace *m*; relación *f*

conque|r [ˈkɔŋkə] *v/t* con-
quistar; *fig* vencer; **~ror**
conquistador *m*; vencedor
m; **~st** [ˈkɔŋkwest] conquista *f*

consci|ence [ˈkɔnʃəns] con-
ciencia *f*; **~entious** [~iˈen-
ʃəs] concienzudo; **~entious
objector** pacifista *m* por
razones de conciencia;
~ous [ˈkɔnʃəs] consciente;
~ousness conciencia *f*; conocimiento *m*, sentido *m*

consecrate [ˈkɔnsikreit] *v/t*
consagrar

consecutive [kənˈsekjutiv]
consecutivo

consent [kənˈsent] *s* con-
sentimiento *m*; *v/i* consentir; condescender

consequen|ce [ˈkɔnsi-
kwəns] consecuencia *f*;
rango *m*; importancia *f*; **~t**
consecuente, lógico; **~tly**
por consiguiente

conserv|ation [kɔnsəˈvei-
ʃən] conservación *f*; **~ative**
[kənˈsəːvətiv] *a, s* conserva-
tivo(a); conservador(a) *m*
(*f*); **~atory** conserva-
torio *m*; **~e** *v/t* conservar;
s conserva *f*

consider [kənˈsidə] *v/t* considerar; mirar, examinar;
~able considerable; **~ate**
[~it] considerado, respe-
tuoso; **~ation** consideración *f*; aspecto *m*; recompensa *f*

consign [kənˈsain] *v/t* con-
signar; **~ation** consignación *f*; **~ee** [kɔnsaiˈniː] con-

signatario *m*; **~ment** com
consignación *f*; lote *m*, partida *f*

consist [kən'sist] *v/t* consis-
tir; **~ence**, **~ency** consis-
tencia *f*; persistencia *f*;
~ently firmemente

consol|ation [kɔnsə'leiʃən]
consolación *f*; consuelo *m*;
~e [kən'səul] *v/t* consolar

consolidate [kən'sɔlideit]
v/t, *v/i* consolidar(se); fu-
sionar(se)

consonant ['kɔnsənənt]
consonante *f*

conspicuous [kən'spikjuəs]
conspicuo

conspir|acy [kən'spirəsi]
conspiración *f*; **~ator** conspirador *m*; **~e** [~'spaiə] *v/i*
conspirar; *v/t* urdir

constable ['kʌnstəbl] policía *m*; **~ant** ['kɔnstənt] constante; firme

consternation [kɔnstə'nei-
ʃən] consternación *f*

constipation [kɔnsti'pei-
ʃən] *med* estreñimiento *m*;
constipación *f*

constituen|cy [kən'stitju-
ənsi] distrito *m* electoral; **~t**
s pol elector *m*, votante *m*;
for mandante *m*; *a* componente; *pol* constituyente

constitut|e ['kɔnstitjuːt] *v/t*
constituir; designar; **~ion**
pol, *med* constitución *f*;
~ional constitucional

constrain [kən'strein] *v/t*
constreñir, compeler; restringir; **~t** constreñimien-
to *m*; represión *f*

construct [kən'strʌkt] *v/t*
construir; **~ion** construcción *f*; obra *f*; interpretación *f*; **~ive** constructivo;
~or constructor *m*

consul ['kɔnsəl] cónsul *m*;
~ar [~'julə] consular; **~ar
invoice** com factura *f* consular; **~ate** ['~julit] consulado *m*

consult [kən'sʌlt] *v/t* consultar; **~ation** [kɔnsəl'tei-
ʃən] consulta *f*; consulta-
ción *f*; **~ing hours** horas
f/pl de consulta

consum|e [kən'sjuːm] *v/t*
consumir; devorar; *v/i*
consumirse; **~er** consumi-
dor *m*; **~er goods** artículos
m/pl de consumo; **~mate**
['kɔnsəmeit] *v/t* consumar;
[kən'sʌmit] *a* consumado

consumption [kən'sʌmp-
ʃən] consunción *f*, consumo
m; *med* tisis *f*

contact ['kɔntækt] *s* contacto *m*; [kən'tækt] *v/t* po-
ner(se) en contacto con

contagious [kən'teidʒəs]
contagioso

contain [kən'tein] *v/t* contener; abarcar; **~er** envase
m, recipiente *m*

contaminat|e [kən'tæmi-
neit] *v/t* contaminar; **~ion**
contaminación *f*; **~ion of
the environment** contaminación *f* ambiental

contemplat|e ['kɔntem-
pleit] *v/t* contemplar; **~ion**
contemplación *f*; **~ive** con-
templativo

contemporary [kən'tem-pərəri] *a, s* contemporáneo

contempt [kən'tempt] desprecio *m*, desdén *m*; **for** rebeldía *f*, desacato *m*; **~ible** [~ibl] despreciable; **~uous** [~juəs] desdeñoso, despreciativo

contend [kən'tend] *v/t* sostener, disputar; *v/i* contender

content [kən'tent] *a* contento, satisfecho; *s* satisfacción *f*; agrado *m*; **~ed** satisfecho, tranquilo

contents ['kɔntents] contenido *m*; capacidad *f*; tabla *f* de materias

contest ['kɔntest] *s* contienda *f*; disputa *f*; [kən'test] *v/t* debatir, disputar

context ['kɔntekst] contexto *m*

continent ['kɔntinənt] continente *m*; **~al** [~'nentl] continental

continu|al [kən'tinjuəl] continuo; **~ance** duración *f*; permanencia *f*; **~ation** continuación *f*; **~e** [~u(:)] *v/t* continuar, seguir; *v/i* continuar, durar, proseguir; **to be ~ed** continuará; **~ous** continuo

contour ['kɔntuə] contorno *m*

contraceptive [kɔntrə'septiv] anticonceptivo

contract [kən'trækt] *v/t* contraer; contratar; *v/i* contraerse; encogerse; ['kɔntrækt] *s* contrato *m*;

~or [kən'træktə] contratista *m*

contradict [kɔntrə'dikt] *v/t* contradecir; refutar, desmentir; **~ion** contradicción *f*; **~ory** contradictorio

contrary ['kɔntrəri] *s, a* contrario; **on the ~** al contrario

contrast ['kɔntrɑːst] *s* contraste *m*; [kən'trɑːst] *v/t, v/i* contrastar

contribut|e [kən'tribju(:)t] *v/t, v/i* contribuir; **~ion** [kɔntri'bjuːʃən] contribución *f*; colaboración *f*; **~or** contribuyente *m, f*

contriv|ance [kən'traivəns] artificio *m*; artefacto *m*; **~e** *v/t* idear, inventar; lograr

control [kən'trəul] *s* control *m*, dominio *m*; comprobación *f*, inspección *f*; puesto *m* de control; *v/t* controlar; gobernar, dominar; manejar; **~ler** inspector *m*; con contralor *m*

controver|sial [kɔntrə'vəːʃəl] contencioso; discutible; **~sy** ['~vəːsi] controversia *f*

convalesce [kɔnvə'les] *v/i* convalecer; **~nce** convalecencia *f*; **~nt** convaleciente

conven|ience [kən'viːnjəns] conveniencia *f*; comodidad *f*; **~ient** conveniente, oportuno [vento *m*]

convent ['kɔnvənt] convento *f*

convention [kən'venʃən] convención *f*; asamblea *f*; convenio *m*; **~al** convencional

convers|ation [kɔnvə'sei-
ʃən] conversación *f*; **~e**
[kən'vɔːs] *v/i* conversar
conver|sion [kən'vəːʃən]
conversión *f*; **~t** *v/t* convertir; **~tible** *a*, *s* convertible
m

convey [kən'vei] *v/t* transportar; transmitir; **~ance**
transporte *m*; transmisión
f; vehículo *m*; **~or-belt**
correa *f* transportadora

convict [ˈkɔnvikt] *s* presi-
diario *m*; [kənˈvikt] *v/t*
condenar, declarar culpa-
ble; **~ion** convicción *f*;
convencimiento *m*; con-
dena *f*

convince [kənˈvins] *v/t*
convencer

convuls|ion [kənˈvʌlʃən]
convulsión *f*; **~ive** convul-
sivo

cook [kuk] *s* cocinero(a) *m*
(*f*); *v/t* guisar, cocer; *v/i*
cocinar; **~ing** arte *m* de
cocinar

cool [kuːl] *a* fresco; *fig* indiferente; sereno; *v/t* enfriar;
v/i **~ down** enfriarse; cal-
marse; **~ness** frescura *f*;
frialdad *f*

co-op [ˈkəuɔp] *fam* = **co-
-operative**

cooper [ˈkuːpə] tonelero *m*

cooperat|e [kəuˈɔpəreit] *v/i*
cooperar; **~ion** cooperación
f; **~ive** [~ɔtiv] cooperativo;
~ive apartment apartamento *m* en propiedad horizontal; **~ive society** co-
operativa *f*

co-ordinate [kəuˈɔːdineit]
coordinar; *s mat* coordenada *f*

copartner [ˈkəuˈpɑːtnə]
consocio *m*, copartícipe *m*, *f*

cope [kəup] *v/i* **~ with**
hacer frente a; arreglárselas con; dar abasto para

copious [ˈkəupjəs] copioso,
cuantioso

copper [ˈkɔpə] cobre *m*; caldera *f*; calderilla *f*, *fam*
perra *f* (*moneda*)

copy [ˈkɔpi] *s* copia *f*; ejemplar *m*; *v/t* copiar, imitar;
~-book cuaderno *m*; **~-
right** derechos *m/pl* de
autor

coral [ˈkɔrəl] coral *m*

cord [kɔːd] *s* cordel *m*;
cuerda *f*; *v/t* encordelar

cordial [ˈkɔːdjəl] cordial;
~ity [~iˈæliti] cordialidad *f*

corduroys [ˈkɔːdərɔiz] pantalones *m/pl* de pana

core [kɔː] *bot* corazón *m*;
núcleo *m*, centro *m*; *fig*
meollo *m*, esencia *f*

cork [kɔːk] corcho *m*; **~-
screw** sacacorchos *m*

corn [kɔːn] grano *m*; trigo
m; callo *m* (*de pie*)

corner [ˈkɔːnə] *s* rincón *m*;
esquina *f*; *v/t* arrinconar

cornet [ˈkɔːnit] corneta *f*

coronation [kɔrəˈneiʃən]
coronación *f*

coroner [ˈkɔrənə] *for* pes-
quisidor *m*

corpora|l [ˈkɔːpərəl] *a* cor-
poral; físico; *s mil* cabo *m*;
~tion corporación *f*

corpse ['kɔːps] cadáver *m*

correct [kə'rekt] *a* correcto, exacto; *v/t* corregir; castigar; **~ion** corrección *f*; castigo *m*

correspond [kɔris'pɔnd] *v/i* corresponder; **~ence** correspondencia *f*; **~ent** *a* correspondiente; *s* corresponsal *m*; **~ing** correspondiente

corridor ['kɔridɔː] pasillo *m*

corroborate [kə'rɔbəreit] *v/t* corroborar

corro|de [kə'rəud] *v/t* corroer; **~sion** [~ʒən] corrosión *f*

corrugate ['kɔrugeit] *v/t* arrugar; acanalar; **~d iron** hierro *m* acanalado

corrupt [kə'rʌpt] *a* corrompido, corrupto; *v/t* corromper; viciar; *v/i* corromperse; **~ion** corrupción *f*

corset ['kɔːsit] corsé *m*

cosmetic [kɔz'metik] *a*, *s* cosmético *f*; **~ian** [~ə'tiʃən] cosmetólogo(a) *m* (*f*); **~s** cosmética *f*

cosmonaut ['kɔzmənɔːt] cosmonauta *m*

cost [kɔst] *s* coste *m*; costo *m*; gastos *m/pl*; *v/i* costar; **~ly** costoso

costume ['kɔstjuːm] traje *m*; traje *m* sastre (*para mujer*) [agradable\

cosy ['kəuzi] cómodo;\

cot [kɔt] cuna *f*; catre *m*

cottage ['kɔtidʒ] casita *f* de campo; cabaña *f*

cotton ['kɔtn] algodón *m*; **~ wool** *med* algodón *m* (absorbente)

couch [kautʃ] *s* canapé *m*; sofá *m*; *v/t* recostar; formular, expresar; *v/i* echarse, yacer [ra *f*\

couchette [kuː'ʃet] *f c* litera\

cough [kɔf] *s* tos *f*; *v/i* toser

council ['kaunsl] *s* consejo *m*; *igl* concilio *m*; **~lor** concejal *m*

counsel ['kaunsl] *s* consejo *m*; asesor *m* legal; **to take ~** consultar; **~lor** ['~silə] consejero(a) *m* (*f*)

count [kaunt] *s* cuenta *f*; cómputo *m*; suma *f*; (*noble*) conde *m*; *v/t* contar; *v/i* valer; **~ on** contar con; **~-down** cuenta *f* regresiva (*al lanzar un cohete*); **~enance** ['~inəns] semblante *m*; **~er** *s* mostrador *m*; ficha *f*, tanto *m*; *v/t* combatir; contradecir; *v/i* oponerse; **~lor** al contrario; **~eract** [kauntə'rækt] *v/t* contrarrestar; **~er-espionage** contraespionaje *m*; **~erfeit** ['~fit] falsificado, falso; **~erpane** ['~pein] cubrecama *m*, colcha *f*; **~ess** condesa *f*; **~less** ilimitado; innumerable

country ['kʌntri] país *m*; patria *f*; campo *m*; **in the ~** en el campo; **~man** paisano *m*; **~seat** finca *f*, quinta *f*

county ['kaunti] condado *m*; provincia *f*

coupl|e ['kʌpl] *s* pareja *f*; par *m*; *v/t* acoplar; juntar; **~ing** *mec* acoplamiento *m*

courage ['kʌridʒ] valor *m*; ánimo *m*; **~ous** [kə'reidʒəs] valiente

cour|ier ['kuriə] correo *m*; **~se** [kɔːs] marcha *f*; curso *m*; rumbo *m*; vía *f*; ruta *f*; plato *m*; **in due ~se** a su tiempo; **of ~se** por supuesto

court [kɔːt] *s* patio *m*; corte *f*; tribunal *m*; *v/t* cortejar; **~eous** ['kɔːtjəs] cortés; **~esy** ['kɔːtisi] cortesía *f*; reverencia *f*; **~ier** ['kɔːtjə] cortesano *m*; **~-martial** consejo *m* de guerra; **~ship** cortejo *m*; **~yard** patio *m*

cousin ['kʌzn] primo(a) *m* (*f*)

cover ['kʌvə] *s* cubierta *f*; tapa *f*; envoltura *f*; amparo *m*; pretexto *m*; *v/t* cubrir; proteger; encubrir; **~age** reportaje *m*; *com* respaldo *m*; **~let** colcha *f*

covet ['kʌvit] *v/t* codiciar; **~ous** codicioso

cow [kau] *s* vaca *f*; hembra *f* (*de elefante, etc*); *v/t* acobardar; **~ard** ['kauəd] cobarde *m*; **~ardice** [-dis] cobardía *f*; **~bell** cencerro *m*; **~boy** vaquero *m*

co-worker ['kəu'wəːkə] colaborador *m*; compañero *m* de trabajo

coxswain ['kɔkswein] timonel *m*

coy [kɔi] tímido

crab [kræb] cangrejo *m*

crack [kræk] *s* chasquido *m*; hendedura *f*; grieta *f*; *a* excelente; *v/t* chasquear (*un látigo*); resquebrajar; hender; *v/i* restallar; henderse; agrietarse; **~er** triquitraque *m*; petardo *m*

cradle ['kreidl] *s* cuna *f*; *v/t* mecer

craft [krɑːft] habilidad *f*; oficio *m*; artificio *m*; nave *f*; aeronave *f*; vehículo *m*; **~sman** artesano *m*; **~y** astuto

crag [kræg] despeñadero *m*, peñasco *m*

cram [kræm] *v/t* rellenar; embutir; preparar (*estudiante*) [*m*; grapa *f*)

cramp [kræmp] calambre *f*

cranberry ['krænbəri] arándano *m* agrio

crane [krein] *s* *mec* grúa *f*; *orn* grulla *f*; *v/t*, *v/i* estirar (-se) (*el cuello*)

crank [kræŋk] *s* manubrio *m*; manivela *f*; *v/t* hacer arrancar (*motor*); **~shaft** cigüeñal *m*

crash [kræʃ] *s* estrépito *m*; choque *m*; *aer* caída *f*; *fig* derrumbe *m*; *com* quiebra *f*; *v/i* estrellarse

crate [kreit] embalaje *m* de tablas

crater ['kreitə] cráter *m*

crav|e [kreiv] *v/t* implorar; *v/i* **~e for** anhelar; **~ing** antojo *m*, anhelo *m*

crawl [krɔːl] *v/i* arrastrarse; nadar estilo crol

crayfish ['kreifiʃ] cangrejo *m* de río

crayon ['kreiən] creyón *m*

crazy ['kreizi] loco; extravagante [rriar]

creak [kri:k] *v/i* crujir; chirriar

cream [kri:m] *(de leche)* nata *f*, crema *f* (*t fig*); **~ cheese** queso *m* crema; **~y** cremoso

crease [kri:s] *s* arruga *f*; *v/t* arrugar

creat|e [kri(:)'eit] *v/t* crear; causar; **~ion** creación *f*; **~ive** creativo, creador; **~or** creador(a) *m* (*f*); **~ure** ['kri:tʃə] criatura *f*

credentials [kri'denʃəlz] credenciales *f/pl*

credible ['kredəbl] creíble

credit ['kredit] *s* crédito *m*; haber *m*; *v/t* acreditar, abonar en; **~ balance** *com* saldo *m* acreedor; **~ card** tarjeta *f* de crédito; **~or** acreedor *m*

creed [kri:d] credo *m*

creek [kri:k] cala *f*

creep [kri:p] *v/i* arrastrarse; gatear; **~er** *bot* trepadora *f*

cremate [kri'meit] *v/t* incinerar, quemar *(cadáver)*

crescent ['kresnt] *a* creciente; *s* (*luna*) cuarto *m* creciente

cress [kres] mastuerzo *m*

crest [krest] cresta *f*; cima *f*; **~fallen** abatido

crevasse [kri'væs] hendedura *f* (*de glaciar*)

crevice ['krevis] raja *f*; hendedura *f*

crew [kru:] tripulación *f*; equipo *m*

crib [krib] pesebre *m*; cuna *f* (*de bebé*); *fam* chuleta *f*

cricket ['krikit] grillo *m*; críquet *m*

crim|e [kraim] crimen *m*; **~inal** ['kriminl] *a*, *s* criminal

crimson ['krimzn] carmesí

cripple ['kripl] *s* lisiado(a) *m* (*f*), tullido(a) *m* (*f*), inválido(a) *m* (*f*); *v/t* lisiar; *fig* incapacitar

crisis ['kraisis] crisis *f*

crisp [krisp] *a* frágil; crespo; tostado; *v/t* encrespar; **~s** rajas *f/pl* de patatas fritas

critic ['kritik] *s* crítico *m*; **~al** crítico; **~ism** ['~sizəm] crítica *f*; **~ize** ['~saiz] *v/t*, *v/i* criticar [croar]

croak [krəuk] *v/i* graznar;

crochet ['krəuʃei] *s* labor *f* de ganchillo; *v/t* hacer ganchillo

crockery ['krɔkəri] loza *f*

crocodile ['krɔkədail] cocodrilo *m* [*m*]

crony ['krəuni] compinche

crook [kruk] gancho *m*; *fam* fullero *m*, estafador *m*; **~ed** torcido

crop [krɔp] *s* buche *m* (*de ave*); cosecha *f*; *v/t* cortar; cosechar; *v/i* **~ up** dejarse ver

cross [krɔs] *s* cruz *f*; *v/t* cruzar; atravesar; **~-oneself** persignarse; **~ out** borrar; tachar; *a* malhumorado; enfadado; **~ing** cruce

m, intersección *f*; **~road**
camino *m* transversal; *pl*
encrucijada *f*; **~section**
sección *f* transversal; **~wise**
en cruz; **~word puzzle**
crucigrama *m*

crouch [krautʃ] *v/i* agacharse

crow [krəu] *s* corneja *f*; *v/i* cantar (*gallo*)

crowd [kraud] *s* gentío *m*; muchedumbre *f*; *v/t* atestar; apiñar; *v/i* apiñarse; **~ed** atestado

crown [kraun] *s* corona *f*; *v/t* coronar; **~ prince** príncipe *m* heredero

crucial ['kru:ʃəl] crucial; decisivo

cruci|fixion [kru:si'fikʃən] crucifixión *f*; **~fy** ['kru:sifai] *v/t* crucificar [*sero*)

crude [kru:d] crudo; gro-)

cruel ['kruəl] cruel; **~ty** crueldad *f*

cruet ['kru:it] vinagrera *f*, aceitera *f*

cruise [kru:z] *s* crucero *m*; *v/i* cruzar; **~r** crucero *m*

crumb [krʌm] miga *f*; **~le** ['~bl] *v/t* desmigajar; *v/i* desmoronarse

crumple ['krʌmpl] *v/t* arrugar; *v/i* contraerse

crunch [krʌntʃ] *v/t* ronzar; *v/i* crujir

crusade [kru:'seid] cruzada *f*; **~r** cruzado *m*

crush [krʌʃ] *s* apretón *m*, apretadura *f*; gentío *m*; *v/t* aplastar; estrujar; abrumar

crust [krʌst] *s* corteza *f*;

costra *f*; *v/t*, *v/i* encostrar (-se)

crutch [krʌtʃ] muleta *f*

cry [krai] *s* grito *m*; llanto *m*; *v/t*, *v/i* gritar; llorar

crypt [kript] cripta *f*

crystal ['kristl] cristal *m*; **~lize** *v/i* cristalizarse

cub [kʌb] cachorro *m*

cub|e [kju:b] *s* cubo *m*; *v/t* cubicar; **~ic** cúbico

cuckoo ['kuku:] cuclillo *m*

cucumber['kju:kʌmbə] pepino *m*

cuddle ['kʌdl] *v/t* acariciar

cudgel ['kʌdʒəl] *s* porra *f*; *v/t* aporrear

cue [kju:] *s* apunte *m*; señal *f*; taco *m* (*de billar*)

cuff [kʌf] puño *m* de camisa; **~ links** gemelos *m/pl*

culminate ['kʌlmineit] *v/i* culminar

culprit ['kʌlprit] delincuente *m*

cult|ivate ['kʌltiveit] *v/t* cultivar; **~ure** ['~tʃə] cultura *f*; **~ured** culto

cunning ['kʌniŋ] *a* astuto; *s* ardid *m*; astucia *f*

cup [kʌp] taza *f*; *igl* cáliz *m*; **~board** ['kʌbəd] armario *m*; aparador *m*

cupola ['kju:pələ] cúpula *f*

cur|able ['kjuərəbl] curable; **~ate** cura *m*

curb [kə:b] = **kerb**

curd [kə:d] cuajada *f*, requesón *m*   [jar(-se)}

curdle ['kə:dl] *v/t*, *v/i* cua-)

cure [kjuə] *s* cura *f*; *v/t*, *v/i* curar(se)

curfew ['kə:fju:] toque *m* de queda

curio|sity [kjuəri'ɔsiti] curiosidad *f*; **~us** ['~əs] curioso

curl [kə:l] *s* rizo *m*; bucle *m*; *v/t*, *v/i* rizar(se)

currant ['kʌrənt] pasa *f* de Corinto; **red ~** grosella *f*

curren|cy ['kʌrənsi] moneda *f* corriente; aceptación *f* general; **~t** *s* corriente *f*; *a* corriente; actual

curse [kə:s] *s* maldición *f*; *v/t* maldecir; *v/i* renegar

curt [kə:t] brusco, rudo; breve, lacónico

curtail [kə:'teil] *v/t* acortar; reducir

curtain ['kə:tn] cortina *f*

curtsy ['kə:tsi] *s* reverencia *f*; *v/i* hacer una reverencia

curve [kə:v] *s* curva *f*; *v/t*, *v/i* encorvar(se)

cushion ['kuʃən] *s* almohada *f*; almohadón *m*; *v/t* amortiguar; mitigar

custody ['kʌstədi] custodia *f*

custom ['kʌstəm] costumbre *f*; **~ary** acostumbrado; **~er** cliente *m*; **~-made** *Am* hecho a la medida; **~s** aduana *f*; **~s clearance** despacho *m* aduanero; **~s declaration** declaración *f* de aduana; **~s duties** derechos *m/pl* arancelarios

cut [kʌt] *s* cortadura *f*; corte *m*; rebaja *f*; *v/t* cortar; tallar; segar (*cereales*); **~ down** talar (*árboles*); reducir (*gastos, precios*); **~lery** cuchillería *f*, cubertería *f*; **~let** chuleta *f*; **~throat** asesino *m*

cycl|e ['saikl] *s* ciclo *m*; bicicleta *f*; *v/i* ir en bicicleta; **~ist** ciclista *m*

cyclone ['saikləun] ciclón *m*

cylinder ['silində] cilindro *m*

cyni|c ['sinik] cínico *m*; **~cal** cínico; **~cism** cinismo *m*

cypress ['saipris] ciprés *m*

cyst [sist] *med* quiste *m*

Czechoslovak ['tʃekəu'sləuvæk] *s*, *a* checo(e)slovaco(a) *m* (*f*)

D

dacron ['dækrɔn] dacrón *m*

dad [dæd], **~dy** [~i] papá *m*

daffodil ['dæfədil] narciso *m*

daft [dɑːft] tonto, chiflado

dagger ['dægə] puñal *m*; daga *f*

daily ['deili] diario, cotidiano

dainty ['deinti] delicado, exquisito, fino

dairy ['dɛəri] lechería *f*; vaquería *f*; **~ products** productos *m/pl* lácteos

daisy ['deizi] margarita *f*

dam [dæm] *s* dique *m*; embalse *m*; presa *f*; *v/t* represar; embalsar

damage ['dæmidʒ] s daño m; perjuicio m; avería f; v/t dañar; perjudicar; v/i dañarse

damask ['dæməsk] damasco m; ~ **steel** acero m damasquino

dame [deim] dama f; señora f

damn [dæm] v/t maldecir; ~ **it!** ¡maldito sea!; **I don't give a** ~ no me importa un bledo; **~ation** [~'neiʃən] condenación f

damp [dæmp] a húmedo; v/t mojar; humedecer; amortiguar; fig desanimar; **~ness** humedad f

dance [dɑːns] s baile m; danza f; v/i bailar; fig brincar; **~er** bailarín m, bailarina f; **~ing** baile m

dandelion ['dændilaiən] diente m de león

danger [deindʒə] peligro m; riesgo m; **~ous** [~dʒrəs] peligroso; arriesgado

dangle ['dæŋgl] v/t balancear, bambolear; v/i pender

Danish ['deiniʃ] danés

dar|e [dɛə] v/i osar; atreverse; v/t desafiar; **~ing** a atrevido, temerario; s osadía f, arrojo m

dark [dɑːk] a oscuro; tenebroso; s oscuridad f; **~en** v/t oscurecer; v/i oscurecerse; **~ness** oscuridad f

darling ['dɑːliŋ] a, s querido(a) m (f); amor m

darn [dɑːn] v/t zurcir; remendar

dart [dɑːt] s dardo m; v/i lanzarse

dash [dæʃ] s brío m; arremetida f; pizca f; raya f; v/i lanzarse; **~board** tablero m de instrumentos; **~ing** brioso; garboso; vistoso

data [deitə] datos m/pl, detalles m/pl

date [deit] s bot dátil m; fecha f; plazo m; cita f; **up to** ~ al día; moderno; **out of** ~ anticuado; v/t fechar; **~d** pasado de moda

dative ['deitiv] dativo m

daughter ['dɔːtə] hija f; ~ -**in-law** nuera f

dawn [dɔːn] s alba f; v/i amanecer

day [dei] día m; luz f del día; época f; **all** ~ todo el día; **by** ~ de día; **by** ~ día por día; **every** ~ todos los días; **every other** ~ un día sí y otro no; **the** ~ **after tomorrow** pasado mañana; **the** ~ **before yesterday** anteayer; **to this** ~ hasta hoy; **~break** alba f; **~dream** ensueño m; **~light** luz f del día; amanecer m; **in broad ~light** en pleno día

daze [deiz] s ofuscamiento m; v/t aturdir

dazzle ['dæzl] v/t deslumbrar

dead [ded] muerto; **the** ~ los muertos m/pl; **~en** v/t amortiguar; **~end** callejón m sin salida (t fig); **~ly** mortal; mortífero

deaf [def] sordo; **to turn a**

~**ear** hacerse el sordo; ~**en**
v/t ensordecer; ~**mute** *a*,
s sordomudo(a) *m* (*f*); ~**ness** sordera *f*

deal [di:l] *s* (gran) cantidad
f; trato *m*; pacto *m*; *v/t* distribuir; *v/i* ~ **in** comerciar
en; ~ **with** tratar de; ~**er**
comerciante *m* [*m*]

dean [di:n] deán *m*; decano *f*

dear [diə] querido; caro; ~
me! ¡válgame Dios!; ~**ly**
profundamente; caramente; ~**th** [də:θ] falta *f*; escasez *f*

death [deθ] muerte *f*; fallecimiento *m*; ~ **certificate**
certificado *m* (partida *f*) de
defunción; ~**ly** sepulcral;
mortal; ~**rate** mortalidad *f*

debase [di'beis] *v/t* rebajar,
envilecer

debate [di'beit] *s* debate *m*;
v/t, *v/i* discutir, debatir

debauchery [di'bɔːtʃəri] libertinaje *m*

debit ['debit] *s com* débito
m; pasivo *m*; *v/t* cargar en
cuenta, adeudar; ~ **balance**
saldo *m* deudor [*m/pl*]

debris ['deibri:] escombros *f*

debt [det] deuda *f*; ~**or** deudor(a) *m* (*f*)

decade ['dekeid] decenio *m*;
década *f*

decaden|ce ['dekədəns] decadencia *f*; ~**t** decadente

decay [di'kei] *s* podredumbre *f*; decaimiento *m*; *v/i*
pudrirse; desmoronarse;
decaer

decease [di'si:s] *s* falleci-

miento *m*; *v/i* morir; ~**d** *a*,
s difunto(a) *m* (*f*)

deceit [di'si:t] engaño *m*;
fraude *m*; ~**ful** engaño,
falso; ~**ve** *v/t* engañar

December [di'sembə] diciembre *m*

decen|cy ['di:snsi] decencia *f*; decoro *m*; ~**t** decente,
decoroso

deception [di'sepʃən] decepción *f*; engaño *m*; ~**ive**
falaz, engañoso

decide [di'said] *v/t*, *v/i* resolver; determinar; decidir(se)   [cifrar]

decipher [di'saifə] *v/t* descifrar

decision [di'siʒən] decisión
f; for fallo *m*

deck [dek] *mar* cubierta *f*;
~**chair** silla *f* de cubierta

declar|ation [deklə'reiʃən]
declaración *f*; manifiesto
m; ~**e** [di'kleə] *v/t* declarar,
manifestar

decl|ension [di'klenʃən]
gram declinación *f*; ~**ine**
[di'klain] *s* declive *m*; decadencia *f*; *v/t gram* declinar; rehusar; *v/i* declinar,
decaer   [vidad *f*]

declivity [di'kliviti] declividad *f*]

decor|ate ['dekəreit] *v/t* decorar, adornar; condecorar; ~**ation** decoración *f*;
condecoración *f*; ~**ator** decorador *m*; ~**um** decoroso;
~**um** [di'kɔːrəm] decoro *m*;
decencia *f*

decrease ['di:kri:s] *s* disminución *f*; merma *f*; *v/t*, *v/i*
disminuir(se), reducir(se)

decree [di'kri:] *s* decreto *m*; edicto *m*; *v/t, v/i* decretar

dedicat|e ['dedikeit] *v/t* dedicar; consagrar; **∼ion** dedicación *f*; (*en un libro*) dedicatoria *f*

deduce [di'dju:s] *v/t* deducir, inferir

deduct [di'dʌkt] *v/t* deducir, descontar; **∼ion** deducción *f*, rebaja *f*; descuento *m*

deed [di:d] acto *m*; hecho *m*; *for* escritura *f*

deep [di:p] profundo, hondo; astuto; subido, oscuro (*color*); *fig* astuto; **∼en** *v/t* profundizar, intensificar; *v/i* intensificarse; **∼-freeze** *s* congelación *f*; congelador *m*; *v/t* congelar; **∼ness** profundidad *f*   [*m*]

deer [diə] ciervo *m*; venado-

deface [di'feis] *v/t* desfigurar; estropear

defame [di'feim] *v/t* difamar, calumniar

defeat [di'fi:t] *s* derrota *f*; *v/t* vencer, derrotar

defect [di'fekt] defecto *m*; **∼ion** deserción *f*; **∼ive** defectivo, defectuoso

defen|ce [di'fens] defensa *f*; protección *f*; **∼celess** indefenso, desamparado; **∼d** [di'fend] *v/t* defender; **∼dant** *for* demandado(a) *m* (*f*); acusado(a) *m* (*f*); **∼der** defensor(a) *m* (*f*); **∼ding champion** *dep* campeón *m* titular; **∼sible** defendible; **∼sive** defensivo

defer [di'fə:] *v/t* diferir, aplazar; **∼ential** [defə'renʃəl] deferente, respetuoso

defiant [di'faiənt] desafiante

deficien|cy [di'fiʃənsi] deficiencia *f*; **∼t** deficiente; insuficiente

deficit ['defisit] déficit *m*, descubierto *m*   [ro *m*)

defile ['di:fail] *s* desfiladero-

defin|e [di'fain] *v/t* definir, explicar; **∼ite** ['definit] definido; exacto; determinado; **∼ition** definición *f*; **∼itive** [di'finitiv] definitivo

deflate [di'fleit] *v/t* desinflar

deflect [di'flekt] *vt, v/i* apartar(se), desviar(se)

deform [di'fɔ:m] *v/t* deformar; **∼ed** deforme, desfigurado; **∼ity** deformidad *f*

defrost ['di:'frɔst] *v/t* deshelar, descongelar

defy [di'fai] *v/t* desafiar

degenerate [di'dʒenərit] *s, a* degenerado(a) *m* (*f*)

degrade [di'greid] *v/t* degradar

degree [di'gri:] grado *m*; rango *m*; **by ∼s** paso a paso, gradualmente

dejected [di'dʒektid] abatido, desalentado

delay [di'lei] *s* dilación *f*; tardanza *f*; *v/t* retardar, dilatar; *v/i* tardar

delegat|e [di'deligit] *a, s* delegado(a); diputado; ['deligeit] *v/t* delegar; **∼ion** delegación *f*

deliberate [di'libəreit] v/t,
v/i deliberar; [di'libərit]
premeditado; deliberado

delica|cy ['delikəsi] delica-
deza f; (salud) delicadez f;
golosina f; manjar m ex-
quisito; **~te** ['..it] delicado,
fino

delicious [di'liʃəs] delicioso, rico

delight [di'lait] s encanto m;
delicia f; v/t encantar; v/i
deleitarse; **~ful** delicioso,
encantador

delinquen|cy [di'liŋkwənsi]
delincuencia f; com morosidad f; **~t** delincuente; com
moroso

deliver [di'livə] v/t libertar;
entregar; **~ a speech** pronunciar un discurso; **~y**
entrega f; alumbramiento m

deluge ['delju:dʒ] diluvio
m, inundación f

delusion [di'lu:ʒən] ilusión
f; decepción f

demand [di'mɑ:nd] s demanda f; exigencia f; v/t
pedir; exigir; **in ~** solicitado; **~ing** exigente

demeanour [di'mi:nə]
comportamiento m

demilitarized [di:'militə-
raizd] desmilitarizado

demise [di'maiz] defunción
f

demobilize [di:'məubilaiz]
v/t desmovilizar

democra|cy [di'mɔkrəsi]
democracia f; **~t** ['demə-
kræt] demócrata m, f; **~tic**
[..'krætik] democrático

demolish [di'mɔliʃ] v/t demoler; derribar [m]

demon ['di:mən] demonio

demonstra|te ['demən-
streit] v/t demostrar, probar; **~tion** demostración f

den [den] guarida f; escon-
drijo m

denatured [di:'neitʃəd] desnaturalizado (alcohol, té,
etc)

denial [di'naiəl] negación f;
desmentida f

denounce [di'nauns] v/t denunciar [pido]

dense [dens] denso; estú-
dent [dent] v/t abollar; s
abolladura f; **~al** dental;
~al surgeon cirujano m
dentista

dent|ist ['dentist] dentista
m; **~ure** ['..tʃə] dentadura f

deny [di'nai] v/t negar, denegar

depart [di'pɑ:t] v/i partir,
irse; fallecer; **~ment** departamento m; distrito m;
~ment store almacenes
m/pl; **~ure** [..tʃə] partida f,
salida f

depend [di'pend] v/i de-
pender; **~able** responsable,
de confianza; **~ence** dependencia f; confianza f;
~ency dependencia f, per-
tenencia f; **~ent** a, s dependiente; subordinado(a) m
(f)

deplor|able [di'plɔːrəbl]
deplorable; **~e** v/t deplorar

deployment [di'plɔimənt]
mil despliegue m

destination

depopulate [di'pɔpjuleit] v/t despoblar

deport [di'pɔːt] v/t deportar; ~ation deportación f; destierro m

depos|e [di'pəuz] v/t. deponer, destituir; testificar; ~it [~'pɔzit] s depósito m; fianza f; sedimento m; v/t depositar; ~itor depositante m, f

depot ['depəu] depósito m

depraved [di'preivd] v/t depravado

depress [di'pres] v/t deprimir; apretar; ~ion desaliento m; depresión f (t com)

deprive [di'praiv] v/t privar, despojar

depth [depθ] profundidad f

deputy ['depjuti] diputado m, delegado m

derail [di'reil] v/t, v/i (hacer) descarrilar

derange [di'reindʒ] v/t desarreglar; ~ment desarreglo m; desorden m; trastorno m (mental)

derisi|on [di'riʒən] mofa f; burla f; ~ve [~'raisiv] burlón, irónico

derive [di'raiv] v/t derivar; obtener

derogatory [di'rɔgətəri] despectivo; desdeñoso

descen|d [di'send] v/t, v/i descender, bajar; ~dant a, s descendiente m; ~t [di'sent] descenso m; pendiente f; descendencia f

descri|be [dis'kraib] v/t describir; ~ption [dis'krip-

ʃən] descripción f; ~ptive descriptivo

desegregate [diː'segrigeit] v/t abolir la segregación en; integrar

desert ['dezət] a desierto, yermo; s desierto m; [di-'zəːt] v/t abandonar, desamparar; v/i desertar; ~er desertor m; ~ion deserción f, defección f [cer]

deserve [di'zəːv] v/t mere-}

design [di'zain] s designio m; proyecto m; dibujo m, diseño m; v/t proyectar; diseñar, dibujar

designat|e ['dezigneit] v/t designar; señalar; ~ion designación f, nombramiento m

designer [di'zainə] dibujante m, f; diseñador m; tecn proyectista m, f

desir|able [di'zaiərəbl] deseable; ~e [~aiə] s deseo m; v/t desear; ~ous deseoso

desk [desk] escritorio m; (escuela) pupitre m; (hotel) mostrador m

desolat|e ['desəlit] a desolado, desierto; v/t desolar, arruinar; ~ion desolación f

despair [dis'pɛə] s desesperación f; v/i desesperarse

despite [dis'pait] prep a pesar de, a despecho de

despond [dis'pɔnd] v/i desalentarse; ~ency desaliento m [m(pl)]

dessert [di'zəːt] postre(s)}

destin|ation [desti'neiʃən] destino m; destinación f;

~e ['~in] v/t destinar; **~y**
destino m; suerte f; sino m
destitute ['destitju:t] indigente, menesteroso
destr|oy [dis'trɔi] v/t des-
trozar; destruir; **~oyer**
destructor m; **~uction**
[dis'trʌkʃən] destrucción f;
~uctive destructivo; destructor
detach [di'tætʃ] v/t separar,
desprender; mil destacar;
~able separable; **~ed** separado, independiente; im-
parcial; **~ment** separación
f; mil destacamento m
detail ['di:teil] s detalle m;
pormenor m; **in ~** en detalle, minuciosamente; v/t
detallar, pormenorizar;
~ed detallado
detain [di'tein] v/t retener;
detener
detect [di'tekt] v/t descubrir; averiguar; **~ion** descubrimiento m; **~ive** detective m; **~ive story** novela f
policíaca
detention [di'tenʃən] de-
deter [di'tə:] v/t disuadir;
desanimar; **~gent** a, s detergente m
deteriorate [di'tiəriəreit]
v/t, v/i empeorar(se)
determin|ation [ditə:mi-
'neiʃən] determinación f,
decisión f; **~e** [di'tə:min]
v/t determinar; **~ed** resuelto
deterrent [di'terənt] a di-
suasivo; s factor m disuasi-
vo

detest [di'test] v/t detestar;
~able detestable
detonat|e ['detəuneit] v/t,
v/i (hacer) detonar; **~ion**
detonación f
detour [di'tuə] desvío m
devalu|ation [di:vælju'ei-
ʃən] devaluación f, desvalo-
rización f; **~e** ['~'vælju:]
v/t devaluar, desvalorizar
devastat|e ['devəsteit] v/t
devastar; **~ing** devastador;
abrumador; **~ion** devastación f
develop [di'veləp] v/t desarrollar; revelar; explotar;
v/i desarrollarse, desenvol-
verse; **~ment** desarrollo m;
suceso m; urbanización f;
foto revelado m; mil des-
pliegue m
deviat|e ['di:vieit] v/t, v/i
desviar(se); **~ion** desviación f; divergencia f; per-
versión f
device [di'vais] artificio m,
dispositivo m; plan m; lema
m, divisa f
devil ['devl] diablo m, demonio m; **~ish** diabólico,
endiablado; **between ~
~ and the deep sea** entre
la espada y la pared
devise [di'vaiz] v/t trazar,
idear
devoid [di'vɔid] libre,
(exento)
devot|e [di'vəut] v/t dedi-
car; **~ed** devoto; dedicado;
~ion devoción f; lealtad f;
afecto m
devour [di'vauə] v/t devorar; tragar

devout [di'vaut] devoto; sincero, cordial

dew [dju:] s rocío m; **~y** rociado

dexter|ity [deks'teriti] destreza f; habilidad f; **~ous** ['_(ə)rəs] diestro, hábil

diagnose ['daiəgnəuz] v/t diagnosticar

dial ['daiəl] s cuadrante m; esfera f; tel disco m (selector); v/t tel marcar

dialect ['daiəlekt] dialecto m; **~ics** dialéctica f [m]

dialogue ['daiəlɔg] diálogo

diameter [dai'æmitə] diámetro m

diamond ['daiəmənd] diamante m

diaper ['daiəpə] Am pañal m (para bebés); lienzo m adamascado

diaphragm ['daiəfræm] diafragma m

diary ['daiəri] diario m

dice [dais] dados m/pl

dictat|e [dik'teit] v/t dictar; ordenar; imponer; v/i dictar una carta; dar órdenes; **~ion** dictado m; **~or** dictador m; **~orship** dictadura f

dictionary ['dikʃənri] diccionario m

die [dai] v/i morir; expirar; **~** **down** extinguirse gradualmente; s dado m; troquel m, matriz f (de imprenta); **~-hard** intransigente m, f

diet ['daiət] s régimen m alimenticio, dieta f; v/i estar a dieta

differ ['difə] v/i diferenciar-

se; distinguirse; **~ence** ['difrəns] diferencia f; controversia f; **~ent** diferente; **~y** dificultad f

difficult ['difikəlt] difícil; **~y** dificultad f

diffident ['difidənt] tímido

diffus|e [di'fju:z] a difuso; v/t difundir; **~ed light** luz f difusa

dig [dig] v/t, v/i cavar; excavar; **~ out, up** desenterrar

digest [daidʒest] s compendio m; [di'dʒest] v/t digerir (t fig); compendiar, resumir; **~ion** digestión f

digni|fied ['dignifaid] serio, mesurado; **~ty** dignidad f

digress [dai'gres] v/i divagar; **~ion** digresión f

digs [digz] fam alojamiento m, habitación f

dike [daik] dique m

dilapidated [di'læpideitid] ruinoso

dilate [dai'leit] v/t, v/i dilatar(se)

diligen|ce ['dilidʒəns] diligencia f, asiduidad f; **~t** diligente, aplicado

dilute [dai'lju:t] v/t, v/i diluir(se)

dim [dim] a débil; indistinto, oscuro; opaco (t fig); v/t oscurecer, opacar

dimension [di'menʃən] dimensión f

diminish [di'miniʃ] v/t disminuir, reducir; v/i decrecer

dimple ['dimpl] hoyuelo m

dine [dain] v/i comer, cenar; **~ out** comer fuera de casa; **~ing-car** coche-comedor m, vagón m restaurante; **~ing-room** comedor m; **~ner** ['dinə] comida f, cena f; **~ner-jacket** esmoquin m

dip [dip] s inclinación f, inmersión f; v/t sumergir; v/i sumergirse; inclinarse

diphtheria [dif'θiəriə] difteria f

diploma [di'pləumə] diploma m; **~cy** diplomacia f; **~t** ['~əmæt] diplomático m; **~tic** [~ə'mætik] diplomático; **~tist** [di'pləumətist] diplomático m

direct [di'rekt] a directo; derecho; recto; franco; v/t dirigir; mandar; **~ current** corriente f continua; **~ion** dirección f; **~ions** pl instrucciones f/pl; **~ly** directamente; en seguida; **~or** director m; administrador m; gerente m; **~orate** directorio m; junta f directiva; (**telephone**) **~ory** guía f telefónica

dirt [dəːt] suciedad f; porquería f; **~-cheap** tirado, baratísimo, regalado; **~y** a sucio; sórdido; indecente; v/t ensuciar

disab|ility [disə'biliti] incapacidad f; inhabilidad f; **~led** [dis'eibld] incapacitado; inválido; lisiado

disadvantage [disəd'vɑːntidʒ] desventaja f; detri-

mento m; **~ous** [disædvɑːn'teidʒəs] desventajoso

disagree [disə'griː] v/i disentir; discrepar; **~able** desagreable; **~ment** desacuerdo m; discordia f

disappear [disə'piə] v/t desaparecer; **~ance** desaparición f

disappoint [disə'pɔint] v/t frustrar, desengañar; **~ment** desilusión f; desengaño m; chasco m

disapprov|al [disə'pruːvəl] desaprobación f; **~e** v/t, v/i desaprobar

disarm [dis'ɑːm] v/t desarmar; v/i deponer las armas; **~ament** desarme m

disarrange ['disə'reindʒ] v/t desarreglar

disarray ['disə'rei] s desarreglo m; v/t desarreglar

disast|er [di'zɑːstə] desastre m; siniestro m; **~rous** desastroso

disbelie|f ['disbi'liːf] incredulidad f; **~ve** ['~'liːv] v/t descreer; v/i ser incrédulo

disburse [dis'bəːs] v/t desembolsar; **~ment** desembolso m, gasto m

disc [disk] disco m

discern [di'səːn] v/t, v/i discernir; distinguir; **~ing** perspicaz; **~ment** discernimiento m; juicio m

discharge [dis'tʃɑːdʒ] s descarga f; (arma) disparo m; com descargo m; mil licenciamiento m; pago m; mec, elec descarga f; salida f;

liberación *f*; despedida *f*;
v/t descargar; disparar;
licenciar; saldar; liberar;
despedir; *v/i* descargar;
dispararse

disciple [di'saipl] discípulo
m

discipline ['disiplin] disciplina *f*

disc jockey ['disk 'dʒɔki]
montadiscos *m*

disclaim [dis'kleim] *v/t* negar, repudiar; desconocer;
for renunciar; ~**er** inconexo

disclose [dis'klɔuz] *v/t* revelar, descubrir

discomfort [dis'kʌmfət] in-
comodidad *f*; molestia *f*

discompose [diskəm'pɔuz]
v/t descomponer; perturbar

disconcert [diskən'sɜːt] *v/t*
desconcertar; confundir

disconnect [diskə'nekt] *v/t*
desconectar; desacoplar;
~**ed** inconexo

disconsolate [dis'kɔnsəlit]
desconsolado

discontent ['diskən'tent]
descontento *m*; desagrado
m; ~**ed** descontento

discontinue ['diskən'tin-
ju(:)] *v/t*, *v/i* interrumpir,
descontinuar

discord [dis'kɔːd] discordia *f*; desacuerdo *m*; ~**ance**
[~'kɔːdəns] discordia *f*; mús
disonancia *f*; ~**ant** discor-
dante; *mús* disonante

discount [dis'kaunt] descuento *m*; rebaja *f*

discourage [dis'kʌridʒ] *v/t*

desanimar, desalentar; ~
ment desaliento *m*

discover [dis'kʌvə] *v/t* descubrir; hallar; ~**er** descubridor *m*, explorador *m*; ~**y**
descubrimiento *m*; hallazgo
m

discredit [dis'kredit] *s* descrédito *m*, deshonra *f*; *v/t*
v/t desacreditar; ~**able** desdoroso

discreet [dis'kriːt] discreto; ~**te** [~] distinto, separado; ~**tion** [~'kreʃən] discreción *f*

discriminat|e [dis'krimi-
neit] *v/t* discriminar; ~**ing**
discerniente; ~**ion** discri-
minación *f*

discuss [dis'kʌs] *v/t* discutir; debatir; ~**ion** discusión *f*; debate *m*

disdain [dis'dein] *s* desdén
m, desprecio *m*; *v/t* desde-
ñar, despreciar

disease [di'ziːz] enfermedad
f; mal *m*; dolencia *f*; ~**d** enfermo

disembark ['disim'bɑːk]
v/t, *v/i* desembarcar(se);
~**ation** desembarque *m* (*de
mercancías*), desembarco *m*
(*de personas*)

disengage ['disin'geidʒ] *v/t*
liberar; soltar; *mec* desembragar

disentangle ['disin'tæŋgl]
v/t desenredar

disfavour ['dis'feivə] *s* de-
saprobación *f*; desgracia *f*

disfigure [dis'figə] *v/t* desfigurar; deformar

disgrace [dis'greis] s deshonra f; v/t deshonrar; ~ful ignominioso

disguise [dis'gaiz] s disfraz m; v/t disfrazar

disgust [dis'gʌst] s asco m; repugnancia f; v/t repugnar; ~ing asqueroso, repugnante

dish [diʃ] fuente f; plato m; ~es vajilla f

dishearten [dis'hɑːtn] v/t desalentar

dishevelled [di'ʃevəld] desgreñado, desmelenado

dishonest [dis'ɔnist] deshonesto, ímprobo, falso; ~y improbidad f

dishonour [dis'ɔnə] s deshonra f, deshonor m; v/t deshonrar; com rechazar (cheque, etc)

dish-washer ['diʃwɔʃə] mec lavadora f de platos

disillusion [disi'luʒən] s desilusión f; v/t desilusionar

disinclined ['disin'klaind] renuente, poco dispuesto

disinfect [disin'fekt] v/t desinfectar; fumigar; ~ant a, s desinfectante m

disinherit ['disin'herit] v/t desheredar

disintegrate [dis'intigreit] v/t desagregar; v/i desintegrar(se)

disinterested [dis'intristid] desinteresado

dislike [dis'laik] s aversión f; antipatía f; v/t tener aversión a; no gustarle a uno

dislocate ['disləukeit] v/t dislocar

disloyal [dis'lɔiəl] desleal; ~ty deslealtad f

dismal ['dizməl] lúgubre, funesto; deprimente

dismantle [dis'mæntl] v/t desmontar

dismay [dis'mei] s consternación f; v/t consternar

dismember [dis'membə] v/t desmembrar, despedazar

dismiss [dis'mis] v/t despedir; destituir; dejar ir; ~al despedida f; destitución f

dismount ['dis'maunt] v/t desmontar; v/i apearse

disobedien|ce [disə'biːdjəns] desobediencia f; ~t desobediente

disobey [disə'bei] v/t, v/i desobedecer

disoblige [disə'blaidʒ] v/t incomodar, ofender

disorder [dis'ɔːdə] s desorden m; alboroto m; med trastorno m; v/t desarreglar; trastornar; ~ly desordenado; alborotador, escandaloso

disown [dis'əun] v/t desconocer; negar; repudiar

disparage [dis'pæridʒ] v/t menospreciar; ~ment menosprecio m

dispassionate [dis'pæʃənit] sereno, desapasionado

dispatch [dis'pætʃ] s despacho m; prontitud f; v/t despachar; expedir

dispens|able [dis'pensəbl]

dispensable; ~e v/t distribuir, repartir; v/i ~e with pasar sin, prescindir de

disperse [dis'pə:s] v/t dispersar; v/i dispersarse, disparse

displace [dis'pleis] v/t desplazar; desalojar; ~ment desalojamiento m; mar desplazamiento m

display [dis'plei] s exhibición f, ostentación f; ~ window escaparate m; v/t ostentar, desplegar

displease [dis'pli:z] v/t, v/i disgustar, molestar; desagradar; ~ure [~eʒə] desagrado m, disgusto m

disposal [dis'pəuzəl] disposición f; distribución f; eliminación f; ~e v/t disponer, colocar; v/i ~e of vender; deshacerse de; ~ition disposición f; ordenación f; carácter m

disproportionate [disprə-'pɔ:ʃnit] desproporcionado

dispute [dis'pju:t] s disputa f, controversia f; v/t, v/i disputar

disqualify [dis'kwɔlifai] v/t descalificar; inhabilitar

disquiet [dis'kwaiət] v/t intranquilizar; ~ing inquietante, alarmante

disregard [disri'gɑ:d] s descuido m; v/t pasar por alto

disreputable [dis'repjutəbl] desacreditado

disrespectful [disris'pekt-

ful] irrespetuoso, irreverente

disrupt [dis'rʌpt] v/t romper; interrumpir

dissatisf|action ['dissætis-'fækʃən] descontento m; ~ied [~fard] descontento

dissen|sion [di'senʃən] disensión f, discordia f; ~t s desavenencia f; v/i disentir, discrepar

dissimilar ['di'similə] dísimil

dissipate e ['disipeit] v/t, v/i disipar(se); ~ion disipación f

dissociat|e [di'səuʃieit] v/t separar; disociar; ~ion disociación f

dissol|ute ['disəlu:t] disoluto; ~ution disolución f; ~ve [di'zɔlv] v/t, v/i disolver(se)

dissua|de [di'sweid] v/t disuadir; ~sion disuasión f

distan|ce [di'stəns] distancia f; from a ~ce desde lejos; in the ~ce en lontananza; a lo lejos; ~t distante, apartado; fig reservado

distaste [dis'teist] aversión f, fastidio m; ~ful desagradable

disten|d [dis'tend] v/t hinchar; dilatar; ensanchar; ~sion dilatación f

distil [dis'til] v/t destilar

distinct [dis'tiŋkt] distinto, claro; ~ion distinción f; ~ive distintivo

distinguish   [dis'tiŋgwiʃ]

v/t distinguir; **~ed** distinguido, ilustre; marcado

distort [dis'tɔːt] *v/t* torcer (*t fig*); distorsionar (*sonido, etc*); **~ion** distorsión *f*; tergiversación *f*

distract [dis'trækt] *v/t* distraer; perturbar; **~ed** aturdido; **~ion** distracción *f*; diversión *f*; perturbación *f*

distress [dis'tres] *s* angustia *f*; congoja *f*; apuro *m*, peligro *m*; miseria *f*; *for* secuestro *m*, embargo *m*; *v/t* afligir, angustiar; **~ing** penoso

distribut|e [dis'tribju(ː)t] *v/t* distribuir, repartir; **~ion** distribución *f*, reparto *m*

district ['distrikt] distrito *m*; comarca *f*

distrust [dis'trʌst] *s* desconfianza *f*; *v/t* desconfiar de; **~ful** desconfiado

disturb [dis'təːb] *v/t* molestar; inquietar; **~ance** disturbio *m*; tumulto *m*, **~ing** perturbador, inquietante

ditch [ditʃ] zanja *f*; cuneta *f*

dive [daiv] *v/i* bucear; zambullirse; *mar* sumergirse; *aer* picar; lanzarse; *s* zambullida *f*; *aer* picada *f*, **~r** buzo *m*

diverge [dai'vəːdʒ] *v/i* divergir

diver|se [dai'vəːs] diverso, distinto; **~sion** diversión *f*; **~t** *v/t* desviar; divertir

divid|e [di'vaid] *v/t* dividir, separar; *v/i* dividirse; **~ing** divisorio

divin|e [di'vain] *a* divino; *v/t* adivinar; *s* sacerdote *m*; **~ity** [di'viniti] divinidad *f*; deidad *f*; teología *f*

divis|ible [di'vizəbl] divisible; **~ion** [~ʒən] división *f*; *com* departamento *m*

divorce [di'vɔːs] *s* divorcio *m*; *v/t* divorciar; *fig* separar

dizzy ['dizi] mareado; confundido; vertiginoso

do [duː] *v/t* hacer; ejecutar; rendir; servir; arreglar; recorrer; *v/i* actuar, hacer; estar; **~ away with** suprimir; **how ~ you ~?** ¿cómo está usted?; **that will ~** eso basta; **what can I ~ for you?** ¿en qué puedo servirle?

docile ['dəusail] dócil

dock [dɔk] *s* dique *m*; dársena *f*; muelle *m*; *for* banquillo *m*; *v/t* cercenar; acortar; *v/i* atracar; **~er** estibador *m*; **~yard** astillero *m*

doctor ['dɔktə] *s* médico *m*, doctor *m*; *v/t* medicinar; falsificar; **~ate** doctorado *m* [na *f*]

doctrine ['dɔktrin] doctrina *f*

document ['dɔkjumənt] documento *m*; **~ary** *cine* documental *m*

dodge [dɔdʒ] regate *m*; truco *m*; *v/t* regatear; evadir

doe [dəu] gama *f*; coneja *f*; **~-skin** ante *m*

dog [dɔg] *s* perro *m*; *v/t* seguir, acosar; **~ days** canícula *f*; **~ged** tenaz

draft

dogma ['dɔːgmə] dogma *m*
doings ['duːɪŋz] *fam* actividades *f/pl*
dole [dəul] *s* repartimiento
m; **to be on the ~** cobrar
subsidio de paro; *v/t* repartir; **~ful** triste, lúgubre
doll [dɔl] muñeca *f*
dollar ['dɔlə] dólar *m*
dolphin ['dɔlfin] delfín *m*
dome [dəum] cúpula *f*
domestic [dəu'mestik] doméstico; casero; **~ate** [~eit]
v/t domesticar
domicile ['dɔmisail] domicilio *m*
domin|ate ['dɔmineit] *v/t* dominar; **~ation** dominio
m; tiranía *f*; **~eer** *v/i* tiranizar; **~eering** mandón
dona|te [dəu'neit] *v/t* donar; **~tion** donativo *m*; donación *f*
done [dʌn] ejecutado; acabado; rendido, agotado
donkey ['dɔŋki] asno *m*,
burro *m*
donor ['dəunə] donante *m,f*
doom [duːm] *s* sentencia *f*;
destino *m*; *v/t* condenar;
~sday día *m* del juicio final
door [dɔː] puerta *f*; **~-keeper** portero *m*; **~-knob** perilla *f*; **~-latch** pestillo *m*;
~mat esterilla *f*; **~way** portal *m*
dope [dəup] *s fam* narcótico
m, droga *f*; tonto *m*, bobo
m; *v/t* narcotizar; entorpecer
dormitory ['dɔːmitri] dormitorio *m*

dose [dəus] *s* dosis *f*; *v/t* dosificar
dot [dɔt] punto *m*; **on the ~**
en punto; puntualmente
double ['dʌbl] *a* doble; *s*
teat doble *m*; *adv* dos veces,
doble; *v/t* doblar; *v/i* doblarse; **~ up** doblarse; **~-breasted** cruzado; **~-decker** *fam* ómnibus *m* de
dos pisos; **~-entry** *com*
partida *f* doble
doubt [daut] *s* duda *f*; *v/t,
v/i* dudar; **no ~** sin duda;
~ful dudoso; **~less** indudable
douche [duːʃ] ducha *f*
dough [dəu] masa *f*; pasta *f*;
~nut buñuelo *m*
dove [dʌv] palomo(a) *m (f)*;
~tailed ensamblado
down [daun] *adv* abajo; hacia abajo; *v/t* derribar; beber; tragar; *s* plumón *m*;
~cast cabizbajo, abatido;
~fall caída *f*; **~hill** cuesta
abajo; **~pour** chaparrón *m*;
~right absoluto, completo;
~stairs abajo; **~ward(s)**
['~wəd(z)] hacia abajo; **~y**
velloso
dowry ['dauəri] dote *m*, *f*
doze [dəuz] *s* sueño *m* ligero; *v/i* dormitar
dozen ['dʌzn] docena *f*; **the**
bakers' **~** la docena del
fraile   [monótono]
drab [dræb] pardusco;
draft [drɑːft] bosquejo *m*;
borrador *m*; *com* letra *f* de
cambio, giro *m*; *mil* quinta
f; **~ copy** borrador *m*;

v/t bosquejar; hacer un proyecto de; **~sman** dibujante *m*

drag [dræg] *s mar* rastra *f*; draga *f*; *v/t* arrastrar; halar; *mar* rastrear; *v/i* avanzar lentamente

dragon ['drægən] dragón *m*; **~fly** caballito *m* del diablo

drain [drein] *s* desagüe *m*; desaguadero *m*; *v/t* desaguar; drenar; **~age** desagüe *m*; drenaje *m*

drama ['drɑːmə] drama *m*; **~tic** [drə'mætik] dramático; **~tist** ['dræmətist] dramático *m*, dramaturgo *m*

drape [dreip] *v/t* vestir, cubrir con colgaduras; **~r's shop** pañería *f*

drastic ['dræstik] drástico

draught [drɑːft] *s* corriente *f* (de aire); tiro *m* de chimenea; trago *m (de bebida)*; *mar* calado *m*; **~ animal** animal *m* de tiro; **~ treaty** proyecto *m* de tratado

draw [drɔː] *s dep* empate *m*; atracción *f*; sorteo *m*; *v/t* tirar, arrastrar; dibujar; delinear; sacar; tomar *(aliento)*; con girar; **~ money** cobrar; **~ lots** echar suertes *f/pl*; **~ out** sacar; alargar, prolongar; **~ up** redactar; *v/i* tirar *(pipa, etc)*; *dep* empatar; **~ near** acercarse; **~ up** detenerse; **~back** inconveniente *m*; **~bridge** puente *m* levadizo; **~ee** [~'iː] girado *m*, li-

brado *m*; **~er** dibujante *m*; girador *m*, librador *m*; [drɔː] cajón *m*; **~ing** dibujo *m*; diseño *m*; **~ing-room** salón *m*

dread [dred] *s* temor *m*; espanto *m*; *v/t, v/i* temer; **~ful** terrible, espantoso

dream [driːm] *s* sueño *m*; visión *f*; *v/t, v/i* soñar; soñar con; **~y** soñador *m*; encantador

dreary ['driəri] melancólico

dregs [dregz] heces *f/pl*

drench [drentʃ] *v/t* empapar; calar

dress [dres] *s* vestido *m*; traje *m*; atuendo *m*; *v/t* vestir; ataviar; arreglar; *med* curar; *v/i* vestirse; **~circle** galería *f* principal; **~-coat** frac *m*; **~ing-gown** peinador *m*; bata *f*; **~ing-table** tocador *m*; **~maker** modista *f*

drift [drift] *s* corriente *f*; rumbo *m*, tendencia *f*; *mar, aer* deriva *f*; *v/t* llevar, arrastrar la corriente; *v/i* derivar; vivir sin rumbo; amontonarse *(arena, nieve)*

drill [dril] *s* taladro *m*; barrena *f*; *mil* ejercicio *m*; surco *m (para siembra)*; *v/t* taladrar; ejercitar; *mil* adiestrar

drink [drink] *s* bebida *f*; trago *m*; *v/t, v/i* beber

drip [drip] *s* goteo *m*; *v/i* gotear; chorrear

driv|e [draiv] *s* paseo *m*; viaje *m* (en coche); calzada

f particular; avenida *f*; energía *f*, empuje *m*; *mec* propulsión *f*; *v/t* conducir, guiar; arrear; impulsar; empujar, llevar; *v/i* conducir; **~ at** querer decir; **~er** conductor *m*, piloto *m*; **~ing** conducción *f*, manejo *m*; **~ing licence** licencia *f* de conducir; **~ing school** autoescuela *f*

drizzle ['drizl] *s* llovizna *f*; *v/i* lloviznar

drone [drəun] *s* zángano *m*; zumbido *m*; *v/i* zumbar

droop [dru:p] *v/i* colgar; pender

drop [drɔp] *s* gota *f*, caída *f*; pastilla *f*; *v/t* dejar caer; *v/i* bajar, caer; **~ in** visitar de paso; **~ off** caer dormido

drown [draun] *v/t* ahogar; sofocar; inundar; *v/i* ahogarse

drowsy ['drauzi] soñoliento

drudge [drʌdʒ] *s* esclavo *m* del trabajo; *v/i* afanarse

drug [drʌg] *s* droga *f*; *v/t* narcotizar; **~ addict** narcómano *m*; **~gist** ['~gist] farmacéutico *m*; **~store** botica *f*

drum [drʌm] *s* tambor *m*; *mec* tambor *m*, cilindro *m*; *anat* tímpano *m*; *v/i* tocar el tambor; tamborear (*con los dedos*)

drunk [drʌŋk] borracho, ebrio; embriagado; **~ard** borracho *m*

dry [drai] *a* seco, árido; desecado; *fig* aburrido; *v/t* secar, desecar; *v/i* secarse; **~-clean** *v/t* limpiar en seco; **~ dock** dique *m* de carena

duchess ['dʌtʃis] duquesa *f*

duck [dʌk] *s* pato(a) *m* (*f*); *v/i* zambullir(se); **~ling** anadino *m*; **~y** ['~i] *fam* pichona *f*

due [dju:] *a* debido; merecido; *com* pagadero; vencido; **the train is ~ to arrive** el tren debe llegar; *s* derecho *m*

duel ['dju:əl] duelo *m*

duke [dju:k] duque *m*

dull [dʌl] *a* débil; apagado; aburrido; opaco; estúpido; *v/t* entorpecer; embotar

duly ['dju:li] debidamente; puntualmente

dumb [dʌm] mudo; **~founded** enmudecido, atónito

dummy ['dʌmi] *a* imitado; *s* maniquí *m*; muerto *m* (*jugando a las cartas*); hombre *m* de paja

dump [dʌmp] *s* muladar *m*; *mil* depósito *m*; *v/t* descargar

dun [dʌn] *a* pardo; *s* acreedor *m* importuno; *v/t* demandar; importunar

dune [dju:n] duna *f*

dung [dʌŋ] estiércol *m*; **~hill** estercolero *m*

dungeon ['dʌndʒən] calabozo *m*; mazmorra *f*

dupe [dju:p] *s* incauto *m*; primo *m*; *v/t* engañar

duplicate ['dju:plikit] *a, s* duplicado *m*

durable ['djuərəbl] duradero

duration [djuə'reiʃən] duración *f*

duress [djuə'res] compulsión *f*

during ['djuəriŋ] durante

dusk [dʌsk] anochecer *m*; crepúsculo *m*; **~y** obscuro; moreno

dust [dʌst] *s* polvo *m*; *v/t* desempolvar; quitar el polvo; empolvar; **~bin** cubo *m* para basura; **~er** plumero *m*; trapo *m* de polvo; **~man** basurero *m*; **~pan** cogedor *m*; **~y** polvoriento

Dutch [dʌtʃ] *s, a* holandés; **~ cheese** queso *m* de bola;

~man holandés *m*; **~woman** holandesa *f*

duty ['dju:ti] deber *m*; obligación *f*; **~-free** libre de derechos [*v/t* achicar\

dwarf [dwɔ:f] *s* enano *m*;\

dwell [dwel] *v/i* habitar, morar; **~er** habitante *m*; **~ing** vivienda *f*

dwindle ['dwindl] *v/i* disminuir(se); menguar

dye [dai] *s* tinte *m*; *v/t* teñir, colorar; *v/i* teñirse; **~r** tintorero *m*

dying ['daiiŋ] moribundo

dynamic [dai'næmik] dinámico; **~s** dinámica *f*

dynamite ['dainəmait] dinamita *f*

dynamo ['dainəmɔu] dínamo *f* [tería *f*\

dysentery ['disntri] disen-\

E

each [i:tʃ] *a* cada; *pron* cada uno(a); **~ other** mutuamente; el uno al otro, unos a otros

eager ['i:gə] ansioso; anhelante; **~ness** ansia *f*, anhelo *m*; afán *m*

eagle ['i:gl] águila *f*

ear [iə] oído *m*; oreja *f*; *bot* espiga *f*; **~drum** tímpano *m*

earl [ə:l] conde *m*

early ['ə:li] temprano; primitivo

earn [ə:n] *v/t* ganar(se); merecer; **~ings** ['~iŋz] sueldo *m*; ingresos *m/pl*

earnest ['ə:nist] serio, formal; **in ~** de veras, en serio

ear-phone ['iəfəun] auricular *m*

earth [ə:θ] *s* tierra *f*; *v/t* elec conectar a tierra; **~en** de barro; **~enware** loza *f* de barro; **~quake** terremoto *m*

ease [i:z] *s* tranquilidad *f*, alivio *m*; comodidad *f*; facilidad *f*; *v/t* facilitar; aliviar [pintor\

easel ['i:zl] caballete *m* de\

east [i:st] este *m*, oriente *m*; **the ~** el Oriente

Easter ['i:stə] Pascua *f* de Resurrección; **~ly** de le-

vante; oriental; **~week** Semana *f* Santa; **2n** oriental *m*

easy ['i:zi] *a* fácil; cómodo; **~ chair** sillón *m*

eat [i:t] *v/t* comer; **~ up** consumir; devorar; **~able** comestible

eaves ['i:vz] alero *m*

ebb [eb] *s* menguante *m*; reflujo *m*; *v/i* menguar la marea; disminuir

eccentric [ik'sentrik] *a* excéntrico; *s* persona *f* excéntrica

ecclesiastical [ikli:zi'æstikəl] eclesiástico

echo ['ekəu] *s* eco *m*; *v/i* reverberar, resonar

eclipse [i'klips] eclipse *m*

economi|c [i:kə'nomik] económico; **~cal** económico, frugal; **~cs** economía *f* política; **~st** [i(:)'kɔnəmist] economista *m*, *f*; **~ze** *v/t*, *v/i* economizar, ahorrar

economy [i(:)'kɔnəmi] economía *f*; **~ class** mar, aer segunda clase *f*

ecstasy ['ekstəsi] éxtasis *m*; arrobamiento *m*

eddy ['edi] remolino *m*

edge [edʒ] *s* canto *m*; filo *m*; borde *m*; **on ~** de canto; *fig* ansioso; nervioso; **~ing** borde *m*; ribete *m*

edible ['edibl] comestible

edif|ice ['edifis] edificio *m*; **~y** *v/t* edificar

edit [i'dit] *v/t* editar; dirigir; redactar; **~ion** [i'diʃən] edición *f*; tirada *f*; **~or** redactor *m*; **~orial** [~'tɔ:riəl]

a editorial; *s* artículo *m* de fondo

educat|e ['edju(:)keit] *v/t* educar; instruir; **~ion** educación *f*, instrucción *f*; **~ional** educacional; **~ive** educativo, docente

eel [i:l] anguila *f*

effect [i'fekt] *s* efecto *m*; impresión *f*; *v/t* efectuar, ejecutar; **~ive** efectivo, eficaz; vigente; **~s** bienes *m/pl*; efectos *m/pl*

effeminate [i'feminit] afeminado

effervescent [efə'vesnt] efervescente

efficien|cy [i'fiʃənsi] eficiencia *f*; eficacia *f*; **~t** eficiente

effort ['efət] esfuerzo *m*

effusive [i'fju:siv] efusivo expansivo

egg [eg] huevo *m*; **~-cup** huevera *f*; **~nog** yema *f* mejida; **~plant** berenjena *f*; **~shell** cáscara *f* de huevo

Egypt ['i:dʒipt] Egipto *m*; **~ian** [i'dʒipʃən] *a*, *s* egipcio(a) *m* (*f*)

eiderdown ['aidədaun] edredón *m*

either ['aiðə] *a*, *pron* uno u otro; ambos; *adv* (*en negación*) tampoco

eject [i(:)'dʒekt] *v/t* expulsar; echar; **~ion** expulsión *f*

elaborate [i'læbrit] *a* elaborado; detallado; [~eit] *v/t* elaborar

elapse [i'læps] *v/i* transcurrir, pasar

elastic [i'læstik] *a, s* elástico *m* [entusiasmado\
elated [i'leitid] regocijado,\
elbow ['elbəu] *s* codo *m; v/i*
codear
elde|r ['eldə] *a, s* mayor *m;
jefe m; bot* saúco *m;* **~rly**
entrado en años; **~st** *a, s*
(*el, la*) mayor (*de todos*)
elect [i'lekt] *a* elegido, esco-
gido; electo; *v/t* elegir;
~ion elección *f;* **~or** elector
m; **~orate** electorado *m*
electr|ic [i'lektrik] eléctri-
co; **~ical** eléctrico; **~ician**
[~'triʃən] electricista *m;*
~icity [~'trisiti] electricidad *f;* **~ify** *v/t* electrificar;
fig electrizar; **~ocute** [i'lek-
trəkju:t] *v/t* electrocutar
electron [i'lektrɔn] electrón
m

elegan|ce ['eligəns] elegan-
cia *f;* **~t** elegante
element ['elimənt] elemen-
to *m;* componente *m;* **~ary**
[~'mentəri] elemental; **~ary
school** escuela *f* primaria
elephant ['elifənt] elefante
m
elevat|e ['eliveit] *v/t* elevar,
alzar; **~ion** elevación *f;* altura *f;* **~or** montacargas *m*
eligible ['elidʒəbl] elegible
eliminat|e [i'limineit] *v/t*
eliminar; descartar; **~ion**
eliminación *f*
elk [elk] alce *m*
ellipse [i'lips] elipse *f*
elm [elm] olmo *m*
elongate ['i:lɔŋgeit] *v/t, v/i*
alargar(se)

elope [i'ləup] *v/i* fugarse
(*con un amante*)
eloquen|ce ['eləukwəns]
elocuencia *f;* **~t** elocuente
else [els] *a* otro; más; **nobody** ~ ningún otro;
somebody ~ otra persona;
nothing ~ nada más; **~-
where** en otra parte; a otra
parte
elu|de [i'lu:d] *v/t* eludir,
esquivar; **~sion** evasión *f;*
~sive evasivo
emaciated [i'meiʃieitid] demacrado
emancipate [i'mænsipeit]
v/t emancipar
embalm [im'ba:m] *v/t* em-
balsamar; *fig* preservar
embankment [im'bæŋk-
mənt] terraplén *m;* dique *m*
embark [im'ba:k] *v/t, v/i*
embarcar(se); **~ upon
something** lanzarse a,
aventurarse en
embarras [im'bærəs] *v/t*
desconcertar, avergonzar;
embarazar, estorbar; **~ing**
embarazoso; molesto; **~-
ment** desconcierto *m;* perplejidad *f;* embarazo *m;*
apuros *m/pl*
embassy [im'embəsi] emba-
jada *f*
embedded [im'bedid] embutido, engastado, incrus-
tado
embellish [im'beliʃ] *v/t*
embellecer [*m*\
embers ['embəz] rescoldo\
embezzle [im'bezl] *v/t* des-
falcar; **~ment** desfalco *m*

81

embitter [imˈbitə] *v/t* amargar

emblem [ˈembləm] emblema *m*, símbolo *m*

embody [imˈbɔdi] *v/t* encarnar; incorporar

embrace [imˈbreis] *s* abrazo *m*; *v/t* abrazar; abarcar

embroider [imˈbrɔidə] *v/t* bordar; **~y** bordado *m*

emerald [ˈemərəld] esmeralda *f*

emerge [iˈməːdʒ] *v/i* salir, surgir; **~ncy** [~ənsi] emergencia *f*; aprieto *m*; **~ncy landing** *aer* aterrizaje *m* forzoso

emigra|nt [ˈemigrənt] emigrante *m*; **~te** [ˈ~eit] *v/i* emigrar; **~tion** emigración *f*

eminent [ˈeminənt] eminente, supremo

emit [iˈmit] *v/t* emitir, despedir

emotion [iˈməuʃən] emoción *f*; **~al** emocional; impresionable

emperor [ˈempərə] emperador *m*

empha|sis [ˈemfəsis] énfasis *m*; **~size** destacar, recalcar; **~tic** [imˈfætik] enfático; categórico

empire [ˈempaiə] imperio *m*

employ [imˈplɔi] *s* servicio *m*, empleo *m*; *v/t* emplear; **~ee** [emplɔiˈiː] empleado *m*; **~er** empleador *m*, patrón *m*; **~ment** empleo *m*; oficio *m*; **~ment agency** oficina *f* de colocaciones

empress [ˈempris] emperatriz *f*

empt|iness [ˈemptinis] vacío *m*; vacuidad *f*; **~y** *a* vacío; *v/t* vaciar

enable [iˈneibl] *v/t* capacitar; permitir

enact [iˈnækt] *v/t* decretar, estatuir; **~ment** promulgación *f* (*de una ley*); estatuto *m*

enamel [iˈnæməl] *s* esmalte *m*; *v/t* esmaltar

encase [inˈkeis] *v/t* encajar

enchant [inˈtʃɑːnt] *v/t* encantar; hechizar; **~ing** encantador

encircle [inˈsəːkl] *v/t* cercar; circundar

enclos|e [inˈkləuz] *v/t* encerrar; incluir; adjuntar; **~ure** [~ʒə] cercado *m*; vallado *m*; *com* anexo *m*

encounter [inˈkauntə] *s* encuentro *m*; choque *m*; *v/t*, *v/i* encontrar; dar con

encourag|e [inˈkʌridʒ] *v/t* animar; alentar; **~ement** estímulo *m*; **~ing** animador, alentador

encumber [inˈkʌmbə] *v/t* recargar; estorbar, impedir

end [end] *s* fin *m*; extremo *m*; cabo *m*; final *m*; conclusión *f*; **in the ~** al fin y al cabo; **to bring to an ~** tocar a su fin; **to what ~?** ¿a qué propósito?; *v/t*, *v/i* terminar, acabar; cesar

endanger [inˈdeindʒə] *v/t* arriesgar; poner en peligro

endear [in'diə] v/t hacer
querer; ~ment caricia f
endeavour [in'devə] s esfuerzo m; empeño m; v/i
esforzarse
end|ing ['endiŋ] termina-
ción f; final m; ~less interminable
endorse [in'dɔːs] v/t endosar; aprobar; ~ment en-
dosamiento m; aprobación
f; ~d endosante m
endow [in'dau] v/t dotar,
fundar; ~ment fundación f
endur|ance [in'djuərəns]
aguante m, resistencia f; ~e
v/t soportar, aguantar; tolerar [go(a) m (f)]
enemy ['enimi] a, s enemi-⌡
energ|etic [enə'dʒetik]
enérgico; ~y ['enədʒi] energía f [bilitar]
enfeeble [in'fiːbl] v/t de-⌡
enfold [in'fəuld] v/t envolver; abrazar
enforce [in'fɔːs] v/t imponer; hacer cumplir (ley);
poner en vigor; ~ment ejecución f de una ley; coacción f
engage [in'geidʒ] v/t contratar; emplear; ocupar;
comprometer; v/i empe-
ñarse, comprometerse; ~d
comprometido (en matri-
monio); ocupado; contra-
tado; ~ment compromiso
m; contrato m; mil comba-
te m; esponsales m/pl
engine ['endʒin] máquina f;
motor m; locomotora f; ~-
-driver maquinista m; ~er

engineer [endʒi'niə] s ingeniero m;
v/t manejar; ~ering inge-
niería f
English ['iŋgliʃ] a inglés; s
(idioma) inglés m; the ~ los
ingleses; ~man inglés m;
~woman inglesa f
engrav|e [in'greiv] v/t gra-
bar; ~er grabador m; ~ing
grabado m
engross [in'grəus] v/t absorber
enjoin [in'dʒɔin] v/t mandar; prescribir
enjoy [in'dʒɔi] v/t gozar de;
disfrutar de; gustarle a
uno; ~ oneself divertirse;
~able agradable; ~ment
goce m; uso m
enlarge [in'lɑːdʒ] v/t foto
ampliar; extender; ~ment
aumento m; foto amplia-
ción f
enlighten [in'laitn] v/t iluminar; ilustrar; ~ment
ilustración f
enlist [in'list] v/t alistar; v/i
enrolarse; asegurarse
(ayuda, etc)
enliven [in'laivn] v/t avivar,
vivificar
enmity ['enmiti] enemistad
f [me]⌡
enormous [i'nɔːməs] enor-⌡
enough [i'nʌf] bastante
enrage [in'reidʒ] v/t enfurecer
enrapture [in'ræptʃə] v/t
arrebatar, arrobar
enrich [in'ritʃ] v/t enriquecer
enrol [in'rəul] v/t, v/i inscri-

bir(se), matricular(se); **~ment** inscripción f

ensign ['ensain, *mar* 'ensn] bandera f

ensue [in'sju:] v/i resultar, sobrevenir

ensure [in'ʃuə] v/t asegurar

entangle [in'tæŋgl] v/t enredar; **~ment** enredo m

enter ['entə] v/t entrar en; afiliarse a; anotar, sentar; presentar (*reclamo*, *etc*)

enterprise ['entəpraiz] empresa f; **~ing** emprendedor

entertain [entə'tein] v/t entretener; divertir; agasajar; **~ing** divertido, entretenido; **~ment** entretenimiento m; hospitalidad f; espectáculo m

enthusias|m [in'θju:ziæzəm] entusiasmo m; **~t** [~st] entusiasta m; **~tic** [~'æstik] entusiástico, caluroso; entusiasmado

entice [in'tais] v/t atraer, seducir

entire [in'taiə] entero, íntegro; **~ly** enteramente, únicamente

entitle [in'taitl] v/t habilitar, autorizar; titular

entrails ['entreilz] entrañas f/pl

entrance ['entrəns] entrada f; admisión f; **~ fee** derechos m/pl de admisión

entreat [in'tri:t] v/t rogar, suplicar

entrust [in'trʌst] v/t encargar (con); confiar

entry ['entri] entrada f; acceso m; *com* asiento m; partida f

enumerate [i'nju:məreit] v/t enumerar, contar

envelop [in'veləp] v/t envolver, cubrir; **~e** ['envələup] sobre m

env|iable ['enviəbl] envidiable; **~ious** envidioso

environ|ment [in'vaiərənmənt] ambiente m; **~ment protection** defensa f del ambiente; **~mental pollution** contaminación f ambiental; **~s** ['environz] alrededores m/pl, cercanías f/pl

envisage [in'vizidʒ] v/t contemplar

envoy ['envoi] enviado m

envy ['envi] s envidia f; v/t envidiar

epidemic [epi'demik] a epidémico; s epidemia f

epilepsy ['epilepsi] epilepsia f [m]

episode ['episəud] episodio f

epoch ['i:pok] época f

equal ['i:kwəl] a, s igual m; to be **~ to** tener fuerzas para, estar a la altura de; **~ity** [i(:)'kwoliti] igualdad f; **~ize** v/t igualar

equanimity [ekwə'nimiti] ecuanimidad f

equation [i'kweiʒən] ecuación f [m]

equator [i'kweitə] ecuador f

equilibrium [i:kwi'libriəm] equilibrio m

equip [i'kwip] v/t equipar;

dotar; aparejar; ~ment
equipo m; accesorios m/pl

equivalent [i'kwivələnt] a,
s equivalente m

era ['iərə] época f; geol edad
f

eras|e [i'reiz] v/t borrar;
~ure [-ʒə] borradura f

ere [eə] prep antes de; conj
antes que

erect [i'rekt] a derecho;
(e)recto; v/t erigir; levantar; ~ion erección f; es-
tructura f

ermine ['ə:min] armiño m

erotic [i'rɔtik] erótico

err [ə:] v/i errar; equivocarse

errand ['erənd] mandado
m, diligencia f; ~-boy man-
dadero m

erroneous [i'rəunjəs] erróneo, errado

error ['erə] error m, yerro m

escalat|ion [eskə'leiʃən]
intensificación f; ~or escalera f móvil

escape [is'keip] v/t escapar
de, evitar; v/i escaparse,
huir; s fuga f; escape m (de
gas)

escort ['eskɔ:t] s escolta f;
[is'kɔ:t] v/t escoltar, acompañar [pargata f]

espadrille ['espədril] al-

especial [is'peʃəl] especial;
~ly especialmente

espionage [espiə'nɑ:ʒ] espionaje m

espy [is'pai] v/t divisar

essay ['esei] ensayo m; ~ist
ensayista m

essen|ce ['esns] esencia f;
~tial [i'senʃəl] esencial

establish [is'tæbliʃ] v/t establecer; instituir; probar;
~ment establecimiento m;
the Ɔment Ingl la clase f
gobernante

estate [is'teit] estado m;
finca f; SA hacienda f;
propiedad f, bienes m/pl;
caudal m hereditario; ~ car
rubia f

esteem [is'ti:m] s estimación f; aprecio m; v/t estimar; apreciar

estimat|e ['estimit] s esti-
mación f, tasación f; ['~eit]
v/t estimar, valorar, tasar;
~ion estimación f; opi-
nión f

estrange [is'treindʒ] v/t
enajenar

estuary ['estjuəri] estuario
m, ría f

etern|al [i(:)'tə:nl] eterno;
~ity eternidad f

ether ['i:θə] éter m

ethics ['eθiks] ética f

Europe ['juərəp] Europa f;
~an [~'pi:(ə)n] a, s euro-
peo(a) m (f); ~an Eco-
nomic Community Mer-
cado m Común Europeo

evacuat|e [i'vækjueit] v/t
evacuar; ~ion evacuación f

evade [i'veid] v/t evadir,
eludir

evaporat|e [i'væpəreit] v/t,
v/i evaporizar(se); evapo-
rar(se)

evasion [i'veiʒən] evasión f

eve [i:v] víspera f; on the ~

of la víspera de; en vísperas de

even ['i:vən] *a* llano, liso; igual, parejo; constante; *mat* par; *adv* aun, hasta; siquiera; ~ **though** aunque; **not** ~ ni siquiera; *v/t* igualar, nivelar

evening ['i:vniŋ] *s* tarde *f*; anochecer *m*; *fig* ocaso *m*; **good** ~! ¡buenas tardes!; ¡buenas noches!; ~ **dress** traje *m* de etiqueta, de noche; ~ **paper** periódico *m* de la tarde

evensong ['i:vənsɔŋ] vísperas *f/pl*

event [i'vent] suceso *m*, acontecimiento *m*; **at all** ~**s** en todo caso; ~**ful** memorable, notable; ~**ual** subsiguiente; eventual; ~**ually** finalmente

ever ['evə] siempre, jamás; alguna vez; nunca (*con verbo negativo*); **for** ~ para siempre; ~ **since** desde entonces

every ['evri] *a* cada; todo, todos los; ~ **other day** un día sí y otro no; ~**body**, ~**one** todo el mundo; cada uno; todos; ~**thing** todo; ~**where** en todas partes

eviden|ce ['evidəns] evidencia *f*; *for* prueba *f*; testimonio *m*; **to give** ~**ce** declarar; ~**t** evidente, patente

evil [i:vl] *a* malo; maligno; *s* maldad *f*; mal *m*; perversidad *f*; ~**s** malas consecuencias *f/pl*; *adv* mal

evince [i'vins] *v/t* demostrar, hacer patente

evoke [i'vouk] *v/t* evocar

evolution [i:və'lu:ʃən] evolución *f*; desenvolvimiento *m*, desarrollo *m*

evolve [i'vɔlv] *v/t* desenvolver; *v/i* desarrollarse

ewe [ju:] oveja *f*

exact [ig'zækt] *a* exacto; *v/t* exigir; ~**ing** exigente; ~**ness** exactitud *f*

exaggerate [ig'zædʒəreit] *v/t* exagerar

exalt [ig'zɔ:lt] *v/t* exaltar

examin|ation [igzæmi'neiʃən] examen *m*; investigación *f*; ~**e** [ig'zæmin] *v/t* examinar; *for* interrogar

example [ig'zɑ:mpl] ejemplo *m*; ejemplar *m*; **for** ~ por ejemplo

exasperate [ig'zɑ:spəreit] *v/t* exasperar

excavate ['ekskəveit] *v/t* excavar

exceed [ik'si:d] *v/t* exceder; rebasar; ~**ingly** sumamente

excel [ik'sel] *v/t*, *v/i* superar; sobresalir; ~**lence** ['eksələns] excelencia *f*; ~**lent** excelente

except [ik'sept] *prep* excepto, salvo; ~ **for** aparte de; *v/t* exceptuar; ~**ing** excepto, menos; ~**ion** excepción *f*; ~**ional** excepcional

excess [ik'ses] exceso *m*; ~ **luggage** exceso *m* de equipaje; ~**ive** excesivo

exchange [iks'tʃeindʒ] *s*
cambio *m*; *com* bolsa *f*,
lonja *f*; *v/t* cambiar; **~rate**
tipo *m* de cambio

exchequer [iks'tʃekə] tesore-
ría *f*; *Ingl* ♀ tribunal *m* de
hacienda

excit|able [ik'saitəbl] exci-
table; exaltado; **~e** *v/t* excitar; **~ement** excitación *f*;
~ing excitante; emocionante

excla|im [iks'kleim] *v/t, v/i*
exclamar; **~mation** [eks-
klə'meiʃən] exclamación *f*

exclu|de [iks'kluːd] *v/t* ex-
cluir; **~sion** [~ʒən] exclu-
sión *f*; **~sive** [~siv] exclusivo; selecto

excursion [iks'kəːʃən] excursión *f*; **~ist** excursionista *m*

excuse [iks'kjuːz] *s* excusa *f*,
disculpa *f*; pretexto *m*;
v/t excusar, disculpar, perdonar; **~ me!** ¡perdóneme!

execut|e ['eksikjuːt] *v/t* eje-
cutar; llevar a cabo; cumplir; **~ion** ejecución *f*;
cumplimiento *m*; **~ioner**
verdugo *m*; **~ive** [ig'zekju-
tiv] *a, s* ejecutivo *m*; **~ive
committee** junta *f* directiva; **~or** *for* albacea *m*;
ejecutor *m* testamentario

exempt [ig'zempt] *a* exento; *v/t* eximir; **~ion** exen-
ción *f*

exercise ['eksəsaiz] *s* ejercicio *m*; *v/t* ejercer; emplear; *v/i* hacer ejercicios

exert [ig'zəːt] *v/t* ejercer; **~**

oneself *v/r* esforzarse, afanarse; **~ion** esfuerzo *m*

exhale [eks'heil] *v/t* exhalar; despedir

exhaust [ig'zɔːst] *s* escape
m; **~ fumes** gases *m/pl* de
escape; *v/t* agotar; **~ed**
agotado; **~ing** agotador;
~ion agotamiento *m*; **~ive** ex-
haustivo, detallado

exhibit [ig'zibit] *s* objeto *m*
expuesto; *for* prueba *f* ins-
trumental; *v/t* exhibir,
presentar; **~ion** [eksi'biʃən]
exhibición *f*; presentación *f*

exile ['eksail] *s* destierro *m*;
desterrado *m*; *v/t* desterrar,
deportar

exist [ig'zist] *v/i* existir;
subsistir; **~ence** existencia
f, vida *f*; ser *m*; **~ent**, **~ing**
existente

exit ['eksit] salida *f*

exotic [ig'zɔtik] exótico

expan|d [iks'pænd] *v/t, v/i*
extender(se); **~se** [~s] extensión *f*, espacio *m*; **~sion**
expansión *f*; *mat* desarrollo *m*; **~sive** expansivo

expect [iks'pekt] *v/t* esperar, aguardar; contar con;
~ant expectante; preñada;
~ation [ekspek'teiʃən] expectativa *f*

expedient [iks'piːdjənt] *a*
conveniente; *s* expediente
m, recurso *m*

expedition [ekspi'diʃən]
expedición *f*; despacho *m*;
~ary expedicionario

expel [iks'pel] *v/t* expulsar;
expeler

expen|d [iks'pend] *v/t* gastar, derrochar; **~dable** sacrificable; **~diture** [~ditʃə] gastos *m/pl*; desembolso *m*; **~se** [~s] gasto *m*; **~sive** caro, costoso

experience [iks'piəriəns] *s* experiencia *f*; *v/t* experimentar, sentir

experiment [iks'perimənt] *s* experimento *m*; *v/i* experimentar

expert ['ekspə:t] *a* experto; *s* perito *m*, experto *m*; **~ness** pericia *f*

expir|ation [ekspaiə'reiʃən] expiración *f*; *com* vencimiento *m*; **~e** [iks'paiə] *v/i* expirar; *com* caducar; vencer

expla|in [iks'plein] *v/t* explicar; **~nation** [eksplə'neiʃən] explicación *f*; **~natory** [iks'plænətəri] explicativo

explicit [iks'plisit] explícito

explode [iks'pləud] *v/t* detonar, volar; hacer saltar; *v/i* estallar, explotar

exploit [iks'plɔit] *s* hazaña *f*, proeza *f*; *v/t* explotar; **~ation** explotación *f*

explor|ation [eksplɔ:'reiʃən] exploración *f*; **~e** [iks'plɔ:] *v/t* explorar; **~er** explorador *m*

explo|sion [iks'pləuʒən] explosión *f*; **~sive** [~siv] explosivo

export ['ekspɔ:t] *s* exportación *f*; [eks'pɔ:t] *v/t* exportar; **~ation** exportación *f*; **~er** exportador *m*

expos|e [iks'pəuz] *v/t* exponer; descubrir; poner al descubierto; **~ition** [ekspəu'ziʃən] exposición *f*; **~ure** [~ʒə] exposición *f*; revelación *f*; **~ure meter** *foto* exposímetro *m*

express [iks'pres] *a, s* preso *m*; **~ train** tren *m* expreso, talgo *m*; *v/t* exprimir; expresar, formular; **~ion** expresión *f*; **~ive** expresivo; **~ly** expresamente

expulsion [iks'pʌlʃən] expulsión *f*

exquisite ['ekskwizit] exquisito

exten|d [iks'tend] *v/t* extender, alargar; prorrogar; diluir; *v/i* extenderse; proyectarse; **~sion** extensión *f*; *com* prórroga *f*; *tel* extensión *f*; **~sive** extensivo; amplio; **~t** extensión *f*; alcance *m*; **to a certain ~t** hasta cierto punto

exterior [eks'tiəriə] *a* exterior; *s* exterior *m*; *b* paisaje *m*

exterminat|e [iks'tə:mineit] *v/t* exterminar; **~ion** exterminación *f*

external [eks'tə:nl] externo, exterior

extin|ct [iks'tiŋkt] extinto; **~ction** extinción *f*; **~guish** [~'tiŋgwiʃ] *v/t* extinguir, apagar

extirpate ['ekstə:peit] *v/t* extirpar

extra ['ekstrə] *a* extraordinario; adicional; *s* recargo *m*; extra *m*; gasto *m* extraordinario

extract ['ekstrækt] *s* extracto *m*; [iks'trækt] *v/t* extraer; **~ion** extracción *f*

extraordinary [iks'trɔːdnri] extraordinario

extravagan|ce [iks'trævigəns] extravagancia *f*; **~t** extravagante

extrem|e [iks'triːm] *a* extremo; extremado; *s* extremo *m*, extremidad *f*; **~ely** extremadamente; suma-

mente; **~ity** [~'tremiti] extremidad *f*

exuberant [ig'zjuːbərənt] exuberante

exult [ig'zʌlt] *v/i* exultar, alborozarse

eye [ai] *s* ojo *m*; vista *f*; **to keep an ~ on** vigilar; **with an ~ to** con miras a; *v/t* ojear, mirar; **~ball** globo *m* del ojo; **~brow** ceja *f*; **~glasses** gafas *f/pl*, lentes *m/pl*; **~lash** pestaña *f*; **~let** ojete *m*; **~lid** párpado *m*; **~sight** vista *f*; **~witness** testigo *m* ocular

F

fable ['feibl] *s* fábula *f*

fabric ['fæbrik] tejido *m*; tela *f*; fábrica *f*; **~ate** ['~eit] *v/t* fabricar (*t fig*)

fabulous ['fæbjuləs] fabuloso

façade [fə'sɑːd] fachada *f*

fac|e [feis] *s* cara *f*; frente *f*, fachada *f*; esfera *f* (*del reloj*); **~e to ~e** cara a cara; **~e value** valor *m* nominal; **to make** *o* **pull ~es** hacer muecas; *v/t* hacer frente a; mirar hacia; afrontar; **~ing** frente (a)

facil|itate [fə'siliteit] *v/t* facilitar; **~ity** facilidad *f*

fact [fækt] hecho *m*; realidad *f*; **in ~** en realidad; **~-finding** de investigación

factor ['fæktə] factor *m*

factory ['fæktəri] factoría *f*; fábrica *f*

faculty ['fækəlti] facultad *f*; aptitud *f*

fade [feid] *v/t* marchitarse; descolorarse; **~ away** desvanecerse

fail [feil] *v/t* abandonar; desaprobar; *v/i* fallar; fracasar; *com* quebrar; **~ to** dejar de; **~ure** ['~jə] fracaso *m*; fracasado *m*; *com* quiebra *f*

faint [feint] *a* débil, delicado; **to feel ~** sentirse mareado; *s* desmayo *m*; *v/i* desmayarse; **~-hearted** tímido, medroso

fair [fɛə] *a* despejado, claro; rubio; equitativo, justo; regular; favorable; **~ play** juego *m* limpio; *s* feria *f*; **~ly** bastante; **~ness** rectitud *f* [cuento *m* de hadas]

fairy ['fɛəri] hada *f*; **~-tale**

faith [feiθ] fe f; confianza f;
~**ful** fiel, leal; &**fully yours**
atentamente suyo; ~**ful-
ness** fidelidad f, lealtad f;
~**less** desleal; pérfido
fake [feik] s falsificación f,
falseamiento f; v/t imitar;
falsificar; simular
falcon ['fɔ:lkən] halcón m
fall [fɔ:l] s caída f; com baja
f; otoño m; v/i caer(se);
bajar; desplomarse; ~ **back
on** recurrir a; ~ **due** com
vencerse; ~ **ill** enfermar; ~
in love with enamorarse
de; ~ **out** reñir, pelear; ~
short of no llegar a; ~**out**
precipitación f(radioactiva)
fals|e [fɔ:ls] falso, incorrec-
to; falsificado; ~ **teeth**
dientes m/pl postizos; ~**e-
hood** falsedad f
falter ['fɔ:ltə] v/i vacilar;
v/t balbucear; s vacilación f
fame [feim] fama f; renom-
bre m; reputación f; ~**d** famoso, afamado
famil|iar [fə'miljə] a fami-
liar; conocido; s familiar m;
~**iarity** [~i'æriti] familiari-
dad f; intimidad f; confianza f; ~**y** ['fæmili] familia f;
~**y name** apellido m; ~**y
tree** árbol m genealógico
fami|ne ['fæmin] hambre f,
hambruna f; ~**sh** v/i hambre
[célebre)
brear
famous ['feiməs] famoso,
fan [fæn] s abanico m; ventilador m; aficionado m;
v/t abanicar; avivar
fanatic(al) [fə'nætik(əl)] a

fanático; s fanático m, entusiasta m
fancy ['fænsi] fantasía f;
capricho m; gusto m; ~
ball baile m de disfraces; ~
dress disfraz m; **to take
a ~ to** aficionarse a
fang [fæŋ] colmillo m
fantastic [fæn'tæstik] fantástico
far [fɑ:] a lejano, remoto;
adv lejos; **as ~ as** hasta; **by
~** con mucho; **~ and wide**
por todas partes; **~ better**
mucho mejor; **~ off** a lo lejos; **to go too ~** extralimi-
tarse
fare [fɛə] tarifa f; pasaje m;
~**well** adiós m; despedida f
far-fetched ['fɑ:'fetʃid] improbable
farm [fɑ:m] s granja f; v/t
cultivar; ~**er** granjero m;
~**hand** labrador m; ~**house**
alquería f; ~**ing** cultivo m;
labranza f
far-sighted ['fɑ:'saitid]
présbita; fig previsor, prudente
farth|er ['fɑ:ðə] a más le-
jano; adv más adelante;
más lejos; ~**er on** más adelante
fascinate ['fæsineit] v/t
fascinar, hechizar; ~**ing**
fascinador, fascinante; ~**ion**
fascinación f
fashion ['fæʃən] s moda f;
uso m; **out of ~** fuera de
moda; **to be in ~** estilarse;
v/t formar, adaptar; ~**able**
de moda

fast [fɑːst] *a* rápido, veloz;
firme, (*reloj*) adelantado;
disoluta, inmoral (*mujer*);
adv rápidamente; firme-
mente; *v/i* ayunar; **~en**
['fɑːsn] *v/t* fijar; atar; **~en-
er** sujetador *m*; **~ness** rapidez *f*; firmeza *f*

fastidious [fəs'tidiəs] des-
contentadizo; quisquilloso;
~ness dengue *m*

fat [fæt] *a* graso; gordo,
obeso; *fig* pingüe; *s* grasa *f*;
gordura *f*

fatal ['feitl] fatal; funesto;
~ality [fə'tæliti] fatalidad *f*;
desgracia *f*; **~e** nado *m*,
sino *m*; suerte *f*; **~eful** fatal

father ['fɑːðə] *s* padre *m*;
v/t engendrar; **~hood** paternidad *m*; **~-in-law** suegro
m; **~land** patria *f*; **~less**
huérfano de padre; **~ly** paternal

fathom ['fæðəm] *s* braza *f*;
v/t sondear; *fig* comprender; **~less** insondable

fatigue [fə'tiːg] *s* fatiga *f*;
v/t cansar, fatigar

fatten ['fætn] *v/t* cebar;
v/t engordar; **~ty** grasiento, grasoso

faucet ['fɔːsit] llave *f*; grifo
m

fault [fɔːlt] *s* falta *f*; defecto
m; culpa *f*; **to find ~ with**
criticar, desaprobar; **~less**
sin defecto, impecable; **~y**
defectuoso

favo(u)r ['feivə] *s* favor *m*;
aprecio *m*; *v/t* favorecer;
~able favorable, propicio;

~ite ['~rit] *a* favorito, predilecto; *s* favorito *m*, pro-
tegido *m*; **~itism** favoritis-
mo *m*

fawn [fɔːn] cervato *m*

fear [fiə] *s* miedo *m*; temor
m; aprensión *f*; *v/t*, *v/i* temer; tener miedo; **~ful**
miedoso; terrible, horrendo

feast [fiːst] *s* fiesta *f*; banquete *m*; *v/t* festejar; ban-
quetear; *v/i* deleitarse

feat [fiːt] hazaña *f*, proeza *f*

feather ['feðə] pluma *f*;
mec cuña *f*; carp lengüeta *f*;
birds of a ~ *fig* lobos *m/pl*
de una camada; *v/t* em-
plumar; **~bed** colchón *m*
de plumas; **~y** plumoso

feature ['fiːtʃə] *s* rasgo *m*,
característica *f*; película *f* o
artículo *m* principal; *v/t*
destacar; **~s** facciones *f/pl*

February ['februəri] febrero *m*

federal ['fedərəl] federal;
~ism federalismo *m*

federation [fedə'reiʃən] fe-
deración *f*

fee [fiː] honorarios *m/pl*;
cuota *f* de ingreso; derechos *m/pl*

feeble ['fiːbl] débil

feed [fiːd] *v/t* nutrir, alimentar; *v/i* pastar; alimen-
tarse; **to be fed up with**
estar harto de; *s* *er* *mec* ali-
mentador *m*; **~er road** camino *m* secundario; **~ing**
alimento *m*, pasto *m*; **~ing-
bottle** biberón *m*

feel [fiːl] *v/t* tocar, palpar;

fiddle

sentir; experimentar; *v/i*
sentirse, encontrarse; resultar (*al tacto*); ~ **for** buscar tentando; compadecer-
se de; **~er** tentáculo *m*;
sondeo *m*; **~ing** tacto *m*;
sentimiento *m*; sensación *f*

fell [fel] *s* pelo *m*, cuero *m*;
páramo *m*; *a* feroz, cruel;
v/t talar; cortar

fellow ['feləu] compañero
m, camarada *m*; asociado
m; *fam* tipo *m*, tío *m*; mozo
m; **~ being** prójimo *m*; **~
citizen** conciudadano *m*;
~ship compañerismo *m*;
beca *f*; **~ traveller** compañero *m* de viaje (*t fig y pol*)

felon ['felən] reo *m*, criminal *m*; **~ious** [fi'ləunjəs]
felón; **~y** delito *m* mayor,
felonía *f*

felt [felt] fieltro *m*

female ['fi:meil] *a, s* hembra *f*

feminine ['feminin] femenino; femenil

fen [fen] aguazal *m*

fenc|e [fens] *s* valla *f*, cerca
f; *v/t* cercar; guardar; *v/i*
esgrimir; **~ing** esgrima *f*

fend [fend] (**off**) *v/t* parar;
repeler; **~er** *aut* guarda-
barros *m*

ferment ['fə:ment] *s* fer-
mento *m*; [fə(:)'ment] *v/i*
fermentar; **~ation** fermen-
tación *f*

fern [fə:n] helecho *m*

ferocity [fə'rɔsiti] feroci-
dad *f*

ferry ['feri] *s* transbordador

m; *v/t, v/i* transportar en
barco; **~man** barquero *m*

fertil|e ['fə:tail] fértil, fe-
cundo; **~ity** [~'tiliti] fertili-
dad *f*; **~ize** [~ilaiz] *v/t* fer-
tilizar, *agr* abonar; **~izer**
abono *m*

fervent ['fə:vənt] fervoroso,
ardiente

fester ['festə] *v/i* ulcerarse;
supurar

festiv|al ['festəvəl] fiesta *f*;
mús festival *m*; *a* festivo;
~ity [~'tiviti] festividad *f*,
regocijo *m*

fetch [fetʃ] *v/t* ir a buscar; ir
por; *v/i* venderse a (*cierto
precio*); **~ing** atractivo

fetter ['fetə] *v/t* encadenar,
trabar; *s* grillete *m*; grillos
m/pl

feud [fju:d] lucha *f* encar-
nizada; *for* feudo *m*;
~alism feudalismo *m*

fever ['fi:və] fiebre *f*, calen-
tura *f*; agitación *f*; **~ish**
febril

few [fju:] *a, s* pocos(as);
unos(as), algunos(as); **a ~**
unos(as) cuantos(as); **~er**
menos

fiancé [fi'ɑ:nsei] novio *m*;
~e novia *f*

fib [fib] mentirilla *f*

fibr|e ['faibə] fibra *f*; **~e-
glass** vidrio *m* fibroso;
~ous fibroso

fickle ['fikl] inconstante

ficti|on ['fikʃən] ficción *f*,
novelas *f/pl*; **~tious** [~'tiʃəs]
ficticio

fiddl|e ['fidl] *s* violín *m*; *v/i*

tocar el violín; ocuparse en fruslerías; **~er** violinista *m*, *f*; **~esticks!** ¡tonterías! **~ing** frívolo

fidelity [fi'deliti] fidelidad *f*

fidget ['fidʒit] *v/t* molestar; *v/i* inquietarse

field [fi:ld] campo *m*; **~-artillery** artillería *f* de campaña; **~ events** *dep* competencias *f/pl* de salto y lanzamiento; **~ glasses** gemelos *m/pl* de campaña; **~-gun** cañón *m* de campaña; **~-hospital** hospital *m* de sangre; **~ marshal** mariscal *m* de campo

fiend [fi:nd] demonio *m*, diablo *m*; **~ish** diabólico, malvado

fierce [fiəs] fiero, feroz; impetuoso

fiery ['faiəri] flameante, ardiente; *fig* apasionado

fifth [fifθ] quinto; **~ column** *pol* quinta columna *f*

fig [fig] higo *m*; **~-tree** higuera *f*

fight [fait] *s* lucha *f*; pelea *f*; *v/t* combatir; *v/i* luchar, pelear; **~er** guerrero *m*; avión *m* de caza; lucha *f*, contienda *f*

figur|ative ['figjurətiv] figurado, metafórico; **~e** ['figə] *s* figura *f*; ilustración *f*; cifra *f*, número *m*; personaje *m*; *v/t* figurar, representar; imaginar; **~e out** explicarse, deducir; *v/i* aparecer; **~e skating** patinaje *m* artístico

file [fail] *s* lima *f*; carpeta *f*; archivo *m*; fila *f*, hilera *f*; *v/t* limar; clasificar; registrar; archivar

fill [fil] *v/t* llenar; rellenar; empastar (*diente*); **~ in** llenar, completar; *v/i* llenarse

fillet ['filit] filete *m*, solomillo *m*

filling ['filiŋ] relleno *m*; **~-station** estación *f* gasolinera, *SA* grifo *m*

filly ['fili] potranca *f*

film [film] *s* película *f*; membrana *f* (*en el ojo*); rodar (*una escena, etc*); **~-star** estrella *f* de cine

filter ['filtə] *s* filtro *m*; *v/t* filtrar

filth [filθ] suciedad *f*; obscenidad *f*; **~y** sucio; obsceno

fin [fin] aleta *f*

final ['fainl] final, último; **~ly** finalmente, por último

financ|e ['fai'næns] *s* finanzas *f/pl*, recursos *m/pl*; ciencia *f* financiera; *v/t* financiar; **~ing** financiación *f*; financiero *m*; **~ial** [~ʃəl] financiero; **~ier** [~siə] financiero *m*

finch [fintʃ] pinzón *m*

find [faind] *v/t* encontrar, hallar; descubrir; **~ out** averiguar; *s* hallazgo *m*; **~er** hallador *m*, descubridor *m*; **~ing** descubrimiento *m*, invención *f*; *for* fallo *m*, veredicto *m*

fine [fain] *a* fino; bello; puro; **I am ~** estoy muy

fittings

bien; **that is ~!** ¡de acuerdo!; s multa f; v/t multar; **~ry** ['~ɔri] aderezo m, galas f/pl

finger ['fiŋgə] s dedo m (de la mano); manecilla f (del reloj); v/t manosear, tocar; teclear; **~nail** uña f; **~-prints** huellas f/pl dactilares

finish ['finiʃ] s fin m; término m; acabado m; v/t acabar, terminar; arruinar; v/i acabarse; **~ing touch** última mano f [dés(esa)]

Finnish ['finiʃ] a, s finlandés

fir [fə:] abeto m; pino m

fire ['faiə] s fuego m; incendio m; pasión f; **to be on ~** arder; **to set on ~** incendiar; v/t encender; incendiar; fig inflamar, excitar; fam echar, despedir; v/i disparar, tirar; **~arm** arma f de fuego; **~ brigade** cuerpo m de bomberos; **~engine** bomba f de incendios; **~-escape** escalera f de salvamento; **~-insurance** seguro m contra incendios; **~man** bombero m; **~-place, ~-side** hogar m; **~-proof** a prueba de fuego; **~works** fuegos m/pl artificiales

firm [fə:m] a firme; s casa f comercial, firma f; **~ness** solidez f; firmeza f; constancia f

first [fə:st] a primero; delantero; primitivo; original; **~ of all** ante todo; **(the) ~** s (el) primero; **at ~** al principio; **~ aid** primeros auxilios m/pl; **~-aid kit** botiquín m; **~-born** primogénito; **~class** excelente, sobresaliente; **~ cousin** primo hermano m; **~-hand** de primera mano; **~ly** en primer lugar; **~ name** nombre m de pila; **~ night** teat estreno m; **~-rate** de primera (clase)

firth [fə:θ] brazo m de mar

fish [fiʃ] s pez m; peces m/pl; pescado m; **~ and chips** pescado con patatas fritas; v/t, v/i pescar; **~bone** espina f de pescado; **~erman** ['fiʃəmən] pescador m; **~ing rod** caña f de pescar; **~ing tackle** aparejo m de pesca; **~monger's** pescadería f; **~y** a pescado (sabor, olor); fig dudoso, sospechoso

fiss|ion ['fiʃən] fisión f; **~ure** ['fiʃə] s grieta f, hendedura f; v/i agrietarse

fit [fit] a apto; en buen estado físico; de buena salud; a propósito; propio; adecuado, digno; s ataque m; ajuste m; v/t acomodar, ajustar; **~ on** probar; **~ out** equipar; v/i ajustarse; corresponder; **~ness** aptitud f; buena salud f; **~ter** ajustador m; montador m; **~ting** a conveniente, propio; s ajuste m; prueba f; **~tings** guarniciones f/pl; herrajes m/pl

fix [fiks] *s* apuro *m*; *v/t* fijar; asegurar; arreglar; ~ **up** arreglar; reparar; ~**tures** instalaciones *f/pl*

flabbergasted ['flæbə-gɑ:stid] atónito

flabby ['flæbi] flojo

flag [flæg] *s* bandera *f*; pabellón *m*; *v/t* embanderar; *v/i* flaquear; *fig* aflojar (*interés, etc*); ~**pole** asta *f* de bandera; ~**ship** capitana *f*; ~**stone** losa *f*

flake [fleik] *s* escama *f*; copo *m* (*de nieve*); *v/i* descamarse; desprenderse en escamillas

flam|e [fleim] *s* llama *f*; fuego *m*; ardor *m*; *v/i* llamear, arder; ~**e-thrower** lanzallamas *m*

flank [flæŋk] *s* lado *m*, costado *m*; flanco *m*; *v/t* estar a cada lado de; lindar con; *mil* flanquear

flannel ['flænl] franela *f*; ~**s** pantalones *m/pl* de franela

flap [flæp] *s* faldilla *f*; solapa *f* (*del bolsillo*); tapa *f* (*del sobre*); aletazo *m*; palmada *f*; *v/i* aletear; sacudirse; *v/i* batir

flare [fleə] *s* llamarada *f*; señal *f* luminosa; *v/i* fulgurar; brillar; ~ **up** destellar; inflamarse

flash [flæʃ] *s* destello *m*; fogonazo *m* de cañón; instante *m*; *v/i* brillar; *v/t* blandir; *fam* ostentar; ~ **bulb** *foto* lámpara *f* de destello; ~**light** antorcha *f*, linterna *f*

eléctrica; ~**y** brillante; chillón, llamativo

flask [flɑ:sk] frasco *m*

flat [flæt] *a* llano, liso; insípido; apagado; *mús* bemol; *s* piso *m*, *SA* departamento *m*; ~ **of the hand** palma *f* de la mano; ~ **iron** plancha *f*; ~**ten** allanar, aplastar; *v/i* aplanarse

flatter ['flætə] *v/t* adular; lisonjear; ~**ing** halagüeño; ~**y** adulación *f*, zalamería *f*

flavo(u)r ['fleivə] *s* sabor *m*, gusto *m*; aroma *m*; *v/t* sazonar, aromatizar

flaw [flɔ:] falta *f*; defecto *m*; grieta *f*; ~**less** sin tacha; entero

flax [flæks] lino *m*

flay [flei] *v/t* desollar

flea [fli:] pulga *f*; ~**bite** picadura *f* de pulga

flee [fli:] *v/i* huir

fleec|e [fli:s] *s* vellón *m*; lana *f*; *v/t* esquilar; *fig* desplumar, pelar

fleet [fli:t] *s* flota *f*; *a* veloz; ~**ing** fugaz

flesh [fleʃ] carne *f* viva; ~**y** carnudo, grueso

flexible ['fleksəbl] flexible

flexitime ['fleksitaim] horario *m* flexible

flick [flik] *s* golpecito *m*; *v/t* quitar con un golpecito

flicker ['flikə] *s* llama *f* vacilante; *v/i* flamear; vacilar

flight [flait] huida *f*, fuga *f*; vuelo *m*; ~ **of stairs** tramo *m* de escalera

flimsy ['flimzi] débil, frágil

flinch [flintʃ] v/i acobardarse, echarse atrás

fling [fliŋ] v/t arrojar, tirar; ~ **open** abrir de golpe (*puerta, etc*) [piedra f]

flint [flint] pedernal m,

flip [flip] v/t lanzar, echar

flippant ['flipənt] impertinente

flipper ['flipə] ict aleta f

flirt [flɔːt] s coqueta f; galanteador m; v/i coquetear, flirtear, galantear; ~**ation** coqueteo m, flirteo m

flit [flit] v/i volar, revolotear

float [flout] v/t boya f; balsa f; v/i flotar

flock [flɔk] s manada f; rebaño m (de ovejas); v/i congregarse, afluir

flog [flɔg] v/t azotar, flagelar; ~**ging** zurra f, paliza f

flood [flʌd] s inundación f; pleamar f; fig flujo m; torrente m; v/t inundar; v/i desbordar; ~**gate** compuerta f de esclusa; ~**light** luz f de faro; reflector m

floor [flɔː] s suelo m; piso m; v/t solar; fig derribar, vencer

flop [flɔp] s fig fiasco m, fracaso m; v/i aletear; fig fracasar; ~ **down** desplomarse; echarse flojamente

florist ['flɔrist] florero m, florista m

flour ['flauə] harina f

flourish ['flʌriʃ] v/t embellecer; blandir; v/i florecer; prosperar; ~**ing** próspero, floreciente

flow [flou] s corriente f; flujo m; v/i correr, fluir

flower ['flauə] s flor f; ~ **-bed** macizo m; ~**-bowl**, ~**-vase** florero m; ~**-pot** tiesto m, maceta f

fluctuate ['flʌktjueit] v/i fluctuar

flu(e) [fluː] fam influenza f

fluent ['fluːənt] fluido, fácil; fluente

fluff [flʌf] s pelusa f, pelusilla f; ~**y** mullido

fluid ['fluːid] fluido m; líquido m

flurry ['flʌri] ráfaga f, remolino m (de viento); tole m, agitación f

flush [flʌʃ] a parejo, igual; ~ **with money** adinerado; s rubor m, sonrojo m; flujo m rápido; v/t sonrojar; baldear; v/i fluir, brotar (*agua*); ruborizarse, ponerse colorado

fluster ['flʌstə] s agitación f, confusión f; v/t confundir

flut|e [fluːt] s flauta f; arq estría f; v/t acanalar; ~**ist** flautista m

flutter ['flʌtə] s alboroto m, confusión f; aleteo m; palpitación f; v/i palpitar; aletear; agitarse

flux [flʌks] flujo m

fly [flai] s mosca f; bragueta f; cabriolé m; v/i volar; huir; ~ **into a rage** montar en cólera; ~**catcher** papamoscas m; ~**ing boat** hidroavión m; ~**ing machi-**

ne máquina *f* voladora;
~ing **squad** radiopatrulla
f; ~ing **time** tiempo *m* de
vuelo; ~wheel volante *m*

foal [fǝul] *s* potro *m*; *v/t*, *v/i*
parir (*una yegua*)

foam [fǝum] *s* espuma *f*; *v/i*
espumar; *y* espumoso

focus ['fǝukǝs] *s* foco *m*; *v/t*
enfocar

foe [fǝu] enemigo *m*

fog [fɔg] *s* niebla *f*; *fig* nebulosidad *f*; *v/t* obscurecer;
~gy brumoso; *fig* nebuloso

foible ['fɔibl] punto *m* débil, flaqueza *f*

foil [fɔil] *s* hojuela *f*; *fig*
contraste *m*; *v/t* frustrar

fold [fǝuld] *s* pliegue *m*,
arruga *f*; corral *m*, aprisco
m; rebaño *m*; *v/t* doblar;
cruzar (*brazos*); *v/i* doblarse, plegarse; ~er carpeta *f*; folleto *m*; ~ing **bed**
cama *f* plegadiza; ~ing
boat bote *m* plegable; ~ing
chair silla *f* de tijera; ~ing
door puerta *f* plegadiza;
~ing **screen** biombo *m*

foliage ['fǝuliidʒ] follaje *m*,
frondas *f/pl*

folk [fǝuk] gente *f*; ~lore
['~lɔː] folklore *m*; tradiciones *f/pl*; ~s *fam* parentela *f*;
~-**song** canción *f* folklórica

follow ['fɔlǝu] *v/t*, *v/i* seguir; imitar; resultar; ~er
seguidor(a) *m* (*f*), partidario *m*; ~ing *a* siguiente; *s*
partidarios *m/pl*; séquito *m*

folly ['fɔli] locura *f*; extravagancia *f*

fond [fɔnd] cariñoso, afectuoso; **to be ~ of** estar encariñado con; ser aficionado a [ciar; mimar]

fondle ['fɔndl] *v/t* acari-|

food [fuːd] *s* alimento *m*;
provisiones *f/pl*; ~-**stuffs**
comestibles *m/pl*

fool [fuːl] *s* tonto(a) *m* (*f*);
to make a ~ of oneself
ponerse en ridículo; *v/t*
engañar; *v/i* bromear,
chancear; ~**hardy** temerario, audaz; ~**ish** tonto; imprudente; ~**ishness** tontería *f*, disparate *m*; ~-**proof**
a prueba de impericia; infalible

foot [fut] *s* pie *m*; pata *f* (*de
animal*); **on ~** de pie; **to
put one's ~ in it** meter la
pata; ~**ball** fútbol *m*; ~-
baller futbolista *m*; ~-
-**board** estribo *m*; ~**hold**
lugar *m* firme; ~ing pie *m*,
base *f*; ~**lights** candilejas
f/pl; ~**note** observación *f*;
~**print** huella *f*; ~**step** paso
m, pisada *f*; ~**wear** calzado
m

for [fɔː, fǝ] *prep* para, con
destino a; por, a causa de;
~ **good** para siempre; *conj*
pues, porque

forbear [fɔː'bɛǝ] *v/t*, *v/i*
abstenerse (de)

forbid [fǝ'bid] *v/t* prohibir,
vedar; ~**ding** prohibitivo;
repulsivo; amenazante

force [fɔːs] *s* fuerza *f*; *for*
vigencia *f*; **by ~** a la fuerza;
v/t forzar; violar; ~**d land-**

ing *aer* aterrizaje *m* forzoso; **~ful** vigoroso, enérgico

forceps ['fɔ:seps] tenazas *f/pl*

forcible ['fɔ:səbl] forzoso; convincente [vadear)

ford [fɔ:d] *s* vado *m; v/t*

fore [fɔ:] delantero; **~arm** antebrazo *m;* **~boding** corazonada *f;* **~cast** pronóstico *m; v/t* predecir; **~fathers** antepasados *m/pl;* **~finger** índice *m;* **~front** frente *f;* **~going** anterior; **~ground** primer plano *m;* **~head** ['fɔrid] frente *f*

foreign ['fɔrin] extranjero, exterior; **~ currency** divisas *f/pl;* **~er** extranjero(a) *m (f);* ℒ **Office** Ministerio *m* de Relaciones Exteriores; **~ policy** política *f* exterior; ℒ **Secretary** Ministro *m* de Relaciones Exteriores; **~ trade** comercio *m* exterior; **~ exchange** divisas *f/pl,* moneda *f* extranjera

fore|man ['fɔ:mən] capataz *m;* **~most** primero; **~see** *v/t* prever; **~sight** previsión *f*

fore|st ['fɔrist] *s* bosque *m; v/t* arbolar; **~stry** silvicultura *f*

fore|taste ['fɔ:teist] sabor *m* anticipado; **~thought** previsión *f*

forever [fə'revə] para siempre [cio *m)*

foreword ['fɔ:wə:d] prefa-*f*

forfeit ['fɔ:fit] prenda *f,* multa *f*

---

forge [fɔ:dʒ] *s* fragua *f; v/t* fraguar; forjar; falsificar; **~ry** falsificación *f*

forget [fə'get] *v/t* olvidar; **~ful** olvidadizo; descuidado; **~-me-not** *bot* nomeolvides *f*

forgive [fə'giv] *v/t* perdonar; **~ness** perdón *m;* **~ing** indulgente

fork [fɔ:k] *s* tenedor *m; agr* horca *f;* bifurcación *f (de caminos, etc); v/i* bifurcarse

forlorn [fə'lɔ:n] abandonado; desdichado

form [fɔ:m] *s* forma *f;* figura *f,* fórmula *f;* modales *m/pl;* banco *m;* clase *f; v/t* formar; constituir

formal ['fɔ:məl] formal; ceremonial; **~ity** [~'mæliti] formalidad *f*

formation [fɔ:'meiʃən] formación *f*

former ['fɔ:mə] *a* anterior; precedente; **the ~** *pron* ése *m,* ésa *f;* aquél *m,* aquélla *f;* **~ly** antiguamente, antes

formidable ['fɔ:midəbl] formidable

formulate ['fɔ:mjuleit] *v/t* formular

forsake [fə'seik] *v/t* dejar, abandonar [leza *f)*

fort [fɔ:t] fuerte *m,* forta-*f*

forth [fɔ:θ] adelante, fuera; **~coming** próximo, venidero; **~with** en seguida

fortify ['fɔ:tifai] *v/t* fortificar

fortnight ['fɔ:tnait] quincena *f;* **~ly** quincenal

---

fortress ['fɔ:tris] fortaleza *f*, plaza *f* fuerte

fortunate ['fɔ:tʃnit] afortunado, feliz; **~ly** afortunadamente

fortune ['fɔ:tʃən] fortuna *f*

forward ['fɔ:wəd] *a* adelantado, delantero; *s dep* delantero *m*; *v/t* promover, fomentar; reenviar; **~s** adelante, hacia adelante

foster- | brother ['fɔstə-] hermano *m* de leche; **~ mother** madre *f* adoptiva; **~ sister** hermana *f* de leche

foul [faul] *a* sucio, asqueroso; vil; malo, desagradable; obsceno, grosero; *s dep* falta *f*; *v/t* ensuciar

found [faund] *v/t* fundar; *tecn* fundir; **~ation** fundación *f*; **~er** fundador *m*; **~ling** niño *m* expósito

fountain ['fauntin] fuente *f*, manantial *m*; surtidor *m*; **~pen** pluma *f* estilográfica

four|fold ['fɔ:fəuld] cuádruple; **~footed** cuadrúpedo

fowl [faul] ave *f* (de corral)

fox [fɔks] zorro *m* (*t fig*); **~glove** *bot* dedalera *f*; **~y** *fig* astuto

fraction ['frækʃən] fracción *f*, fragmento *m*; **~al** fraccionario

fracture ['fræktʃə] *s* fractura *f*; *v/t*, *v/i* fracturar(se)

fragile ['frædʒail] frágil, quebradizo

fragment ['frægmənt] fragmento *m*

fragran|ce ['freigrəns] fragancia *f*; perfume *m*; **~t** fragante, aromático

frail [freil] delicado, frágil; débil; **~ty** debilidad *f*, flaqueza *f*

frame [freim] *s* marco *m*; armazón *f*, *m*; estructura *f*; cuerpo *m*; *v/t* formar; formular; enmarcar; **~house** casa *f* de madera

franchise ['fræntʃaiz] sufragio *m*; derecho *m* político

frank [fræŋk] franco, abierto

frankfurter ['fræŋkfətə] salchicha *f* alemana

frantic ['fræntik] frenético, furioso

fratern|al [frə'tə:nl] fraternal; **~ity** fraternidad *f*

fraud [frɔ:d] fraude *m*, timo *m*; **~ulent** fraudulento

fray [frei] *s* refriega *f*, riña *f*; *v/i* desgastarse

freak [fri:k] rareza *f*; monstruosidad *f*; tipo *m* excéntrico

freckle ['frekl] peca *f*

free [fri:] *a* libre; liberal; gratuito; **~ and easy** despreocupado; **~ on board** (f o b) franco a bordo; *v/t* liberar, libertar; eximir; desembarazar; **~booter** filibustero *m*; **~dom** libertad *f*; inmunidad *f*; **~ly** sin reserva; libremente; **~mason** francmasón *m*; **~port** puerto *m* franco; **~time** ratos *m/pl* perdidos;

~ **trade** librecambio *m*; ~
will libre albedrío *m*

freez|e [friːz] *v/t* helar, conge-
lar; *v/i* congelarse; *fig*
helarse; ~**er** congelador *m*;
refrigerador *m*; ~**ing point**
punto *m* de congelación

freight [freit] *s* flete *m*;
carga *f*; *v/t* cargar; fletar;
~**er** buque *m* de carga

French [frentʃ] *a*, *s* francés;
the ~ los franceses *m/pl*;
~**man** estudiante *m* del
primer año; ~**ness** frescura
f; ~ **water** agua *f* dulce

fret [fret] *v/t* rozar, raer; ~-
ful irritable, enojadizo; ~-
fully de mala gana

friar ['fraiə] fraile *m*

friction ['frikʃən] fricción *f*;
fig rozamiento *m*

Friday ['fraidi] viernes *m*

fridge [fridʒ] *fam* refrigera-
dora *f*

friend [frend] amigo(a) *m*
(*f*); **to make** ~**s** trabar
amistades; ~**ly** amistoso;
~**ship** amistad *f*

fright [frait] susto *m*, espanto *m*; ~**en** *v/t* asustar, espantar; ~**en away** ahuyentar; ~**ful** espantoso, terrible

frigid ['fridʒid] helado; *fig*
indiferente, hostil; *med* frígi-
do

frill [fril] faralá *m*, volante *m*

fringe [frindʒ] fleco *m*;
borde *m*; periferia *f*; grupo
m marginal

frisk [frisk] *v/i* brincar;
cabriolar; ~**y** juguetón,
retozón

fritter ['fritə]: ~ **away** des-
perdiciar

fro [frəu] atrás; **to and** ~ de
una parte a otra

frock [frɔk] batín *m*; vestido
m

frog [frɔg] rana *f*

frolic ['frɔlik] juego *m*, re-
tozo *m*

from [frɔm, frəm] de, desde;
de; ~ **day to day** de día en
día

front [frʌnt] *s* frente *f*; fachada *f*; **in** ~ **of** delante de;
a delantero; frontero; ~
door puerta *f* principal; ~-
ier ['ˌ.iə] frontera *f*; ~-
page primera plana *f*; ~
seat asiento *m* delantero

frost [frɔst] *s* helada *f*; escarcha *f*; *v/t* congelar; cubrir con escarcha; escar-
char (*pasteles, etc*)

froth [frɔθ] espuma *f*

frown [fraun] *s* ceño *m*; *v/i*
fruncir el entrecejo; ~**ing**
ceñudo

frozen ['frəuzn] congelado,
helado   [brío]

frugal ['fruːgəl] frugal, so-⌐

fruit [fruːt] fruta *f*; *bot*
producto *m*, resultado *m*;
~**erer** frutero *m*; ~**ful** provechoso; ~**less** infructuoso

frustrate [frʌs'treit] *v/t*
frustrar; defraudar

fry [frai] *s* fritada *f*; pececillos *m/pl*; **small ~** gentecilla *f*; **~ing-pan** sartén *f*

fuel [fjual] combustible *m*

fugitive ['fju:dʒitiv] *a* fugitivo; fugaz; *s* fugitivo *m*; prófugo *m*

fulfil(l) [ful'fil] *v/t* cumplir; realizar; **~ment** cumplimiento *m*; satisfacción *f*

full [ful] lleno, repleto, completo; máximo; pleno; **~-length** de cuerpo entero; **~ness** plenitud *f*; **~-stop** punto *m* final; **~-time** de jornada completa; **~y** completamente; plenamente

fumble ['fʌmbl] *v/t, v/i* manosear *o* tentar torpemente

fume [fju:m] *s* tufo *m*; emanación *f*; humo *m*; *v/i* humear; *fig* echar rayos

fun [fʌn] diversión *f*; alegría *f*; **for ~, in ~** en broma; **to make ~ of** burlarse de

function ['fʌŋkʃən] función *f*, ocupación *f*; **~al** funcional; **~ary** funcionario *m*

fund [fʌnd] fondo *m*; reserva *f*; **~s** fondos *m/pl*; medios *m/pl*

fundamental [fʌndə'mentl] fundamental, esencial

funeral ['fju:nərəl] entierro *m*; **~ service** funerales *m/pl*

funnel ['fʌnl] embudo *m*; *mar* chimenea *f*

funny ['fʌni] gracioso; raro

fur [fə:] piel *f*; pelo *m*; **~-coat** abrigo *m* de pieles

furious ['fjuəriəs] furioso

furl [fə:l] *v/t* enrollar

furnace ['fə:nis] horno *m*; calorífero *m*

furni|sh ['fə:niʃ] *v/t* amueblar; suministrar; **~ture** ['fə:nitʃə] muebles *m/pl*

furrow ['fʌrəu] surco *m*; arruga *f*

furth|er ['fə:ðə] *a* más distante; adicional; *adv* más allá; además; *v/t* fomentar; **~ermore** además; *for* otrosí; **~est** más lejano, más distante

furtive ['fə:tiv] furtivo, secreto

fury ['fjuəri] furia *f*, rabia *f*

fuse [fju:z] *s* espoleta *f*; *elec* fusible *m*; *v/t, v/i* fundir(se)

fuselage ['fju:zila:ʒ] *aer* fuselaje *m*

fusion ['fju:ʒən] fusión *f*

fuss [fʌs] *s* agitación *f*; nerviosidad *f*; *v/i* agitarse por bagatelas

futile ['fju:tail] fútil

future ['fju:tʃə] *a* futuro, venidero; *s* futuro *m*, porvenir *m*

G

gab [gæb] *fam* parloteo *m*; **to have the gift of the ~** tener mucha labia

gable ['geibl] *arq* gablete *m*

gad-fly ['gædflai] tábano *m*

gadget ['gædʒit] aparato *m*; artefacto *m*

gag [gæg] *s* mordaza *f*; *teat* morcilla *f*; *v/t* amordazar

gaiety ['geiəti] alegría *f*; alborozo *m*; **~ly** alegremente

gain [gein] *s* ganancia *f*; beneficio *m*; *v/t* ganar, conseguir, lograr; *v/i* ganar; adelantar (*reloj*)

gait [geit] marcha *f*, paso *m*

gale [geil] viento *m* fuerte, ventarrón *m*

gall [gɔ:l] hiel *f*; bilis *f*; *fig* amargura *f*; *bot* agalla *f*

gallant ['gælənt] valiente; galante; **~ry** valentía *f*, valor *m*; galantería *f*

gallery ['gæləri] galería *f*; *teat* paraíso *m*

galley ['gæli] galera *f*; **~proof** *impr* galerada *f*

gallon ['gælən] galón *m* (*ingl*: 4,5 *litros*; *EU*: 3,8 *litros*)

gallop ['gæləp] *s* galope *m*; *v/i* galopar

gallows ['gæləuz] horca *f*

galore [gə'lɔ:] en abundancia

gambl|e ['gæmbl] *s* jugada *f* arriesgada; *v/t* apostar; *v/i* jugar al azar; **~er** jugador *m*; tahúr *m*

game [geim] *s* juego *m*; partida *f* (*de naipes*); partido *m* (*de fútbol, etc*); caza *f*; carne *f* salvajina; **~keeper** guardabosque *m*

gander ['gændə] ganso *m*

gang [gæŋ] banda *f*; pandilla *f*; cuadrilla *f*; **~ up** *v/i* agruparse; **~leader** cabecilla *m*

gangster ['gæŋstə] pistolero *m*, pandillero *m*

gangway ['gæŋwei] pasillo *m*; *mar* portalón *m*

gaol [dʒeil] cárcel *f*, prisión *f*; **~er** carcelero *m*

gap [gæp] abertura *f*; brecha *f*; vacío *m*

gap|e [geip] *v/i* estar con la boca abierta; **~ing** boquiabierto; abismal

garage ['gæra:dʒ] *s* garaje *m*; *v/t* guardar en un garaje

garbage ['ga:bidʒ] basura *f*

garden ['ga:dn] *s* jardín *m*; huerto *m*, huerta *f*; *v/t, v/i* cultivar; **~er** jardinero *m*; **~ing** jardinería *f*

gargle ['ga:gl] *s* gargarismo *m*; *v/i* hacer gárgaras, gargarizar

garland ['ga:lənd] guirnalda *f*

garlic ['ga:lik] ajo *m*

garment ['ga:mənt] prenda *f* de vestir

garnish ['ga:niʃ] *v/t* adornar, guarnecer

garret ['gærət] buhardilla *f*, desván *m*

garrison ['gærisn] *s* guarnición *f*

garter ['gɑːtə] liga *f*; **Order of the ♀** Orden *f* de la Jarretera

gas [gæs] *s* gas *m*; *Am* gasolina *f*; *v/t* gasear; **~eous** ['~jəs] gaseoso; **~mask** careta *f* antigás; **~olene** gasolina *f*

gasp [gɑːsp] *v/i* boquear; jadear; quedar boquiabierto; *s* boqueada *f*

gas|-stove ['gæsstəuv] cocina *f* de gas; **~works** fábrica *f* de gas

gate [geit] puerta *f*, portal *m*; taquilla *f*; **~keeper** portero *m*; **~way** puerta *f*, entrada *f*

gather ['gæðə] *v/t* recoger; reunir; deducir; cobrar (*velocidad, fuerzas, etc*); *v/i* reunirse, congregarse; **~ing** reunión *f*; agrupación *f*

gaudy ['gɔːdi] llamativo, chillón

ga(u)ge [geidʒ] *s* medida *f*; calibre *m*; *f c* trocha *f*; *mec* calibrador *m*; *v/t* medir; calibrar; estimar

gaunt [gɔːnt] flaco; sombrío

gauze [gɔːz] gasa *f*

gay [gei] alegre; jovial, festivo; vistoso; de colores vivos

gaze [geiz] *s* mirada *f* fija; *v/i* mirar fijamente; contemplar

gear [giə] *s* prendas *f/pl*; equipo *m*; pertrechos *m/pl*; *mar* aparejo *m*; *mec* enga-

granaje *m*; transmisión *f*; *aut* velocidad *f*; **in ~** engranado; *v/t* equipar; engranar, embragar; **~box** caja *f* de engranajes; **~shift** cambio *m* de velocidades

gem [dʒem] gema *f*; *fig* joya *f*

gender ['dʒendə] *gram* género *m*

general ['dʒenərəl] *a* general; corriente; vago; *mar, com* **~ average** avería *f* gruesa; *s* general *m*; **in ~** general, generalmente; **~ize** *v/i* generalizar; **~ly** generalmente

generat|e ['dʒenəreit] *v/t* engendrar; procrear; producir; *elec* generar; **~ion** generación *f*; **~or** generador *m*

genero|sity [dʒenə'rɒsiti] generosidad *f*; **~us** ['dʒenərəs] generoso

genial ['dʒiːnjəl] afable; suave [vo *m*]

genitive ['dʒenitiv] genitivo *f*

genius ['dʒiːnjəs] genio *m*

gentle ['dʒentl] suave, dulce; manso; cortés, fino; bien nacido, noble; **~man** caballero *m*; señor *m*; **~manlike** caballeroso; **~ness** bondad *f*; mansedumbre *f*; dulzura *f*; **~woman** señora *f*, dama *f*

gentry ['dʒentri] gente *f* bien nacida; alta burguesía *f*

genuine ['dʒenjuin] genuino, auténtico

geography [dʒi'ɔgrəfi] geografía *f*

geolog|ist [dʒi'ɔlədʒist] geólogo *m*; **~y** geología *f*

geometry [dʒi'ɔmitri] geometría *f*

germ [dʒə:m] germen *m*; **~ warfare** guerra *f* bacteriológica

German ['dʒə:mən] *a*, *s* alemán(ana) *m (f)*; **~y** Alemania *f*

germinate ['dʒə:mineit] *v/i* germinar

gerund ['dʒerənd] gerundio *m*

gest|iculate [dʒes'tikjuleit] *v/i* gesticular; **~ure** ['dʒestʃə] gesto *m*

get [get] *v/t* conseguir, lograr; obtener; recibir; traer; aprender; comprender; *v/i* volverse, ponerse; **~ about** andar; viajar; **~ along** marcharse; progresar; llevarse bien; **~ away** escaparse; *v/t* recobrar, recuperar; **~ back** *v/i* volver; *v/t* recobrar, recuperar; **~ down** bajar; **~ in** entrar; subir; **~ lost** perderse; **~ on** progresar; subir; **~ on with** congeniar con, llevarse bien con; **~ out** salir; *interj* ¡fuera!; ¡largo de aquí!; **~ ready** prepararse; **~ rid of** librarse de; **~ up** levantarse; **have got** poseer, tener; **have go to ...** tener que, deber ...

geyser ['gaizə] géiser *m*; ['gi:zə] calentador *m*

ghastly ['gɑ:stli] horrible, espantoso; lívido

gherkin ['gə:kin] pepinillo *m*

ghost [goust] fantasma *m*; espectro *m*; **to give up the ~** rendir el alma; **~ly** espectral; espiritual

giant ['dʒaiənt] gigante *m*

gibbet ['dʒibit] horca *f*

gibe [dʒaib] *v/i*, *v/t* mofarse (de)

giblets ['dʒiblits] menudillos *m/pl*

giddy ['gidi] mareado; vertiginoso; *fig* casquivano

gift [gift] regalo *m*; dádiva *f*, don *m*, dote *f*, talento *m*; **~ed** talentoso, dotado

gigantic [dʒai'gæntik] gigantesco

giggle ['gigl] *s* risita *f* tonta; *v/i* reírse tontamente

gild [gild] *v/t* dorar

gin [dʒin] *s* ginebra *f*; *(caza)* trampa *f*; despepitadora *f*, *SA* desmotadora *f*

ginger ['dʒindʒə] *s* jengibre *m*; *fam* brío *m*, vivacidad *f*; **a** pelirrojo; **~bread** pan *m* de jengibre; **~ly** cautelosamente; delicadamente

gipsy ['dʒipsi] *a*, *s* gitano(a) *m (f)*

giraffe [dʒi'rɑ:f] jirafa *f*

gird [gə:d] *v/t* ceñir; **~er** viga *f* maestra; **~le** ['gə:dl] *s* cinturón *m*; faja *f*; *v/t* cercar; ceñir

girl [gə:l] muchacha *f*; chica *f*; moza *f*; **~hood** doncellez *f*; **~ish** de niña

girth [gə:θ] cincha f; circunferencia f

give [giv] v/t dar; causar (*enfermedad*); indicar (*temperatura, etc*); ~ **away** revelar; revelar; ~ **back** devolver; restituir; ~ **birth to** dar a luz; ~ **up** renunciar a, ~ **oneself up** rendirse, entregarse; ~**n to** adicto a; propenso a; v/i dar, hacer regalos; ceder; ~ **in** ceder, asentir

glaci|al ['gleisjəl] glacial; ~**er** ['glæsjə] glaciar m; ventisquero m

glad [glæd] contento, alegre; **to be** ~ alegrarse; estar contento; ~**ly** gustosamente; ~**ness** alegría f, regocijo m

glamo(u)r ['glæmə] encanto m; ~**ous** encantador

glance [glɑ:ns] s mirada f; vistazo m; **at the first** ~ a primera vista; v/i echar un vistazo; ~ **at** dar un vistazo a

gland [glænd] glándula f

glare [glɛə] s relumbrón m; mirada f feroz; v/i relumbrar; ~ **at** mirar con ira

glass [glɑ:s] s cristal m; vidrio m; vaso m; espejo m; barómetro m; catalejo m; ~**es** anteojos m/pl; **a** ~ de cristal, de vidrio; ~**house** invernadero m; ~**y** vítreo, cristalino; vidrioso (*ojos, etc*)

glaz|e [gleiz] s barniz m; v/t barnizar; lustrar; poner

vidrios a (*una ventana*); ~**ier** ['~jə] vidriero m

gleam [gli:m] s destello m; viso m, centelleo m; v/i brillar, centellear

glee [gli:] júbilo m

glen [glen] hocino m

glib [glib] suelto de lengua

glide [glaid] s deslizamiento m; v/i deslizarse; planear; ~**r** aer planeador m

glimmer ['glimə] s vislumbre f; *fig* rastro m; v/i rielar, brillar

glimpse [glimps] s ojeada f, vista f fugaz; v/t vislumbrar

glint [glint] s destello m; v/i destellar

glisten ['glisn] v/i relucir,

glitter ['glitə] s brillo m, centelleo m; v/i brillar, centellear; chispear, rutilar

glob|al ['gləubl] mundial; global; globoso; ~**e** globo m; ~**e trotter** trotamundos m, f

gloom [glu:m] lobreguez f; tristeza f; ~**y** obscuro, tenebroso; triste, abatido

glor|ify ['glɔ:rifai] v/t glorificar, enaltecer; ~**ious** glorioso; espléndido

gloss [glɔs] s lustre m, brillo m; glosa f; ~**ary** ['~əri] glosario m; ~**y** brillante, satinado

glove [glʌv] guante m; **to be hand in** ~ ser carne y uña

glow [gləu] s incandescencia f; calor m; color m subi-

do; _v/i_ brillar, fulgurar; **~-worm** luciérnaga _f_

glue [glu:] _s_ cola _f_; goma _f_; _v/t_ pegar, encolar

glutt|on ['glʌtn] glotón _m_, tragón _m_; **~onous** glotón, voraz; **~ony** glotonería _f_, gula _f_

gnarled [na:ld] nudoso

gnash [næʃ] _v/t_ hacer rechinar (_dientes_)

gnat [næt] mosquito _m_

gnaw [nɔ:] _v/t_ roer

go [gəu] _v/i_ ir; irse; andar; funcionar; pasar, correr (_el tiempo_); alcanzar; **~ ahead** proseguir; **~ away** irse, marcharse; **~ back** regresar; **~ between** mediar; **~ by** pasar (por); **~ for** ir a buscar, ir por; **~ home** volver a casa; **~ in for** dedicarse a; investigar; dedicarse a investigar; **~ off** irse; dispararse; **~ on** seguir, continuar; **~ out** salir; extinguirse; apagarse; **~ through** pasar por; registrar, examinar; **~ to bed** acostarse; **~ to school** ir al colegio; matricularse en la escuela; **to be ~ing to** ir a (_hacer_); **~ under** hundirse; perderse; **~ without** pasarse sin; _s_ energía _f_, fuerza _f_; empuje _m_; **it is no ~** es inútil; **on the ~** en actividad; activo

goad [gəud] _s_ aguijón _m_; _v/t_ aguijonear; estimular, incitar

goal [gəul] meta _f_, gol _m_; **~-keeper** guardameta _m_, portero _m_

goat [gəut] cabra _f_; chivo _m_

go-between ['gəu-bitwi:n] mediador(a) _m_ (_f_)

goblet ['gɔblit] copa _f_

goblin ['gɔblin] duende _m_

God [gɔd] Dios _m_; 2̣ deidad _f_, dios _m_; **~ forbid!** ¡por Dios!; ¡no quiera Dios!

god|child ahijado(a) _m_ (_f_); **~dess** diosa _f_; **~father** padrino _m_; **~less** ateo; **~lessness** ateísmo _m_; impiedad _f_; **~like** deiforme; divino; **~mother** madrina _f_; **~parents** padrinos _m/pl_

goggles ['gɔglz] gafas _f/pl_ protectoras

going ['gəuiŋ] ida _f_, partida _f_

gold [gəuld] oro _m_; **~-digger** buscador _m_ de oro; _fig_ explotadora _f_ de hombres; **~en** de oro; dorado; **~fish** carpa _f_ de color; **~leaf** pan _m_ de oro; **~-plated** de plaqué; **~smith** orfebre _m_

golf [gɔlf] golf _m_; **~ course**, **~ link** campo _m_ de golf; **~er** jugador _m_ de golf

gone [gɔn] ido; perdido, arruinado; pasado; muerto

good [gud] _a_ bueno; válido; **as ~ as** tan bueno como; casi; **~ a deal** mucho; **~ afternoon** buenas tardes; **~ at** hábil en; **~ breeding** buena educación _f_; **~-bye** adiós _m_; **~-for-nothing** haragán _m_; 2̣ **Friday** Viernes _m_ Santo;

~ **time** a tiempo; **it's no** ~ no vale para nada, es inútil; **~looking** guapo; ~ **luck!** ¡buena suerte!; ~ **morning** buenos días; **~natured** bondadoso; **~ness** bondad *f*; benevolencia *f*; **~ness gracious!** ¡santo Dios!; ~ **turn** favor *m*

goods [gudz] bienes *m/pl*; ~ **train** tren *m* de mercancías

goodwill ['gud'wil] *com* clientela *f*; crédito *m*

goose [gu:s] ganso *m*; **~berry** ['guzbəri] uva *f* espina; **~flesh** *fig* carne *f* de gallina

gorge [gɔ:dʒ] *s anat, geog* garganta *f*; *v/t* engullir; *v/i* hartarse; **~ous** ['~əs] magnífico, hermosísimo; encantador

gosh! [gɔʃ] ¡Dios!

gospel ['gɔspəl] evangelio *m*

gossip ['gɔsip] *s* chismorreo *m*; chisme *m*; *v/i* chismear, murmurar

Gothic ['gɔθik] gótico

gourd [guəd] calabaza *f*

gout [gaut] gota *f*; **~y** gotoso

govern ['gʌvən] *v/t* gobernar; dirigir; regir, guiar; *v/i* gobernar; **~ess** *aux f*, institutriz *f*; **~ing board** junta *f* directiva; **~ment** gobierno *m*; *gram* régimen *m*; **~or** gobernador *m*; director *m*; *fam* padre *m*; jefe *m*

gown [gaun] vestido *m* de mujer; toga *f*; bata *f*

grab [græb] *v/t* agarrar; arrebatar

grace [greis] *s* gracia *f*; *relig* bendición *f*; *mus* nota *f* de adorno; ♀ alteza *f*; **to say** ~ bendecir la mesa; *v/t* agraciar; favorecer; **~ful** gracioso

gracious ['greiʃəs] benigno; grato, ameno; **good** ~! ¡válgame Dios!; **~ness** afabilidad *f*

grad|e [greid] *s* grado *m*; pendiente *f*; *v/t* graduar; nivelar; *v/i* graduarse; **~ient** ['~ʒənt] pendiente *f*; rampa *f*; **~ual** ['grædʒuəl] gradual; **~uate** ['grædʒueit] *v/t, v/i* graduar(se); ['~dʒuət] *s* graduado *m*; **~uation** [~dʒu'eiʃən] graduación *f*

graft [grɑ:ft] *s* injerto *m*; soborno *m*; *v/i* injertar; transferir

grain [grein] *s* grano *m*; (*de tejido*) fibra *f*; cereales *m/pl*; **against the** ~ a contrapelo; *v/t* granular; granear

gramm|ar ['græmə] gramática *f*; ~ **at school** instituto *m* de enseñanza media; **~atical** [grə'mætikəl] gramático

gramme [græm] gramo *m*

gramophone ['græməfəun] gramófono *m*

grand [grænd] grande, ilustre; magnífico; **~daughter** ['~ndɔ:tə] nieta *f*; **~eur** ['~ndʒə] grandeza *f*; **~father** ['~df~] abuelo *m*; **~father(s) clock** reloj *m* de

péndulo; **~ma** ['~nmɑ:]
abuelita f; **~mother**
['~nm~] abuela f; **~pa**
['~npɑ:] abuelito m; **~**
parents ['~np~] abuelos
m/pl; **~son** nieto m; **~stand**
tribuna f principal

granny ['græni] fam abuelita f

grant [grɑ:nt] s concesión f;
otorgamiento m; donación
f; v/t conceder, otorgar;
permitir; **to take for ~ed**
dar por sentado, tener por
seguro

granulated ['grænjuleitid]
sugar azúcar m granulado

grape [greip] uva f; **~fruit**
pomelo m; toronja f; **~shot**
metralla f

graph [græf] gráfica f; **~ic**
gráfico

grasp [grɑ:sp] v/t empuñar,
asir; agarrar; s asimiento
~ing codicioso

grass [grɑ:s] hierba f; yerba
f; césped m; **~hopper** sal-
tamontes m

grate [greit] s parrilla f de
hogar; reja f; v/t rallar; enrejar; v/i **~ on** fig irritar

grateful ['greitful] agradecido, reconocido; **~ness**
agradecimiento m

grati|fication [grætifi'kei-
ʃən] gratificación f; satisfacción f; **~fy** ['~fai] v/t
satisfacer, complacer

grating ['greitiŋ] s reja f,
reja f; a áspero; irritante

gratitude ['grætitju:d] gra-
titud f

gratuit|ous [grə'tju(:)itəs]
gratuito; **~y** gratificación f

grave [greiv] a grave, serio;
importante; s tumba f, se-
pultura f; **~-digger** sepul-
turero m

gravel ['grævəl] grava f

graveyard ['greivjɑ:d] cementerio m

gravitation [grævi'teiʃən]
gravitación f

gravity ['græviti] gravedad f

gravy ['greivi] jugo m de
carne; salsa f

gray [grei] Am gris

graz|e [greiz] v/t apacentar,
rozar; v/i pastar, pacer;
~ing pasto m; **~ing-land**
dehesa f

greas|e [gri:s] f grasa f; lu-
bricante m; [~z] v/t engrasar, lubricar; untar; **~y**
['~zi] grasiento, pringoso

great [greit] grande; gran-
dioso; largo; principal; **a ~**
deal mucho; **a ~ many**
muchos(as); **~-aunt** tía f
abuela; **~est** mayor, máximo; **~-grandfather** bi-
sabuelo m; **~-grandmoth-**
er bisabuela f; **~ly** mucho;
muy; **~ness** grandeza f

greed [gri:d] gula f; voraci-
dad f; codicia f, avidez f;
~y voraz, tragón; ávido

Greek [gri:k] a griego(a)
m (f)

green [gri:n] a verde; fresco; s pradera f; césped m;
~grocer verdulero m; **~**
horn tirón m; **~house** in-

vernadero *m*; **~s** verduras
f/pl; hortalizas *f/pl*

greet [griːt] *v/t* saludar;
~ing saludo *m*

grenade [griˈneid] granada
f

grey [grei] *gris*; **~-haired**
canoso; **~hound** galgo *m*;
~ish pardusco

grid [grid] *s* rejilla *f*; **~iron**
parrilla *f*

grie|f [griːf] *s* pesar *m*; pena
f; desgracia *f*; **to come to**
~f fracasar; **~vance** agravio
m; motivo *m* para quejarse;
~ve *v/t* afligir; *v/i* apenarse;
~vous penoso; doloroso;
grave

grill [gril] *s* parrilla *f*; *v/t*
asar a la parrilla

grim [grim] ceñudo, torvo;
sombrío; severo

grimace [griˈmeis] mueca
f

grim|e [graim] suciedad *f*;
mugre *f*; **~y** sucio, mu-
griento

grin [grin] *s* sonrisa *f*; mueca *f*; *v/i* sonreír forzada-
mente; hacer una mueca

grind [graind] *v/t* moler;
triturar; afilar; hacer rechinar (*los dientes*); **~stone**
amoladera *f*

grip [grip] *s* apretón *m*;
agarro *m*; *v/t* apretar, agarrar

gripes [graips] cólico *m*

grisly [ˈgrizli] espantoso,
horrible

grit [grit] arena *f*, cascajo *m*;
coraje *m*

groan [groun] *s* gemido *m*;
quejido *m*; *v/i* gemir

grocer [ˈgrousə] especiero
m, abacero *m*; **~y** especiería
f; tienda *f* de comestibles;
Am bodega *f*

groin [groin] ingle *f*

groom [grum] *s* mozo *m* de
cuadra; novio *m*; *v/t* cuidar

groove [gruːv] *s* ranura *f*,
surco *m*; *v/t* acanalar

grope [group] *v/t*, *v/i* tentar;
andar a tientas

gross [grous] *a* grueso; denso; basto; grosero; obsce-
no; *com* bruto; *s* gruesa *f*
(*doce docenas*); **~ly** excesivamente; groseramente

ground [graund] *s* suelo *m*,
tierra *f*; causa *f*; fondo *m*;
v/t fundar; *v/i* *mar* encallar; **~ control** *aer* control *m* desde tierra; **~floor**
planta *f* baja; **~less** sin
fundamento; **~nut** cacahuete *m*; **~s** terreno *m*;
heces *f/pl*; **~work** cimien-
tos *m/pl*

group [gruːp] *s* grupo *m*;
v/t, *v/i* agrupar(se)

grove [grouv] soto *m*; arbo-
leda *f*

grow [grou] *v/t* cultivar; *v/i*
crecer; volverse; **~ dark**
obscurecer; **~ fat** engordar;
~ old envejecer; **~ up** crecer; salir de la niñez; **~er**
cultivador *m*; **~ing** *a* creciente; *s* cultivo *m*; crecimiento *m*

growl [graul] *s* gruñido *m*;
v/i gruñir

grown-up ['grəunʌp] adulto

growth [grəuθ] crecimiento *m*; desarrollo *m*; vegetación *f*; *med* tumor *m*

grub [grʌb] *s* larva *f*; gusano *m*; *v/t*, *v/i* desarraigar, desyerbar; **~by** sucio; desaliñado

grudg|e [grʌdʒ] *s* rencor *m*; inquina *f*; *v/t* envidiar; escatimar; **~ingly** de mala gana

gruel [gruəl] gachas *f/pl*

gruff [grʌf] áspero; ceñudo

grumble ['grʌmbl] *s* refunfuño *m*; *v/i* refunfuñar, regañar; **~r** gruñón *m*

grunt [grʌnt] *s* gruñido *m*; *v/i* gruñir

guarant|ee [gærən'tiː] *s* garantía *f*; *v/t* garantizar, responder por; **~or** ['~'to] garante *m*; fiador *m*; **~y** ['gærənti] garantía *f*; fianza *f*

guard [gɑːd] *s* guarda *m*, *f*; *mil* guardia *m*; centinela *m*, *f*; *f c* conductor *m*; protección *f*; off ~ desprevenido; on ~ en guardia; *v/t*, *v/i* guardar, proteger; custodiar; **~ian** guardián *m*; *for* tutor *m*; **~ianship** tutela *f*; **2s** *Ingl* cuerpo *m* de guardia

guess [ges] *s* suposición *f*, conjetura *f*; *v/t*, *v/i* suponer, conjeturar

guest [gest] huésped(a) *m* (*f*)

guid|ance ['gaidəns] *s* gobierno *m*, dirección *f*; **~e**

guía *m*, *f*; *v/t* guiar, conducir; **~e-book** guía *f* del viajero

guild [gild] gremio *m*; **2hall** Ayuntamiento *m* (*en Londres*)

guileless ['gaillis] inocente, cándido

guilt [gilt] culpa *f*, culpabilidad *f*; **~less** inocente; **~y** culpable

guinea-pig ['ginipig] conejillo *m* de Indias

guise [gaiz] apariencia *f*; pretexto *m*

guitar [gi'tɑː] guitarra *f*

gulf [gʌlf] golfo *m*, bahía *f*

gull [gʌl] gaviota *f*

gullet ['gʌlit] esófago *m*; gaznate *m*; **~y** barranca *f*

gulp [gʌlp] *s* trago *m*; *v/t* tragar; **~ down** engullir

gum [gʌm] goma *f*; *v/t* engomar; **~s** encías *f/pl*

gun [gʌn] *s* fusil *m*; cañón *m*; *Am* *fam* revólver *m*, pistola *f*; **~man** bandido *m*, pistolero *m*; **~metal** bronce *m* de cañón; **~ner** artillero *m*; **~powder** pólvora *f*; **~smith** armero *m*

gurgle ['gəːgl] *s* gorgoteo *m*; *v/i* gorgotear

gush [gʌʃ] *s* chorro *m*; *fam* efusión *f*; *v/i* salir en chorros

gust [gʌst] ráfaga *f*

guts [gʌts] intestinos *m/pl*, tripas *f/pl*; *fig* agallas *f/pl*

gutter ['gʌtə] arroyo *m*, zanja *f*; gotera *f*

guy   110

guy [gai] *s* viento *m*; *fam*
sujeto *m*; tío *m*

gymnas|ium [dʒim'neiːz-
jəm] gimnasio *m*; **~tics**
[~'næstiks] gimnasia *f*

gynaecologist [gaini'kɔl-
ədʒist] ginecólogo *m*

gyr|ate [dʒaiə'reit] *v/i* re-
volver, girar; **~ation** giro
m, vuelta *f*

H

haberdashery ['hæbədæʃ-
əri] mercería *f*

habit ['hæbit] hábito *m*;
costumbre *f*; **~able** habi-
table

habitual [hə'bitjuəl] habitual, acostumbrado

hack [hæk] *s* caballo *m* de
alquiler; rocín *m*; *v/t* picar;
machetear; **~ney coach**
coche *m* de alquiler; **~-
neyed** trillado; **~saw**
sierra *f* para metales

haddock ['hædək] róbalo *m*

haemorrhage ['hemɔridʒ]
hemorragia *f*

hag [hæg] bruja *f*

haggard ['hægəd] emacia-
do, macilento; trasnocha-
do, ojeroso; intratable

hail [heil] *s* granizo *m*; lluvia *f* (*de piedras, etc*); saludo
m; *v/i* granizar; *v/t* llamar;
aclamar; **~storm** graniza-
da *f*

hair [heə] pelo *m*; cabello *m*;
vello *m* (*de brazo o pierna*);
~cut corte *m* de pelo; **~do**
peinado *m*; **~dresser** peluquero *m* de señoras; **~drier**
secador *m* de pelo; **~net**
redecilla *f*; **~pin** horquilla
f; *Am* ganchillo *m*; **~rais-
ing** horripilante; **~split-**

ting quisquilloso; **~y** peludo, velludo; velloso

half [hɑːf] *s* mitad *f*; **in ~** en
dos mitades; *a, adv* medio
(a); semi; casi; a medias;
~ an hour media hora;
an hour and a ~ hora y media; **~blood** mestizo *m*; **~-
-brother** hermanastro *m*;
~caste mestizo(a) *m* (*f*);
~time *dep* intermedio *m*;
~way a medio camino; en
el medio; **~witted** bobo;
imbécil; **~yearly** semes-
tral

hall [hɔːl] vestíbulo *m*; sala *f*

hallo [hə'ləu] ¡hola!

hallow ['hæləu] *v/t* santifi-
car; consagrar; **~ed** sagrado

halo ['heiləu] halo *m*; glo-
ria *f*; corona *f*, aureola *f*

halt [hɔːlt] *s* alto *m*; parada
f; *v/t* parar; detener; *v/i*
detenerse, hacer alto

halter ['hɔːltə] cabestro *m*;
dogal *m*

halve [hɑːv] *v/t* dividir en
dos partes iguales

ham [hæm] jamón *m*

hamlet ['hæmlit] caserío *m*;
villorrio *m*

hammer ['hæmə] *s* mar-
tillo *m*; gatillo *m* (*de armas*);
v/t martillar

hammock ['hæmək] hamaca *f*
hamper ['hæmpə] *s* canasta *f*, cesta *f* grande; *v/t* estorbar
hand [hænd] *s* mano *f*; obrero *m*; *mar* tripulante *m*; manecilla *f* (*de reloj*); letra *f*, escritura *f*; **at** ~ a la mano; inminente; **at first** ~ de primera mano; **on** ~ disponible; **on the one** ~ por una parte; **on the other** ~ por otra parte; **to change** ~**s** mudar de manos; **to lend a** ~ echar una mano a; *v/t* entregar, pasar; ~ **in** presentar; ~ **over** entregar; ~**bag** bolsa *f* de mano; ~**-bill** volante *m*; ~**-book** manual *m*; ~**cuffs** esposas *f/pl*; ~**ful** manojo *m*
handi|cap ['hændikæp] *s* handicap *m*; *fig* desventaja *f*; *v/t* estorbar; ~**crafts** artesanía *f*; ~**craftsman** artesano *m*; ~**work** obra *f* manual; maniobra *f*
handl|e ['hændl] *s* mango *m*, puño *m*; manubrio *m*; picaporte *m*; ~**e-bar** guía *f* (*de bicicleta*); ~**ing** manejo *m*
hand|made ['hændmeid] hecho a mano; ~**rail** pasamano *m*; ~**shake** apretón *m* de manos; ~**some** ['hænsəm] guapo, donoso; ~**-writing** escritura *f*; caligrafía *f*; ~**y** a la mano; diestro; práctico
hang [hæŋ] *v/t* colgar; suspender; ahorcar (*el criminal*); *v/i* pender, colgar; ~ **on** quedarse; ~ **on!** *tel* ¡no cuelgue!; ~**man** verdugo *m*
hangar ['hæŋə] hangar *m*
hangover ['hæŋəuvə] *fam* resaca *f* [elo *m*]
hanky ['hæŋki] *fam* pañu-
haphazard ['hæp'hæzəd] *a* casual; *s* azar *m*
happen ['hæpən] *v/i* suceder, acontecer, ocurrir, pasar; ~ **to (do)** ... (hacer) por casualidad; ~**ing** acontecimiento *m*; espectáculo *m* improvisado
happ|ily ['hæpili] *adv* felizmente; ~**iness** felicidad *f*, suerte *f*; ~**y** feliz, contento; propicio; ~**y-go-lucky** despreocupado; descuidado [hostigar]
harass ['hærəs] *v/t* acosar;
harbour ['hɑːbə] *s* puerto *m*; *fig* asilo *m*, refugio *m*; ~ **master** capitán *m* de puerto; *v/t* abrigar; albergar
hard [hɑːd] *a* duro; sólido; firme; inflexible; riguroso, severo; difícil; ~ **luck** mala suerte *f*; *adv* fuertemente; severamente, muy; ~ **by** muy cerca; ~ **up** apurado; ~**en** *v/t* endurecer; ~**-headed** testarudo, terco; ~**-hearted** frío, insensible; ~**ihood** temeridad *f*; ~**ly** apenas; ~**ness** dureza *f*; ~**ship** penuria *f*; fatiga *f*; ~**ware** quincalla *f*, ferretería *f*; ~**y** robusto; audaz
hare [hɛə] liebre *f*; ~-

-brained tolondro; **~-
lipped** labihendido

harm [hɑ:m] s daño m; perjuicio m; v/t dañar, perjudicar; herir; **~ful** dañino, perjudicial; **~less** inofensivo

harmon|ic [hɑ:ˈmɔnik] armónico; **~ious** [~ˈməunjəs] armonioso; **~ize** [ˈ~ɔnaiz] v/i armonizar; **~y** armonía f

harness [ˈhɑ:nis] s arreos m/pl, guarniciones f/pl; v/t enjaezar; fig utilizar

harp [hɑ:p] s arpa f; v/i to **~
on** repetir; porfiar

harpoon [hɑ:ˈpu:n] s arpón m; v/t arponear

harpsichord [ˈhɑ:psikɔ:d] clavicordio m

harrow [ˈhærəu] s grada f; v/t gradar

harsh [hɑ:ʃ] áspero, duro; chillón (color)

hart [hɑ:t] ciervo m

harvest [ˈhɑ:vist] s cosecha f, recolección f; v/t cosechar, recoger; **~er** segadora-atadora f

hash [hæʃ] s picadillo m; v/t picar, desmenuzar

hashish [ˈhæʃi:ʃ] hachís m

hast|e [heist] prisa f; to **make ~** darse prisa; **~en** [ˈ~sn] v/i darse prisa; v/t apresurar; apremiar; **~y** apresurado; precipitado

hat [hæt] sombrero m

hatch [hætʃ] s pollada f, nidada f; compuerta f; mar escotilla f; v/t empollar, incubar; tramar; v/i em-

hatchet [ˈhætʃit] machado m

hat|e [heit] s odio m; v/t odiar, detestar; **~eful** odioso; **~red** [ˈ~rid] odio m

haught|iness [ˈhɔ:tinis] soberbia f; **~y** altanero, soberbio

haul [hɔ:l] s redada f (de peces); botín m; tirón m; trayecto m; transporte m; v/t arrastrar, tirar de; transportar; **~age** arrastre m; acarreo m

haunt [hɔ:nt] s guarida f; lugar m favorito; v/t frecuentar, rondar; **~ed** visitado por fantasmas; perseguido

have [hæv, həv] v/t tener; poseer; v/aux haber; to **~ a mind to** tener ganas de; to **~ on** llevar puesto; to **~ to** tener que

haven [ˈheivn] puerto m; fig abrigo m   [chila f

haversack [ˈhævəsæk] mo-}

havoc [ˈhævək] estrago m, destrucción f; to **play ~
with** causar estragos en

hawk [hɔ:k] s halcón m; v/t pregonar   [lo m}

hawthorn [ˈhɔ:θɔ:n] acero-

hay [hei] heno m; **~cock** almiar m; **~ fever** fiebre f del heno; **~loft** henil m; **~stack** almiar m, niara f

hazard [ˈhæzəd] s azar m; v/t arriesgar; **~ous** arriesgado

haze [heiz] calina *f*

hazel ['heizl] *a* castaño claro; *s* avellano *m*; **~nut** avellana *f* [fuso]

hazy ['heizi] calinoso; con-}

H-bomb ['eitʃbɔm] bomba *f* H, bomba *f* de hidrógeno

he [hi:] *pron* él; **~ who** el que, quien; *s* varón *m*, macho *m*; **~dog** perro *m*

head [hed] *s* cabeza *f*; cara *f* (de moneda); jefe *m*; *geog* cabo *m*; *mec* cabezal *m*; **I can make neither ~ nor tail of it** esto no tiene ni pies ni cabeza; **~ over heels** precipitadamente; locamente; **off one's ~** loco; *v/t* dirigir; encabezar; encadillar; *v/i* adelantarse, dirigirse; **~gear** tocado *m*, sombrero *m* (de colegio); **~ing** título *m*; **~land** promontorio *m*; **~lights** faros *m/pl*; **~line** titular *m*; **~master** director *m* (de colegio); **~mistress** directora *f*; **~ office** central *f*; oficina *f* principal; **~phone** auricular *m*, audífono *m*; **~quarters** cuartel *m* general; **~strong** terco, testarudo; **~way** progreso *m*

heal [hi:l] *v/t* curar; *v/i* sanar, curarse; cicatrizarse; **~ing** curación *f*

health [helθ] salud *f*; sanidad *f*; **~giving** salubre, sanitario; **~ resort** centro *m* de salud, balneario *m*; **~y** sano, saludable

heap [hi:p] *s* montón *m*; *v/t*

heaviness

amontonar, acumular; colmar de

hear [hiə] *v/t* oír; atender; dar audiencia a; *v/i* oír; oír decir; **~er** oyente *m*, *f*; **~ing** oído *m*; audiencia *f*; **within ~ing** al alcance del oído; **~say** rumor *m*

hearse [hə:s] coche *m* fúnebre

heart [ha:t] corazón *m*; *fig* fondo *m*, quid *m*; corazón *m*, copa *f* (de naipes); **at ~** en el fondo; **by ~** de memoria; **to lose ~** descorazonarse; **~breaking** descorazonador; **~en** *v/t* alentar, animar [gar *m*]

hearth [ha:θ] fogón *m*; hogar}

heart|less ['ha:tlis] despiadado; **~y** cordial; sincero; sano

heat [hi:t] *s* calor *m*; ardor *m*, vehemencia *f*; celo *m* (animales); *v/t* calentar; *fig* acalorar; *v/i* calentarse; **~ barrier** aer muro *m* térmico; **~er** calentador *m*; estufa *f*

heath [hi:θ] brezal *m*; brezo *m* [no(a) *m* (*f*)]

heathen ['hi:ðən] *a*, *s* paga-}

heather ['heðə] brezo *m*

heating ['hi:tiŋ] calefacción *f*

heave [hi:v] *v/t* levantar; elevar; alzar; **~ a sigh** suspirar

heaven ['hevn] cielo *m*; **good ~s!** ¡cielos!; **~ly** divino, celeste

heav|iness ['hevinis] peso

m; pesadez *f*; **~y** pesado; denso; fuerte; *fig* importante; **~y-handed** torpe

hectic ['hektik] hético *m*; agitado

hedge [hedʒ] *s* seto *m* vivo; *v/t* cercar; rodear; dar respuestas evasivas; **~hog** erizo *m*

heed [hi:d] *s* cuidado *m*; atención *f*; *v/t* hacer caso de, atender a; escuchar; *v/i* prestar atención; **~less** descuidado

heel [hi:l] talón *m*; tacón *m* (*de zapato*); **to take to one's ~s** *fam* largarse, poner pies en polvorosa

heifer ['hefə] novilla *f*

height [hait] altura *f*; talla *f*; *geog* cerro *m*; cima *f*, cumbre *f*; *fig* colmo *m*; **~en** *v/t* realzar; aumentar

heinous ['heinəs] horrendo

heir [ɛə] heredero *m*; **~ess** heredera *f*

helicopter ['helikəptə] helicóptero *m*

hell [hel] infierno *m*; **~ish** infernal

hello ['he'ləu] ¡hola!

helm [helm] timón *m*

helmet ['helmit] casco *m*

help [help] *s* ayuda *f*; socorro *m*; remedio *m*; ayudante *m*; *v/t* ayudar, socorrer; *v/i* asistir; servir; **I cannot ~ laughing** no puedo menos de reírme; **~er** ayudante *m*; **~ful** útil; servicial; **~ing** porción *f*; **~less** desvalido; impotente

helter-skelter ['heltəskel-tə] a trochemoche

hem [hem] *s* dobladillo *m*; *v/t* cost dobladillar; **~ in** cercar, encerrar

hemisphere ['hemisfiə] hemisferio *m*

hemlock ['hemlɔk] cicuta *f*

hemp [hemp] cáñamo *m*

hen [hen] gallina *f*

hence [hens] *adv* de aquí; por esto; por lo tanto; **~forth** de aquí en adelante

hen|coop ['henku:p] gallinero *m*; **~peck** *v/t* tiranizar (*al marido*)

her [hə:] *pron pos* su (de ella); *pron pers* la, le, a ella; ella (*después de preposición*)

herald ['herəld] *s* heraldo *m*; *v/t* anunciar; **~ry** heráldica *f*

herb [hə:b] hierba *f*, yerba *f*; **~alist** ['ɔːlist] herbolario *m*

herd [hə:d] *s* hato *m*; rebaño *m*; manada *f*; *fig* tropel *m*; **~sman** vaquero *m*

here [hiə] *adv* aquí, acá; **~ goes!** ¡ahí va!; **~ I am** heme aquí; **~ you are!** ¡tenga!; **~'s to you!** ¡a su salud!; **look ~!** ¡mire Vd!; **~ over ~** por aquí; **~after** en lo futuro; **~by** por la presente

here|sy ['herəsi] herejía *f*; **~tic** hereje *m*, *f*

here|upon ['hiərə'pɔn] luego; **~with** con esto

heritage ['heritidʒ] herencia *f*

hermit ['hə:mit] ermitaño *m*; **~age** ermita *f*

hero ['hiərəu] héroe *m*; protagonista *m*; **~ic** [hi'rəuik] heróico; **~ine** ['herəuin] heroína *f*; **~ism** heroísmo *m*

heron ['herən] garza *f*.

herring ['heriŋ] arenque *m*; **~ red** ~ arenque ahumado; pista *f* falsa

hers [hə:z] *pron* pos suyo, suya; el suyo, la suya; los suyos, las suyas (*de ella*); **~elf** [hə:'self] ella misma; sí misma; se

hesita|te ['heziteit] *v/i* vacilar, titubear; **~tion** vacilación *f*; hesitación *f*

hew [hju:] *v/t* cortar; talar (*árboles*); labrar (*piedra*); **~er** cantero *m*

hey [hei] ¡oiga!; ¡eh!

heyday ['heidei] auge *m*; apogeo *m*

hi [hai] ¡hola!

hiccup ['hikʌp] hipo *m*.

hid|den ['hidn] escondido, oculto; secreto; **~e** [haid] *v/t*, *v/i* esconder(se), ocultar(se) *s* cuero *m*; piel *f*

hideous ['hidiəs] horrible; feo; deforme

hid|e-out ['haidaut] escondite *m*; **~ing** *fam* paliza *f*, zurra *f*; escondite *m*; ocultación *f*; **~ing-place** escondrijo *m*

hi-fi ['hai'fai] (de) alta fidelidad *f*

high [hai] alto; elevado; fuerte; extremo; **it is ~**

time ya es hora; **~ and dry** en seco; **~ altar** altar *m* mayor; **~brow** intelectual *m*, *f*; **~class** de clase superior; **~coloured** muy colorado; *fig* exagerado; **~er** más alto; **~est** lo más alto; sumo; **~fidelity** (de) alta fidelidad *f*; **~handed** arbitrario; **~lander** montañés (-a) *m* (*f*); **~lights** puntos *m/pl* salientes; **~ly** altamente; muy bien; **~ness** altura *f*; **2ness** Alteza *f*; **~pitched** estridente (*voz*); **~powered** de gran potencia; **~ pressure** alta presión *f*; **~ road** carretera *f*; **~spirited** animado; **~ tide**, **~ water** marea *f* alta; **~way** carretera *f*; **~wayman** salteador *m* de caminos

hijack ['haidʒæk] *v/t* asaltar; robar; secuestrar (*avión*)

hike [haik] *v/i* hacer excursiones; *s* caminata *f*; excursión *f*; **~r** excursionista *m*

hilarious [hi'lɛəriəs] alegre, animado

hill [hil] colina *f*; cerro *m*; montón *m*; **~side** ladera *f*; **~y** ondulado, montuoso

hilt [hilt] puño *m*; empuñadura *f*

him [him] *pron pers* él, a él, le; **~self** [~'self] él mismo; sí mismo; se

hind [haind] *s* cierva *f*; *a* trasero, posterior

hinder ['hində] *v/t* impe-

dir, estorbar; **~rance** impedimento *m*, estorbo *m*, obstáculo *m*

hinge [hindʒ] *s* bisagra *f*; *v/t* engoznar

hinny ['hini] burdégano *m*

hint [hint] *s* sugestión *f*; *v/t* insinuar, sugerir; *v/i* echar una indirecta

hinterland ['hintəlænd] región *f* interior [cía *f*]

hip [hip] cadera *f*; **~-bone**]

hippopotamus [hipə'pɔtə-məs] hipopótamo *m*

hire ['haiə] *s* alquiler *m*; arriendo *m*; sueldo *m*; *v/t* alquilar, arrendar; **~ling** mercenario; **~-purchase** compra *f* a plazos

his [hiz] *pron pos* su, de él; (el) suyo, (la) suya; (los) suyos, (las) suyas (*de él*)

Hispanic [his'pænik] hispánico

hiss [his] *v/t*, *v/i* silbar, chiflar; sisear (*hablando*)

histor|ian [his'tɔːriən] historiador(a) *m* (*f*); **~ic(al)** [~'tɔrik(əl)] histórico; **~y** ['~əri] historia *f*

hit [hit] *s* golpe *m*; choque *m*; acierto *m*; *mús*, *teat* éxito *m*; *v/t* pegar, golpear; dar; **~ the mark** dar en el blanco; **~ the nail on the head** dar en el clavo; **it ~s you in the eye** le salta a la vista

hitch [hitʃ] *s* tropiezo *m*, dificultad *f*; *v/t* atar; *mar* amarrar; **to ~-hike** *v/i* viajar por autostop

hither ['hiðə] acá, hacia acá; **~ and thither** acá y allá; **~to** hasta ahora

hive [haiv] *s* colmena *f*; enjambre *m*

hoard [hɔːd] *s* provisión *f*; *v/t*, *v/i* acumular y guardar; acaparar; **~ing** acaparamiento *m*; atesoramiento *m*

hoar-frost ['hɔː'frɔst] escarcha *f*

hoarse [hɔːs] ronco; **~ness** ronquera *f*

hoax [həuks] *s* bola *f*, broma *f*; *v/t* chasquear, engañar

hobble ['hɔbl] *v/t* manear; poner trabas a; *v/i* cojear

hobby ['hɔbi] pasatiempo *m* favorito; **~-horse** caballito *m* de madera; *fig* caballo *m* de batalla

hobgoblin ['hɔbgɔblin] duende *m* [*m*]

hobo ['həubəu] vagabundo]

hock vino *m* del Rin

hoe [həu] *s* azada *f*, azadón *m*; *v/t* azadonar

hog [hɔg] cerdo *m*, puerco *m*, cochino *m*; marrano *m*; *SA* chancho *m*

hoist [hɔist] *s* montacargas *m*; *v/t* alzar, elevar; levantar; izar (*bandera*)

hold [həuld] *s* presa *f*; *fig* posesión *f*; dominio *m*; autoridad *f*; *mar* bodega *f* (*de un barco*); **to catch (get)~ of** coger, agarrar; *v/t* tener; poseer; ocupar; sostener; **~ one's own** mantenerse firme; **~ up** levantar; mostrar; detener;

asaltar; ~ **water** *fig* ser
lógico; *v/i* no ceder; ser
válido; ~ **on** agarrarse
bien; *tel* no colgar; ~**er**
propietario *m*, arrenda-
tario *m*; ~**ing** posesión *f*;
propiedad *f*; arrenda-
miento *m*; tenencia *f*; ~**up**
atraco *m*

hole [həul] *s* agujero *m*;
hoyo *m*; boquete *m*; *fig*
aprieto *m*, apuro *m*; *v/t*
agujerear; taladrar; perforar

holiday ['hɔlədi] fiesta *f*;
~**s** vacaciones *f/pl*

hollow ['hɔləu] *a* hueco *m*,
cóncavo; hundido; *s* cavidad *f*; hondonada *f*; *v/t* excavar; ahuecar

holly ['hɔli] acebo *m*

holy ['həuli] santo; 2
Ghost Espíritu *m* Santo;
2 **Land** Tierra *f* Santa; **the**
2 **Writ** la Sagrada Escritura

homage ['hɔmidʒ] homenaje *m*; **to pay** ~ rendir
homenaje

home [həum] casa *f*, hogar
m; domicilio *m*; residencia
f; asilo *m*; **at** ~ en casa; **to
make oneself at** ~ poner-
se cómodo; ~**less** sin hogar; ~**ly** acogedor, sencillo;
feo; ~**made** casero, de fabricación casera; ~**mar-
ket** mercado *m* nacional; 2
Office Ministerio *m* de la
Gobernación; 2 **rule** autonomía *f*; 2 **Secretary** *Ingl*
Ministro *m* de la Goberna-

ción; ~**sick** nostálgico; ~
sickness nostalgia *f*; ~
team *dep* equipo *m* de casa;
~ **trade** comercio *m* nacional; ~**town** ciudad *f* natal,
patria *f* chica; ~**ward(s)** a
casa, hacia casa; ~**work**
deberes *m/pl*, tarea *f* escolar

homicide ['hɔmisaid] homicidio *m*; homicida *m, f*

honest ['ɔnist] honrado;
recto; probo; honesto; ~**ly**
honradamente; ~**y** honra-
dez *f*

honey ['hʌni] miel *f*; *fig*
dulzura *f*; ~**comb** panal *m*;
~**moon** luna *f* de miel; ~
suckle madreselva *f*

honk [hɔŋk] bocinazo *m*

honorary ['ɔnərəri] hono-
rario

hono(u)r ['ɔnə] *s* honor *m*;
honra *f*; **last** ~**s** honras
f/pl fúnebres; *v/t* honrar;
respetar; condecorar; *com*
aceptar, pagar; ~**able** ho-
norable; ilustre

hood [hud] capucha *f*; ca-
peruza *f*; *mec* capota *f*;
campana *f* de chimenea

hoodlum ['hu:dləm] ma-
leante *m*, rufián *m*

hoodwink ['hu:dwiŋk] *v/t*
engañar   [ña *f*.

hoof [hu:f] casco *m*; pezu-∫

hook [huk] *s* gancho *m*;
anzuelo *m* (*de pescar*); **by** ~
or by crook a todo trance;
a tuertas o a derechas; *v/t*
enganchar, encorvar; ~**ed**
ganchudo

hoop [hu:p] aro *m*; fleje *m*

hoot [hu:t] *s* ululación *f*;
grito *m*; bocinazo *m* (*de
coche*); *v/i* ulular; gritar;
tocar la bocina

hop [hɔp] *s* bot lúpulo *m*;
brinco *m*, salto *m*; *v/i* brincar, saltar

hope [həup] *s* esperanza *f*;
confianza *f*; *v/t, v/i* esperar,
confiar; **~ful** confiado, es-
peranzado; **~less** sin esperanza, desesperado; impo-
sible; **~lessly** desesperada-
mente

horizon [hə'raizn] horizon-
te *m*; **~tal** [hɔri'zɔntl] horizontal

horn [hɔːn] cuerno *m*; asta
f; mús cuerno *m*; corneta *f*;
aut bocina *f*

hornet ['hɔːnit] avispón *m*

horny ['hɔːni] córneo; ca-
lloso

horr|ible ['hɔrəbl] horrible;
espantoso; **~ibly** horrible-
mente; **~id** ['~id] espantoso; **~ify** ['~ifai] *v/t* horripi-
lar; **~or** horror *m*, espanto
m

horse [hɔːs] caballo *m*; mil
caballería *f*; **on ~** a
caballo; **~ chestnut** castaño *m* de Indias; **~hair** pelo
m de caballo; **~man** jinete
m; **~power** caballo *m* de
fuerza; **~race** carrera *f* de
caballos; **~radish** rábano
m picante; **~shoe** herradura *f*; **~whip** látigo *m*

horticulture ['hɔːtikʌltʃə]
horticultura *f*

hose [həuz] manguera *f*

hosiery ['həuziəri] géneros
m/pl de punto; calcetería *f*

hospi|table ['hɔspitəbl]
hospitalario; **~tal** hospital
m; **~tal ward** sala *f* de hospital; **~tality** [~'tæliti] hospitalidad *f*

host [həust] anfitrión *m*;
multitud *f*; relig hostia *f*

hostage ['hɔstidʒ] rehén *m*

hostel ['hɔstəl] posada *f*;
albergue *m* de estudiantes;
~ry fonda *f*   [na *f*]

hostess ['həustis] anfitrio-

hostil|e ['hɔstail] hostil;
~ity [~'tiliti] hostilidad *f*

hot [hɔt] muy caliente; caluroso; fig acalorado, ardiente; (comida) picante;
radiactivo; **it is ~** hace
mucho calor; **~-blooded**
de sangre caliente; **~ dog**
emparedado *m* de salchicha
de Francfort

hotel [həu'tel] hotel *m*;
~keeper hotelero *m*

hot|head ['hɔthed] exalta-
do *m*; **~-house** invernadero *m*

hound [haund] *s* sabueso *m*;
v/t cazar con perros; acosar,
perseguir

hour ['auə] hora *f*; **by the ~**
por horas; **~ly** a cada hora

house [haus] *s* casa *f*; residencia *f*; teat sala *f*; **the ☲**
el Parlamento; **☲ of Com-
mons** Cámara *f* de los Dipu-
tados; **☲ of Lords** Cá-
mara de los Lores; *v/t* alo-
jar; almacenar; **~keeper**
ama *f* de llaves; **~maid** sir-

vienta *f*, criada *f*; ~**wife**
ama *f* de casa; ~**work** quehaceres *m/pl* domésticos

housing ['hauziŋ] alojamiento *m*; ~**estate** urbanización *f*

hover ['hɔvə] *v/i* revolotear,
cernerse; ~**craft** aerodeslizador *m*; ~**ing** revoloteo *m*

how [hau] *adv* cómo; (exclamación ante adjetivo o
adverbio) qué, cuán(to, -ta,
-tos, -tas; ~ **are you?**
¿qué tal?; ~ **do you do?**
mucho gusto; ~ **far?**
¿hasta dónde?; ~ **long?**
¿cuánto tiempo?; ~**many?**
¿cuántos(as)?; ~ **much?**
¿cuánto?; ~ **much is it?**
¿cuánto cuesta?

however [hau'evə] *conj* no
obstante; sin embargo; empero; *adv* por muy ... que
sea; aunque sea

howl [haul] *s* aullido *m*, alarido *m*; *v/i* aullar, dar alari-
dos (*animales*); bramar
(*viento*); llorar (*niños*);
~**er** *fam* gazapo *m*

hub [hʌb] cubo *m* (de rueda); eje *m*, centro *m*

hubbub ['hʌbʌb] alboroto
m, tumulto *m*

hubby ['hʌbi] *fam* maridito
m

huddle ['hʌdl] *v/t* amontonar; *v/i* ~ (up) acurrucarse

hue [hju:] color *m*; matiz *m*

hug [hʌg] *s* abrazo *m* fuerte;
v/t abrazar

huge [hju:dʒ] enorme, vasto, inmenso

hull [hʌl] *s* vaina *f*, hollejo

m; casco *m* (de un buque);
v/t mondar, descascarar

hullaballoo [hʌləbə'lu:] alboroto *m*, jaleo *m*

hullo ['hʌ'ləu] ¡hola!

hum [hʌm] *s* zumbido *m*;
v/t tararear; *v/i* zumbar

human ['hju:mən] humano;
~**e** [~'mein] humano, hu-
manitario; ~**itarian** [~
'mæni'tɛəriən] humanita-
rio; ~**ity** [~'mæniti] humanidad *f*

humble ['hʌmbl] *a* humilde; *v/t* humillar

humbug ['hʌmbʌg] *s* farsa
f; patraña *f*; (*persona*) far-
sante *m*, embustero *m*; *v/t*
embaucar

humdrum ['hʌmdrʌm]
monótono

humidity [hju(:)'miditi]
humedad *f*

humili|ate [hju(:)'milieit]
v/t humillar; ~**ation** humi-
llación *f*; ~**ty** [~'militi] humildad *f*

humming-bird ['hʌmiŋ-
'bə:d] colibrí *m*

humo(u)r ['hju:mə] *s* humor *m*; genio *m*; humoris-
mo *m*; ~**ist** humorista *m*;
v/t complacer; dar gusto a;
~**ous** gracioso, chistoso

hump [hʌmp] joroba *f*

hunch [hʌntʃ] joroba *f*, giba
f; ~**back** jorobado *m*

hundredweight['hʌndrəd-
weit] quintal *m*

Hungar|ian [hʌŋ'gɛəriən]
a, s húngaro(a) *m* (*f*); ~**y**
Hungría *f*

hung|er ['hʌŋgə] s hambre
m; v/i tener hambre; an-
siar; **~ry** ['hʌŋgri] ham-
briento; **to be ~ry** tener
hambre

hunt [hʌnt] v/t cazar; **~ for**
buscar; **~er** cazador m;
~ing caza f, cacería f, montería f [dep valla f)
hurdle ['hɔːdl] zarzo m;}
hurl [hɔːl] v/t tirar, lanzar
hurrah! [huˈrɑː] ¡viva!
hurricane ['hʌrikən] huracán m
hurried ['hʌrid] apresura-
do; precipitado
hurry ['hʌri] s prisa f; **to be
in a ~** tener prisa; v/i apresurarse; v/t acelerar; impulsar, apremiar
hurt [hɔːt] s lesión f; daño
m; v/t lastimar; (zapato)
apretar; v/i doler
husband ['hʌzbənd] s ma-
rido m, esposo m; v/t economizar; **~ry** labranza f,
agricultura f
hush [hʌʃ] s silencio m; v/t
apaciguar; aquietar; interj
~! ¡chitón!; ¡silencio!;
up callar; encubrir; **~
-money** soborno m
husk [hʌsk] s cáscara f; vaina f; pellejo m; v/t descascarar; desvainar
husky ['hʌski] a ronco, rau-
co; robusto, fornido

hustle ['hʌsl] s ajetreo m;
v/t empujar; apresurar; v/i
fam menearse
hut [hʌt] cabaña f, choza f
hutch [hʌtʃ] jaula f (de cone-
jos); arca f; cofre m
hybrid ['haibrid] a, s híbri-
do m
hydrant ['haidrənt] boca f
de riego; toma f de agua
hydraulic [haiˈdrɔːlik] hidráulico
hydro|carbon ['haidrəu-
'kɑːbən] hidrocarburo m;
~chloric [~'klɔrik] clorhí-
drico; **~gen** ['~ədʒən] hidrógeno m; **~gen bomb**
bomba f de hidrógeno; **~
-plane** hidroavión m
hyena [haiˈiːnə] hiena f
hygiene ['haidʒiːn] higiene
f
hymn [him] himno m
hyphen ['haifən] guión m
hypnotize ['hipnətaiz] v/t
hipnotizar
hypocri|sy [hiˈpɔkrisi] hi-
pocresía f; **~te** ['hipəkrit]
hipócrita m, f; **~tical** [hip-
əu'kritikəl] hipócrita
hypothesis [haiˈpɔθisis] hipótesis f
hysteri|a [hisˈtiəriə] histe-
ria f, histerismo m; **~cal**
[~'terikəl] histérico; **~cs**
histerismo m, paroxismo m
histérico

I

I [ai] yo
Iberian [ai'biəriən] *a* ibérico; *s* íbero(a) *m* (*f*)
ice [ais] *s* hielo *m*; *v/t* helar; cubrir con hielo; **~berg** ['~bə:g] iceberg *m*; **~box** nevera *f*; *SA* refrigerador *m*; **~cream** helado *m*; **~cube** cubito *m* de hielo
Iceland ['aisland] Islandia *f*
ic|icle ['aisikl] carámbano *m*; **~ing** alcorza *f*; **~y** helado
idea [ai'diə] idea *f*; concepto *m*; **~l** *a*, *s* ideal *m*
identi|cal [ai'dentikəl] idéntico; **~fication** [aidentifi'keiʃən] identificación *f*; **~fy** ['~dentifai] *v/t* identificar; **~ty** ['~dentiti] identidad *f*
idiom ['idiəm] lenguaje *m*, dialecto *m*; modismo *m*
idiot ['idiət] idiota *m*, *f*, necio *m*; **~ic** [~'ɔtik] idiota, tonto
idle ['aidl] *a* ocioso; perezoso; inútil; frívolo; **~ hours** horas *f/pl* desocupadas; *v/i* holgazanear; *mec* marchar en vacío; **~ness** ociosidad *f*
idol ['aidl] ídolo *m*; **~ize** ['~oulaiz] *v/t* idolatrar
idyl(l) ['idil] idilio *m*
if [if] *conj* si; aunque; **as ~** como si; **so** de ser así
ign|ite [ig'nait] *v/t* encender; *v/i* inflamarse; **~ition** [ig'niʃən] ignición *f*; infla-

mación *f*; encendido *m* (*del motor*)
ignoble [ig'nəubl] innoble
ignore [ig'nɔ:] *v/t* pasar por alto; desairar
ill [il] *a* enfermo; nocivo; grosero; desgraciado; *adv* mal; difícilmente; **~ad-vised** malaconsejado; **~bred** malcriado
il|legal [i'li:gəl] ilegal; **~legible** [i'ledʒəbl] ilegible; **~licit** [i'lisit] ilícito; **~literate** [i'litərit] *a*, *s* analfabeto *m*
ill|-mannered ['il'mænəd] incivil, descortés; **~na-tured** mal dispuesto; **~ness** enfermedad *f*; **~tempered** de mal genio; **~timed** inoportuno; **~treat** *v/t* maltratar
illuminat|e [i'lju:mineit] *v/t* iluminar; **~ion** iluminación *f*; alumbrado *m*
illus|ion [i'lu:ʒən] ilusión *f*; ensueño *m*; engaño *m*; **~ory** [~səri] ilusorio; engañoso
illustrat|e ['iləstreit] *v/t* ilustrar; explicar; **~ion** ilustración *f*; grabado *m*; lámina *f*; **~ive** explicativo
illustrious [i'lʌstriəs] ilustre, insigne
imag|e ['imidʒ] imagen *f*; **~inary** [i'mædʒinəri] imaginario; **~ination** imaginación *f*; fantasía *f*; **~ine**

[~in] v/t imaginar; imaginarse; v/i fantasear

imitate [i'imiteit] v/t imitar

immeasurable [i'meʒərəbl] inmensurable

immediate [i'mi:djət] inmediatamente

im|mense [i'mens] inmenso, vasto; **~merse** [i'mə:s] v/t sumergir, hundir

immigra|nt ['imigrənt] inmigrante m, f; **~te** ['~eit] v/i inmigrar

im|mobile [i'məubail] inmóvil; **~modest** [i'mɔdist] impúdico; **~moral** [~'mɔrəl] inmoral; corrupto; **~mortal** inmortal; **~mortality** [imɔ:'tæliti] inmortalidad f; **~movable** inamovible; **~mune** [i'mju:n] inmune

imp [imp] diablillo m; niño m travieso [m]

impact ['impækt] impacto]

impair [im'pɛə] v/t dañar; deteriorar

impart [im'pɑ:t] v/t dar, impartir; **~ial** [~'pɑʃəl] imparcial

im|passable [im'pɑ:səbl] intransitable; **~passive** impasible; **~patience** impaciencia f

impediment [im'pedimənt] impedimento m

impending [im'pendiŋ] inminente

imperative [im'perətiv] a imperioso; s imperativo m

imperfect [im'pə:fikt] a imperfecto, defectuoso; s gram imperfecto m

imperial [im'piəriəl] imperial; imperioso

imperil [im'peril] v/t arriesgar; poner en peligro

im|personate [im'pə:səneit] v/t teat hacer el papel de; **~pervious** [~'pə:vjəs] impenetrable; fig sordo (a súplicas, etc)

impetuous [im'petjuəs] impetuoso

implement ['implimənt] instrumento m; herramienta f

implicat|e ['implikeit] v/t implicar; **~ion** implicación f; inferencia f

implore [im'plɔ:] v/t suplicar, implorar

imply [im'plai] v/t implicar; significar [cortés)

impolite [impə'lait] des-]

import [im'pɔ:t] v/t com importar; v/i importar; ['impɔ:t] s com importación f

importan|ce [im'pɔ:təns] importancia f; **~t** importante

import|ation [impɔ:'teiʃən] com importación f; **~er** importador m

importune [im'pɔ:tju:n] v/t, v/i importunar

impos|e [im'pəuz] v/t imponer; **~e upon** engañar; **~ing** imponente; **~ition** imposición f; carga f; impostura f, engaño m

impossib|ility [impɔsə'biliti] imposibilidad f; **~le** [~'pɔsibl] imposible

impostor [im'pɔstə] impostor *m*   [impotencia *f*]
impotence ['impətens]
impracticable [im'præk-
tikəbl] impracticable
impregnate ['impregneit]
v/t impregnar
impress [im'pres] *v/t* impresionar; imprimir; gra-
bar; **~ion** impresión *f*;
marca *f*
imprint ['imprint] *s* impresión *f*; huella *f*; [im'print]
v/t imprimir; grabar
imprison [im'prizn] *v/t*
encarcelar; **~ment** encar-
celamiento *m*
improbable [im'prɔbəbl]
improbable
improper [im'prɔpə] impropio; incorrecto; deshonesto
improve [im'pru:v] *v/t*
mejorar; *v/i* progresar; mejorarse; **~ment** mejora *f*;
progreso *m*
im|provise ['imprəvaiz] *v/t*,
v/i improvisar; **~prudent**
[im'pru:dənt] imprudente
impuden|ce ['impjudəns]
descaro *m*; **~t** descarado
impuls|e ['impʌls] impulso
m; impulsión *f*; **~ive** [im-
'pʌlsiv] impulsivo
impur|e [im'pjuə] impuro;
alterado; **~ity** impureza *f*
in [in] *prep* dentro de; en;
de; con; por; *adv* dentro;
de moda; **he is ~** está en
casa; **~ the morning** por
la mañana; **to go ~ for** dedicarse a

in|accessible [inæk'sesəbl]
inasequible, inaccesible;
~accurate [.~ə'və:tənt] in-
~advertent [.~ə'və:tənt] inadvertido; accidental; **~**
animate [.~'ænimit] inanimado; *fig* desanimado; **~**
appropriate inadecuado;
~apt inepto; inconveniente; **~articulate** inarticulado; mudo
inasmuch [inəz'mʌtʃ]: **~ as**
puesto que, por cuanto
inattentive [inə'tentiv]
descuidado; desatento
in|born ['in'bɔ:n] innato; **~**
capable [in'keipəbl] incapaz
incapa|citate [inkə'pæsi-
teit] *v/t* incapacitar; **~city**
incapacidad *f*   [cauto]
incautious [in'kɔ:ʃəs] in-
incendiary [in'sendjəri] *a*,
s incendiario *m*
incense ['insens] *s* incienso
m; [in'sens] *v/t* exasperar
incentive [in'sentiv] estímulo *m*
inch [intʃ] pulgada *f* (2,54
cm); **within an ~ of** a dos
dedos de; **~ by ~** poco a
poco
inciden|t ['insidənt] inci-
dente *m*; **~tal** [.~'dentl] incidental; **~tally** a propósito, de paso
incis|e [in'saiz] *v/t* cortar;
grabar; **~ive** incisivo; **~or**
incisivo *m* (*diente*)
incite [in'sait] *v/t* incitar;
provocar; **~ment** instiga-
ción *f*

inclin|ation [inkli'neiʃən] inclinación *f*; declive *m*; **~e** [in'klain] *v/t* inclinar; *v/i* inclinarse; tender a

inclu|de [in'klu:d] *v/t* incluir; comprender; **~sive** inclusivo

incoherent [inkəu'hiərənt] incoherente

incom|e ['inkʌm] ingreso *m*; entrada *f*; **~e-tax** impuesto *m* sobre la renta; **~ing** entrante

in|competent [in'kɔmpitənt] incompetente; **~complete** incompleto; **~comprehensible** [~'kɔmpri'hensəbl] incomprensible; **~conceivable** inconcebible; **~consequent** inconsecuente; **~considerable** insignificante; **~considerate** inconsiderado

inconsistent [inkən'sistənt] inconsistente; contradictorio

inconstant [in'kɔnstənt] inconstante, variable

inconvenience [inkən-'vi:njəns] *s* inconveniente *m*; *v/t* estorbar

incorporat|e [in'kɔ:pəreit] *v/t* incorporar; agregar; **~ed** constituido legalmente; **~ion** incorporación *f*

in|correct [inkə'rekt] incorrecto; impropio; **~corrigible** [in'kɔridʒəbl] incorregible

increase| [in'kri:s] *s* aumento *m*; *v/t* aumentar; incrementar; *v/i* crecer;

multiplicarse; **~ingly** cada vez más [creíble)

incredible [in'kredəbl] in-)

incriminate [in'krimineit] *v/t* incriminar

incur [in'kə:] *v/t* incurrir en; contraer (*deuda*)

indebted [in'detid] adeudado; empeñado; **~ness** deuda *f*; obligación *f*

indecen|cy [in'di:snsi] indecencia *f*; **~t** indecente

indecisi|on [indi'siʒən] indecisión *f*; irresolución *f*; **~ve** [~'saisiv] indeciso; incierto

indeed [in'di:d] en efecto; **~?** ¿de veras?

indefatigable [indi'fætigəbl] incansable

in|definite [in'definit] indefinido; indeterminado; **~delible** [~'delibl] indeleble; imborrable

indelicate [in'delikit] indelicado; indecoroso

indemni|fy [in'demnifai] *v/t* indemnizar; **~ty** indemnización *f*

indent [in'dent] *v/t* dentar; **~ure** [~'dentʃə] *for* escritura *f*

independent [indi'pendənt] independiente; adinerado

indescribable [indis'kraibəbl] indescriptible

indeterminate [indi'tə:minit] indeterminado; indefinido

index ['indeks] *s* índice *m*; *v/t* hacer un índice de;

poner en el índice; **~ card**
ficha f

India ['indjə] India f; **~n** a,
s indio(a) m (f); **~n corn**
maíz m; **~n summer** vera-
nillo m de San Martín

India-rubber ['indjə'rʌbə]
goma f de borrar

indicat|e ['indikeit] v/t in-
dicar; **~ion** indicación f;
señal f; **~ive** indicativo;
~or indicador m

indict [in'dait] v/t acusar;
procesar; **~ment** acusación
f; for auto m de acusación

indifferen|ce [in'difrəns]
indiferencia f; **~t** indiferente; imparcial

indigent ['indidʒənt] indigente, pobre

indigesti|ble [indi'dʒest-
əbl] indigesto; **~on** indi-
gestión f; empacho m

indign|ant [in'dignənt] in-
dignado; **~ation** indigna-
ción f; **~ity** indignidad f;
ultraje m

indirect [indi'rekt] indirecto; fig torcido

indiscre|et [indis'kri:t] in-
discreto; **~tion** indiscre-
ción f

indiscriminate [indis-
'kriminit] promiscuo; sin
criterio

indispensable [indis'pens-
əbl] indispensable

indispos|ed [indis'pəuzd]
indispuesto; ción indis-
posición f; aversión f

indisputable [indis'pju:-
təbl] indiscutible

indistinct [indis'tiŋkt] indistinto, confuso

individual [indi'vidjuəl] a
individual; s individuo(a)
m (f); persona f

indolen|ce ['indoləns] in-
dolencia f, desidia f; **~t** indolente, haragán

indomitable [in'dɔmitəbl]
indomable, invincible

indoor ['indɔ:] interno; interior; casero; **~s** en casa

indorse [in'dɔ:s] v/t endosar; **~ment** endosamiento
m; aval m

induce [in'dju:s] v/t inducir

induct [in'dʌkt] v/t instalar; admitir; **~ion** elec inducción f

indulge [in'dʌldʒ] v/t consentir a; **~nce** indulgencia
f; **~nt** indulgente

industr|ial [in'dʌstriəl] in-
dustrial; **~ialist** industrial
m; **~ialize** v/t industriali-
zar; **~ious** aplicado; **~y**
['indʌstri] industria f

ineffective [ini'fektiv] ineficaz [eficaz]

inefficient [ini'fiʃənt] in-∫

inequality [ini'kwɔliti] de-
sigualdad f; disparidad f

inert [i'nə:t] inerte

in|evitable [in'evitəbl] ine-
vitable; **~expensive** barato; **~experienced** inexperto; **~explicable** [~'eks-
plikəbl] inexplicable

inexhaustible [inig'zɔ:st-
əbl] inagotable

inexpressible [iniks'pres-
səbl] indecible

infallible [in'fæləbl] infalible

infam|ous ['infəməs] infa-
me; ignominioso; *for* infa-
mante; **~y** infamia *f*

infan|cy ['infənsi] infancia
f; **~t** criatura *f*; **~tile** [`~-
tail] infantil, pueril

infantry ['infəntri] infante-
ría *f*

infatuat|e [in'fætjueit] *v/t*
apasionar; atontar; **~ed**
locamente enamorado

infect [in'fekt] *v/t* infectar;
contagiar; **~ion** infección *f*;
~ious infeccioso; contagioso

infer [in'fə:] *v/t* inferir, deducir; **~ence** ['infərəns]
deducción *f*

inferior [in'fiəriə] *a, s* inferior *m*; **~ity** [`~'ɔriti] in-
ferioridad *f*

infernal [in'fə:nl] infernal

infidelity [infi'deliti] infidelidad *f*; perfidia *f*

infiltrate ['infiltreit] *v/t,
v/i* infiltrar(se), penetrar

infinit|e ['infinit] infinito;
~ive [`~'finitiv] *gram* infini-
tivo *m*; **~y** infinidad *f*

infirm [in'fə:m] enfermizo;
~ity debilidad *f*; fragilidad
f

inflame [in'fleim] encender, inflamar (*t fig*)

inflamma|ble [in'flæməbl]
inflamable; **~tion** [`~ə'mei-
ʃən] inflamación *f*; **~tory**
[`~'flæmətəri] *med* inflama-
torio; *fig* sedicioso, inci-
tante

inflat|e [in'fleit] *v/t* inflar;
~ion inflación *f*

inflect [in'flekt] *v/t* torcer;
doblar; **~ion** inflexión *f*;
dobladura *f*

inflexible [in'fleksəbl] inflexible

inflict [in'flikt] *v/t* infligir;
imponer; **~ion** imposición
f; castigo *m*

influen|ce ['influəns] *s* in-
fluencia *f*; influjo *m*; *v/t*
influir sobre, en; **~tial**
[`~'enʃəl] influente

influenza [influ'enzə] gripe
f

inform [in'fɔ:m] *v/t* informar; avisar; *v/i* **~ against**
denunciar; **~al** informal;
~ation información *f*; *for*
denuncia *f*; **~er** denun-
ciante *m*

infuriate [in'fjuərieit] *v/t*
enfurecer

infuse [in'fju:z] *v/t* infundir; inculcar

ingenious [in'dʒi:njəs] ingenioso, genial

ingenu|ity [indʒi'nju(:)iti]
ingeniosidad *f*; **~ous** ingenuo   [barra *f*;)

ingot ['iŋgət] lingote *m*;)

ingrati|ate [in'greiʃieit]:
~ate oneself *v/r* congraciarse; **~tude** [`~'græti-
tju:d] ingratitud *f*

ingredient [in'gri:djənt]
ingrediente *m*

inhabit [in'hæbit] *v/t* habitar; **~ant** habitante *m*

inherit [in'herit] *v/t* here-
dar; **~ance** herencia *f*

inhibit [in'hibit] *v/t* inhibir; **~ion** inhibición *f*

in|hospitable [in'hospitəbl] inhospitalario; **~human** inhumano; **~imitable** inimitable

initia|l [i'niʃəl] inicial; **~** [~ʃeit] *v/t* iniciar; **~tive** [~ʃiativ] iniciativa *f*

inject [in'dʒekt] *v/t* inyectar; **~ion** inyección *f*

injudicious [indʒu:'diʃəs] imprudente

injur|e ['indʒə] *v/t* lesionar; **~ious** [in'dʒuəriəs] dañino; **~y** herida *f*; lesión *f*; daño *m*

ink [iŋk] tinta *f*

inkling ['iŋkliŋ] idea *f*; noción *f* vaga

ink-pot ['iŋkpɔt], **-well** [~'wel] tintero *m*

inland ['inlənd] interior; nacional

inlay [in'lei] *v/t* embutir; taracear

inlet ['inlet] caleta *f*

inmate ['inmeit] inquilino *m*; paciente *m*; recluso *m*

inmost ['inmoust] íntimo; profundo

inn [in] posada *f*; fonda *f*

inner ['inə] interior; interno; **~tube** *aut* cámara *f*

innocen|ce ['inəsns] inocencia *f*; **~t** inocente

inoculate [i'nɔkjuleit] *v/t* inocular

inoffensive [inə'fensiv] inofensivo

in-patient ['inpeiʃənt] enfermo *m* internado

inquest ['inkwest] pesquisa *f* judicial

inquir|e [in'kwaiə] *v/t, v/i* inquirir; informarse; **~e about** preguntar por; **~e into** examinar; **~y** consulta *f*; investigación *f*

inquisit|ion [inkwi'ziʃən] inquisición *f*; **~ive** [~'kwizitiv] inquisitivo

insan|e [in'sein] loco; demente; **~ity** [~'sæniti] locura *f*; demencia *f*

inscri|be [in'skraib] *v/t* inscribir; **~ption** [~ipʃən] inscripción *f*; rótulo *m*

insect ['insekt] insecto *m*

insecure [insi'kjuə] inseguro [sensible]

insensible [in'sensəbl] in-]

insert [in'sə:t] *v/t* insertar

inside [in'said] *a* interior; interno; *s* interior *m*; contenido *m*; **~** **out** de dentro a fuera; al revés; **~s** entrañas *f/pl*

insight ['insait] perspicacia *f*

in|significant [insig'nifikənt] insignificante; **~sincere** [insin'siə] hipócrita; **~sinuate** [~'sinjueit] *v/t* insinuar; **~sipid** [~'sipid] insípido

insist [in'sist] *v/i* insistir; persistir; **~ence** insistencia *f*

insolent ['insələnt] descarado, insolente

in|soluble [in'sɔljubl] insoluble; indisoluble; **~solvent** insolvente

insomnia [in'sɔmniə] insomnio *m*

inspect [in'spekt] *v/t* inspeccionar; **~ion** inspección *f*; **~or** *a*, *s* inspector *m*

inspir|ation [inspə'reiʃən] inspiración *f*; **~e** [in'spaiə] *v/t* inspirar

install [in'stɔ:l] *v/t* instalar; **~ation** [~ə'leiʃən] instalación *f*

instalment [in'stɔ:lmənt] entrega *f*, cuota *f*; **~ plan** pago *m* a plazos

instan|ce ['instəns] ejemplo *m*; caso *m*; *for* instancia *f*; **for ~ce** por ejemplo; **~t** *a* inmediato; urgente; corriente; *s* instante *m*; momento *m*; **~tly** *adv* en seguida, al instante

instead [in'sted] *adv* en cambio; **~ of** *prep* en vez de; en lugar de

instep ['instep] empeine *m*

instigate ['instigeit] *v/t* instigar

instinct ['instiŋkt] instinto *m*; **~ive** [in'stiŋktiv] instintivo

institut|e ['institju:t] *s* instituto *m*; establecimiento *m*; *v/t* instituir; establecer; **~ion** institución *f*; establecimiento *m*

instruct [in'strʌkt] *v/t* instruir; mandar; **~ion** instrucción *f*; **~ive** instructivo; aleccionador; **~or** instructor *m*

instrument ['instrumənt] instrumento *m*

in|subordinate [insə'bɔ:dinit] insubordinado, rebelde; **~sufferable** [~'sʌfərəbl] insufrible; **~sufficient** insuficiente

insulat|e ['insjuleit] *v/t tecn* aislar; **~ion** aislamiento *m*; **~or** aislador *m*

insupportable [insə'pɔ:təbl] insoportable

insur|ance [in'ʃuərəns] seguro *m*; **~ance policy** póliza *f* de seguro; **~ance premium** prima *f* de seguro; **~e** *v/t* asegurar

insurrection [insə'rekʃən] insurrección *f*

intact [in'tækt] intacto

integr|ate ['intigreit] *v/t*, *v/i* integrar(se); **~rity** [in'tegriti] entereza *f*; integridad *f*

intellect ['intilekt] intelecto *m*; inteligencia *f*; **~ual** [~'lektjuəl] *a*, *s* intelectual *m*, *f*

intelligen|ce [in'telidʒəns] inteligencia *f*; información *f*; **~t** inteligente

intend [in'tend] *v/t* proponerse; querer hacer; pensar en; **~ for** destinar a

intens|e [in'tens] intenso; fuerte; **~ity** intensidad *f*, fuerza *f*; **~ive** intensivo

intent [in'tent] *a* atento; empeñado; *s* designio *m*; intento *m*; **~ion** intención *f*; **~ionally** adrede

inter [in'tɔ:] *v/t* enterrar

inter|cede [intə(:)'si:d] *v/t* interceder; **~cept** [~'sept] interceptar

interchange ['intə(:)-'tʃeindʒ] s intercambio m; [intə(:)'tʃeindʒ] v/t, v/i alternar(se); trocar(se)

intercourse ['intə(:)kɔ:s] trato m; tráfico m

interdict [intə(:)'dikt] v/t vedar; prohibir

interest ['intrist] s interés m; beneficio m; **to earn ~** devengar intereses; v/t interesar; **~ed party** interesado(a) m (f); **~ing** interesante

interfer|e [intə'fiə] v/i entremeterse; **~e with** estorbar; **~ence** intromisión f; **~ing** entremetido

interior [in'tiəriə] a interior; interno; s interior m; **~ decorator** decorador m de interiores

interlude [intə'lu:d] intervalo m; teat intermedio m

intermediary [intə(:)'mi:djəri] intermediario m, mediador m

intermingle [intə(:)'miŋgl] v/t entremezclar

internal [in'tə:nl] interno; doméstico

inter|national [intə(:)'næʃnl] internacional; interpolar; **~pose** v/t interponer, interpolar

interpret [in'tə:prit] v/t interpretar; **~ation** s interpretación f; **~er** intérprete m, f

interrogate [in'terougeit] v/t interrogar

interrupt [intə'rʌpt] v/t

interrumpir; **~ion** interrupción f

interval ['intəvəl] intervalo m

interven|e [intə(:)'vi:n] v/i intervenir; sobrevenir; mediar; **~tion** intervención f

interview ['intəvju:] s entrevista f; interviú f; v/t entrevistar(se con)

intestine [in'testin] intestino m

intima|cy ['intiməsi] intimidad f; **~te** [~it] a íntimo; [~eit] v/t indicar

intimidate [in'timideit] v/t intimidar

into ['intu, intə] hacia dentro; adentro; **~ the bargain** por añadidura

intolerant [in'tɔlərənt] intolerante

intoxicate [in'tɔksikeit] v/t embriagar; med intoxicar; **~d** borracho

intrepid [in'trepid] intrépido [cado]

intricate ['intrikit] intrin- |

intrigu|e [in'tri:g] s intriga f; trama f; v/t intrigar; tramar; **~ing** intrigante

introduc|e [intrə'dju:s] v/t introducir; presentar; **~tion** [~'dʌkʃən] introducción f; **~tory** [~'dʌktəri] preliminar

intru|de [in'tru:d] v/i entremeterse; intrusión f; **~sion** [~ʒən] intrusión f

intuition [intju(:)'iʃən] intuición f

invade [in'veid] *v/t* invadir;
~**r** invasor *m*
invalid ['invəli:d] *s* inválido
m, enfermo *m* [~'vælid] *a*
a inválido, nulo; ~**ate** [~eit]
v/t invalidar [inestimable]
invaluable [in'væljuəbl]
invariable [in'veəriəbl] invariable   [sión *f*]
invasion [in'veiʒən] inva-
invective [in'vektiv] vitu-
peración *f*
invent [in'vent] *v/t* inventar; idear; ~**ion** invento *m*;
invención *f*
inver|se ['in'və:s] inverso,
al revés; ~**sion** inversion *f*;
~**t** *v/t* invertir; ~**ted com-
mas** comillas *f/pl*
invest [in'vest] *com* invertir
investigat|e [in'vestigeit]
v/t investigar; ~**ion** investigación *f*; ~**or** investi-
gador *m*
invest|ment [in'vestmənt]
com inversión *f*; ~**or** *com*
inversionista *m*
inviolable [in'vaiələbl] inviolable
invit|ation [invi'teiʃən] in-
vitación *f*; convite *m*; ~**e**
[in'vait] *v/t* invitar; convidar; instar; ~**ing** atractivo
invoice ['invɔis] *com* factura *f*
in|voke [in'vəuk] *v/t* invo-
car; apelar a; ~**voluntary**
involuntario; ~**volve** [~-
'vɔlv] *v/t* envolver; implicar; complicar
inward ['inwəd] interno;
interior

iodine ['aiəudi:n] yodo *m*
I. O. U. ['aiəu'ju:] *com* pa-
garé *m*
irascible [i'ræsibl] irascible
Irish ['airiʃ] *a*, *s* irlandés *m*;
the ~ los irlandeses; ~**man**
irlandés *m*
iron ['aiən] *s* hierro *m*;
plancha *f*; *a* férreo; de
hierro; *v/t* planchar; ~ **curtain** cortina *f* de hierro
iron|ic(al) [ai'rɔnik(əl)]
irónico; ~ **lung** pulmón *m*
de acero; ~**monger** ['aiən-
mʌŋgə] ferretero *m*; ~**y**
['airəni] ironía *f*
ir|radiate [i'reidieit] *v/t*
irradiar; ~**rational** irracional; ~**reconcilable** irreconciliable
irregular [i'regjulə] irregular; desordenado
ir|relevant [i'relivənt] aje-
no; inaplicable; ~**repla-
ceable** [iri'pleisəbl] irreemplazable
irreproachable [iri'prəutʃ-
əbl] intachable
irrespective [iris'pektiv] **of**
sin consideración a
irrevocable [i'revəkəbl]
irrevocable; inalterable
irrigat|e ['irigeit] *v/t* regar;
med irrigar; ~**ion** riego *m*;
med irrigación *f*
irrit|able ['iritəbl] irrita-
ble; ~**ate** [~eit] *v/t* irritar
island ['ailənd] *s* isla *f*; *a*
isleño
isolat|e ['aisəleit] *v/t* aislar,
separar; ~**ion** aislamiento *m*
issue ['iʃju:] *s* problema *m*;

resultado *m*; sucesión *f*,
prole *f*; emisión *f* (de bonos,
moneda, *etc*); edición *f*;
número *m* (de revista, *etc*);
at ~ en discusión; *v/t* emitir; extender (cheque, *etc*);
impartir (orden, *etc*); publicar (libro, *etc*); *v/i* salir; surtir; descender (de); resultar

it [it] *pron neutro* ello; eso,
esto; *acc* la, lo; *impers* (no se
traduce cuando es sujeto
gramatical): **~ is hot** hace
calor; **~ is late** es tarde; **~
is impossible** es imposi

ble; **who is ~?** ¿quién
es?
Italian [i'tæljən] *a*, *s* italiano(a) *m(f)*   [picar\
itch [itʃ] picazón *m*; *v/i*
item ['aitem] artículo *m*;
párrafo *m*; detalle *m*
itinerary [ai'tinərəri] itinerario *m*
its [its] *pron pos* su, sus (de
él, de ello, de ella); **~elf**
[it'self] *pron* él mismo, ella
misma; ello mismo; **by
~elf** sólo; separado
ivory ['aivəri] marfil *m*
ivy ['aivi] hiedra *o* yedra *f*

J

jack [dʒæk] mozo *m*; mec
gato *m*; sota *f* (de cartas)
jackal ['dʒækɔ:l] chacal *m*
jackdaw ['dʒækdɔ:] grajo *m*
jacket ['dʒækit] americana
f; chaqueta *f*
jackknife ['dʒæknaif] navaja
f de bolsillo
jagged ['dʒægid] dentado,
mellado
jail [dʒeil] cárcel *f*; calabozo
m; **~er** carcelero *m*
jam [dʒæm] *s* mermelada *f*;
fam enredo *m*, lío *m*; *v/t*
apretar; apiñar; obstruir;
(radio) perturbar; *v/i* atascarse
janitor ['dʒænitə] portero
m, conserje *m*   [*m*\
January ['dʒænjuəri] enero\
Japan [dʒə'pæn] Japón *m*;
~ese [dʒæpə'ni:z] *a*, *s* japonés(esa) *m* (*f*)

jar [dʒɑ:] *s* tarro *m*; jarra *f*;
cántaro *m*; sacudida *f*, choque *m*; *v/t* sacudir; *v/i* chirriar; **~on** irritar (nervios,
etc)
jaundice ['dʒɔ:ndis] ictericia *f*
javelin ['dʒævlin] jabalina *f*
jaw [dʒɔ:] *s* mandíbula *f*;
quijada *f*; *v/t*, *v/i* fam charlar; **~s** *fig* garras *f/pl*
jealous ['dʒeləs] celoso, envidioso; **~y** celos *m/pl*; envidia *f*
jeer [dʒiə] *v/i* burlarse, mofar; *s* burla *f*, mofa *f*
jelly ['dʒeli] jalea *f*; gelatina
f; **~fish** medusa *f*
jeopardize ['dʒepədaiz] *v/t*
arriesgar; comprometer
jerk [dʒə:k] *s* sacudida *f*; tirón *m*; *v/t* sacudir; tirar;
v/i mover a empujones

5*

jersey ['dʒɜːzi] jersey *m*, SA chompa *f*

jest [dʒest] *s* broma *f*, burla *f*; *v/i* bromear, burlar; **~er** bufón *m*

jet [dʒet] azabache *m*; chorro *m*; surtidor *m*; mechero *m* (*de gas*); avión *m* de reacción a chorro; reactor *m*; **~ engine** motor *m* a reacción, a chorro; **~ fighter** caza *m* a (de) reacción; **~propelled aircraft** avión *m* propulsado a reacción

jetty ['dʒeti] muelle *m*

Jew [dʒuː] judío *m*

jewel ['dʒuːəl] alhaja *f*; rubí *m* (*de reloj*); **~ler** joyero *m*; **~ler's** joyería *f*; **~lery** joyas *f/pl*

Jew|ess ['dʒu(ː)is] judía *f*; **~ish** judío

jingle ['dʒiŋgl] *s* tintineo *m*, retintín *m*; *v/t, v/i* retiñir

job [dʒɔb] tarea *f*; empleo *m*, puesto *m*; asunto *m*; **out of ~** desocupado

jocular ['dʒɔkjulə] jocoso

jog [dʒɔg] *v/t* empujar; *s* empujón *m*, estímulo *m*

join [dʒɔin] *v/t* juntar, unir, acoplar; anexar; *com* asociarse a; *v/i* unirse, asociarse; colindar; **~ in** participar en; **~er** ebanista *m*; **~t** *s* junta *f*, juntura *f*; *anat* articulación *f*; asado *m* (*de carne*); *a* unido, junto; colectivo; común; *v/t* acoplar; **~tly** en común, juntamente; **~t property** propiedad *f* mancomunada; **~t**

stock capital *m* social; **~t stock company** sociedad *f* por acciones; sociedad *f* anónima

joke [dʒɔuk] *s* chiste *m*, broma *f*; *v/i* bromear, hacer chistes; **~r** bromista *m*; comodín *m* (*de naipes*)

jolly ['dʒɔli] *a* alegre, festivo; *adv* muy; sumamente

jolt [dʒɔult] *v/t, v/i* sacudir, traquetear; *s* traqueteo *m*

jostle ['dʒɔsl] *v/t, v/i* empujar; codear

jot [dʒɔt] *s* pizca *f*; punto *m*; *v/t* **~ down** apuntar

journal ['dʒɜːnl] *s* diario *m*; periódico *m* (*diario*); **~ism** ['~əlizəm] periodismo *m*; **~ist** periodista *m, f*

journey ['dʒɜːni] *s* viaje *m*; pasaje *m*; *v/i* viajar

joy [dʒɔi] alegría *f*, júbilo *m*; **~ful** alegre, jubiloso

jubil|ant ['dʒuːbilənt] jubiloso, alborozado; **~ation** júbilo *m*, regocijo *m*; **~ee** aniversario *m*; *relig* jubileo *m*

judg|e [dʒʌdʒ] *s* juez *m*; árbitro *m*; conocedor *m*; *v/i* juzgar, opinar; *v/t* juzgar, sentenciar; **~ment** juicio *m*; fallo *m*; sentencia *f*; **2ment Day** día *m* del juicio final

judic|ial [dʒuː(ː)'diʃəl] judicial; crítico; equitativo; **~ious** juicioso, prudente; sensato

jug [dʒʌg] jarro *m*

juggle ['dʒʌgl] *v/i* hacer

juego de manos; ~ **with** engañar; falsificar; ~**r** malabarista *m, f*

Jugoslav ['juːgəuˈslɑːv] *a, s* yugoeslavo(a) *m (f)*

juic|e [dʒuːs] *s* jugo *m (de carne, fruta);* zumo *m (de fruta, verdura);* ~**y** jugoso, suculento; *fig* picante, sabroso [cos *m* automático]

juke-box ['dʒuːk-] *s* tocadiscos *m*

July [dʒuː(ː)'lai] *s* julio *m*

jumble ['dʒʌmbl] *s* confusión *f*, mezcla *f*; *v/t* mezclar, confundir

jump [dʒʌmp] *s* salto *m*, brinco *m*; *v/i* saltar, brincar; ~**y** nervioso

junction ['dʒʌŋkʃən] unión *f*; *elec*, *f c* empalme *m*

juncture ['dʒʌŋktʃə] coyuntura *f*; junta *f*

June [dʒuːn] junio *m*

jungle ['dʒʌŋgl] jungla *f*; selva *f*

junior ['dʒuːnjə] *s* joven *m*; subalterno *m*; *a* menor, más joven

junk [dʒʌŋk] junco *m (barca);* *fam* trastos *m/pl*

juri|sdiction [dʒuəris'dikʃən] jurisdicción *f*; ~**sprudence** ['~pruːdəns] jurisprudencia *f*; ~**st** jurista *m*

jury ['dʒuəri] jurado *m*

just [dʒʌst] *a* justo, recto; merecido; genuino, legítimo; *adv* precisamente, justamente, exactamente, apenas; solamente; ~ **like that** así como así; ~ **now** ahora mismo; **he has** ~ **come** acaba de venir

justice ['dʒʌstis] justicia *f*; juez *m*

justif|ication [dʒʌstifi'keiʃən] justificación *f*; ~**y** ['~fai] *v/t* justificar

just|ly ['dʒʌstli] justamente; debidamente; ~**ness** justicia *f*

jut [dʒʌt] *v/t* sobresalir

juvenile ['dʒuːvinail] juvenil; ~ **court** tribunal *m* de menores

K

kangaroo [kæŋgə'ruː] canguro *m*

keel [kiːl] *s* quilla *f*; *v/i* ~ **over** dar de quilla

keen [kiːn] agudo; afilado; sutil, vivo; entusiasta, interesado; ~ **on** aficionado de, ~**ness** agudeza *f*; entusiasmo *m*

keep [kiːp] *v/t* guardar, conservar; mantener; llevar;

proteger; seguir por; cumplir con, observar; ~ **books** llevar libros, hacer la contabilidad; ~ **company** acompañar; ~ **in mind** tener presente, recordar; ~ **waiting** hacer esperar; *v/i* quedar(se); conservarse; continuar, seguir; ~ **aloof**, ~ **away** mantenerse apartado; ~ **on** continuar; ~ **to**

adherirse a; ~ up mante-
nerse firme; ~er guardián
m; ~ing preservación f;
custodia f; in ~ing with en
conformidad con
kennel ['kenl] perrera f
kerb [kə:b] bordillo m; ~
stone piedra f de reborde
de la acera
kerchief ['kə:tʃif] pañuelo
m
kernel ['kə:nl] grano m;
meollo m, núcleo m
kettle ['ketl] caldera f; **a**
pretty ~ of fish bonito lío
m; ~**drum** atabal m, timbal
m
key [ki:] s llave f; clave f;
mús tono m; tecla f (de
piano o máquina de escribir);
v/t mec calzar; afinar; ~
board teclado m; ~**hole**
ojo m de la cerradura; ~
ring llavero m; ~**stone** arq
clave f
kick [kik] s coz f, patada f,
puntapié m; fig fuerza f,
vigor m; v/t dar una coz a;
dar una patada a; ~ **the**
bucket fam morirse; v/i
dar coces
kid [kid] cabrito m; fam
niño(a) m (f); chico(a)
m (f); ~ **gloves** guantes
m/pl de cabritilla; ~**nap**
['kidnæp] v/t secuestrar,
raptar; ~**napper** secuestra-
dor m; ~**napping** secuestro
m
kidney ['kidni] riñón m; ~
bean judía f, frijol m
kill [kil] v/t matar; destruir;

~er asesino m; ~ing matanza f; asesinato m
kiln [kiln] horno m
kilogram ['kiləugræm] ki-
lógramo m
kilometre ['kiləumi:tə] kilómetro m
kilt [kilt] tonelete m escocés
kin [kin] parentela f; linaje
m; ~**ship** parentesco m
kind [kaind] a amable; cordial; bondadoso; cariñoso;
~ **regards** muchos recuerdos m/pl; s clase f, especie f;
in ~ en especie
kindle ['kindl] v/t encender;
v/i arder
kind|ly ['kaindli] bondado-
so; agreable; ~**ness** bondad f
kindred ['kindrid] semejante; afín
king [kiŋ] rey m; ~**dom**
['~dəm] reino m; ~**ly** real;
regio; ~**-size** extralargo
kipper ['kipə] arenque m
ahumado
kiss [kis] s beso m; v/t besar
kit [kit] equipo m; caja f de
herramientas
kitchen ['kitʃin] cocina f;
~**ette** [~'net] kitchenette f;
cocina f pequeña
kite [kait] cometa f
kitten ['kitn] gatito m
knack [næk] destreza f;
treta f, truco m
knapsack ['næpsæk] mor-
rral m; mochila f
knav|e [neiv] bribón m, pí-
caro m; sota f (de naipes);
~**ery** picardía f

knead [niːd] v/t amasar

knee [niː] s rodilla f; **~l** [niːl] (down) v/i arrodillarse

knickerbockers ['nikəbkəz], **knickers** ['nikəz] pantalones m/pl bombachos; bragas f/pl

knick-knack ['niknæk] baratija f

knife [naif] s cuchillo m; navaja f; mec cuchilla f; v/t acuchillar

knight [nait] s caballero m; caballo m (de ajedrez); v/t armar caballero

knit [nit] v/t, v/i hacer punto, hacer calceta; fruncir (el entrecejo); fig unir, enlazar; **~wear** géneros m/pl de punto

knob [nɔb] s botón m; perilla f; bulto m

knock [nɔk] s golpe m; v/t, v/i golpear, pegar; llamar (a la puerta); **~ down** tum-

bar, derribar; atropellar; **~ out** dejar fuera de combate; **~er** aldaba f; llamador m; **~ing** golpeteo m; llamada f

knot [nɔt] s nudo m; lazo m; grupo m; mar nudo m; v/t atar, anudar; **~ty** nudoso; fig difícil

know [nəu] v/t saber; conocer; comprender; v/i saber; estar informado; **~ about** estar enterado de; **~-how** pericia f; **~ing** hábil; sagaz; despierto; **~ingly** a sabiendas; **~ledge** ['nɔlidʒ] conocimiento m; saber m; noticia f; **to my ~ledge** que yo sepa; **~n** conocido, sabido; **to make ~n** dar a conocer, hacer saber

knuckle ['nʌkl] s nudillo m; artejo m; v/i ceder

Koran [kɔ'rɑːn] Alcorán m, Corán m

L

label ['leibl] s etiqueta f, rótulo m; v/t marcar, etiquetar, rotular

laboratory [lə'bɔrətəri] laboratorio m

laborious [lə'bɔːriəs] laborioso

labo(u)r ['leibə] s labor f, trabajo m; fatiga f; tarea f; faena f; mano f de obra; dolores m/pl de parto; 2 Party partido m laborista; **hard ~** trabajos m/pl forzados; v/i trabajar; fatigar-

se; estar de parto; **~er** trabajador m; **~-saving** que ahorra trabajo, racional

lace [leis] s encaje m; cordón m de zapato; v/t atar; ajustar

lack [læk] s falta f, carencia f; v/t carecer de; faltarle a uno

lacquer ['lækə] laca f

lad [læd] muchacho m, joven m

ladder ['lædə] s escalera f; carrera f (de media); v/i

corrosse, desmallarse (*la media*); **~proof** indesmallable

laden ['leidn] cargado

ladle ['leidl] *s* cucharón *m*, cazo *m*; *v/t* sacar con cucharón

lad|y ['leidi] señora *f*; señorita *f*; **~ybird** mariquita *f*; **~y-in-waiting** dama *f* de honor; **~ylike** elegante, bien educada

lag [læg] *s* retraso *m*; *v/i* quedarse atrás

lager ['lɑːgə] cerveza *f* (añeja)

lagoon [lə'guːn] laguna *f*

lair [lɛə] guarida *f*, madriguera *f*

lake [leik] lago *m*

lamb [læm] *s* cordero *m*; *v/i* parir (*la oveja*)

lame [leim] cojo; lisiado; *fig* débil, insatisfactorio

lament [lə'ment] *s* lamento *m*, queja *f*; *v/t* lamentar, deplorar; *v/i* lamentar(se), quejarse; **~able** ['læməntəbl] lamentable, deplorable; **~ation** lamentación *f*, lamento *m*

lamp [læmp] lámpara *f*; **~post** poste *m* de alumbrado; **~shade** pantalla *f* de lámpara

lance [lɑːns] *s* lanza *f*; *v/t* lancear; **~r** lancero *m*; **~t** lanceta *f*

land [lænd] *s* tierra *f*; terreno *m*; suelo *m*; hacienda *f*; país *m*; *for* bienes *m/pl* raíces; **by ~** por tierra; *v/t*

desembarcar; *v/i* desembarcar; aterrizar; **~ed** hacendado; **~ing** desembarque *m*; aterrizaje *m*; **~ing field** *aer* campo *m* de aterrizaje; **~lady** patrona *f*; **~lord** patrón *m*; **~mark** mojón *m*; hito *m*; **~scape** paisaje *m*; **~slide** derrumbamiento *m*, desprendimiento *m* de tierra; **~ tax** impuesto *m* predial

lane [lein] senda *f*; callejuela *f*; pista *f* (*de carretera*)

language ['læŋgwidʒ] idioma *m*; lengua *f*; lenguaje *m*

langu|id ['læŋgwid] lánguido; **~ish** *v/i* languidecer, consumirse; **~or** ['læŋgə] languidez *f*; **~orous** lánguido

lank [læŋk] flaco; lacio (*pelo*); **~y** delgaducho, larguirucho

lantern ['læntən] linterna *f*

lap [læp] *s* regazo *m*; falda *f*; *v/t*, *v/i* traslapar(se); **~el** [lə'pel] solapa *f*

lapse [læps] *s* lapso *m*; desliz *m*; transcurso *m* de tiempo; *v/i* interrupción *f*; transcurrir, pasar (*tiempo*); decaer; *for* caducar

larceny ['lɑːsəni] hurto *m*, robo *m*

lard [lɑːd] manteca *f* de cerdo; **~er** despensa *f*

large [lɑːdʒ] grande; amplio, vasto; grueso; **at ~** en libertad; **~ly** grandemente; en buena parte, mayormente

lark [lɑːk] alondra *f*; *fam* travesura *f*

larynx ['læriŋks] laringe *f*

lascivious [ləˈsiviəs] lascivo, salaz

lash [læʃ] *s* tralla *f* (*del látigo*); latigazo *m*; pestaña *f*; *fig* azotar; *v/t* flagelar; *mar* amarrar

lass, **~ie** [læs, 'ı] muchacha *f*, mozuela *f*

lasso [læ'suː] *s* lazo *m*; *v/t* lazar

last [lɑːst] *a* último; pasado; final; extremo; **~ but one** penúltimo; **~ night** anoche; **~ week** la semana pasada; **the ~ time** la última vez; **this is the ~ straw!** ¡no faltaba más que esto!; *adv* por último; finalmente; **at ~** al fin, por fin; **~ not least** no hay que olvidar; *v/i* durar; continuar; subsistir; sobrevivir; **~ing** duradero, permanente; **~ly** por fin, por fin; **~name** apellido *m*

latch [lætʃ] *s* aldaba *f*; picaporte *m*; *v/i* cerrar con aldaba

late [leit] *a* tarde; tardío; difunto; último; antiguo; *adv* tarde; **it is ~** es tarde; **to be ~** llegar tarde; **~ly** últimamente; **~r** más tarde; **~st** último; más reciente

lathe [leið] torno *m*

lather ['lɑːðə] espuma *f* (*de jabón*); *v/t* enjabonar

Latin ['lætin] *a* latino; *s* latín *m*

latitude ['lætitjuːd] latitud *f*

latter ['lætə] *a* posterior; *pron* **the ~** éste, ésta, esto

lattice ['lætis] celosía *f*

laudable ['lɔːdəbl] laudable

laugh [lɑːf] *s* risa *f*; *v/i* reír; reírse; **~ at** reírse de; **~able** risible; **~ter** risa *f*

launch [lɔːntʃ] *s* lancha *f*; *v/t* botar; lanzar; **~ing** lanzamiento *m* (*de cohetes*); *mar* botadura *f*; **~ing-pad** plataforma *f* de lanzamiento

laund|erette [lɔːndə'ret] lavadero *m* con autoservicio; **~ry** lavadero *m*; establecimiento *m* de lavar; *SA* lavandería *f*; ropa *f* de lavar

laurel ['lɔrəl] laurel *m*

lavatory ['lævətəri] lavabo *m*; retrete *m* [da *f*]

lavender ['lævində] lavan-

lavish ['læviʃ] *a* pródigo; *v/t* prodigar

law [lɔː] ley *f*; estatuto *m*; derecho *m*, jurisprudencia *f*; justicia *f*; **~ and order** el orden *m* público; **~-court** tribunal *m* de justicia; **~ful** legal, lícito, legítimo; **~less** ilegal; anárquico

lawn [lɔːn] césped *m*

law|suit ['lɔːsjuːt] pleito *m*; **~yer** ['~jə] abogado *m*

lax [læks] laxo, flojo; **~ative** ['~ətiv] *a, s* laxante *m*, purgante *m*

lay [lei] *v/t* poner; colocar; tumbar; **~ before** exponer a; **~ down** deponer; sen-

tar; ~ **out** tender; gastar;
planificar; ~ **up** acumular;
atesorar; **to be laid up**
guardar cama

lay-by ['leibai] *aut* aparta-
dero *m*

layer ['leiə] capa *f*

layman ['leimən] lego *m*

lazy ['leizi] perezoso, holgazán

lead [li:d] *s* delantera *f*; dirección *f*; *teat* papel *m*
principal; *elec* conductor
m; trailla *f*; *v/t* guiar, conducir; acaudillar

lead [led] plomo *m*; mina *f*
(*de lápiz*); *mar* sonda *f*; **~en**
plomoso

lead|er ['li:də] guía *m, f*;
líder *m*, caudillo *m*; editorial *m*; **~ing** conductor;
principal

leaf [li:f] *s* hoja *f*; *v/i* echar
hojas, brotar; **~let** folleto
m; **~y** frondoso

league [li:g] *s* liga *f*, alianza
f; *v/t, v/i* aliar(se)

leak [li:k] *s* gotera *f*; escape
m; *v/i* gotear; salirse; escaparse; **~age** goteo *m*; escape *m*, fuga *f*; **~y** agujerea-
do; permeable; llovedizo
(*techo, etc*)

lean [li:n] *a* flaco; magro;
v/i apoyarse; inclinarse; **~
out** asomar la cabeza; **~ing**
propensión *f*, inclinación *f*

leap [li:p] *s* salto *m*, brinco
m; *v/i* saltar, brincar; **~
year** *año m* bisiesto

learn [lə:n] *v/t, v/i* aprender, estudiar; enterarse de;

~ed ['~id] docto, erudito;
~er principiante *m, f*; estudiante *m, f*; **~ing** saber *m*,
instrucción *f*

lease [li:s] *s* arriendo *m*;
contrato *m* de arrenda-
miento, de alquiler; *v/t*
arrendar; alquilar

leash [li:ʃ] *s* trailla *f*

least [li:st] *a* mínimo; menos; más pequeño; **at ~**
por lo menos; **not in the ~**
de ninguna manera; *adv*
menos

leather ['leðə] cuero *m*,
piel *f*; **~ette** similicuero *m*

leave [li:v] *s* permiso *m*,
vacaciones *f/pl*; *mil* licencia
f; **to take (one's) ~** despedirse; *v/t* partir, salir, marcharse; *v/t* dejar; abandonar, salir de

leaven ['levn] levadura *f*

lecture ['lektʃə] *s* conferencia *f*; instrucción *f*; reprimenda *f*; *v/i* dictar confe-
rencias, disertar; *v/t* ser-
monear; **~r** conferenciante
m; catedrático *m*

ledge [ledʒ] repisa *f*; reborde *m*

ledger ['ledʒə] *com* libro *m*
mayor

leech [li:tʃ] *s* sanguijuela *f*;
fam gorrón *m*

leek [li:k] puerro *m*

leer [liə] *v/i* mirar de reojo
(*maliciosa o socarronamen-
te*); *s* mirada *f* de soslayo

left [left] *a* izquierdo; *s* izquierda *f*; **on the ~** a la izquierda; **to the ~** a la iz-

quierda, hacia la izquierda;
~handed zurdo
left-luggage office ['left-
'lʌgidʒ'ɔfis] depósito *m* de
equipaje, consigna *f*
leg [leg] pierna *f*; pata *f* (*de
animales*); **to pull one's ~**
tomarle el pelo a alguien
legacy ['legəsi] herencia *f*,
legado *m*
legal ['li:gəl] legal, jurídico;
legítimo, lícito; **to take ~
action** entablar juicio; **~
adviser** asesor *m* jurídico; **~
tender** moneda *f* de curso
legal; **~ize** *v/t* legitimar,
legalizar   (ción *f*)
legation [li'geiʃən] lega-)
legend ['ledʒənd] leyenda *f*;
~ary legendario, fabuloso
legible ['ledʒəbl] legible
legion ['li:dʒən] legión *f*
legislat|ion [ledʒis'leiʃən]
legislación *f*; **~ive** ['~lətiv]
legislativo; **~or** ['~leitə]
legislador *m*
legitimate [li'dʒitimit] *a*
legítimo; [~eit] *v/t* legitimar
leisure ['leʒə] ocio *m*; tiempo *m* libre; **at ~** con sosiego; cuando quiera uno; **~ly**
pausadamente, despacio
lemon ['lemən] limón *m*;
~ade [~'neid] limonada *f*;
~-juice zumo *m* de limón;
~ squash limonada *f*
lend [lend] *v/t* prestar; **~ing
library** biblioteca *f* circulante
length [leŋgθ] *s* longitud *f*,
largo *m*; trozo *m*; duración *f*;
at ~ detalladamente, por

fin; **~en** *v/t*, *v/i* alargar(se),
estirar(se); prolongar(se);
~ening alargamiento *m*,
prolongación *f*; **~wise** ['~-
waiz] longitudinalmente;
~y largo; dilatado
lenient ['li:njənt] indulgente, clemente
lens [lenz] lente *m*, *f*
Lent [lent] cuaresma *f*; **~en**
cuaresmal
leopard ['lepəd] leopardo *m*
leprosy ['leprəsi] lepra *f*
less [les] *a* menor; menos;
adv menos; **to grow ~** disminuir, menguar; **more
or ~** más o menos
less|en ['lesn] *v/t/i* disminuir,
reducir; **~er** menor, más
pequeño
lesson ['lesn] lección *f*, instrucción *f*, clase *f*; advertencia *f*
lest [lest] *conj* para que no;
no sea que; por miedo de
let [let] *v/t* dejar, permitir,
alquilar; **~ alone** menos
aún; **~ down** bajar; *fam* de-
cepcionar, dejar plantado;
~ go soltar; **~ him go** que
se vaya; **~ in** admitir; **~
off** disparar; descargar; **~
out** dejar salir; *v/i* alqui-
larse; **to ~ se** alquila
lethal ['li:θəl] letal
letter ['letə] *s* carta *f*; letra
f; **~ of credit** carta de crédito; **to the ~** al pie de la
letra; *v/t* estampar con
letras; **~-box** buzón *m*; **~-
head** membrete *m*
lettuce ['letis] lechuga *f*

level ['levl] s nivel m, altura
f; llanura f; rango m, grado
m; a llano; igual, parejo; ~
crossing paso m a nivel;
v/t nivelar; igualar; derribar; allanar

lever ['li:və] palanca f

levity ['leviti] ligereza f

levy ['levi] s leva f; recauda-
ción f (de impuestos); v/t
imponer tributo; mil reclutar

lewd [lu:d] lascivo, sensual

liab||ility [laiə'biliti] res-
ponsabilidad f; obligación
f; pl com pasivo m; ~le
['laiəbl] responsable; expuesto (a)

liar ['laiə] mentiroso(a) m
(f)

libel ['laibəl] s difamación f;
v/t difamar

liberal ['libərəl] a liberal,
generoso; amplio; s liberal
m; ~ism liberalismo m

liberat||e ['libəreit] v/t libe-
rar; ~ion liberación f

liberty ['libəti] libertad f;
at ~ libre, en libertad

librar||ian [lai'breəriən]
bibliotecario(a) m (f); ~y
['~əri] biblioteca f

lice [lais] pl de **louse** piojos
m/pl

licen||ce ['laisəns] licencia f;
permiso m; autorización f;
título m; ~ciate [~'senʃiit]
licenciado(a) m (f); ~se
['~səns] v/t licenciar, permitir, autorizar; ~see [~-
'si:] concesionario m

lichen ['laikən] liquen m

lick [lik] s lamedura f; v/t
lamer; fam cascar; derro-
tar; ~ing paliza f [m)

lid [lid] tapa f; anat párpado)

lie [lai] s mentira f; embuste
m; **white** ~ mentirilla f; v/i
mentir

lie [lai] s posición f; v/i estar
acostado; yacer; estar colo-
cado, situado; ~ **down**
acostarse; echarse

lieutenant [lef'tenənt, mar
le'tenənt] teniente m

life [laif] vida f; existencia f;
for ~ de por vida; ~an-
nuity renta f vitalicia; ~
belt cinturón m salvavidas;
~**boat** bote m salvavidas;
~**guard** guarda m de playa;
~ **jacket** chaleco m salvavidas; ~**less** exánime; muerto; ~**time** vida f

lift [lift] s ascensor m; montacargas m; alza f; **to give
someone a** ~ llevar a uno
en auto; v/t elevar, subir,
levantar; v/i disiparse; ~
-off aer despegue m

light [lait] s luz f; claridad f;
lumbre f; día m; **have you
a** ~? ¿tiene Vd un fósforo?;
a ligero; claro; v/t encender; alumbrar, iluminar;
~**en** v/t alumbrar; aligerar
(peso); aliviar; ~**er** mechero
m, encendedor m; mar ali-
jador m; ~**headed** ligero de
cascos; ~**house** faro m;
~**ing** alumbrado m; ~**ly** li-
geramente; ágilmente; ~**
ning** ['~niŋ] relámpago m;
~**ning conductor** para-

rrayos *m*; **~weight** peso *m*
ligero
like [laik] *a* semejante, parecido; *prep* como, a manera
de; **to feel ~** sentir deseos
de; **what is he ~?** ¿qué tal
es él?; *s* semejante *m*; *v/t*
querer, tener afecto a; gustar; **I ~ tea** me gusta el té;
~ better preferir; **~able**
simpático; **~lihood** probabilidad) *f*; **~ly**
probable; verosímil; **~ness**
parecido *m*, semejanza *f*;
retrato *m*; **~wise** ['~waiz]
igualmente
liking ['laikiŋ] simpatía *f*;
agrado *m*
lilac ['lailək] lila *f*
lily ['lili] lirio *m*
limb [lim] miembro *m*;
rama *f* (de árbol)
lime [laim] *s* cal *f*; *bot* lima
f; *v/t* encalar, abonar con
cal; **~light** luz *f* de calcio;
teat luz *f* de los proyecto-
res; *fig* vista *f* del público;
~tree limero *m*; tilo *m*
limit ['limit] *s* límite *m*; *v/t*
limitar, restringir; **that's
the ~!** *fam* ¡esto es el colmo! [tado; *v/i* cojear]
limp [limp] *a* flojo; debili-)
line [lain] *s* línea *f*; vila *f*
hilera *f*; cuerda *f*; *s* ví *n*
trayecto *m*; *com* especialidad *f*, ramo *m*; **to stand in
~** hacer cola; *v/t* alinear;
rayar; revestir, forrar; *v/i*
~ up ponerse en fila; **~age**
['liniidʒ] linaje *m*; **~ar**
linear, lineal

linen ['linin] hilo *m*, lino *m*;
lienzo *m*; lencería *f*; ropa *f*
blanca
liner ['lainə] transatlántico
m; avión *m* de línea
linger ['liŋgə] *v/i* tardar,
demorarse
lining ['lainiŋ] forro *m*, revestimiento *m*
link [liŋk] *s* eslabón *m*; enlace *m*; *v/t* enlazar, unir; **~
up** encadenar; vincular
links [liŋks] campo *m* de
golf   [leona *f*)
lion ['laiən] león *m*; **~ess**)
lip [lip] labio *m*; **~stick** lápiz *m* labial
liquid ['likwid] *a*, *s* líquido
m; **~ate** *v/t* liquidar
liquor ['likə] licor *m*
liquorice ['likəris] regaliz *m*
lisp [lisp] *s* ceceo *m*; *v/i*
cecear
list [list] *s* lista *f*; *v/t* catalogar; registrar, inscribir
listen ['lisn] *v/i* escuchar; **~
in** escuchar por radio; **~er**
oyente *m*, *f* (de radio)
listless ['listlis] indiferente
literal ['litərəl] literal, exacto
litera|ry ['litərəri] literario
m; **~ture** ['~ritʃə] literatura *f*
lithe [laið] elástico, flexible
litre ['li:tə] litro *m*
litter ['litə] *s* litera *f*; camilla
f; camada *f*; desechos *m/pl*;
v/t esparcir
little ['litl] *a* pequeño; poco;
a ~ un poquito; **~ finger**
meñique *m*; *s* poco *m*; **~ by
~** poco a poco; *adv* poco

liv|e [laiv] *a* vivo; *elec* cargado; *tv* vivo; [liv] *v/i* vivir, existir; habitar, residir; **~elihood** ['laivlihud] medios *m/pl* de vida; **~ely** animado

liver ['livə] hígado *m*

livestock ['laivstɔk] ganado *m*

livid ['livid] lívido; furioso

living ['liviŋ] *a* vivo; *s* vida *f*; medios *m/pl* de vida; **~ room** sala *f* de estar

lizard ['lizəd] lagarto *m*

load [ləud] *s* carga *f*; *v/t* cargar

loaf [ləuf] hogaza *f* de pan

loam [ləum] barro *m*, marga *f*

loan [ləun] *s* préstamo *m*, empréstito *m*; **on ~** prestado; *v/t* prestar

loath [ləuθ] renuente; **~e** *v/t* detestar; **~some** ['ləð-səm] repugnante

lobby ['lɔbi] vestíbulo *m*, antesala *f*; **~ing** cabildeo *m*

lobe [ləub] lóbulo *m*

lobster ['lɔbstə] langosta *f*

loca|l ['ləukəl] *a* local; *s fam* taberna *f* del barrio; **~lity** [~'kæliti] localidad *f*; **~lize** [~'kəlaiz] *v/t* localizar; **~te** [~'keit] *v/t* situar, localizar; **~tion** ubicación *f*; localización *f*; *cine* **on ~tion** (*rodaje*) exterior

loch [lɔk] lago *m*, laguna *f*

lock [lɔk] *s* cerradura *f*; cerrojo *m* (*del fusil*); *dep* llave *f*; esclusa *f*; *v/t* cerrar con llave; entrelazar; **~er** gave-

ta *f*; armario *m*; **~out** cierre *m* forzoso (*de fábrica, etc*); **~smith** cerrajero *m*

locomotive ['ləukəmɒutiv] locomotora *f*

locust ['ləukəst] langosta *f*

lodg|e [lɔdʒ] pabellón *m*; casita *f* (del portero); casa *f* de campo; *v/t* alojar; **~er** huésped *m*; **~ings** hospedaje *m*; habitación *f*

loft [lɔft] desván *m*, buhardilla *f*; **~y** elevado; altivo; eminente

log [lɔg] tronco *m*; **~book** diario *m* de navegación

logic ['lɔdʒik] *s* lógica *f*; **~al** lógico

loiter ['lɔitə] *v/i* holgazanear, vagar

~er londinense *m, f*

lonel|iness ['ləunlinis] soledad *f*; **~y** solitario

long [lɔŋ] *a* largo; alargado; prolongado; **in the ~ run** a la larga; *adv* por mucho tiempo; **all day ~** todo el santo día; **as ~ as** mientras; **before ~** en breve; **~ ago** hace mucho; **~ before** mucho antes; **how ~?** ¿cuánto tiempo?; **~ since** hace mucho; **so ~!** ¡hasta luego!; *to be ~* tardar; *v/i* **~ for** anhelar, ansiar; **~ing** anhelo *m*; **~-term** *com* a largo plazo; **~-winded** verboso

look [luk] *s* mirada *f*; *pl* aspecto *m*; **to take a ~ at** echar una mirada a; *v/i*

mirar, contemplar; v/i mirar; tener aspecto de; ~ **after** cuidar (de); ~ **at** mirar, observar; ~ **bad** tener mal aspecto; ~ **for** buscar; ~ **in** entrar al pasar; ~ **into** investigar; ~ **like** parecerse a; ~ **out!** ¡ojo!; ¡cuidado!; ~ **well** tener buen aspecto; **~er-on** [ˈlukərˈɔn] espectador m; **~ing glass** espejo m; **~out** vigía f; atalaya f; fig perspectiva f; asunto m

loom [luːm] s telar m; v/i asomarse en forma vaga

loop [luːp] s lazo m; presilla f; aer rizo m; **~hole** escapatoria f

loose [luːs] suelto; vago; disoluto; **~n** [ˈ~sn] v/t soltar, desatar, aflojar

loot [luːt] s botín m; v/t pillar, saquear

lop [lɔp] v/i pender; v/t desmochar; ~ **off** cercenar

lope [ləup] medio galope m; paso m largo

lord [lɔːd] señor m; lord (título); patrón m; 2 **Mayor** alcalde m (de Londres o de otras ciudades grandes); 2**'s Prayer** padrenuestro m; **~ly** señorial; **~ship** señoría f; poder m; dominio m

lorry [ˈlɔri] camión m; f c vagoneta f

lose [luːz] v/t perder; v/i sufrir una pérdida; perder; atrasarse (reloj); **~s** [lɔs] pérdida f; **to be at a ~s** no saber cómo (hacer); **~t** [lɔst]

perdido; **to get ~t** perderse, extraviarse

lot [lɔt] lote m; suerte f; parcela f; **a ~** mucho

lotion [ˈləuʃən] loción f

lottery [ˈlɔtəri] lotería f

loud [laud] alto; fuerte; ruidoso; chillón; **~ly** en alta voz, fuertemente; **~speaker** altavoz m, SA altoparlante m

lounge [laundʒ] s salón m; vestíbulo m, hall m; v/i haraganear

lous|e [laus] piojo m; **~y** piojoso; fam pésimo, miserable   [m]

lout [laut] patán m, rústico m

lov|e [lʌv] s amor m; cariño m; **to fall in ~e** enamorarse; v/t amar, querer; **~e affair** intriga f amorosa; amorío m; **~e letter** carta f de amor; **~ely** encantador, bello, hermoso; **~ing** cariñoso, afectuoso

low [ləu] a bajo; abatido; débil; estrecho; escotado; adv bajo; en voz baja; v/i mugir; a más bajo, inferior; 2**er House** pol Cámara f Baja; v/t bajar; reducir; disminuir; v/i bajar; menguar; **~land** tierra f baja; **~liness** humildad f; **~ly** humilde; **~ tide** marea f baja

loyal [ˈlɔiəl] leal, fiel; **~ty** lealtad f; fidelidad f

lozenge [ˈlɔzindʒ] tableta f, pastilla f

lubrica|nt [ˈluːbrikənt] a, s

lubricante *m*, lubrificante *m*; **~te** ['~eit] *v/t* lubricar, lubrificar, engrasar; **~tion** engrase *m*

lucid ['lu:sid] lúcido

luck [lʌk] suerte *f*, ventura *f*; **good ~** buena suerte *f*; **hard ~** mala suerte *f*; **~y** afortunado, dichoso

ludicrous ['lu:dikrəs] ridículo, absurdo

lug [lʌg] *s* tirón *m*; *v/t* tirar, arrastrar

luggage ['lʌgidʒ] equipaje *m*; **~ rack** portaequipajes *m*, rejilla *f*; **~ van** *f* furgón *m* (bio *(t fig)*)

lukewarm ['lu:kwɔ:m] ti-ʃ

lull [lʌl] *s* momento *m* de calma; *v/t* arrullar, adormecer; calmar; **~aby** ['~ə-bai] canción *f* de cuna; nana *f*

lumber ['lʌmbə] *s* madera *f* aserrada; *fam* trastos *m/pl*; *v/i* andar pesadamente; **~-jack** leñador *m*; **~yard** maderería *f*

luminous ['lu:minəs] luminoso

lump [lʌmp] *s* bulto *m*; pedazo *m*; terrón *m* (*de azúcar*); *v/t* amontonar; **~ish** torpe; **~ sugar** azúcar *m* en terrones; **~ sum** cantidad *f* global

lunar ['lu:nə] lunar; **~ landing** alunizaje *m*; **~ walk** paseo *m* en la luna

lunatic ['lu:nətik] *a*, *s* loco *m*, demente *m*; **~ asylum** manicomio *m*

lunch [lʌntʃ] *s* almuerzo *m*; merienda *f*; **~ hour** pausa *f* para almorzar; *v/i* almorzar

lung [lʌŋ] pulmón *m*

lurch [lə:tʃ] *s* sacudida *f*; tambaleo *m*; **to leave one in the ~** dejar a uno en la estacada; *v/i* mar guiñar

lure [ljuə] *s* atractivo *m*; señuelo *m*; *v/t* atraer, inducir

lurk [lə:k] *v/i* estar al acecho; *fig* estar latente

luscious ['lʌʃəs] suculento, sabroso; voluptuoso

lust [lʌst] *s* lujuria *f*; codicia *f*; *v/i* **~ after** codiciar; **~y** robusto

lustr|e ['lʌstə] lustre *m*, brillo *m*; **~ous** lustroso

lute [lu:t] laúd *m*

luxate ['lʌkseit] *v/t* med luxar

luxur|ious [lʌg'zjuəriəs] lujoso, suntuoso; **~y** ['lʌkʃə-ri] lujo *m*

lying ['laiiŋ] falso, mentiroso; yacente, situado; **~-in** parto *m*

lymph [limf] linfa *f*

lynch [lintʃ] *v/t* linchar

lynx [liŋks] lince *m*

lyric ['lirik] *a* lírico; *s* poema *m* lírico; **~s** letra *f* (*de una canción*)

M

macaroni [mækə'rəuni] macarrones *m/pl*

machine [mə'ʃi:n] *s* máquina *f*; mecanismo *m*; *fig* maquinaria *f*; *v/t* trabajar, acabar a máquina; **~ gun** ametralladora *f*; **~ tool** máquina *f* herramienta

mackintosh ['mækintɔʃ] impermeable *m*

mad [mæd] loco; demente; furioso; **to be ~ about** estar loco por; **to go ~** volverse loco; enloquecerse

madam ['mædəm] señora *f*

madden ['mædn] *v/t, v/i* enloquecer

made [meid] hecho; fabricado; **~-up** ficticio

mad|man ['mædmən] loco *m*, lunático *m*; **~ness** locura *f*

magazine [mægə'zi:n] *impr* revista *f*; *arti* recámara *f* (*del cañón*); almacén *m* de explosivos

maggot ['mægət] cresa *f*

magic ['mædʒik] *s* magia *f*; **~, ~al** mágico; **~ian** [mə-'dʒiʃən] mago *f*

magistrate ['mædʒistreit] magistrado *m*

magnet ['mægnit] imán *m*; **~ic** [~'netik] magnético; atractivo

magni|ficence [mæg'nifisns] magnificencia *f*; **~ficent** magnífico; **~fy** ['~fai] *v/t* amplificar; exagerar

magpie ['mægpai] urraca *f*

mahogany [mə'hɔgəni] caoba *f*

maid [meid] doncella *f*; sirvienta *f*; **~en** *a* virgen; soltera; *s* doncella *f*; joven *f* soltera; **~en name** nombre *m* de soltera; **~enly** virginal, modesto

mail [meil] *s* correo *m*; correspondencia *f*; *v/t* despachar; echar al correo; **~-box** buzón *m*; **~-order house** almacén *m* de ventas por correo (*fig* estropear)

maim [meim] *v/t* mutilar;*f*

main [mein] principal, esencial; **~ land** tierra *f* firme; **~s** tubería *f* maestra (*de gas, agua*); red *f* eléctrica; **~ road** camino *m* troncal

maint|ain [mein'tein] *v/t* mantener; sostener; **~enance** ['meintənəns] mantenimiento *m*; conservación *f*

maize [meiz] maíz *m*

majest|ic [mə'dʒestik] majestuoso; **~y** ['mædʒisti] majestad *f*; majestuosidad *f*

major ['meidʒə] *a* mayor; más importante; *s* comandante *m*; **~ general** general *m* de división

majority [mə'dʒɔriti] mayoría *f*; mayor parte *f*; mayor edad *f*

make 146

make [meik] s marca f; fabricación f; v/t hacer; crear; producir; ganar (dinero); obligar; causar; fam recorrer (distancia); ~ fun of burlarse de; ~ known dar a conocer; ~ the most of aprovechar; ~ out descifrar; comprender; divisar; extender (documento); ~ over traspasar; ~ up formar; inventar; arreglar; ~ up one's mind resolverse; ~ it up hacer las paces; ~ use of servirse de; v/i disponerse a; ~ for ir hacia; ~ off largarse; ~ ready prepararse; ~believe fingimiento m; ~r constructor m; fabricante m; 2r Creador m; ~shift expediente m; ~up maquillaje m

malady ['mælədi] enfermedad f

[masculino]

male [meil] s varón m; a [masculino]

male|diction [mæli'dikʃən] maldición f; ~factor ['~fæktə] malhechor m; ~volent [mə'levələnt] malévolo

malice ['mælis] malicia f; ~ious [mə'liʃəs] malicioso

malignant [mə'lignənt] maligno

malnutrition ['mælnju(:)- 'triʃən] desnutrición f

malt [mɔ:lt] malta f

mam(m)a [mə'mɑ:] mamá f [fero m]

mammal ['mæməl] mamí-

man [mæn] s hombre m; el hombre m, la humanidad f;

sirviente m; v/t tripular; guarnecer

manage ['mænidʒ] v/t manejar; manipular; dirigir; arreglar; administrar; v/i arreglárselas; ~able manejable, dócil; ~ment dirección f; manejo m; com gerencia f; ~r com gerente m; director m; empresario m

mane [mein] crin f; melena f

manger ['meindʒə] pesebre m

mangle ['mæŋgl] s planchadora f a rodillo; v/t mutilar; pasar por una planchadora a rodillo

manhood ['mænhud] virilidad f; edad f adulta; los hombres

mania ['meinjə] manía f; ~c ['~iæk] a, s maníaco m

manifest ['mænifest] a manifiesto, claro; s manifiesto m; v/t manifestar

manifold ['mænifəuld] múltiple; vario; variado

man|kind [mæn'kaind] la humanidad f; ['~kaind] los hombres; ~ly varonil

manner ['mænə] manera f; modo m; costumbre f; ~s modales m/pl

manœuvre [mə'nu:və] s maniobra f; v/t, v/i maniobrar

man-of-war ['mænəv'wɔ:] buque m de guerra

manor ['mænə] casa f solariega

mash

manpower ['mænpauə] mano *f* de obra; efectivos *m/pl* militares

mansion ['mænʃən] casa *f* señorial

manslaughter['mænslɔ:tə] *for* homicidio *m* impremeditado

mantelpiece ['mæntlpi:s] repisa *f* de chimenea

manufactur|e [mænju-'fæktʃə] *s* manufactura *f*; *v/t* fabricar; **~ing** manufactura *f*; fabricación *f*

manure [mə'njuə] *s* estiércol *m*; *v/t* abonar

many ['meni] muchos, diversos; **a great ~** muchísimos; **how ~?** ¿cuántos?

map [mæp] *s* mapa *m*; plano *m* (*de una ciudad*); *v/t* cartografiar

maple ['meipl] arce *m*

marble ['ma:bl] mármol *m*; canica *f*

March [ma:tʃ] marzo *m*; 2 *v/i* marchar; *s* marcha *f*

mare [meə] yegua *f*

margarine [ma:dʒə'ri:n] margarina *f*

margin ['ma:dʒin] margen *m*, *f*; borde *m*

marine [mə'ri:n] *a* marino; marítimo; **~r** ['mærinə] marinero *m*, marino *m*

maritime ['mæritaim] marítimo

mark [ma:k] *s* marca *f*; señal *f*; importancia *f*; huella *f*; meta *f*; blanco *m*; *v/t* marcar; notar; caracterizar; **~down** rebaja *f*; **~ed**

['ma:kit] marcado, pronunciado

market ['ma:kit] *s* mercado *m*; *v/t* llevar al mercado; *v/i* comprar o vender en el mercado; **~able** vendible; **~ing** marketing *m*, compra *f* y venta *f*; **~ place** plaza *f* del mercado

marksman ['ma:ksmən] tirador *m* (certero)

marmalade [mə:mə'leid] mermelada *f* de naranja amarga marmota *f*)

marmot ['ma:mət] mar-

marri|age ['mæridʒ] matrimonio *m*; boda *f*; **~age certificate** partida *f* de matrimonio; **~ageable** matrimonial; **to get ~ed** casarse

marrow ['mærəu] médula *f*; calabacín *m*

marry ['mæri] *v/t* casar; casarse con; *v/i* contraer matrimonio

marsh [ma:ʃ] pantano *m*; marisma *f*

marshal ['ma:ʃəl] *s* mariscal *m*; *v/t* dirigir; ordenar, formar (*las tropas*)

marten ['ma:tin] marta *f*

martial ['ma:ʃəl] marcial; militar

marvel ['ma:vəl] *s* maravilla *f*; *v/i* admirarse de; **~lous** maravilloso

masculine ['mæskjulin] masculino

mash [mæʃ] *s* masa *f*; *v/t* majar; **~ed potatoes** puré *m* de patatas, *SA* de papas

mask [mɑ:sk] máscara *f*

mason ['meisn] albañil *m*;
~ry mampostería *f*

mass [mæs] *s* masa *f*; montón *m*; muchedumbre *f*; *igl* misa; *v/t, v/i* juntar(se)

massacre ['mæsəkə] matanza *f*

massage ['mæsɑ:ʒ] *s* masaje *m*; *v/t* dar masaje a

massive ['mæsiv] macizo; grande, grueso *(m)*

mast [mɑ:st] palo *m*; mástil *m*

master ['mɑ:stə] *s* amo *m*; dueño *m*; maestro *m*; *v/t* superar; domar; dominar; **~ly** magistral; **~piece** obra *f* maestra; **~y** maestría *f*; supremacía *f*

mat [mæt] *s* estera *f*; felpudo *m*; *v/i* enredarse; *a* mate

match [mætʃ] *s* cerilla *f*, fósforo *m*; partido *m*; matrimonio *m*; *v/t* aparear; emparejar; *v/i* hacer juego, corresponderse; **~box** cajita *f* de fósforos; **~less** sin igual

mate [meit] *s* cónyuge *m, f*; compañero(a) *m* (*f*); *mar* maestre *m*; (*ajedrez*) mate *m*; *v/t* casar; aparear

material [mə'tiəriəl] *s* material *m*; género *m*; *a* material; físico; esencial; **~ize** *v/i* concretarse; realizarse

matern|al [mə'tə:nl] maternal; materno; **~ity** maternidad *f*

mathematic|ian [mæθimə'tiʃən] matemático(a) *m*

(*f*); **~s** [~'mætiks] matemáticas *f/pl*

matriculate [mə'trikjuleit] *v/t, v/i* matricular(se)

matrimony ['mætriməni] matrimonio *m*

matron ['meitrən] matrona *f*; supervisora *f*

matter ['mætə] *s* materia *f*; asunto *m*; **~ of fact** cuestión *f* de hecho; **as a ~ of fact** en realidad; **for that ~** en cuanto a eso; **no ~** no importa; **what's the ~?** ¿qué pasa?; *v/i* importar; **it doesn't ~** no importa; **~-of-fact** prosaico; práctico

mattress ['mætris] colchón *m*

matur|e [mə'tjuə] *a* maduro; *v/i* madurar; *com* vencer; **~ity** madurez *f*; *com* vencimiento *m* (*malva*)

mauve [məuv] color *m* de

maw [mɔ:] *zool* abomaso *m*; *orn* buche *m*

maxim ['mæksim] máxima *f*; **~um** ['~əm] máximo *m*

May [mei] mayo *m*

may [mei] *v/i, a, irr y def* poder; ser posible; **~ I come in?** ¿puedo entrar?; **~be** quizá

mayor [mɛə] alcalde *m*

maze [meiz] laberinto *m*; *fig* confusión *f*

me [mi:, mi] *pron pers* me, mí; with **~** conmigo

meadow ['medəu] pradera *f*

meagre ['mi:gə] magro; pobre

meal [mi:l] comida *f (preparada)*; **~time** hora *f* de comer

mean [mi:n] *a* ordinario; medio; humilde; tacaño; *v/t* querer decir; significar; *v/i* tener (buenas, malas) intenciones; *s/pl* medios *m/pl*; recursos *m/pl*; **by all ~s** de todos modos; **by no ~s** de ninguna manera; **by ~s of** mediante

meaning ['mi:niŋ] significado *m*; intención *f*; **~less** insensato

mean|time ['mi:n'taim], **~while** ['~'wail]: **in the ~** mientras tanto

measles ['mi:zlz] *med* sarampión *m*

measure ['meʒə] *s* medida *f*; cantidad *f*; **beyond ~e** excesivamente; **made to ~e** hecho a la medida; *v/t* medir; **~ement** dimensión *f*

meat [mi:t] carne *f*; **~ball** albóndiga *f*; **~y** carnudo; *fig* substancioso

mechani|c [mi'kænik] mecánico *m*; **~cal** mecánico; **~cs** mecánica *f*; **~sm** ['mekənizəm] mecanismo *m*; **~ze** *v/t* mecanizar

medal ['medl] medalla *f*

meddle ['medl] *v/i* entremeterse

mediat|e ['mi:dieit] *v/t, v/i* mediar; **~ion** mediación *f*

medic|al ['medikəl] *a* médico; **~ament** [mə'dikəmənt] medicamento *m*; **~ine** ['medsin] medicina *f*

mediocre [mi:di'əukə] mediocre

meditat|e ['mediteit] *v/i* meditar; **~ion** meditación *f*; **~ive** ['~ətiv] meditativo

Mediterranean [meditə-'reinjən] **(Sea)** (Mar *m*) mediterráneo *m*

medium ['mi:djəm] *a* medio; mediano; *s* medio *m*

medley ['medli] mezcolanza *f*; *mús* potpurrí *m*

meek [mi:k] humilde

meet [mi:t] *v/t* encontrar; hacer frente a; cumplir; satisfacer; **~ with** toparse con; sufrir; **~ing** reunión *f*; junta *f*

melancholy ['melənkəli] melancolía *f*

mellow ['meləu] maduro; tierno

melod|ious [mi'ləudjəs] melodioso; **~y** ['melədi] melodía *f* [sandía *f*]

melon ['melən] melón *m*; *f*

melt [melt] *v/t* derretir; *v/i* fundirse; *fig* ablandarse

member ['membə] miembro *m*; socio *m*; **~ship** calidad *f* de socio

membrane ['membrein] membrana *f*

memo|irs ['memvɑ:z] *pl* memorias *f/pl*; **~rial** [mi'mɔ:riəl] conmemorativo; **~rize** ['meməraiz] *v/t* memorizar

memory ['meməri] memoria *f*; recuerdo *m*

menace ['menəs] *s* amenaza *f*; *v/t, v/i* amenazar

mend [mend] v/t componer;
remendar; reparar; v/i curarse

menial ['mi:njəl] a servil

mental ['mentl] mental;
intelectual; **~ home** manicomio m; **~ity** [~'tæliti]
mentalidad f

mention ['menʃən] s mención f; v/t mencionar;
don't~ it! ¡no hay de qué!

menu ['menju:] menú m,
minuta f

meow [mi:'au] s maullido
m; v/i maullar

mercantile ['mə:kəntail]
mercantil

mercenary ['mə:sinəri] a, s
mercenario m

merchan|dise ['mə:tʃən-
daiz] mercancía f; SA mercadería f; **~t** comerciante
m; **~tman** buque m mer-
cante

merc|iful ['mə:siful] cle-
mente; compasivo; **~iless**
despiadado [curio m\
mercury ['mə:kjuri] mer-\
mercy ['mə:si] misericordia
f; piedad f; **at the ~ of** a la
merced de

mere [miə] mero; puro

merge [mə:dʒ] v/t unir; v/i
fundirse; **~r for**, com fusión f

meridian [mə'ridiən] meridiano m

merit ['merit] s mérito m;
v/t merecer [na f\
mermaid ['mə:meid] sire-\
merr|iment ['merimənt]
regocijo m; **~y** alegre; feliz;

to make ~y divertirse;
~y-go-round tiovivo m

mesh [meʃ] s malla f;
trampa f

mess [mes] s rancho m; fam
lío m; v/t dar de comer; **~
up** desordenar

mess|age ['mesidʒ] men-
saje m; recado m; **~enger**
mensajero m

Messrs. ['mesəz] los señores
m/pl; com Señores

metal ['metl] s metal m; a
de metal; **~lic** [mi'tælik]
metálico

meteor ['mi:tjə] meteoro m;
~ology [~'rɔlədʒi] meteoro-
logía f

meter ['mi:tə] contador m
(gas, etc); medidor m

method ['meθəd] método
m; **~ical** [mi'θɔdikəl] metódico [meticuloso\
meticulous [mi'tikjuləs]\
metr|e ['mi:tə] metro m;
~ical ['metrikəl] métrico

metropolitan [metrə'pɔli-
tən] metropolitano

mew [mju:] s orn (especie de)
gaviota f; maullido m; v/i
maullar

Mexic|an ['meksikən] a, s
mejicano(a) m (f); **~o**
['~əu] Méjico m

miaow [mi(:)'au] s maullido
m; v/i maullar

micro|phone ['maikrəfəun]
micrófono m; **~scope** microscopio m

mid [mid] medio; **in ~
winter** en pleno invierno;
~day mediodía m

middl|e ['midl] *a* medio; intermedio; **~e of age** de edad madura; **2e Ages** *pl* Edad *f* Media; **~e name** segundo nombre *m*; **~e- -weight** peso *m* medio; **~e** centro *m*; mitad *f*; **~ing** mediano

midget ['midʒit] enanito *m*

midnight ['midnait] medianoche *f*

mid|st [midst] medio *m*; centro *m*; **~way** a mitad del camino (drona *f*)

midwife ['midwaif] coma- *f*

might [mait] poder *m*; poderío *m*; **~y** *a* poderoso; potente; *adv* sumamente

migra|te [mai'greit] *v/i* emigrar; **~tion** migración *f*; **~tory** ['~təri] migratorio

mild [maild] suave, benigno, templado; manso; ligero

mildew ['mildju:] moho *m*

mile [mail] milla *f*

mil|e(a)ge ['mailidʒ] millaje *m*; recorrido *m* en millas; gastos *m/pl* de viaje

milestone ['mailstəun] piedra *f* miliaria; hito *m* (*t fig*)

military ['militəri] militar

milk [milk] *s* leche *f*; *v/t* ordeñar; **~man** lechero *m*; **~-shake** batido *m* de leche; **~y** lechoso; **2y Way** Vía *f* Láctea

mill [mil] *s* molino *m*; fábrica *f* de tejidos; *v/t* moler; desmenuzar; **~er** molinero *m*

millet ['milit] mijo *m*

milliner ['milinə] modista *f* de sombreros

million ['miljən] millón *m*; **~aire** [~'neə] millonario *m*

milt [milt] *zool* bazo *m*

mimic ['mimik] *a* mímico; *s* remedador *m*; *v/t* imitar

mince [mins] *v/t* desmenuzar; picar (*carne*); **~meat** carne *f* picada; fruta *f* picada y especias *f/pl*; **~ pie** pastel *m* relleno de fruta y especias

mind [maind] *s* mente *f*; inteligencia *f*; opinión *f*; intención *f*; **out of one's ~** loco, fuera de su juicio; **to bear in ~** tener presente; **to change one's ~** cambiar de opinión; **to have a ~ to** tener ganas de; **to make up one's ~** decidirse; *v/t* fijarse en; cuidar; oponerse a; tener inconveniente en; **~ your own business!** ¡no se meta en cosas ajenas!; **never ~!** ¡no importa!; **~ed** dispuesto; pensado; **~ful** atento; cuidadoso

mine [main] *pron pos* mío, mía, míos, mías, el mío, la mía, los míos, las mías, lo mío

min|e [main] *s* mina *f*; *v/t* minar; extraer (*mineral, etc*); **~er** minero *m*

mineral ['minərəl] mineral *m*; **~ oil** petróleo *m*

mingle ['miŋgl] *v/t, v/i* mezclar(se)

miniature ['minjətʃə] miniatura *f*

minimum ['miniməm] mínimo *m*

mining ['mainiŋ] minería *f*; **~ engineer** ingeniero *m* de minas

miniskirt['miniskə:t] minifalda *f*

minist|er ['ministə] *s pol*, *igl* ministro *m*; *v/t igl* administrar (*sacramento*); *v/i* ayudar; **~ry** ministerio *m*; *igl* sacerdocio *m*

mink [miŋk] visón *m*

minor ['mainə] menor; inferior; leve; **~ity** [~'nɔriti] menor edad *f*; minoría *f*

minster ['minstə] catedral *f*

minstrel ['minstrəl] trovador *m*

mint [mint] *bot* menta *f*; casa *f* de la moneda

minus ['mainəs] *prep* menos; *a* negativo; *fam* sin, desprovisto de

minute [mai'nju:t] *a* menudo; diminuto; ['minit] *s* minuto *m*; momento *m*; nota *f*; **~ hand** minutero *m*; **~s** *pl* minutas *f/pl*

miracl|e ['mirəkl] milagro *m*; **~ulous** [mi'rækjuləs] milagroso   [mo *m*)

mirage ['mirɑ:ʒ] espejis-)

mire [maiə] cenagal *m*

mirror ['mirə] espejo *m*; *v/t* reflejar   (alegría *f*)

mirth [mə:θ] regocijo *m*;)

misadventure ['misəd-'ventʃə] desgracia *f*

misapply ['misə'plai] *v/t* hacer mal uso de

misapprehen|d ['misæ-

pri'hend] *v/t* malentender; **~sion** error *m*

misbehav|e ['misbi'heiv] *v/i* portarse mal; **~iour** mala conducta *f*

miscarr|iage [mis'kærɪdʒ] aborto *m*; error *m*; fracaso *m*; **~y** *v/i* abortar; frustrarse

miscellaneous [misi'leinjəs] misceláneo

mischie|f ['mistʃif] travesura *f*; daño *m*; **~vous** ['~vəs] travieso; malicioso

misdeed ['mis'di:d] fechoría *f*; delito *m*

misdemeanour [misdi'mi:nə] *for* delito *m* menor

miser ['maizə] avaro *m*; **~able** [mizərəbl]miserable

misfit ['misfit] *v/i* no encajar; *s* malajuste *m*; inadaptado(a) *m* (*f*)

mis|fortune [mis'fɔ:tʃən] desgracia *f*; infortunio *m*; percance *m*; **~giving** recelo *m*; desconfianza *f*; **~guided** descaminado, mal aconsejado

mishap ['mishæp] contratiempo *m*; accidente *m*

mislay [mis'lei] *v/t* extraviar; traspapelar

mislead [mis'li:d] *v/t* engañar; despistar

mismanage ['mis'mænidʒ] *v/t* manejar mal; **~ment** desgobierno *m*; mala administración *f*

misprint [mis'print] *s impr* errata *f*; *v/t* imprimir mal, con erratas

misrepresent ['misrepri-'zent] v/t tergiversar; desfigurar, falsificar

miss [mis] señorita f

miss [mis] v/t perder; no acertar; fallar; echar de menos; v/i errar el blanco

missile ['misail] proyectil m; cohete m; **guided ~** cohete m teledirigido

missing ['misiŋ] desaparecido; perdido; **to be ~** faltar

mission ['miʃən] eccl, pol misión f; tarea f, correría f; **~ary** ['~ʃnəri] misionero(a) m (f)

mist [mist] s neblina f; niebla f; vaho m; v/t empañar

mistake [mis'teik] s equivocación f; **by ~** por error; v/t confundir; v/i equivocarse; **~n** erróneo; **to be ~n** estar equivocado

mister ['mistə] señor m

mistletoe ['misltəu] muérdago m

mistress ['mistris] maestra f; dueña f; querida f

mistrust [mis'trʌst] s desconfianza f; v/t desconfiar de   (vago)

misty ['misti] nebuloso f

misunderstand ['misʌnd-'stænd] v/t entender mal; **~ing** malentendido m; equivocación f; desavenencia f

misuse ['mis'juːs] s abuso m; ['~'juːz] v/t abusar de; maltratar

mite [mait] pizca f

mitigate ['mitigeit] v/t mitigar

mitten ['mitn] mitón f

mix [miks] v/t mezclar; **~ up** fig confundir; v/i mezclarse; asociarse; **~ed** mixto; **~ture** ['~tʃə] mezcla f; mescolanza f

moan [məun] s gemido m; v/i quejarse; gemir

moat [məut] fort foso m

mob [mɔb] chusma f; gentuza f

mobil|e ['məubail] móvil; movible; **~ize** ['məubilaiz] v/t movilizar

mock [mɔk] a imitado; fingido; v/t, v/i mofarse (de); burlarse (de); **~ery** mofa f; burla f [nera f; modo m] **mode** [məud] moda f; ma-

model ['mɔdl] a modelo; s modelo m; patrón m; maqueta f; v/t modelar

moderat|e ['mɔdərit] a moderado; módico; ['mɔdə-reit] v/t moderar; templar; **~ion** [~'reiʃən] templanza f; moderación f

modern ['mɔdən] moderno; **~ize** v/t modernizar

modest ['mɔdist] modesto; módico; **~y** modestia f

modif|ication [mɔdifi'kei-ʃən] modificación f; **~y** ['~fai] v/t modificar

modul|ate ['mɔdjuleit] v/t modular; **~e** ['~uːl] módulo m (lunar, etc)

Mohammedan [məu'hæ-midən] a, s mahometano(a) m (f)

moist [mɔist] húmedo; **~en**
['~sn] v/t humedecer; **~ure**
['~stʃə] humedad f

molar ['məulə]: **~ teeth**
muelas f/pl

mole [məul] zool topo m;
lunar m; muelle m

molecule ['mɔlikjuːl] molécula f

molest [məu'lest] v/t molestar; **~ation** [~'teiʃən]
molestia f

mollify ['mɔlifai] v/t ablandar

moment ['məumənt] mo-
mento m; instante m; im-
portancia f; **~ary** momen-
táneo; **~ous** [məu'mentəs]
importante

monarch ['mɔnək] monar-
ca m; **~y** monarquía f

monastery ['mɔnəstəri]
monasterio m

Monday ['mʌndi] lunes m

monetary ['mʌnitəri] monetario

money ['mʌni] dinero m;
moneda f; **~ ready** fondos
m/pl disponibles; **~ed** adinerado; **~-lender** presta-
mista m; **~ order** giro m
postal

monger ['mʌŋgə] tratante
m; traficante m

monk [mʌŋk] monje m,
fraile m

monkey ['mʌŋki] s mono
m; v/t remedar; **~ wrench**
llave f inglesa

monologue ['mɔnələg] monólogo m

monopol|ize [mə'nɔpəlaiz]

monopolizar (t fig); **~y**
monopolio m

monotonous [mə'nɔtnəs]
monótono

monst|er ['mɔnstə] s mons-
truo m; a monstruoso;
enorme; **~rous** monstruoso

month [mʌnθ] mes m; **~ly**
a mensual; s revista f mensual

monument ['mɔnjumənt]
monumento m

moo [muː] v/i mugir

mood [muːd] humor m;
disposición f; **~y** malhumorado; caprichoso

moon [muːn] luna f; **~light**
luz f de la luna; **~lit** ilumi-
nado por la luna

Moor [muə] moro m

moor [muə] s páramo m;
brezal m; v/t mar amarrar;
v/i atracar; **~ings** pl amarra
f; amarradero m

moose [muːs] alce m

mop [mɔp] s estropajo m;
greña f; v/t enjugar, SA
trapear

moral ['mɔrəl] a virtuoso;
moral; recto; s moraleja f;
moralidad f; **~e** [mɔ'rɑːl]
moral f; estado m de ánimo;
~ity [mə'ræliti] moralidad
f; **~ize** ['mɔrəlaiz] v/t, v/i
moralizar

morass [mə'ræs] ciénaga f

morbid ['mɔːbid] morboso

more [mɔː] a (compar de
much, many) más; ma-
yor; más numeroso; adv
más; además; **~ and ~** cada
vez más; **the ~ the better**

cuanto más, ... tanto mejor; ~**over** además

morgue ['mɔ:g] s depósito *m* de cadáveres

morning ['mɔ:niŋ] s mañana *f*; **early ~** madrugada *f*; **good ~!** ¡buenos días!; **this ~** esta mañana, hoy en la mañana; **tomorrow ~** mañana por la mañana; *a* matutino; matinal

morose [mə'rəus] malhumorado

morph|ia ['mɔ:fjə], **~ine** ['-i:n] morfina *f*

morsel ['mɔ:sl] pedacito *m*, bocado *m*

mortal ['mɔ:tl] *a*, *s* mortal *m*; **~ity** [~'tæliti] mortalidad *f*

mortar ['mɔ:tə] *arti*, *arq* mortero *m*

mortgage ['mɔ:gidʒ] *s* hipoteca *f*; *v/t* hipotecar

mortify ['mɔ:tifai] *v/t* mortificar

mortuary ['mɔ:tjuəri] depósito *m* de cadáveres

mosaic [məu'zeiik] mosaico *m*

Moslem ['mɔzlem] *a*, *s*) [musulmán *m*)

mosque [mɔsk] mezquita *f*

mosquito [məs'ki:təu] mosquito *m*

moss [mɔs] musgo *m*; moho *m*; **~y** musgoso; mohoso

most [məust] *a* (*superl de* **much, many**) el, la, los, las más; la mayor parte de; *adv* más; muy; sumamente; **at (the) ~** a lo más; **~ly** principalmente

moth [mɔθ] polilla *f*; **~ -eaten** apolillado

mother ['mʌðə] s madre *f*; **~ country** madre *f* patria; **~hood** maternidad *f*; **~-in-law** suegra *f*; **~less** huérfano *m* de madre; *fig* maternal; **~-of-pearl** nácar *m*; **~ tongue** lengua *f* materna

motif [məu'ti:f] motivo *m*

motion ['məuʃən] s movimiento *m*; gesto *m*; moción *f*; *v/i* indicar con un gesto, la mano; **~less** inmóvil; **~ picture** película *f*

motiv|ate ['məutiveit] *v/t* motivar; **~e** motivo *m*; **~e power** fuerza *f* motriz

motor ['məutə] *s* motor *m*; automóvil *m*; *v/i* ir en coche; **~boat** gasolinera *f*; **~car** automóvil *m*; coche *m*; **~cycle** motocicleta *f*; **~cyclist** motociclista *m*, *f*; **~ing** automovilismo *m*; **~ist** automovilista *m*; **~ize** motorizar; **~ launch** lancha *f* automóvil; **~lorry** autocamión *m*; **~way** autopista *f*

motto ['mɔtəu] lema *m*; divisa *f*

mould [məuld] s molde *m*; *arq* moldura *f*; moho *m*; *v/t* moldear; amoldar; formar; **~er** *v/i* desmoronarse; **~y** mohoso

mound [maund] montículo *m*

mount [maunt] s monte *m*; montura *f*; (*joya*) monta-

dura *f*; *v/t* montar; elevar; subir, escalar; *v/i* subir; crecer; montar a caballo

mountain ['mauntin] montaña *f*; **~ chain**, **~ range** cordillera *f*; sierra *f*; **~eer** [**~**'niə] alpinista *m*; montañés *m*; **~ous** montañoso

mountebank ['mauntibæŋk] charlatán *m*

mourn [mɔ:n] *v/t* llorar; lamentar; *v/i* lamentarse; **~er** doliente *m*; plañidera *f*; **~ful** triste; doloroso; **~ing** luto *m*; duelo *m*

mouse [maus] ratón *m*; **~trap** ratonera *f*

moustache [məs'ta:ʃ] bigote *m*

mouth [mauθ] *s* boca *f*; entrada *f*; abertura *f*; desembocadura *f* (*de rio*); *v/t* pronunciar; **~ful** bocado *m*; **~piece** boquilla *f*; portavoz *m*

mov|e [mu:v] *s* movimiento *m*; paso *m*; jugada *f*; *v/t* mover; *v/i* moverse; mudarse; **~e on** seguir caminando; **~ement** movimiento *m*; **~ies** *fam* cine *m*; **~ing** *s* mudanza *f*; *a* conmovedor

mow [mau] *v/t* segar; **~er** segador(a) *m* (*f*); segadora *f* mecánica

much [mʌtʃ] *a* mucho; *adv* mucho; muy; **as ~ as** tanto como; **so ~ the better** tanto mejor; **so ~ the worse** tanto peor; **too ~** demasiado; **very ~** muchísimo

mucus ['mju:kəs] moco *m*

mud [mʌd] barro *m*; fango *m*

muddle ['mʌdl] *s* embrollo *m*; *v/t* confundir; **~ up** embrollar

mud|dy ['mʌdi] lodoso; **~guard** guardabarros *m*

muezzin [mu(:)'ezin] almuecín *m*

muff [mʌf] manguito *m*

muffle ['mʌfl] *v/t* tapar; embozar; amortiguar (*sonido*, *etc*); **~r** bufanda *f*; *mec* silenciador *m*

mug [mʌg] cubilete *m*

mulberry ['mʌlbəri] mora *f*; moral *m*

mule [mju:l] mulo *m*; mula *f*; **~teer** [**~**i'tiə] arriero *m*

mull [mʌl] *v/t* calentar (*vino*)

mullion ['mʌliən] *arq* parteluz *m*

multipl|e ['mʌltipl] *a* múltiple; *s* múltiplo *m*; **~cation** [**~**pli'keiʃn] tables tablas *f/pl* de multiplicar; **~y** ['**~**plai] *v/t*, *v/i* multiplicar(se)

multitude ['mʌltitju:d] multitud *f*

mumble ['mʌmbl] *v/t*, *v/i* musitar

mummy ['mʌmi] momia *f*; mamí *f* [*f/pl*]

mumps [mʌmps] paperas

munch [mʌntʃ] *v/t* mascar enérgicamente

municipal [mju:'nisipl] municipal; **~ity** [**~**'pæliti] municipalidad *f*

mural ['mjuərəl] *a*, *s* mural *m*

murder ['mə:də] *s* asesinato *m*; *v/t* asesinar; **~er** asesino *m*; **~ous** asesino; devastador

murmur ['mə:mə] *s* murmullo *m*; susurro *m*; murmureo *m*; *v/t*, *v/i* murmurar; susurrar

musc|le ['mʌsl] músculo *m*; **~le-bound** acalambrado; **~ular** ['**~**kjulə] musculoso; muscular

muse [mju:z] *v/i* reflexionar; meditar

museum [mju(:)'ziəm] museo *m*

mush [mʌʃ] gachas *f/pl*

mushroom ['mʌʃrum] seta *f*

music ['mju:zik] música *f*; **~al** musical; músico; **~ comedy** zarzuela *f*; **~-hall** teatro *m* de variedades; **~ian** [**~**'ziʃən] músico *m*

musk [mʌsk] almizcle *m*

musket ['mʌskit] mosquete *m*; **~eer** [**~**'tiə] mosquetero *m*

Muslim ['mʌslim] *a*, *s* musulmán *m*

muslin ['mʌslin] muselina *f*

mussel ['mʌsəl] mejillón *m*

must [mʌst] *v defect* deber, tener que, haber de, deber

de; **I ~** write debo escribir; **it ~ be late** debe de ser tarde

must [mʌst] mosto *m*; moho *m*

mustard ['mʌstəd] mostaza *f*

muster ['mʌstə] *v/t* reunir; *v/i* juntarse

musty ['mʌsti] mohoso; rancio

mute [mju:t] silencioso; mudo

mutilate ['mju:tileit] *v/t* mutilar

mutin|eer [mju:ti'niə] amotinado *m*; **~ous** ['**~**nəs] sedicioso; **~y** ['**~**ni] motín *m*

mutter ['mʌtə] *v/t*, *v/i* murmurar; rezongar

mutton ['mʌtn] carnero *m*; **~ chop** costilla *f* de carnero

mutual ['mju:tʃuəl] mutuo

muzzle ['mʌzl] *s* hocico *m*; bozal *m*; boca *f* (*de arma de fuego*); *v/t* embozar; *fig* amordazar

my [mai] *a pos* mi, mis

myrrh [mə:] mirra *f*

myrtle ['mə:tl] mirto *m*

myself [mai'self] *pron* yo mismo; me; mí

myst|erious [mis'tiəriəs] misterioso; **~ery** ['**~**təri] misterio *m*; **~ify** ['**~**tifai] *v/t* mistificar; desconcertar

myth [miθ] mito *m*

N

nag [næg] v/t, v/i regañar

nail [neil] s uña f; clavo m;
to hit the ~ on the head
dar en el clavo; v/t clavar

naked ['neikid] desnudo;
patente

name [neim] s nombre m;
apellido m; título m; v/t
nombrar; apellidar; de-
signar; mencionar; what's
your ~? ¿cómo se llama
Vd?; ~less sin nombre;
anónimo

namely ['neimli] a saber

nanny ['næni] niñera f; ~-
-goat cabra f

nap [næp] sueño m ligero;
to take a ~ dormir un rato

nape [neip] nuca f

nap|kin ['næpkin] servilleta
f; pañal m (de bebé); ~py
fam pañal m

narcotic [nɑː'kɔtik] a, s narcótico m

narrat|e [næ'reit] v/t na-
rrar; ~ion narración f; ~ive
['~ətiv] narrativa f

narrow ['nærəu] a estre-
cho; limitado; v/t estre-
char; limitar; v/i estrecharse; ~-minded intolerante,
de miras estrechas

nasty ['nɑːsti] detestable;
malicioso; repulsivo; peligroso

nation ['neiʃən] nación f;
~al ['næʃənl] nacional; ~al
debt deuda f pública; ~al-
ity [~'næliti] nacionali-

dad f; ~alize ['næʃnəlaiz]
v/t nacionalizar

nativ|e ['neitiv] a nativo; s
aborigen m; ~e country
país m de origen; ~ity
[nə'tiviti] natividad f

natural ['nætʃrəl] natural;
nativo; ~ize v/t naturalizar

nature ['neitʃə] naturaleza f;
carácter m; índole f

naught [nɔːt] nada f; cero m

naughty ['nɔːti] travieso;
díscolo

nause|a ['nɔːsjə] náusea f;
~ate ['~ieit] v/t dar asco;
~ating nauseabundo

nautical ['nɔːtikəl] náutico;
~ mile milla f marina

naval ['neivəl] naval

nave [neiv] igl nave f

navel ['neivəl] ombligo m

naviga|te ['nævigeit] v/t,
v/i navegar; ~tor navega-
dor m; mar oficial m de derrota; aer navegante m

navy ['neivi] marina f; ar-
mada f; ~ blue azul marino

nay [nei] hasta, aun más

near [niə] prep cerca de;
junto a; próximo a; adv
cerca; a cercano; próximo;
contiguo; íntimo; inme-
diato; v/i acercarse a; ~ly
casi; por poco; ~ness proximidad f; inminencia f;
~sighted miope

neat [niːt] limpio; ordenado; lindo; puro; ~ness
limpieza f

necessary ['nesisəri] necesario; preciso

necessit|ate [ni'sesiteit] v/t necesitar, requerir; **~y** necesidad f

neck [nek] cuello m; pescuezo m; gollete m (de una botella); **~lace** ['~lis] collar m; **~tie** corbata f

née [nei] nacida

need [ni:d] s necesidad f; carencia f; urgencia f; pobreza f; v/t necesitar; precisar

needle ['ni:dl] aguja f; **~work** costura f

needy ['ni:di] necesitado

negati|on [ni'geiʃən] negación f; negativa f; **~ve** ['negativ] s negativa f; foto negativo m; a negativo; **in the ~ve** negativamente

negl|ect [ni'glekt] s descuido m; abandono m; v/t descuidar; abandonar; **~ect one's duties** faltar a sus obligaciones; **~igent** ['neglidʒənt] negligente, descuidado; **~igible** insignificante

negotia|te [ni'gəuʃieit] v/i negociar; tratar; v/t negociar; tramitar; **~tion** negociación f; **~tor** negociador (-a) m (f)

Negr|ess ['ni:gris] negra f; **~o** ['~əu] negro m

neigh [nei] v/i relinchar

neighbour ['neibə] vecino(a) m (f); **~hood** vecindad f; cercanía f; **~ing** cercano, vecino; **~ly** sociable

neither ['naiðə] a ningún (de dos); pron ninguno(a) (de dos); ni uno ni otro; conj ni; tampoco

neon ['ni:ən] neón m; **~ sign** aviso m luminoso

nephew ['nevju(:)] sobrino m

nerv|e [nə:v] nervio m; valor m; descaro m; **~ous** nervioso

nest [nest] s nido m; nidada f; v/i anidar; **~le** ['nesl] v/i acurrucarse

net [net] s red f; redecilla f (para el pelo); a neto; v/t coger con la red; fig atrapar; **~ profit** ganancia f líquida

Netherlands ['neðələndz] Países m/pl Bajos

nettle ['netl] ortiga f

network ['netwə:k] radio, t v cadena f

neut|er ['nju:tə] a neutro; **~ral** ['~trəl] a, s neutral m, f; **~rality** [~'træliti] neutralidad f

neutron ['nju:trən] quím neutrón m

never ['nevə] nunca; jamás; **~ more** nunca más; **~theless** no obstante; sin embargo

new [nju:] nuevo; fresco; novicio; reciente; **~born** recién nacido m; **~comer** recién llegado m; novato m; **~ly** nuevamente; **~ness** novedad f

news [nju:z] noticia f; noticias f/pl; **~-agent** vende-

dor *m* de periódicos; **~cast**
(*radio*, *t v*) noticiario *m*; **~
paper** periódico *m*; **~reel**
noticiario *m*; actualidades
f/pl; **~stand** quiosco *m* de
periódicos

new| year ['nju:'jə:] año *m*
nuevo; ♀ **Year's Day** día *m*
del año nuevo

next [nekst] *a* siguiente,
venidero; próximo; **~ day**
el día siguiente; **~ door** al
lado; **~ time** la próxima
vez; **~ to** junto a; después;
luego; después; en seguida

nibble [nibl] *v/t* mordiscar

nice [nais] agradable; bonito; gentil; delicado; fino;
~ly muy bien; agradablemente; **~ness** amabilidad *f*;
~ty ['-iti] finura *f*; exactitud *f*

niche [nitʃ] nicho *m*

nick [nik] *s* mella *f*; *v/t*
mellar

nickel ['nikl] níquel *m*; **~-
plated** niquelado

nickname ['nikneim] apodo
m; mote *m*

niece [ni:s] sobrina *f*

niggardly ['nigədli] tacaño

night [nait] noche *f*; **at ~** por
la noche; **by ~** de noche;
last ~ anoche; **tomorrow
~** mañana por la noche;
~cap gorro *m* de dormir;
fam último trago *m* (*de la
noche*); **~dress**, **~gown** camisa *f* de noche; **~ingale**
['-ingeil] ruiseñor *m*; **~ly**
de noche; todas las noches;
~mare ['-meə] pesadilla *f*;

~school escuela *f* nocturna

nil [nil] nada

nimble ['nimbl] ágil, ligero;
~ness agilidad *f*

nip [nip] *s* pellizco *m*; traguito *m*; *v/t* pellizcar

nipple ['nipl] pezón *m*

nit|re ['naitə] nitro *m*; **~ro-
gen** ['-trədʒən] nitrógeno
m

no [nəu] *adv* no; *s* negación
f; ninguno; **~one** nadie

nobility [nəu'biliti] nobleza *f*

noble ['nəubl] noble; imponente, majestuoso; **~-man** noble *m*

nobody ['nəubədi] nadie;
~ else nadie más

nod [nɔd] *s* seña afirmativa
con la cabeza; *v/i* afirmar
con la cabeza; inclinar la
cabeza; dormitar

nois|e [nɔiz] ruido *m*; **~e-
less** silencioso; **~y** ruidoso

nomina|l ['nɔminl] nominal; **~te** ['-eit] *v/t* nominar;
nombrar, designar; **~tion**
nombramiento *m*; **~tive**
['-ətiv] nominativo *m*

non- ['nɔn-] *prefijo* falta de;
~acceptance falta *f* de
aceptación; **~committal**
evasivo; **~descript** ['-diskript] indefinido; indescriptible

none [nʌn] nadie, ninguno

non-existence [nɔnig'zistəns] inexistencia *f*; **~ob-
servance** incumplimiento
m, violación *f*;

nonsense ['nɔnsəns] disparate m

non|-skid ['nɔn'skid] antideslizante; **~-stop** directo (tren); **~-stop** directo (tren)

noodle ['nu:dl] tallarín m

nook [nuk] rincón m

noon [nu:n] mediodía m

nor [nɔ:] tampoco; ni

norm [nɔ:m] norma f; **~al** normal

Norman ['nɔ:mən] a, s normando m

north [nɔ:θ] s norte m; a del norte; septentrional; adv al norte; ♀ **Sea** Mar m del Norte; **~ern**, **~erly** del norte; **~wards** ['~wədz] al norte, hacia el norte

Norw|ay ['nɔ:wei] Noruega f; **~egian** [~'wi:dʒən] a, s noruego(a) m (f)

nose [nəuz] s nariz f; olfato m; v/i, v/t oler, husmear; **~-dive** v/i aer lanzarse de morro; **~gay** ['~gei] ramillete m de flores

nostril ['nɔstril] ventana f de la nariz

nosy ['nəuzi] fam curioso

not [nɔt] no; ni; sin; **~ at all** de ninguna manera; en absoluto; **~ yet** aún no; todavía no

notable ['nəutəbl] notable

notary ['nəutəri] notario m

notch [nɔtʃ] s muesca f; v/t mellar

note [nəut] s nota f; billete m; señal f; apunte m; distinción f; com vale m; v/t apuntar; observar, adver-

tir; **~book** libreta f; **~case** billetero m; **~d** afamado; **~paper** papel m de carta; **~worthy** notable

nothing ['nʌθiŋ] nada f; cero m; **for ~** gratis; **~ if not** más que todo; **to say ~ of** sin mencionar

notice ['nəutis] s aviso m; atención f; **to give ~** dar aviso (de despedida, etc); informar; **short ~** corto plazo m; v/t notar; advertir; **~able** perceptible; notable

notify ['nəutifai] v/t notificar

notion ['nəuʃən] noción f; idea f; opinión f

notorious [nəu'tɔ:riəs] notorio

notwithstanding [nɔtwiθ'stændiŋ] prep a pesar de; adv no obstante

nought [nɔ:t] nada f; cero m

noun [naun] nombre m, sustantivo m

nourish ['nʌriʃ] v/t nutrir, alimentar; **~ing** alimenticio, nutritivo; **~ment** comida f; alimentación f

novel ['nɔvəl] a nuevo; s novela f; **~ist** novelista m; **~ty** novedad f

November [nəu'vembə] noviembre m

now [nau] ahora; **just ~** hace un rato; **~ and then** de vez en cuando; **~adays** ['~ədeiz] hoy en día

nowhere ['nəuwɛə] en ninguna parte

noxious ['nɔkʃəs] nocivo

nozzle ['nɔzl] boquilla *f*; pitón *m*

nucle|ar ['nju:kliə] nuclear; atómico; **~ar fission** fisión *f* nuclear; **~us** ['nju:kliəs] núcleo *m*

nude [nju:d] *a*, *s* desnudo *m*

nudge [nʌdʒ] *s* codazo *m*; *v/t* dar un codazo

nugget ['nʌgit] pepita *f* (de oro)

nuisance ['nju:sns] fastidio *m*; pesado *m*

null [nʌl] nulo; **~ and void** nulo, sin efecto ni valor

numb [nʌm] entumecido, aturdido

number ['nʌmbə] *s* número *m*; **~ plate** *aut* placa *f* de matrícula; *v/t* numerar

numer|al ['nju:mərəl] numeral; **~ous** numeroso

nun [nʌn] monja *f*; **~nery** convento *m* de monjas

nuptials ['nʌpʃəlz] nupcias *f/pl*

nurs|e [nɔ:s] *s* enfermera *f*; niñera *f*; *v/t* lactar; cuidar; **~ery** cuarto *m* de los niños; **~ery rhyme** verso *m* infantil; **~ery school** jardín *m* de la infancia; **~ing** crianza *f*; cuidado *m*; **~ing home** clínica *f* particular

nut [nʌt] nuez *f*; *mec* tuerca *f*; **~cracker** cascanueces *m*

nylon ['nailən] nailon *m*; **~s** medias *f/pl* de nailon

O

oak [əuk] roble *m*

oar [ɔ:] remo *m*

oasis [əu'eisis] oasis *m*

oat [əut] avena *f*

oath [əuθ] juramento *m*; **to take an ~** prestar juramento

oatmeal ['əut'mi:l] gachas *f/pl* de avena

obedien|ce [ə'bi:djəns] obediencia *f*; sumisión *f*; **~t** obediente; sumiso

obey [ə'bei] *v/t* obedecer, acatar [crología *f*]

obituary [ə'bitjuəri] ne-

object ['ɔbdʒikt] *s* objeto *m*; materia *f*; propósito *m*; *gram* complemento *m*; [əb-'dʒekt] *v/t* objetar; *v/i* opo-

nerse; **~ion** objeción *f*, reparo *m*; **~ionable** reprensible; **~ive** *a*, *s* objetivo *m*

obligat|ion [ɔbli'geiʃən] obligación *f*; **~ory** [ə'bligətəri] obligatorio

oblig|e [ə'blaidʒ] *v/t* obligar; complacer; **much ~ed** muy agradecido; **~ing** servicial

oblique [ə'bli:k] sesgado, soslayo; diagonal, indirecto; **~ly** al soslayo

obliterate [ə'blitəreit] *v/t* obliterar, borrar; aniquilar

oblivi|on [ə'bliviən] olvido *m*; **~ous: to be ~ous of** no recordar; sin pensar en

oblong ['ɔblɔŋ] s cuadrilongo m; a oblongo

obnoxious [əb'nɔkʃəs] ofensivo, detestable

obscene [əb'si:n] obsceno

obscure [əb'skjuə] a obscuro; vago; confuso; v/t obscurecer; anublar

obsequies ['ɔbsikwiz] exequias f/pl

observan|ce [əb'zə:vəns] acatamiento m; **~t** observador; observante

observ|ation [ɔbzə(:)'veiʃən] observación f; examen m; **~atory** [əb'zə:vətri] observatorio m; **~e** v/t observar; notar; guardar; cumplir; **~er** observador m

obsess [əb'ses] v/t obsesionar; **~ion** obsesión f

obstacle ['ɔbstəkl] obstáculo m; inconveniente m

obstina|cy ['ɔbstinəsi] terquedad f; **~te** [~it] terco; obstinado

obstruct [əb'strʌkt] v/t obstruir, obstaculizar, bloquear; **~ion** obstrucción f; obstáculo m

obtain [əb'tein] v/t obtener, conseguir; **~able** asequible

obtrusive [əb'tru:siv] intruso

obvious ['ɔbviəs] obvio, evidente; **~ness** evidencia f

occasion [ə'keiʒən] ocasión f, oportunidad f; acontecimiento m; motivo m; causa f; **on the ~** of con motivo de; **~al** ocasional, incidental; **~ally** alguna vez

occupant ['ɔkjupənt] ocupante m; inquilino m

occup|ation [ɔkju'peiʃən] ocupación f; toma f de posesión; empleo m; profesión f; tarea f; **~y** ['~pai] v/t ocupar; vivir en; emplear (tiempo)

occur [ə'kə:] v/i ocurrir; suceder; acaecer [ə'kʌrəns] ocurrencia f; acontecimiento m; lance m

ocean ['ouʃən] océano m; **~ liner** transatlántico m

o'clock [ə'klɔk]: **it is two ~** son las dos

October [ɔk'toubə] octubre m

ocul|ar ['ɔkjulə] ocular; **~ist** oculista m, oftalmólogo m

odd [ɔd] impar; y tanto; suelto; sobrante; raro; extravagante; ocasional; **~ numbers** impares m/pl; **thirty ~** treinta y tanto; **an ~ shoe** un zapato solo; **~ity** rareza f; **~ly** estrambóticamente; **~s** ventaja f; probabilidad f; **at ~s** en desacuerdo; **~s and ends** cachivaches m/pl; retazos m/pl

odorous ['oudərəs] oloroso; fragante

odour ['oudə] olor m; **~less** inodoro

of [ɔv, əv] prep de; (expresa posesión, característica, composición, traduciéndose a veces por a, con, por, para, desde, entre); **its smell ~ fish**

huele a pescado; **I dream
~ you** sueño contigo; **a
friend ~ mine** un amigo
mío; **~ late** últimamente; **~
course** por supuesto

off [ɔf] *prep* lejos de; fuera
de; **~ the road** fuera de la
carretera; *adv* lejos; fuera
de servicio; **to take ~**
quitarse; *v/i* despegar (*el
avión*); **to go ~** marcharse;
dispararse; **~ and on** a in-
tervalos, de vez en cuando;
~ with you! ¡lárgate!

offen|ce [ə'fens] ofensa *f*;
insulto *m*; **to take ~ce**
ofenderse; **~d** *v/t* ofender;
irritar; *v/i* pecar; delin-
quir; **~der** ofensor *m*; delincuente *m*; **~sive** s ofen-
siva *f*; *a* ofensivo; insul-
tante; repulsivo

offer ['ɔfə] *s* oferta *f*; propuesta *f*; proposición *f*; *v/t*
ofrecer; proponer; *v/i* ofrecerse, presentarse; **~ing**
ofrenda *f*; sacrificio *m*

office ['ɔfis] oficina *f*; despacho *m*; oficio *m*; empleo
m; **~r** oficial *m*; funcionario *m*; policía *m*

official [ə'fiʃəl] *a* oficial; de
oficio; *s* funcionario *m*; **~-
dom** oficialidad *f*

officious [ə'fiʃəs] oficioso

off-side ['ɔfsaid] *dep* fuera
de juego, de posición ade-
lantada

offspring ['ɔfspriŋ] vástago
m; linaje *m*; hijo *m*

often ['ɔfn] *a* frecuente; *adv*
frecuentemente; a menudo

oil [ɔil] *s* aceite *m*; petróleo
m; *v/t* aceitar, lubri(fi)car;
untar; **~cloth** encerado *m*;
~lamp quinqué *m*; **~-
painting** pintura *f* al óleo;
~skin impermeable *m*; **~-
well** pozo *m* de petróleo;
~y aceitoso; grasiento;
oleaginoso

ointment ['ɔintmənt] ungüento *m*

OK, okay ['ɔu'kei] *fam* muy
bien, correcto

old [ɔuld] viejo; añejo; **~ age**
vejez *f*; **~est** el (la) más
viejo(a); **~-fashioned** pasado de moda; **~ maid** solterona *f*; **♀ Testament** Antiguo Testamento *m*

olive ['ɔliv] aceituna *f*; **~-
grove** olivar *m*; **~tree**
olivo *m*

Olympic [ɔu'limpik]
games juegos *m/pl* olím-
picos

omelet(te) ['ɔmlit] tortilla *f*

ominous ['ɔminəs] omino-
so, siniestro, nefasto

omi|ssion [ə'miʃən] omi-
sión *f*; olvido *m*; **~t** *v/t*
omitir; pasar por alto

omni|potent [ɔm'nipətənt]
omnipotente; **~scient** [~-
sient] omnisciente

on [ɔn] *prep* encima de; sobre; en; **~ account of** a
causa de; **~ Monday** el
lunes; **~ foot** a pie; **~
horseback** a caballo; **~
purpose** a propósito; *adv*
adelante; sucesivamente;
encima; puesto; encendido

(*gas, luz, etc*); **go ~! ¡siga!; come ~! ¡vamos!; ¡venga!; and so ~** y así sucesivamente

once [wʌns] una vez; antiguamente; **all at ~** de repente; **at ~** en seguida; **~more** otra vez; **~ upon a time** en tiempos muy remotos

one [wʌn] *a* un, uno(a); único; cierto; un tal; igual; **~ hundred** ciento, cien; *s*, *pron* uno *m*; una *f*; la una (hora) *f*; **~ another** el uno al otro; **~ by ~** uno por uno; **~'s** su, sus; **~self** se, sí, sí mismo; **~-armed** manco; **~-eyed** tuerto; **~-sided** parcial; **~-way street** calle *f* de un solo sentido

onion ['ʌnjən] cebolla *f*

onlooker ['ɔnlukə] espectador *m*, mirón *m*

only ['əunli] *a* único; solo; *adv* solamente, sólo; únicamente; recién; *conj* sólo que; pero

onto ['ɔntu, '~ə] sobre, a

onward ['ɔnwəd] *a* progresivo; **~(s)** *adv* adelante, hacia adelante

ooze [u:z] *s* exudación *f*; fango *m*; *v/t* exudar; *v/i* manar

opaque [əu'peik] opaco

open ['əupən] *a* abierto; libre; franco; manifiesto; descubierto; susceptible de; *com* pendiente; *v/t* abrir; descubrir; dar comienzo a; *s* claro *m*; **in the**

~ al aire libre; en alta mar; ~er abridor *m*; **~ing** abertura *f*; brecha *f*; comienzo *m*; oportunidad *f*; apertura *f*; **~ness** claridad *f*; franqueza *f*

opera ['ɔpərə] ópera *f*; **~-glasses** gemelos *m/pl* de teatro

operat|e ['ɔpəreit] *v/t* manejar; *cir* operar; *v/i* operar; obrar, actuar; *cir* operar; *com* especular; **~ion** operación *f*; funcionamiento *m*; **~ive** ['~ətiv] *a* eficaz; activo; **~or** operador *m*; agente *m*

opinion [ə'pinjən] opinión *f*; juicio *m*; parecer *m*; **in my ~** a mi parecer

opponent [ə'pəunənt] antagonista *m*; adversario *m*

opportunity [ɔpə'tju:niti] oportunidad *f*; coyuntura *f*

oppos|e [ə'pəuz] *v/t* oponer; resistir; oponerse a; *v/i* oponerse; **~ed** opuesto, contrario; **~ing** contrario; divergente; **~ite** ['ɔpəzit] *a* opuesto; **~ition** [ɔpə'zi∫ən] oposición *f*; resistencia *f*

oppress [ə'pres] *v/t* oprimir; **~ion** opresión *f*; tiranía *f*; **~ive** tiránico; agobiante

optic|(al) ['ɔptik(əl)] *a* óptico; **~ian** [ɔp'ti∫ən] óptico *m*; **~s** óptica *f*

optimism ['ɔptimizəm] optimismo *m*

or [ɔ:] *conj* o; u; **~ else** de otro modo

oral ['ɔ:rəl] oral

orange ['ɔrindʒ] naranja *f*; **~ade** ['~eid] naranjada *f*; **~-blossom** azahar *m*

orat|or ['ɔrətə] orador *m*; **~ory** oratoria *f*; *igl* oratorio *m*

orbit ['ɔ:bit] órbita *f*

orchard ['ɔ:tʃəd] huerto *m*

orchestra ['ɔ:kistrə] orquesta *f*; platea *f*

ordeal [ɔ:'di:l] ordalía *f*; prueba *f* dura

order ['ɔ:də] *s* orden *f*; mandato *m*; orden *m*; arreglo *m*; *com* pedido *m*; orden *f* (*militar o religiosa*); condecoración *f*; **in ~ that** para que; **in ~ to** para (*e infinitivo*); **out of ~** estropeado; fuera de servicio; **to put in ~** arreglar; *v/t* ordenar, mandar; dirigir; *com* pedir; **~ly** a ordenado; metódico; *s mil* ordenanza *m*

ordinary ['ɔ:dnri] ordinario; común; corriente

ore [ɔ:] mineral *m* metálico

organ ['ɔ:gən] órgano *m*

organic [ɔ:'gænik] orgánico

organiz|ation [ɔ:gənai'zeiʃən] organización *f*; **~e** ['~aiz] *v/t, v/i* organizar(se)

Orient ['ɔ:riənt] Oriente *m*; **2ate** *v/t* orientar

origin ['ɔridʒin] origen *m*; principio *m*; procedencia *f*; **~al** [ə'ridʒənl] *a* original, primitivo; legítimo; *s* origi-

nal *m*; prototipo *m*; **~ality** [ɔridʒi'næliti] originalidad *f*; **~ate** [ə'ridʒineit] *v/t* crear; ocasionar; *v/i* originarse; provenir

orna|ment ['ɔ:nəmənt] *s* ornamento *m*; adorno *m*; [~'ment] *v/t* adornar; decorar; **~mental** ornamental

orphan ['ɔ:fən] huérfano(a) *m* (*f*); **~age** orfanato *m*

oscillat|e ['ɔsileit] *v/i* oscilar; **~ion** oscilación *f*; fluctuación *f*

ostentatio|n [ɔsten'teiʃəs] ostentativo; aparatoso

ostrich ['ɔstritʃ] avestruz *m*

other ['ʌðə] *a* otro(a, os, as); **~ than** otra cosa que; *pron* el otro, la otra; **~wise** ['~waiz] de otro modo

ought [ɔ:t] *v/aux def que se traduce por formas de* deber; **he ~ to write** él debería escribir

ounce [auns] onza *f*

our ['auə] *a* nuestro(a, os, as); **2 Father** padrenuestro *m*; **~s** *pron pos* el nuestro, la nuestra, lo nuestro, los nuestros, las nuestras; **~selves** nosotros(as) mismos(as)

oust [aust] *v/t* desalojar, expulsar

out [aut] *adv* fuera; afuera; de fuera; ausente; terminado; apagado; de huelga; pasado de moda; al descubierto; a la venta; **~ of danger** fuera de peligro; **to go ~** salir; **way ~** salida *f*

out|bid *v/t* sobrepujar;

board fuera de borda; ~**break** erupción f; estallido m; ~**burst** explosión f; ~**cast** paria m; ~**come** resultado m; ~**do** v/t superar, eclipsar; ~**doors** al aire libre; ~**er** externo; ~**fit** s equipo m; pertrechos m/pl; v/t equipar; salirse de; ~**flow** efusión f; ~**going** saliente; ~**grow** v/t superar; salirse de; ~**law** s proscrito m; v/t proscribir; ~**lay** gasto m; ~**let** salida f; com mercado m; ~**line** s contorno f; v/t trazar; ~**live** v/t sobrevivir a; ~**look** perspectiva f; ~**lying** remoto; ~**patient** paciente m, f externo(a); ~**post** puesto m de avanzada; ~**put** producción f; ~**rage** s ultraje m; v/t ultrajar; ~**rageous** [aut'reidʒəs] escandaloso; ~**right** ['aut'rait] absoluto; sincero; ~**run** v/t dejar atrás; ~**set** principio m; ~**side** a externo, exterior; s exterior m; adv fuera; prep fuera de; ~**sider** extraño m; persona f ajena; ~**size** talla f extra grande; ~**skirts** alrededores m/pl; ~**spoken** franco; ~**spread** extendido; ~**standing** destacado; com pendiente; ~**strip** v/t aventajar; ~**ward** [~'wəd] a exterior; ~**wards** adv hacia fuera; ~**weigh** v/t exceder; valer más que; ~**wit** v/t ser más listo que

oval ['ouvəl] oval, ovalado

oven [ʌvn] horno m

over ['ouvə] prep sobre; encima de; por encima de; durante; por; adv enfrente; allá; más; demasiado; ~**and** ~ repetidamente; ~**alls** mono m; ~**bearing** arrogante; ~**board** al agua; ~**burden** v/t sobrecargar; ~**cast** anublado; ~**charge** v/t recargar; cobrar en demasía; ~**coat** gabán m; ~**come** v/t vencer; ~**crowd** v/t atestar; ~**do** v/t excederse en; exagerar; ~**draft** com giro m en descubierto; ~**draw** v/t girar en descubierto; ~**due** retrasado; ~**flow** v/t desbordarse; derramarse; ~**head** superior; ~**heads** com gastos m/pl generales; ~**hear** v/t oír por casualidad; ~**joyed** contentísimo; ~**load** v/t sobrecargar; ~**look** v/t dominar (con la vista); pasar por alto; no hacer caso de; ~**much** en demasía; ~**night** durante la noche; ~**pass** f c paso m superior; ~**pay** v/t pagar demasiado; ~**power** v/t subyugar; vencer; ~**rate** v/t sobrestimar; ~**rule** v/t for denegar; ~**run** v/t invadir; ~**seas** ultramar; ~**seer** capataz m; superintendente m; ~**shadow** v/t obscurecer; fig eclipsar; ~**sight** inadvertencia f; ~**sleep** v/t quedarse dormido; ~**state** v/t exagerar; ~**strung** nervioso; ~**take** v/t dar al-

cance *a*; ⊾**throw** *v/t* volcar;
derribar; ⊾**time** sobretiempo *m*

overture [ˈəuvətjuə] *mús*
obertura *f*

over|turn [əuvəˈtɜːn] *v/t*
derribar; *v/i* volcarse; ⊾**-
whelm** [⊾ˈwelm] *v/t* abrumar; ⊾**work** *v/i* trabajar
en exceso

owe [əu] *v/t* deber

owing [ˈəuiŋ] **to** debido a

owl [aul] búho *m*; lechuza
f

own [əun] *v/t* poseer; reconocer; *a* propio; ⊾**er**
propietario *m*; ⊾**ership**
posesión *f*; propiedad *f*

ox [ɔks] buey *m*

ox|ide [ˈɔksaid] óxido *m*;
⊾**ygen** [ˈɔksidʒən] oxígeno
m

oyster [ˈɔistə] ostra *f*

ozone [ˈəuzəun] ozono *m*

P

pace [peis] *s* paso *m*; marcha
f; *v/i* pasear; andar

pacif|ic [pəˈsifik] pacífico;
apacible; ⊾**ist** [ˈpæsifist] *a*,
s pacifista *m*, *f*; ⊾**y** [⊾ˈfai]
v/t pacificar; aplacar

pack [pæk] *s* paquete *m*;
fardo *m*; cajetilla *f* (*de ciga-
rrillos*); baraja *f* (*de naipes*);
pandilla *f* (*de ladrones*);
jauría *f* (*de perros*); manada
f (*de lobos*); *v/t* empaquetar;
embalar; ⊾ **off** despachar;
⊾ **up** liquidar; *v/i* hacer las
maletas

pack|age [ˈpækidʒ] paquete
m; fardo *m*; ⊾**er** embalador
m; ⊾**et** [⊾ˈit] paquete *m*
pequeño; ⊾**ing** embalaje *m*

pact [pækt] pacto *m*

pad [pæd] *s* almohadilla *f*; ⊾
of paper bloc *m*; taco *m*;
v/t forrar; rellenar; ⊾**ding**
relleno *m*

paddle [ˈpædl] *s* paleta *f*;
v/t remar (*con paleta*)

paddock [ˈpædək] dehesa *f*

padlock [ˈpædlɔk] candado
m

pagan [ˈpeigən] *a*, *s* paga-
no(a) *m* (*f*); idólatra *m*, *f*

page [peidʒ] *s* página *f* (*de
libro*); plana *f* (*de periódico*);
paje *m* (*chico*); botones *m*;
v/t paginar

pageant [ˈpædʒənt] desfile
m espectacular; carro *m*
alegórico; ⊾**ry** aparato *m*;
fausto *m*

pail [peil] cubo *m*

pain [pein] *s* dolor *m*; fatiga
f; *v/t* doler; dar lástima; **to
feel** ⊾ sentir dolor; sufrir;
⊾**ful** doloroso; ⊾**less** sin
dolor; **to take** ⊾**s** empe-
ñarse; ⊾**staking** esmerado;
concienzudo

paint [peint] *s* pintura *f*;
color *m*; *v/t* pintar; *v/i* ser
pintor; maquillarse; ⊾**er**
pintor *m*; ⊾**ing** pintura *f*;
cuadro *m*

pair [pɛə] *s* par *m*; pareja *f*;
yunta *f* (*de bueyes*); ⊾ **of**

scissors tijeras *f/pl*; **~ of scales** báscula *f*; balanza *f*; **~ of glasses** gafas *f/pl*; **~ of trousers** pantalones *m/pl*; **~ of shoes** par *m* de zapatos; **~ off** *v/t* aparear; acoplar

pajamas [pəˈdʒæməz] *Am* pijama *m*, *SA f*

pal [pæl] *fam* compañero *m*, compinche *m*

palace [ˈpælis] palacio *m*

palate [ˈpælit] paladar *m*

pal|e [peil] *a* pálido; descolorido; **to grow ~e** palidecer; descolorarse; *s* estaca *f*; **~ing** estacada *f*; **~isade** [pæliˈseid] palizada *f*

pallor [ˈpælə] palidez *f*

palm [pɑːm] palma *f*; palmera *f*; ♀ **Sunday** Domingo *m* de Ramos

palpitation [pælpiˈteiʃən] palpitación *f*

pamper [ˈpæmpə] *v/t* mimar

pamphlet [ˈpæmflit] folleto *m*

pan [pæn] cacerola *f*, sartén *f*; **~ of scales** platillo *m*

pancake [ˈpænkeik] hojuela *f*, *SA* panqueque *m*

pane [pein] cristal *m*; hoja *f* de vidrio

panel [ˈpænl] *s* entrepaño *m*; tablero *m*; panel *m*; *v/t* chapar; cubrir de paneles; **~ling** empanelado *m*

pang [pæŋ] dolor *m* agudo; angustia *f*; punzada *f* (*de remordimiento*)

panic [ˈpænik] *s* pánico *m*;

terror *m*; **~-stricken** despavorido

pansy [ˈpænzi] pensamiento *m*; trinitaria *f*

pant [pænt] *v/i* jadear; **~ for** ansiar

panther [ˈpænθə] pantera *f*

panties [ˈpæntiz] *fam* calzones *m/pl*

pantry [ˈpæntri] despensa *f*

pants [ˈpænts] calzoncillos *m/pl*; pantalones *m/pl*; **~ suit** traje *m* pantalón

panty [ˈpænti] **hose** media *f* pantalón

pap [pæp] papilla *f*

papa [pəˈpɑː] papá *m*

papacy [ˈpeipəsi] papado *m*

paper [ˈpeipə] papel *m*; documento *m*; disertación *f*; **~back** libro *m* de bolsillo; **~hanger** empapelador *m*; **~hangings** papel *m* decorado; **~ money** papel *m* moneda; *v/t* empapelar

parachut|e [ˈpærəʃuːt] *s* paracaídas *m*; *v/i* saltar con paracaídas; **~ist** paracaidista *m*

parade [pəˈreid] *s* desfile *m*; ostentación *f*; *v/t* ostentar; *v/i* desfilar

paradise [ˈpærədais] paraíso *m* (*párrafo m*)

paragraph [ˈpærəgrɑːf] *s* párrafo *m*

parallel [ˈpærəlel] *a* paralelo; *s* paralela *f*; paralelo *m*

paraly|se [ˈpærəlaiz] *v/t* paralizar; **~sis** [pəˈrælisis] parálisis *f*; **~tic** [pærəˈlitik] *a*, *s* paralítico *m*

paramount ['pærəmaunt]
sumo; supremo

parasite ['pærəsait] parási-
to *m*

parcel ['paːsl] paquete *m*;
lío *m*; bulto *m*; parcela *f* (*de
tierra*); ~ **out** *v/t* parcelar;
repartir

parch [paːtʃ] *v/t* (re)secar;
agostar; *v/i* resecarse; ~
ment pergamino *m*

pardon ['paːdn] *s* perdón
m; indulto *m*; absolución *f*;
I beg your ~ perdón;
¿cómo dijo?; ~**able** discul-
pable

pare [pɛə] *v/t* cortar; mondar; pelar

parent ['pɛərənt] padre *m*;
madre *f*; ~**age** parentela *f*;
~**s** padres *m/pl*

parings ['pɛəriŋz] peladu-
ras *f/pl*, mondaduras *f/pl*

parish ['pæriʃ] parroquia *f*;
~**ioner** [pə'riʃənə] parro-
quiano *m*

park [paːk] *s* parque *m*; *v/t*,
v/i estacionar; ~**ing** esta-
cionamiento *m*; **no** ~**ing**
prohibido estacionar; ~**ing**
meter parquímetro *m*

Parliament ['paːləmənt]
Ingl parlamento *m*; (*España*) Cortes *f/pl*; ~**ary**
[~'mentəri] parlamentario *m*

parlour ['paːlə] salón *m*; ~
maid camarera *f*, *SA* mucama *f*

parquet ['paːkei] parqué *m*

parrot ['pærət] loro *m*; co-
torra *f*

parsley ['paːsli] perejil *m*

parson ['paːsn] pastor *m*
protestante; clérigo *m*;
~**age** rectoría *f*

part [paːt] *s* parte *f*; porción
f; trozo *m*; paraje *m*; *teat*
papel *m*; interés *m*; **for my**
~ en cuanto a mí; **to take** ~
participar; *v/t* dividir; repartir; *v/i* separarse; partir;
~ **from** despedirse de; ~
with privarse de; deshacerse de

partake [paː'teik] *v/i* participar; tomar parte (en)

partial ['paːʃəl] parcial;
~**ity** [~ʃi'æliti] parcialidad
f

particip|ant [paː'tisipənt]
participante *m*, *f*; ~**ate**
[~eit] *v/t* participar; *v/i* tomar parte (en); ~**ation**
participación *f*

participle ['paːtisipl] participio *m*

particle ['paːtikl] partícula *f*

particular [pə'tikjulə] particular; especial; quisquilloso; ~**ity** [~'læriti] parti-
cularidad *f*; peculiaridad *f*

parting ['paːtiŋ] partida *f*;
separación *f*; raya *f* (*del cabello*)

partition [paː'tiʃən] *s* división *f*; *v/t* repartir; dividir;
~**wall** tabique *m*

partly ['paːtli] en parte

partner ['paːtnə] socio(a) *m*
(*f*); ~**ship** asociación *f*; sociedad *f*; **to enter into**
~**ship with** asociarse con

partridge ['paːtridʒ] perdiz *f*

party ['pɑ:ti] partido *m*;
grupo *m*; partida *f*; fiesta *f*

pass [pɑ:s] *s* puerto *m* (*de
montaña*); *dep* pase *m*; permiso *m*, licencia *f*; *v/t* pasar; traspasar; llevar; superar; aprobar (*examen*); *v/i*
pasar; ocurrir; ser aceptable; *dep* hacer un pase; **~-
out** *fam* desmayarse; **~-
through** estar de paso por;
~able transitable; tolera-
ble; **~age** paso *m*; pasaje *m*;
travesía *f*; corredor *m*; **~en-
ger** ['pæsindʒə] pasajero
m; viajero *m*; **~er-by**
['pɑ:sə'bai] transeúnte *m*;
~ing transitorio

passion ['pæʃən] pasión *f*;
cólera *f*; **~ate** ['~it] apasionado; colérico

passiv|e ['pæsiv] *a* pasivo,
inactivo; *s* pasivo *m*; **~ity**
['~'siviti] pasividad *f*

pass|port ['pɑ:spɔ:t] pasa-
porte *m*; **~word** contraseña *f*

past [pɑ:st] *s* pasado *m*; *a*
pasado; último; concluido;
prep más de, más allá de; **~
half ~ six** las seis y media;
~ hope sin esperanza

paste [peist] *s* pasta *f*; engrudo *m*; *v/t* empastar;
pegar; **~board** cartón *m*

pastime ['pɑ:staim] pasatiempo *m*; recreo *m*

pastry ['peistri] pastelería *f*;
pastas *f/pl*

pasture ['pɑ:stʃə] *s* pasto *m*;
dehesa *f*; *v/t* apacentar; *v/i*
pacer

pat [pæt] *a* oportuno; propio; *s* palmadita *f*, golpe-
cillo *m* de mano; *v/t* acariciar; dar golpecitos con la
mano

patch [pætʃ] *s* remiendo *m*;
parche *m*; **~ of ground**
pedazo *m* de tierra; *v/t* remendar; poner parches; **~-
up** reparar; chapucear; **~-
work** obra *f* de retacitos;
ensaladilla *f*

patent ['peitənt] *a* patente;
manifiesto; *s* patente *f* (*de
invención*); privilegio *m*; *v/t*
patentar; **~ leather** charol
m; **~ medicine** remedio *m*
de patente

patern|al [pə'tə:nl] pater-
no; paternal; **~ity** paternidad *f*

path [pɑ:θ] senda *f*, sendero
m; vía *f*; ruta *f*

pathetic [pə'θetik] patético,
conmovedor

patien|ce ['peiʃəns] pacien-
cia *f*; **~t** *a* paciente; *s* paciente *m*, *f*

patriot ['peitriət] *a*, *s* patriota *m*, *f*; **~ic** [pætri'ɔtik],
~ical patriótico; patriota;
~ism ['pætriətizəm] patriotismo *m*

patrol [pə'trəul] *s* patrulla *f*;
ronda *f*; *v/t*, *v/i* patrullar; **~
car** coche *m* patrullero

patron ['peitrən] cliente *m*;
patrón *m*; patrocinador *m*;
~age ['pætrənidʒ] patroci-
nio *m*; clientela *f*; *relig* pa-
tronato *m*; **~ize** *v/t* patrocinar; frecuentar

pattern ['pætən] s modelo
m; dibujo m; cost patrón m;
v/t modelar

paunch [pɔːntʃ] panza f,
barriga f

pause [pɔːz] s pausa f; v/i
cesar; pausar; vacilar

pave [peiv] v/t pavimentar;
~ment pavimento m

pavilion [pə'viljən] pabellón m

paw [pɔː] s pata f, zarpa f;
v/t piafar; manosear

pawn [pɔːn] s empeño m;
(ajedrez) peón m; v/t em-
peñar; **~broker** presta-
mista m; **~shop** prendería f

pay [pei] s paga f; sueldo m;
v/t pagar; abonar; **~ back**
reembolsar; **~ cash** pagar
al contado; **~ down** pagar a
cuenta; **~ in advance** adelantar; pagar por adelan-
tado; **~ off** amortizar; **~ a
visit** hacer una visita;
~able pagadero; **~ee** [~'iː] s
tenedor m; portador m; be-
neficiario m; **~er** pagador m;
~load carga f útil; **~ment**
pago m; **~roll** nómina f,
SA planilla f

pea [piː] s guisante m

peace [piːs] paz f; **~ful** apacible, pacífico; sosegado;
~maker pacificador m

peach [piːtʃ] melocotón m

peacock ['piːkɔk] pavo m
real

peak [piːk] s pico m; cumbre f; a máximo; **~ hours**
horas f/pl de tráfico máximo

peal [piːl] v/i repicar; s repique m (de las campanas)

peanut ['piːnʌt] cacahuete
m [peral m]

pear [pɛə] pera f; **~-tree**

pearl [pəːl] perla f

peasant ['pezənt] campesi-
no m

peat [piːt] turba f

pebble ['pebl] guijarro m

peck [pek] s picotazo m; v/t,
v/i picotear

peculiar [pi'kjuːljə] raro;
peculiar; especial; **~ity**
[~i'æriti] peculiaridad f;
singularidad f

pedal ['pedl] s pedal m; v/i
pedalear

pedestal ['pedistl] pedestal
m

pedestrian [pi'destriən] s
peatón m; **~ crossing** paso
m de peatones; **~ zone** zona
f para peatones

pedigree ['pedigriː] linaje m

peel [piːl] v/t pelar; s cáscara f; corteza f

peep [piːp] s pío m (pájaros);
atisbo m; v/i piar; atisbar;
asomarse

peer [piə] s Ingl par m; v/t
mirar con ojos de miope;
~age nobleza f

peevish ['piːviʃ] malhumorado; irritable

peg [peg] s clavija f; gancho
m; pretexto m; pinzas f/pl;
v/t estaquillar; fijar

pelican ['pelikən] pelícano
m

pelt [pelt] v/t lanzar, arrojar

pen [pen] s pluma f; corral m;

~ **(up)** v/t encerrar; acorralar

penal ['pi:nl] penal; **~ty** ['penlti] pena f, castigo m; dep sanción f

penance ['penəns] penitencia f

pencil ['pensl] lápiz m

pendant ['pendənt] medallón m

pending ['pendiŋ] pendiente; colgante; prep durante

penetrate ['penitreit] v/t penetrar; atravesar; calar; v/i penetrar

penguin ['peŋgwin] pingüino m

peninsula [pi'ninsjulə] península f

peniten|t ['penitənt] s penitente m; a arrepentido; **~tiary** penitenciaría f

penknife ['pennaif] cortaplumas m

penniless ['penilis] indigente; sin dinero

penny ['peni] penique m

pension ['penʃən] s pensión f; retiro m; v/t pensionar; **~er** pensionado m; pensionista m

pensive ['pensiv] pensativo

penthouse ['penthaus] sobradillo m; apartamento m de azotea

people ['pi:pl] s gente f; pueblo m; parientes m/pl; v/t poblar

pepper ['pepə] pimienta f; **~mint** menta f; pastilla f de menta

per [pə:] por; a

perambulator ['præmbjuleitə] cochecito m de niño

perceive [pə'si:v] v/t percibir; comprender

per|cent [pə'sent] por ciento m; **~centage** porcentaje m

percept|ible [pə'septəbl] perceptible; **~ion** percepción f; perspicacia f

perch [pə:tʃ] s percha f; v/i posarse

percussion [pə'kʌʃən] percusión f; golpe m

peremptory [pə'remptəri] perentorio, terminante

perfect ['pə:fikt] a perfecto, acabado; [pə'fekt] v/t perfeccionar; **~ion** perfección f

perforat|e ['pə:fəreit] v/t perforar; horadar; **~ion** perforación f; agujero m

perform [pə'fɔ:m] v/t ejecutar; llevar a cabo; cumplir; v/i actuar, representar; **~ance** ejecución f; teat, mús función f; actuación f

perfume ['pə:fju:m] s perfume m; fragancia f; [pə'fju:m] v/t perfumar

perhaps [pə'hæps, præps] quizá, quizás

peril ['peril] peligro m; riesgo m; **~ous** peligroso; arriesgado

period ['piəriəd] período m; época f; punto m; **~ical** [‿'dikəl] a, s periódico m

perish ['periʃ] v/i perecer; **~able** perecedero

perjury ['pə:dʒəri] perjurio m

perm [pə:m] *fam* permanente *f*; **~anence** ['~ənəns] permanencia *f*; **~anent** permanente, duradero; **~anent wave** ondulación *f* permanente

permeable ['pə:mjəbl] permeable

permi|ssion [pə'miʃən] permisión *f*; venia *f*; **~ssive** tolerante, permisivo; **~t** [~'mit] *v/t* permitir; ['pə:mit] *s* permiso *m*; licencia *f*

perpendicular [pə:pən-'dikjulə] perpendicular

perpetual [pə'petʃuəl] perpetuo, continuo

perplex [pə'pleks] *v/t* confundir; **~ity** perplejidad *f*

persecut|e ['pə:sikju:t] *v/t* perseguir; acosar; **~ion** persecución *f*; **~or** perseguidor *m*

persevere [pə:si'viə] *v/i* perseverar, persistir

Persian ['pə:ʃn] *a, s* persa *m, f*

persist [pə'sist] *v/i* persistir; insistir; **~ence** persistencia *f*, tenacidad *f*; **~ent** persistente, tenaz

person [pə:sn] persona *f*; individuo *m*; **~age** personaje *m*; **~al** personal; particular; **~ality** [~sə'næliti] personalidad *f*; **~ify** [~'sɔnifai] *v/t* personificar; **~nel** [~sə'nel] personal *m*

perspir|ation [pə:spə'reiʃən] transpiración *f*; sudor *m*; **~e** [pə'spaiə] *v/i* transpirar, sudar

persua|de [pə'sweid] *v/t* persuadir; **~sion** [~ʒən] persuasión *f*; **~sive** [~siv] persuasivo

pert [pə:t] descarado, fresco, respondón

perus|al [pə'ru:zəl] lectura *f* cuidadosa; **~e** *v/t* leer; examinar

pervade [pə:'veid] *v/t* penetrar; saturar

perver|se [pə'və:s] perverso; refractario; **~sion** perversión *f*; corrupción *f*; **~t** ['pə:və:t] *s* pervertido *m*; [pə:'və:t] *v/t* pervertir; falsear

pessimism ['pesimizəm] pesimismo *m*

pest [pest] peste *f*; pestilencia *f*; plaga *f*; **~er** *v/t* molestar, fastidiar; **~icide** ['~isaid] insecticida *m*

pet [pet] *s* favorito *m*; animal *m* mimado; *v/t* mimar; acariciar

petal ['petl] pétalo *m*

petition [pi'tiʃən] *s* petición *f*; instancia *f*; ruego *m*; *v/t* suplicar; **~er** suplicante *m*

pet name ['pet'neim] apodo *m* cariñoso

petrify ['petrifai] *v/t, v/i* petrificar(se)

petrol ['petrəl] gasolina *f*; **~ station** gasolinera *f*, estación *f* de gasolina

petroleum [pi'trəuljəm] petróleo *m*

petticoat ['petikəut] enagua *f*

petty ['peti] mezquino; in-

pile

significante; **~ cash** caja *f* chica

pew [pju:] banco *m* de iglesia

pharmacy ['fɑ:məsi] farmacia *f*, botica *f*

phase [feiz] fase *f*

pheasant ['feznt] faisán *m*

philanthropist [fi'lænθrəpist] filántropo *m*

philolog|ist [fi'lɔlədʒist] filólogo *m*; **~y** filología *f*

philosoph|er [fi'lɔsəfə] filósofo *m*; **~ize** *v/i* filosofar; **~y** filosofía *f*

phone [fəun] *fam* *s* teléfono *m*; *v/t, v/i* telefonear

phonetic [fəu'netik] fonético; **~s** fonética *f*

photograph ['fəutəgrɑ:f] fotografía *f*; foto *f*; **~er** [fə'tɔgrəfə] fotógrafo *m*; **~y** fotografía *f* [ción *f*]

phrase [freiz] frase *f*; locu-

physic|al ['fizikəl] físico; **~ian** [fi'ziʃən] médico *m*; **~ist** ['~sist] físico *m*; **~s** física *f*

physique [fi'zi:k] físico *m*; constitución *f* corporal

piano [pi'ænəu] piano *m*

pick [pik] *s* pico *m*; lo mejor; *v/t* picar; coger; seleccionar; **~ out** escoger; discernir; **~ up** recoger; trabar amistad con; **to have a bone to ~ with somebody** tener cuentas que ajustar con alguien; **~et** *s* estaca *f*; piquete *m*; *v/t* cercar con estacas; rodear por huelguistas vigilantes

pickle ['pikl] *s* escabeche *m*; *v/t* escabechar; salar

pick|pocket ['pikpɔkit] cortabolsas *m*, ratero *m*; **~-up** fonocaptor *m*; camioneta *f*

picnic ['piknik] jira *f*; merienda *f* campestre

pictorial [pik'tɔ:riəl] *a* pictórico; *s* revista *f* ilustrada

picture ['piktʃə] *s* cuadro *m*; ilustración *f*, grabado *m*; *cine* película *f*; *v/t* describir, pintar, retratar; **~ postcard** postal *f* ilustrada; **~s** cine *m*

picturesque [piktʃə'resk] pintoresco

picture window ventana *f* panorámica

piece [pi:s] *s* pieza *f*; pedazo *m*; **a ~ of advice** un consejo *m*; **a ~ of news** una noticia *f*; **in ~s** hecho pedazos; *v/t* remendar; juntar; **~work** trabajo *m* a destajo

pier [piə] muelle *m*; desembarcadero *m*

pierc|e [piəs] *v/t* penetrar; taladrar; atravesar; conmover; **~ing** agudo

piety ['paiəti] piedad *f*, devoción *f*

pig [pig] cerdo *m*, puerco *m*, marrano *m*, *SA* chancho *m*

pigeon ['pidʒin] pichón *m*; **~-hole** casilla *f*

pig|headed ['pig'hedid] testarudo; **~sty** ['~stai] pocilga *f*; **~tail** trenza *f* (*de pelo*), coleta *f*

pike [paik] pica *f*; lucio *m*

pile [pail] *s* pila *f*; montón

m; v/t ~ **up** amontonar;
acumular; *v/i* amontonarse; acumularse

pilfer ['pilfə] *v/t* ratear,
hurtar, sisar

pilgrim ['pilgrim] peregrino *m;* ~**age** peregrinación
f; romería *f*

pill [pil] píldora *f*

pillar ['pilə] pilar *m;* columna *f; fig* soporte *m;* ~
-box buzón *m* de cartas

pillion ['piljən] asiento *m*
trasero [cepo *m*]

pillory ['piləri] picota *f,*]

pillow ['piləu] almohada *f;*
~**case,** ~**slip** funda *f* de
almohada

pilot ['pailət] *s* piloto *m;*
mar práctico *m;* ~ **light**
lámpara *f* indicadora o testigo; *v/t* pilotear, pilotar;
guiar [barro *m*]

pimple ['pimpl] grano *m;*

pin [pin] *s* alfiler *m;* broche
m; mec pasador *m; v/t*
prender con alfileres; ~ **up**
sujetar; clavar

pincers ['pinsəz] tenazas
f/pl; pinzas *f*

pinch [pintʃ] *s* pellizco *m;*
aprieto *m;* apuro *m; v/t* pellizcar; hurtar, birlar; *v/i*
economizar; apretar

pine [pain] *s* pino *m; v/i* ~
away desfallecer; langui-
decer; ~ **for** ansiar; ~**-**
-apple ananás *m;* piña *f;* ~
-cone piña *f*

pinion ['pinjən] piñón *m*

pink [pink] *a* rosado; *s* clavel *m*

pinnacle ['pinəkl] ápice *m;*
cima *f*

pint [paint] pinta *f* (¹/₈ de
galón)

pioneer [paiə'niə] *s* explorador *m;* pionero *m, mil* zapador *m; v/t* explorar; *fig*
promover [voto]

pious ['paiəs] piadoso, de-)

pip [pip] semilla *f,* pepita *f*

pip|e [paip] *s* tubo *m,* caño
m; cañería *f;* caño *m* (del
órgano); pipa *f (de fumar);*
~**eline** tubería *f;* oleoducto
m; ~**ing** tubería *f*

pirate ['paiərit] *s* pirata *m;*
v/t piratear, plagiar

pistol ['pistl] pistola *f*

piston ['pistən] émbolo *m,*
pistón *m*

pit [pit] hoyo *m;* pozo *m;*
teat patio *m; Am* hueso *m*
(de frutas); abismo *m*

pitch [pitʃ] *s* pez *f;* grado *m*
de elevación o inclinación;
puesto *m;* tono *m;* tiro *m;*
mec, elec paso *m,* avance *m;*
diapasón *m; v/t* tirar; armar, montar; embetunar;
graduar; *v/i* caerse; *mar*
cabecear; ~ **into** embestir;
~**er** cántaro *m; dep* lanza-
dor *m;* ~**fork** *agr* horca *f*

piteous ['pitiəs] lastimero,
lastimoso

pitfall ['pitfɔ:l] trampa *f*

pith [piθ] médula *f*

piti|able ['pitiəbl] lastimo-
so; ~**ful** lastimoso, triste;
~**less** despiadado; inhumano

pity ['piti] *s* piedad *f,* lás-

tima *f*, compasión *f*; **it's a
~** es una lástima; *v/t* compadecer

pivot ['pivət] *s* pivote *m*;
muñón *m*; *v/i* girar sobre
un eje

placard ['plækɑːd] cartel *m*

place [pleis] *s* lugar *m*; sitio
m; puesto *m*; *mil* plaza *f*;
situación *f*; localidad *f*; región *f*; pasaje *m* (*de libro*);
in ~ of en lugar de; **to take
~** ocurrir; tener lugar; *v/t*
colocar; emplear; recordar

placid ['plæsid] plácido,
sosegado

plagiarism ['pleidʒərizəm]
plagio *m*

plague [pleig] *s* peste *f*;
plaga *f*; *v/t* atormentar

plaice [pleis] platija *f*

plaid [plæd] manta *f* escocesa

plain [plein] *a* llano, liso,
sencillo; corriente; manifiesto; *s* llanura *f*; **~-
-clothes man** policía *m o*
detective *m* vestido de
civil; **~ness** llaneza *f*; fealdad *f*

plaint|iff ['pleintif] demandante *m, f*; **~ive** plañidero;
dolorido

plait [plæt] pliegue *m*;
trenza *f* (*de cabello*)

plan [plæn] *s* plan *m*; esquema *m*; plano *m*; proyecto *m*; *v/t* proyectar, planear

plane [plein] *a* llano; *s* plano *m*; *fam* aeroplano *m*;
carp cepillo *m*; *v/t* allanar,
alisar, cepillar

planet ['plænit] planeta *m*

plank [plæŋk] *s* tabla *f*,
tablón *m*; *v/t* entarimar,
encofrar

plant [plɑːnt] *s* planta *f*,
vegetal *m*; planta *f*, instalación *f* industrial; equipo *m*;
v/t plantar; fijar, sentar;
~ation plantío *m*, plantación *f*; **~er** ['plɑːntə] cultivador *m*; hacendado *m*

plaque [plɑːk] placa *f*

plaster ['plɑːstə] *s* yeso *m*;
argamasa *f*, enlucido *m*;
farm parche *m*; **~ cast** escultura *f* vaciada en yeso;
med vendaje *m* de yeso; **~
of Paris** yeso *m* blanco;
v/t enyesar, enlucir; emplastar

plastic ['plæstik] *a, s* plástico *m*; **~s** plástica *f*

plate [pleit] *s* plato *m*; plancha *f*, chapa *f*; grabado *m*;
foto placa *f*; *v/t* platear

platform ['plætfɔːm] plataforma *f* (*t fig*); *f c* andén *m*;
estrado *m*

platinum ['plætinəm] platino *m*

platter ['plætə] plato *m*
grande; bandeja *f*

plausible ['plɔːzəbl] verosímil, plausible

play [plei] *s* juego *m*; *teat*
obra *f*; *mec* funcionamiento
m; *v/t* jugar a (*algún juego*);
~ chess jugar al ajedrez;
teat representar; tocar
(*música o instrumento*); **~
dead** hacerse el muerto; **~-
-back** reproducción *f* (*en*

gramófono, etc); ~**boy** calavera *m*, hombre *m* de mundo; ~**er** jugador *m*; actor *m*, actriz *f*; ~**ful** juguetón; festivo; ~**mate** compañero *m* de juegos; ~**thing** juguete *m*; ~**wright** dramaturgo *m*; autor *m*

plea [pli:] argumento *m*; súplica *f*; pretexto *m*; disculpa *f*; *for* alegato *m*

plead [pli:d] *v/t* defender una causa; alegar; excusarse con; *v/i* razonar; *for* abogar; ~ **guilty** confesarse culpable

pleas|ant ['plɛznt] agradable; ameno; grato; simpático; ~**e** [pliz] *v/t* gustar; complacer; contentar; agradar; *v/i* gustar de; dignarse; ~**e!** ¡por favor!; ~**ed** satisfecho; ~**ing** agradable; placentero; ~**ure** ['plɛʒə] placer *m*; satisfacción *f*

pleat [pli:t] *s* pliegue *m*; *v/t* plegar, plisar

pledge [plɛdʒ] *s* prenda *f*; fianza *f*; promesa *f*; *v/t* empeñar; prometer

plent|iful ['plentiful] abundante; ~**y** *s* abundancia *f*; profusión *f*; ~**y of** mucho, bastante

pliable ['plaiəbl] flexible; dócil

pliers ['plaiəz] alicates *m/pl*

plight [plait] aprieto *m*, apuro *m*

plimsolls ['plimsəlz] zapatillas *f/pl* de gimnasia

plod [plɔd] *v/i* fatigarse; andar laboriosamente

plot [plɔt] *s* solar *m*, parcela *f*; conspiración *f*; *teat* argumento *m*; *v/t* tramar; *v/i* conspirar; ~**ter** conspirador *m*

plough [plau] *s* arado *m*; *v/t*, *v/i* arar; ~**share** reja *f* de arado

pluck [plʌk] *s* ánimo *m*; valor *m*; *v/t* sacar, arrancar; desplumar *(aves)*; ~ **up courage** recobrar ánimo; ~**y** animoso, valiente

plug [plʌg] *s* taco *m*; tapón *m*; *v/t* tapar; ~ **in** enchufar; ~ **up** atorar

plum [plʌm] ciruela *f*; ~-**tree** ciruelo *m*

plumage ['plu:midʒ] plumaje *m*

plumb [plʌm] plomo *m*; ~**er** fontanero *m*; *SA* gasfitero *m*; ~**ing** instalación *f* de cañerías; fontanería *f*

plume [plu:m] pluma *f*; penacho *m*, plumero *m*

plump [plʌmp] *a* rollizo, regordete; *v/t* soltar, dejar caer; *v/i* caer a plomo; engordar

plum pudding ['plʌm 'pudiŋ] budín *m* de ciruelas

plunder ['plʌndə] *s* pillaje *m*; botín *m*; *v/t* saquear, pillar; ~**er** saqueador *m*

plunge [plʌndʒ] *s* zambullida *f*; *v/t* sumergir; *v/i* zambullirse, sumergirse; arrojarse; ~**r** *mec* émbolo *m*

plunk [plʌnk] *v/t* puntear
(*cuerdas*)

pluperfect ['plu:'pə:fikt]
pluscuamperfecto *m*

plural ['pluərəl] plural *m*

plus [plʌs] más; *mat* positivo

plush [plʌʃ] felpa *f*; **~y** felpudo

ply [plai] *s* pliegue *m*; do-
blez *m*; trenza *f* (*del hilado*);
chapa *f* (*de madera*); *v/i*
hacer servicio regular (*entre puertos, etc*); **~wood**
madera *f* laminada

pneumatic [nju(:)'mætik]
neumático

pneumonia [nju(:)'məuniə]
pulmonía *f*

poach [pəutʃ] *v/t* escalfar
(*huevos*); *v/i* cazar clandes-
tinamente; **~er** cazador *m*
furtivo

pocket ['pɔkit] *s* bolsillo *m*;
bolsa *f*; cavidad *f*; *v/t* embolsar; *fig* tragarse (*orgullo,
etc*); **~-book** monedero *m*;
libro *m* de bolsillo; **~-knife**
cortaplumas *m*

pod [pɔd] vaina *f*; pena *f*

poem ['pəuim] poesía *f*

poet ['pəuit] poeta *m*; **~ic**
[~'etik] poético; **~ry** poesía *f*

poignant ['pɔinənt] intenso; agudo, conmovedor

point [pɔint] *s* punto *m*;
punta *f*; promontorio *m*;
punzón *m*; punto *m* cardinal; **beside the ~** fuera de
propósito; **on the ~ of** a
punto de; **to come to the**

~ venir al caso; **to see the**
~ caer en la cuenta; *v/t*
apuntar; aguzar; *v/i a* at
señalar; **~blank** *a* directo; categórico; *adv* directamente; **~ed** puntiagu-
do; evidente; *arg* apunta-
do; **~er** indicador *m*, índice
m; manecilla *f*; perro *m* de
muestra; **~less** inútil, sin
sentido; sin gracia

poise [pɔiz] *s* equilibrio *m*;
serenidad *f*; *v/t* equilibrar

poison ['pɔizn] *s* veneno *m*;
fig ponzoña *f*; *v/t* envene-
nar; **~ing** envenenamiento
m; **~ous** venenoso

poke [pəuk] *s* empuje *m*; *v/t*
atizar (*fuego*); meter; asomar; **~ one's nose into**
meter las narices en; **~r**
hurgón *m*, atizador *m*; pó-
quer *m*

polar ['pəulə] polar; **~ bear**
oso *m* blanco; **~ lights** au-
rora *f* polar

Pol|and ['pəulənd] Polonia
f; **~e** polaco(a) *m* (*f*)

pole [pəul] *s* polo *m*; palo *m*;
vara *f*; *dep* garrocha *f*; *v/t*
empujar con un palo

police [pə'li:s] policía *f*; **~**
man policía *m*; guardia *m*;
~-station comisaría *f*; **~**
woman mujer *f* policía

policy ['pɔlisi] política *f*
(*práctica*); póliza *f* (*de segu-
ros*)

Polish ['pəuliʃ] polaco

polish ['pɔliʃ] *v/t* pulir,
barnizar; lustrar (*zapatos*);
s pulimento *m*; lustre *m*,

brillo m; betún m (de zapatos); **~ed** pulido; refinado
polite [pə'lait] cortés; atento; **~ness** cortesía f
politic|al [pə'litikəl] políti-
co; **~al economy** economía
f política; **~ian** [pɔli'tiʃən]
político m; **~s** ['pɔlitiks]
política f (abstracta)
poll [pəul] s encuesta f;
votación f; escrutinio m;
v/t votar; v/t escudriñar;
desmochar (árboles)
pollut|e [pə'luːt] v/t conta-
minar, corromper; **~ion**
contaminación f, corrup-
ción f   [(éster m)]
polyester ['pɔliestə] poli-}
polyp ['pɔlip] pólipo m
pomp ['pɔmp] pompa f;
fa(u)sto m; ceremonia f;
~ous pomposo
pond [pɔnd] estanque m;
charco m
ponder ['pɔndə] v/t ponde-
rar, examinar; v/i reflexionar; **~ous** pesado, laborioso
pontif|f ['pɔntif] pontífice
m; **~ical** [~'tifikəl] pontifi-
cal; **~icate** [~'tifikit] ponti-
ficado m
pony ['pɔuni] jaca f
poodle [puːdl] perro m de
lanas
pool [puːl] s charco m; piscina f; fig fondo m común;
quinielas f/pl; v/t manco-
munar, juntar
poor [puə] pobre; malo;
the ~ los pobres; **~ly** enfermizo; indispuesto

pop [pɔp] s taponazo m; detonación f; bebida f ga-
seosa; música f popular;
v/t disparar; v/i saltar; **~ in**
visitar de paso
Pope [pəup] papa m
poplar ['pɔplə] álamo m;
~grove alameda f
poppy ['pɔpi] amapola f
popula|r ['pɔpjulə] popular;
~rity [~'læriti] popularidad
f; **~te** ['~eit] v/t poblar;
~tion población f
porcelain ['pɔːsəlin] porcelana f
porch [pɔːtʃ] porche m
porcupine ['pɔːkjupain]
puerco m espín
pore [pɔː] s poro m; v/i **~
over** estudiar detenida-
mente
pork [pɔːk] carne f de cerdo
porous ['pɔːrəs] poroso
porpoise ['pɔːpəs] marsopa f   [f/pl de avena)]
porridge ['pɔridʒ] gachas}
port [pɔːt] puerto m; mar
babor m
portable ['pɔːtəbl] portátil
porter ['pɔːtə] portero m;
conserje m; mozo m de
cuerda; (especie de) cer-
veza f
portfolio [pɔːt'fəuljəu]
carpeta f; cartera f
portion ['pɔːʃən] s porción
f; parte f; dote m; **~ out** v/t
repartir; distribuir
portly ['pɔːtli] corpulento
portra|it ['pɔːtrit] retrato
m; **~yal** [pɔː'treiəl] representación f

Portuguese [pɔːtjuˈgiːz] *a*, *s* portugués(esa) *m* (*f*)
pose [pəuz] *s* postura *f*; afectación *f*; *v/t* poner; plantear (*problema*); *v/i* posar
position [pəˈziʃən] posición *f*; puesto *m*; opinión *f*; **to be in a ~ to** estar en condiciones de
positive [ˈpɔzətiv] *a* positivo; cierto; absoluto; *s* realidad *f*; *foto* positivo *m*; *gram* grado *m* positivo
possess [pəˈzes] *v/t* poseer; **~ed** poseído, poseso; **~ion** posesión *f*; **~ive** caso *m* posesivo; **~or** poseedor *m*
possib|ility [pɔsəˈbiliti] posibilidad *f*; **~le** [ˈpɔsəbl] posible; **~ly** posiblemente; quizás, quizá
post [pəust] *s* poste *m*; *mil* plaza *f*; puesto *m*, empleo *m*; correo *m*; **by return of ~** a vuelta de correo; *v/t* echar al correo; situar; contabilizar; **~age** portes *m/pl*; franqueo *m*; **~age stamp** sello *m* de correo, *SA* estampilla *f*; **~card** tarjeta *f* postal; **~ code** número *m* del distrito postal; **~er** cartel *m*; **~erity** [pɔsˈteriti] posteridad *f*; **~-free** libre de franqueo; **~humous** [ˈpɔstjuməs] póstumo; **~man** cartero *m*; **~master** administrador *m* de correos; **~ office** estafeta *f* de correos; **~-office box** apartado *m* de correos; **~-paid** con porte pagado
postpone [pəustˈpəun] *v/t* posponer, aplazar; **~ment** aplazamiento *m*, postergación *f*
postscript [ˈpəusskript] pos(t)data *f*
posture [ˈpɔstʃə] postura *f*; situación *f*
post-war [ˈpəustˈwɔː] de pos(t)guerra
posy [ˈpəuzi] ramillete *m* de flores
pot [pɔt] *s* marmita *f*; olla *f*; maceta *f*, tiesto *m*; *v/t* envasar; plantar en tiestos
potato [pəˈteitəu] patata *f*, *SA* papa *f*
potent [ˈpəutənt] potente; poderoso
potion [ˈpəuʃən] brebaje *m*
potter [ˈpɔtə] *s* alfarero *m*; *v/i* **~ about** ocuparse en fruslerías; **~y** alfarería *f*
pouch [pautʃ] saquito *m*; bolsa *f* postal
poulterer [ˈpəultərə] pollero *m*
poultice [ˈpəultis] cataplasma *m*
poultry [ˈpəultri] aves *f/pl* del corral
pounce [pauns] *v/i* lanzarse, saltar; **~ upon** arrojarse sobre
pound [paund] *s* libra *f* (*451 gramos*); **~ sterling** libra esterlina; *v/t* golpear; moler
pour [pɔː] *v/t* verter; echar; *v/i* fluir, correr
pout [paut] *s* puchero *m*; mueca *f*; *v/i* hacer pucheros

poverty ['pɔvəti] pobreza f
powder ['paudə] s polvo m;
pólvora f; **~** v/t pulverizar;
~-magazine santabárbara
f; **~-room** lavabo m para
damas; **~y** polvoriento;
empolvado
power ['pauə] poder m; poderío m; potencia f; facultad f; **~ of attorney** poder
m notarial; **~ful** poderoso;
potente; enérgico; **~less**
impotente; ineficaz; **~**
plant, **~ station** central f
eléctrica
practi|cable ['præktikəbl]
practicable; factible; **~cal**
práctico; **~ce** ['~tis] práctica f; **~se** v/t practicar;
ejercitar; ejercer(profesión);
v/i practicar, ejercer; entrenarse; **~tioner** [~'tiʃnə]
profesional m
prairie ['prɛəri] llanura f,
pampa f, SA sabana f
praise [preiz] s alabanza f;
v/t alabar, loar, elogiar; **~-**
worthy loable
pram [præm] cochecillo m
de niño
prance [prɑːns] v/i cabriolar
prank [præŋk] travesura f
prattle ['prætl] s parloteo
m; v/i parlotear
prawn [prɔːn] camarón m
pray [prei] v/t rogar; pedir;
v/i rezar, orar; **~er** [prɛə]
oración f, rezo m; súplica f;
~er book devocionario m
preach [priːtʃ] v/t, v/i predicar; **~er** predicador m

precarious [pri'kɛəriəs]
precario
precaution [pri'kɔːʃən]
precaución f
preced|e [pri(ː)'siːd] v/t
preceder, anteceder; **~ent**
['presidənt] precedente m
precept ['priːsept] precepto
m; mandato m
precinct ['priːsiŋkt] recinto
m; **~s** inmediaciones f/pl
precious ['preʃəs] a precioso; adv fam muy
precipi|ce ['presipis] precipicio m; **~tate** [pri'sipitit] a
precipitado; [~'eit] v/t, v/i
precipitar(se); **~tation** precipitación f; **~tous** escarpado
precis|e [pri'sais] preciso,
exacto; meticuloso; **~ion**
[~'siʒən] precisión f, exactitud f
precocious [pri'kəuʃəs]
precoz; **~ness** precocidad f
predatory ['predətəri] rapaz
predecessor ['priːdisesə]
predecesor m
predica|ment [pri'dikəmənt] apuro m; **~te** ['predikit] atributo m
predict [pri'dikt] v/t pronosticar; **~ion** predicción f,
pronóstico m
predisposition ['priːdispə'ziʃən] predisposición f,
propensión f
predomina|nt [pri'dɔminənt] predominante; **~te**
[~eit] v/i prevalecer, predominar

prefabricated ['pri:'fæbri-keitid] prefabricado

preface ['prefis] prefacio *m*

prefect ['pri:fekt] prefecto

prefer [pri'fз:] *v/t* preferir; **~able** ['prefərəbl] preferible; **~ence** ['prefərəns] preferencia *f*; **~ential** [prefə'renʃəl] preferente; privilegiado; **~ment** [pri'fз:-mənt] promoción *f*

prefix ['pri:fiks] prefijo *m*

pregnan|cy ['pregnənsi] preñez *f*, embarazo *m*; **~t** embarazada, encinta; *fig* fecundo, repleto

prejudice ['predʒudis] *s* prejuicio *m*; *v/t* predisponer, prevenir; perjudicar

preliminary [pri'liminəri] *a*, *s* preliminar *m*, preparatorio *m*

prelude ['prelju:d] preludio *m*

premature [premə'tjuə] prematuro

premeditat|e [pri(:)'mediteit] *v/t*, *v/i* premeditar; **~ion** premeditación *f*

premier ['premjə] primer ministro *m*

premises ['premisiz] local *m*, establecimiento *m*

premium ['pri:mjəm] premio *m*

preoccupied [pri(:)'ɔkju-paid] preocupado

prepar|ation [prepə'reiʃən] preparación *f*, preparado *m*; **~e** [pri'peə] *v/t* preparar; disponer; confeccionar; *v/i* prepararse

prepay ['pri:'pei] *v/t* pagar por adelantado

preposition [prepə'ziʃən] preposición *f*

prepossess [pri:pə'zes] *v/t* causar buena impresión; preocupar; **~ing** atractivo

preposterous [pri'pɔstərəs] absurdo

prescri|be [pris'kraib] *v/t* prescribir; ordenar; recetar; **~ption** [~'kripʃən] prescripción *f*; receta *f*

presence ['prezns] presencia *f*; **~ of mind** presencia *f* de ánimo

present ['preznt] *s* la actualidad; regalo *m*; *v/t* presentar; *a* presente; actual; **at ~** ahora; **to be ~ at** asistir a; **~ation** presentación *f*

presentiment [pri'zenti-mənt] presentimiento *m*

presently ['prezntli] dentro de poco; *Am* ahora, al presente

preserv|ation [prezə(:)'vei-ʃən] preservación *f*; conservación *f*; **~e** [pri'zз:v] *v/t* preservar; conservar; **~es** conservas *f/pl*

preside [pri'zaid] *v/t* presidir; **~ncy** [pri'zidənsi] presidencia *f*; **~nt** presidente *m*

press [pres] *s* prensa *f*; imprenta *f*; apretón *m*; *v/t* prensar; planchar (*ropa*); apretar; instar; apremiar; *v/i* apremiar; **~ing** *a* urgente; *s* planchado *m* (*de ropa*); **~ure** ['~ʃə] presión *f*; opresión *f*; **~ure**

cooker olla *f* de presión;
~ure gauge manómetro *m*
prestige [pres'ti:ʒ] prestigio
m; fama *f*
presum|able [pri'zju:məbli]
presumible; ~e *v/t* presumir, suponer; *v/i* jactarse
presumpt|ion [pri'zʌmp-
ʃən] presunción *f*, conjetura *f*; ~uous presumido;
arrogante; ~uousness pre-
sunción *f*; engreimiento *m*
presuppose [pri:sə'pəuz]
v/t presuponer
preten|ce [pri'tens] pretex-
to *m*; pretensión *f*; ~d *v/t*
aparentar, fingir; *v/i* simular; ~der pretendiente *m*
(*al trono*); ~sion pretensión *f*; demanda *f*; ~tious
presuntuoso; afectado
pretext ['pri:tekst] pretexto
m
pretty ['priti] *a* bonito,
lindo; *adv* bastante; algo
prevail [pri'veil] *v/i* prevalecer; estar en boga; tener
éxito, resultar efectivo; ~
on influir sobre; ~ing general; predominante
prevent [pri'vent] *v/t* prevenir; ~ion prevención *f*;
impedimento *m*; ~ive pre-
ventivo; impeditivo
previous ['pri:vjəs] previo;
anterior; ~ly previamente,
con anterioridad
pre-war ['pri:'wɔ:] de preguerra
prey [prei] *s* presa *f*; **bird
of** ~ ave *f* de rapiña; *v/i* ~
on pillar; agobiar

price [prais] *s* precio *m*;
valor *m*; **fixed** ~ precio fijo; **at any** ~ cueste lo que
cueste; *v/t* valuar, tasar;
~less inapreciable; ~ **list**
lista *f* de precios
prick [prik] *s* pinchazo *m*,
picadura *f*; puntura *f*; *v/t*
picar, pinchar, punzar; ~
one's ears aguzar las orejas; ~le aguijón *m*, espina *f*;
~ly espinoso
pride [praid] *s* orgullo *m*;
soberbia *f*; *v/r* ~ **oneself
on** jactarse de
priest [pri:st] sacerdote *m*
primar|ily ['praimərili] en
primer lugar; ~y primario;
~y colours colores *m/pl*
elementales; ~y school escuela *f* primaria
prime [praim] principal,
primero; primo, selecto; ~
minister primer ministro
m; ~r cartilla *f*
primitive ['primitiv] primitivo
primrose ['primrəuz] primavera *f*, prímula *f*
prince [prins] príncipe *m*;
~ly regio; magnífico; ~ss
[~'ses] princesa *f*
principal ['prinsəpəl] *a*
principal; *s* principal *m*,
director *m*; ~ity [prinsi-
'pæliti] principado *m*
principle ['prinsəpl] principio *m*; **on** ~ por principio
print [print] *s* impresión *f*;
grabado *m*; **in** ~ impreso;
out of ~ agotado; *v/t* imprimir; escribir con letra

de imprenta; **foto** copiar;
~ed matter impresos
m/pl; **~er** impresor m;
impresión f; tipografía f;
~ing office imprenta f

prior ['praiə] a anterior;
previo; s prior m; **~ity**
[~'ɔriti] prioridad f

prison ['prizn] prisión f;
cárcel f; ~er m; pri-
sionero m; **to take ~er**
apresar

priva|cy ['privəsi] retiro m;
intimidad f; **~te** ['praivit]
privado, particular; secreto
m

privation [prai'veiʃən] priva-
ción f

privilege ['privilidʒ] privilegio m; **~d** privilegiado

prize [praiz] s premio m; fig
galardón m; presa f; v/t
apreciar; valuar, tasar

probab|ility [prɔbə'biliti]
probabilidad f; **~le** [~'ɔbl]
probable, verosímil

prob|ation [prə'beiʃən]
prueba f; for libertad f
condicional; **~e** [prəub] v/t
sondar; investigar; s sonda
f; tienta f

problem ['prɔbləm] problema m

proce|dure [prə'si:dʒə] s
procedimiento m; proceder
m; **~ed** [~'si:d] v/i proceder; seguir su curso; **~ed-
ings** for proceso m; actos
f/pl; **~eds** [prəusi:dz] producto m, rédito m

process ['prəuses] s proceso
m; progreso m; v/t elabo-
rar; for procesar; **~ion**

[prə'seʃən] procesión f, desfile m; cortejo m (fúnebre)

procla|im [prə'kleim] v/t
proclamar, declarar; **~
mation** [prɔklə'meiʃən]
proclamación f; bando m,
edicto m

procure [prə'kjuə] v/t con-
(seguir)

prodigal ['prɔdigəl] pródigo; lujuriante

prodig|ious [prə'didʒəs]
prodigioso; **~y** ['prɔdidʒi]
prodigio m; **infant ~y** niño
m prodigio

produce ['prɔdju:s] s producto m (de la tierra);
[prə'dju:s] v/t producir;
rendir; fabricar; poner en
escena (obra de cine, teatro);
~r productor m; director m
(de obras de teatro o cine)

product ['prɔdʌkt] producto m, resultado m; **~ive**
[prə'dʌktiv] productivo;
fructífero

profane [prə'fein] profano;
sacrílego

profess [prə'fes] v/t profe-
sar; manifestar; simular;
~ed declarado; supuesto;
~ion carrera f, profesión f;
~ional profesional; **~or**
catedrático m; profesor m

proficien|cy [prə'fiʃənsi]
pericia f; habilidad f; **~t** ex-
perimentado; perito

profile ['prəufail] perfil m,
silueta f

profit ['prɔfit] s provecho m;
ganancia f; beneficio m;
~ and loss pérdidas y ganancias; v/i aprovechar;

v/t servir; **~able** provechoso

profound [prə'faund] profundo; grande

profusion [prə'fju:ʒən] profusión *f*

prognosis [prɔg'nəusis] pronóstico *m*

programme ['prəugræm] programa *m*

progress ['prəugres] *s* progreso *m*; [~'gres] *v/i* progresar, adelantar; **~ive** progresivo; *pol* progresista

prohibit [prə'hibit] *v/t* prohibir; **~ion** [prəui'biʃən] prohibición *f*; **~ive** [~'hibitiv] prohibitivo

project ['prɔdʒekt] *s* proyecto *m*; plan *m*; [prə'dʒekt] *v/t* proyectar; *v/i* sobresalir; **~ion** proyección *f*; planeamiento *m*; *arq* voladizo *m*; **~or** proyector *m*; proyectista *m* (*logo* **~o**)

prologue ['prəulɔg] prólogo

prolong [prəu'lɔŋ] *v/t* extender, prorrogar, prolongar; **~ation** extensión *f*, prórroga *f*

promenade [prɔmi'nɑ:d] *s* paseo *m*; *v/i* pasearse

prominent ['prɔminənt] prominente

promis|e ['prɔmis] *s* promesa *f*; esperanza *f*; *v/t, v/i* prometer, dar esperanza; **~ing** prometedor; **~sory** [~əri] *note* pagaré *m*

promontory ['prɔməntri] promontorio *m*

promot|e [prə'məut] *v/t*

promover; fomentar; ascender; **~er** promotor *m*; gestor *m*; **~ion** promoción *f*; *com* fomento *m*; propaganda *f*

prompt [prɔmpt] *a* pronto; rápido; *v/t* incitar; impulsar; **~er** *teat* apuntador *m*

prone [prəun] postrado

prong [prɔŋ] púa *f*, diente *m* (*de tenedor*)

pronoun ['prəunaun] pronombre *m*

pronounc|e [prə'nauns] *v/t* pronunciar; articular; **~ed** marcado; fuerte

pronunciation [prənʌnsi'eiʃən] pronunciación *f*

proof [pru:f] *s* prueba *f*; comprobación *f*; *a* a prueba de; *v/t* probar

prop [prɔp] *s* soporte *m*; puntal *m*; *v/t* apuntalar

propaga|te ['prɔpəgeit] *v/t* propagar; diseminar; **~tion** propagación *f*, divulgación *f*

propel [prə'pel] *v/t* impulsar; **~ler** hélice *f*; impulsor *m*, propulsor *m*

proper ['prɔpə] propio; particular; atinado, correcto; decoroso; **~ty** propiedad *f*

prophe|cy ['prɔfisi] vaticinio *m*, profecía *f*; **~sy** [~'ai] *v/t* profetizar; **~[~'fit]** profeta *m*

proportion [prə'pɔ:ʃən] *s* proporción *f*; **~s** dimensiones *f/pl*

propos|al [prə'pəuzəl] pro-

puesta f, proposición f; ~e
v/t proponer; v/i declararse, pedir la mano; ~ition
[propə'ziʃən] proposición f;
propuesta f; asunto m

propriet|ary [prə'praiətəri]
patentado; ~or, ~ress [~ris]
propietario/a) m (f)

propulsion   [prə'pʌlʃən]
propulsión f

prose [prauz] prosa f

prosecut|e ['prɔsikjuːt] v/t
for procesar; proseguir;
~ion prosecución f; for
parte f acusadora; ~or demandante m; fiscal m

prospect ['prɔspekt] s perspectiva f; expectativa f;
vista f; [prəs'pekt] v/i, v/t
explorar; ~or prospector m

prospectus   [prəs'pektəs]
prospecto m

prosper ['prɔspə] v/i prosper-
rar; ~ity [~'periti] prosper-
ridad f; ~ous ['~pərəs]
próspero

prostitute ['prɔstitjuːt] s
prostituta f, ramera f; v/t
prostituir

prostrate ['prɔstreit] a postrado; [prɔs'treit] v/t postrar;
~ oneself postrarse

protect [prə'tekt] v/t proteger, amparar; ~ion pro-
tección f, amparo m; ~ive
protector; com proteccio-
nista

protest ['prautest] s protesta f; protesta f m (de una
letra); [prə'test] v/t protestar; afirmar; ~ a bill protestar una letra de cambio;

2ant ['prɔtistənt] a, s protestante m, f; ~ation [prəu-
tes'teiʃən] protestación f

protract [prə'trækt] v/t
alargar; prolongar

protrude [prə'truːd] v/i salir
fuera

proud [praud] orgulloso;
soberbio

prove [pruːv] v/t probar;
v/i resultar

proverb ['prɔvəːb] refrán
m; proverbio m; ~ial [prə-
'vəːbjəl] proverbial

provide [prə'vaid] v/t proveer; abastecer; proporcionar; v/i ~ against preca-
verse de; prepararse para;
~d (that) con tal que,
siempre que

providence ['prɔvidəns]
providencia f

provinc|e ['prɔvins] pro-
vincia f; ~ial [prə'vinʃəl]
provincial

provision [prə'viʒən] provisión f; medida f; ~al provisional; ~s
provisiones f/pl

provo|cation [prɔvə'keiʃən]
provocación f; ~cative
[prə'vɔkətiv] provocativo,
provocador; ~ke [~'vəuk]
v/t provocar

prow [prau] mar proa f

prowl [praul] v/i rondar

proximity [prɔk'simiti]
proximidad f

proxy ['prɔksi] procuración
f, poder m; apoderado m

prud|e [pruːd] mojigato(a)
m (f); ~ence prudencia f;

discreción *f*; **~ent** prudente, discreto; **~ish** gazmoño

prune [pru:n] *s* ciruela *f* pasa; *v/t*, *v/i* podar

psalm [sɑ:m] salmo *m*

pseudonym ['psju:dənim] seudónimo *m*

psychiatr|ist [sai'kaiətrist] psiquiatra *m*; **~y** psiquiatría *f*

psych|ological [saikə'lɔdʒikəl] psicológico; **~ological warfare** guerra *f* psicológica; **~ologist** [sai'kɔlədʒist] psicólogo *m*; **~ology** [~'kɔlədʒi] psicología *f*

pub [pʌb] *fam* taberna *f*, cantina *f*, bar *m*

puberty ['pju:bəti] pubertad *f*

publi|c ['pʌblik] *a* público; **~c debt** deuda *f* del Estado; **~c-house** taberna *f*, bar *m*; **~c prosecutor** fiscal *m*; **~c school** escuela *f* particular; **~c welfare** salud *f* pública; *s* público *m*; **in ~c** públicamente; **~cation** publicación *f*; **~city** [~'lisiti] publicidad *f*; **~sh** ['pʌbliʃ] *v/t* publicar; editar; **~shing house** casa *f* editorial

pudding ['pudiŋ] budín *m*

puddle ['pʌdl] charco *m*

puff [pʌf] *s* soplo *m*; bocanada *f*; borla *f*; *coc* bollo *m*; **~ of wind** soplido *m* de aire; *v/t* soplar; fumar; *v/i* resoplar, jadear; *fig* hincharse; **~ paste** hojaldre *m*; **~y** hinchado; jadeante

pull [pul] *v/t* tirar (de); sacar; arrastrar; **~ down** demoler; **~ out** arrancar; **~ up** detener, parar; *s* tirón *m*; tirador *m*; trago *m*; **~er** tirador *m*

pulley ['puli] polea *f*; garrucha *f*

pull-over ['puləuvə] jersey *m*, *SA* pulóver *m*

pulp [pʌlp] pulpa *f*

pulpit ['pulpit] púlpito *m*

puls|ate [pʌl'seit] *v/i* latir; **~ation** latido *m*, pulsación *f*; **~e** pulso *m*

pulverize ['pʌlvəraiz] *v/t* pulverizar; triturar

pump [pʌmp] *s* bomba *f*; *v/t* bombear; sonsacar; tantear

pumpkin ['pʌmpkin] calabaza *f*

pun [pʌn] retruécano *m*

punch [pʌntʃ] *s* puñetazo *m*; punzón *m*; ponche *m*; *v/t* dar puñetazos; punzar

Punch [pʌntʃ] Pulchinela *m*; **~ and Judy** ['dʒu:di] **show** teatro *m* de títeres

punctual ['pʌŋktjuəl] puntual

punctua|te ['pʌŋktjueit] *v/t* puntuar; **~tion** puntuación *f*; **~tion mark** signo *m* de puntuación

puncture ['pʌŋktʃə] *s* pinchazo *m*; puntura *f*; *v/t* pinchar; punzar

pungent ['pʌndʒənt] picante; mordaz

punish ['pʌniʃ] *v/t* castigar; **~ment** castigo *m*

punt [pʌnt] *s* batea *f*; *v/i* ir
en batea   [débil)
puny ['pju:ni] diminuto;
pupil ['pju:pl] pupilo(a) *m*
(*f*); *anat* pupila *f*
puppet ['pʌpit] títere *m*
puppy ['pʌpi] cachorro *m*
purchas|e ['pə:tʃəs] *s* com-
pra *f*; *v/t* comprar; **~ing
power** poder *m* adquisitivo
pure [pjuə] puro; **~ly** puramente
purg|ative ['pə:gətiv] pur-
gante; **~atory** purgatorio
m; **~e** [pə:dʒ] *s med* purgante *m*; *pol* purga *f*; depura-
ción *f*; *v/t med* purgar; *pol*
depurar
purify ['pjuərifai] *v/t* purificar, depurar
purity ['pjuəriti] pureza *f*
purple ['pə:pl] *a* purpúreo;
morado; *s* púrpura *f*
purpose ['pə:pəs] *s* propósito *m*; resolución *f*; **on ~**
de propósito, adrede; **to no
~** en vano; *v/t, v/i* propo-
ner(se); **~ful** resuelto; **~ly**
de propósito
purr [pə:] *v/i* ronronear
purse [pə:s] *s* portamonedas
m; *v/t* fruncir; **~r** *mar* so-
brecargo *m*
pursu|e [pə'sju:] *v/t* perse-
guir; proseguir; ejercer;
~er perseguidor *m*; **~it**
[~u:t] persecución *f*; prose-

cución *f*; ocupación *f*, actividad *f*
purveyor [pə:'veiə] prove-
edor *m*
pus [pʌs] pus *m*
push [puʃ] *s* empujón *m*;
impulso *m*; empuje *m*, brío
m; *v/t* empujar, impeler;
~ back echar atrás; rechazar; *v/i* pujar
puss [pus], **pussy(-cat)** minino *m*, michino *m*
put [put] *v/t* poner, colocar;
echar; exponer; presentar;
~ down apuntar; reprimir;
~ off aplazar; **~ on** ponerse (*ropa, etc*); encender; **~ out** poner afuera;
extender; apagar; irritar;
desconcertar; **~ through**
tel comunicar; **~ up** hospedar; montar (*una máquina*);
elevar; *v/i* **~ up with**
aguantar
putrefy ['pju:trifai] *v/i* pudrirse
putrid ['pju:trid] podrido,
putrefacto
putty ['pʌti] masilla *f*
puzzle ['pʌzl] *s* rompecabe-
zas *m*; problema *m*; *v/t* embrollar, confundir; *v/i* estar
intrigado
pyjamas [pə'dʒɑ:məs] pijama *m*
pyramid ['pirəmid] pirámide *f*

Q

quack [kwæk] *s* curandero *m*; *v/i* graznar; **~ery** curandería *f*

quadrangle ['kwɔdræŋgl] cuadrángulo *m*; patio *m*

quadruped ['kwɔdruped] cuadrúpedo *m*

quadruple ['kwɔdrupl] cuádruplo *m*; **~ts** [~lits] cuatrillizos *m/pl*

quail [kweil] *s orn* codorniz *f*; *v/i* acobardarse

quaint [kweint] raro, extraño; exótico

quake [kweik] *s* temblor *m*; *v/i* temblar; trepidar

qualif|ication [kwɔlifi'keiʃən] calificación *f*; idoneidad *f*; requisito *m*; **~ied** ['~faid] calificado; capacitado; apto; limitado, condicional; **~y** ['~fai] *v/t* calificar, habilitar; *v/i* ser apto; ser aprobado

quality ['kwɔliti] cualidad *f*; calidad *f*, clase *f*

qualm [kwɑːm] náusea *f*; escrúpulo *m*

quandary ['kwɔndəri] apuro *m*, dilema *m*

quantity ['kwɔntiti] cantidad *f*; cuantía *f*

quarantine ['kwɔrəntiːn] *s* cuarentena *f*; *v/t* poner en cuarentena

quarrel ['kwɔrəl] *s* disputa *f*, querella *f*, riña *f*, reyerta *f*; *v/i* disputarse; pelear, reñir; **~some** pendenciero, reñidor

quarry ['kwɔri] cantera *f*; presa *f*

quarter ['kwɔːtə] *s* cuarta *f*; cuarta parte *f*; cuarto *m*; *mil* cuartel *m*; barrio *m* (*de ciudad*); **a ~ to**, **past** un cuarto para (la hora), (la hora) y cuarto; *v/t* hospedar; *mil* acuartelar; **~ly** *a* trimestral; *s* publicación *f* trimestral; **~s** alojamiento *m*; morada *f*; *mil* cuartel *m*

quartet(te) [kwɔː'tet] *mús* cuarteto *m*

quaver ['kweivə] *v/i* hablar en tono trémulo

quay [kiː] muelle *m*, (des-) embarcadero *m*

queen [kwiːn] reina *f*

queer [kwiə] raro, extraño; indispuesto

quench [kwentʃ] *v/t* apagar (*fuego*); calmar (*sed*)

querulous ['kwerʊləs] quejumbroso; irritable

query ['kwiəri] *s* pregunta *f*; cuestión *f*; *v/t* inquirir; poner en duda

quest [kwest] búsqueda *f*; indagación *f*

question ['kwestʃən] *s* pregunta *f*; cuestión *f*; asunto *m*; **out of the ~** imposible; *v/t*, *v/i* interrogar; preguntar; dudar de; **~able** discutible; dudoso; **~naire** [~stiə'neə] cuestionario *m*

queue [kju:] cola *f*; *v/i* ~ **up**
hacer cola
quick [kwik] rápido; ágil;
vivo; agudo; **to be ~** darse
prisa; ~**en** *v/t* avivar; acelerar; ~**ness** rapidez *f*; viveza *f*; ~**sand** arena *f* movediza; ~**set** seto *m* vivo;
~**silver** mercurio *m*; ~
-witted listo, despierto
quid [kwid] *fam* libra *f* esterlina
quiet ['kwaiət] *a* quieto;
silencioso; *s* sosiego *m*; calma *f*; silencio *m*; *v/t* calmar, aquietar; ~**ness**, ~**ude**
['~itju:d] quietud *f*; silencio *m*; tranquilidad *f*
quill [kwil] cañón *m* de la
pluma; púa *f*; *tecn* canilla *f*
quilt [kwilt] colcha *f*
quince [kwins] membrillo *m*
quinine [kwi'ni:n] quinina
f

quintuple ['kwintjupl]
quíntuple; *v/t*, *v/i* quintu-
plicar(se); ~**ts** ['~lits] quintillizos *m/pl*
quit [kwit] *v/t* dejar; abandonar; *v/i* desistir, cesar
quite [kwait] totalmente;
bastante; muy; ~ **so!** ¡de
acuerdo!
quiver ['kwivə] *s* aljaba *f*;
temblor *m*; *v/i* temblar;
estremecerse
quiz [kwiz] *s* enigma *m*; serie *f* de preguntas; *t v* programa *m* de preguntas; *v/t*
examinar
quota ['kwautə] cuota *f*
quot|ation [kwəu'teiʃən] *lit*
cita *f*, citación *f*; *com* coti-
zación *f*; precio *m*; ~**ation
marks** comillas *f/pl*; ~**e**
v/t citar; cotizar
quotient ['kwəuʃənt] c(u)o-
ciente *m*

R

rabbi ['ræbai] rábino *m*
rabbit ['ræbit] conejo *m*
rabble ['ræbl] chusma *f*
rabi|d ['ræbid] rabioso; ~**es**
['reibi:z] rabia *f*, hidro-
fobia *f*.
race [reis] *s* raza *f*, casta *f*;
carrera *f* (*de caballos, co-
ches*); *v/i*. correr de prisa;
competir; ~**course** hipódromo *m*; ~**r** caballo *m* de
carreras
racial ['reiʃəl] racial
rack [ræk] *s* colgadero *m*;
percha *f*; rejilla *f*; potro *m*

de tormento; pesebre *m*;
v/t torturar; ~ **one's
brains** devanarse los sesos
racket ['rækit] raqueta *f*;
alboroto *m*; *fam* estafa *f*
racoon [rə'ku:n] mapache *m*
racy [reisi] vigoroso; picante; atrevido
radar ['reidə] radar *m*
radian|ce ['reidjəns] brillo
m, resplandor *m*; ~**t** brillante, resplandeciente
radi|ate ['reidieit] *v/t* ra-
diar; emitir; ~**ation** ra-
diación *f*; irradiación *f*; ~**a-**

tor radiador *m*; **~o** ['rei-
diəu] radio *f* (*emisión*); radio *f*, SA *m* (*aparato*);
~o(-)active radiactivo; **~o-
-set** aparato *m* de radio

radish ['rædiʃ] rábano *m*

radius ['reidjəs] radio *m*

raffle ['ræfl] *s* rifa *f*; lotería
f; *v/t* rifar; sortear

raft [rɑːft] balsa *f*

rag [ræg] trapo *m*

rag|e [reidʒ] *s* rabia *f*; furia
f; *v/i* rabiar; **~ing** violento

raid [reid] *s* incursión *f*;
ataque *m*; *v/t* atacar; invadir

rail [reil] baranda *f*; *f* c riel
m, carril *m*; **by ~** por ferrocarril; **~ings** barandilla *f*;
balaustrada *f*; **~road** Am
= **railway**; **~way** ferrocarril *m*; **~wayman** ferro-
viario *m*

rain [rein] *s* lluvia *f*; *v/i* llover; **~ cats and dogs** llo-
ver a cántaros; **~bow** ['~-
bəu] arco *m* iris; **~coat** impermeable *m*, **~y** lluvioso;
a ~y day *fig* tiempos *m/pl*
de necesidad

raise [reiz] *v/t* levantar; elevar; criar, educar (*niños*);
formular (*preguntas*, etc);
subir (*precio*); juntar (*dinero*); **~ one's glass to** brindar por

raisin ['reizn] pasa *f*

rake [reik] *s* rastrillo *m*; li-
bertino *m*; *v/t* rastrillar;
barrer

rally ['ræli] *s* reunión *f* popular; *v/t* reunir; *v/i* congregarse; reanimarse

ram [ræm] *s* zool morueco
m; carnero *m*; tecn ariete *m*
hidráulico; martinete *m*;
pisón *m*; *v/t* apisonar, piso-
near

ramble ['ræmbl] *s* paseo *m*;
v/t vagar; divagar; **~r** vagabundo *m*

ramp [ræmp] rampa *f*;
~art ['~ɑːt] terraplén *m*;
muralla *f*.

ranch [rɑːntʃ] estancia *f*;
hacienda *f*; SA rancho *m*;
~er ganadero *m*, hacendado
m; SA ranchero *m*

rancid ['rænsid] rancio

rancour ['ræŋkə] rencor *m*

random ['rændəm]: **at ~** a
la ventura; al azar

range [reindʒ] *s* extensión *f*;
alcance *m*; fila *f*; orden *m*;
pradera *f*; **within ~ of** al
alcance de; *v/t* arreglar,
clasificar; *v/i* vagar; variar,
fluctuar; **~r** guardia *m*
montado; mil comando *m*

rank [ræŋk] *s* línea *f*; mil
fila *f*; grado *m*, rango *m*;
calidad *f*; *v/t* clasificar; ordenar; *v/i* tener un grado;
a exuberante; espeso; de
mal olor; acabado.

ransack ['rænsæk] *v/t* saquear

ransom ['rænsəm] *s* resca-
te *m*; *v/t* rescatar

rap [ræp] *v/t* golpear; *v/i*
dar golpes; *s* golpe *m* seco

rapacious [rə'peiʃəs] rapaz

rape [reip] *s* estupro *m*; ultraje *m*; *v/t* violar, estuprar

rapid ['ræpid] rápido; **~ity**

193

read

[rə'piditi] rapidez f; velocidad f

rapt [ræpt] transportado, extasiado; **~ure** rapto m, éxtasis m

rar|e [reə] raro; precioso; **~ity** rareza f; singularidad f

rascal ['rɑ:skəl] pícaro m; bellaco m; granuja m; **~ly** bajo, rastrero

rash [ræʃ] a temerario; imprudente; s erupción f

rasher ['ræʃə] lonja f de tocino

rasp [rɑ:sp] s raspador m; rallo m; sonido m estridente; v/t raspar; rallar; **~berry** ['rɑ:zbəri] frambuesa f

rat [ræt] zool rata f; fam esquirol m; **to smell a ~** haber gato encerrado; v/t cazar ratas

rate [reit] s tasa f; proporción f, razón f; tipo m; valor m; clase f; velocidad f; **at any ~** de todos modos; **~ of exchange** tipo m de cambio; v/t tasar; clasificar; estimar

rather ['rɑ:ðə] más bien; antes; mejor dicho; bastante, algo; **I would ~** prefiero

ratify ['rætifai] v/t ratificar; confirmar

ration ['ræʃən] s ración f; v/t racionar; **~ing** racionamiento m

rational ['ræʃənl] racional; razonable; **~ize** ['~ʃnəlaiz] v/t racionalizar

rattle ['rætl] s matraca f, cascabel m; cascabeleo m, traqueteo m; v/t sacudir con ruido; v/i matraquear; **~snake** culebra f de cascabel

ravage ['rævidʒ] v/t devastar, asolar; s devastación f, estrago m

rave [reiv] v/i delirar; rabiar

raven [reivn] orn cuervo m; **~ous** ['rævənəs] voraz, rapaz; famélico

ravine [rə'vi:n] barranca f, hoz f

ravings ['reivinz] delirio m; devaneos m/pl

ravish ['ræviʃ] v/t arrebatar, encantar

raw [rɔ:] crudo; pelado; novato; rudo; com en bruto; **~ cotton** algodón m en rama; **~ flesh** carne f viva; **~ material** materia f prima; **~ silk** seda f cruda

ray [rei] rayo m; ict raya f

rayon ['reiən] rayón m

razor ['reizə] navaja f de afeitar

reach [ri:tʃ] s alcance m; extensión f; facultad f; **within ~ of** al alcance de; v/t alcanzar; llegar a; tocar; v/i extenderse; llegar; **~ out one's hand** tender la mano

react [ri(:)'ækt] v/i reaccionar; **~ion** reacción f; **~ionary** [~ʃnəri] reaccionario m; **~or** reactor m (nuclear)

read [ri:d] v/t leer; interpretar; registrar; v/i rezar; (saber) leer; **~ aloud** leer

en voz alta; ~**able** legible; leíble; ~**er** lector *m*

readi|ly ['redili] prontamente; fácilmente; ~**ness** disposición *f* favorable; estado *m* de alerta

reading ['riːdiŋ] lectura *f*; interpretación *f*

readjust [riːə'dʒʌst] *v/t* reajustar

ready ['redi] listo, preparado, dispuesto; ~**made** hecho; ~ **money** dinero *m* disponible

real [riəl] real, verdadero; genuino; ~ **estate**, ~ **property** bienes *m/pl* raíces; inmuebles *m/pl*; ~**ism** realismo *m*; ~**ist** realista *m*; ~**istic** realista; ~**ity** [riː'æliti] realidad *f*; ~**ize** *v/t com* realizar; darse cuenta de; hacerse cargo de; ~**ly** realmente, efectivamente

realm [relm] reino *m*

realtor ['riəltə] *Am* corredor *m* de bienes raíces

reap [riːp] *v/t* segar; cosechar; ~**er** segador *m*; segadora *f* mecánica

reappear ['riːə'piə] *v/i* reaparecer; ~**ance** reaparición *f*

rear [riə] *a* trasero; posterior; *s* fondo *m*; *v/t* levantar; construir; criar; ~**admiral** contraalmirante *m*; ~**guard** retaguardia *f*

rearm ['riː'ɑːm] *v/t* rearmar; ~**ament** rearme *m*

reason ['riːzn] *s* razón *f*, motivo *m*; sensatez *f*; **by** ~

of a causa de; *v/t* razonar; argüir; *v/i* discutir; ~**able** razonable, justo; módico (*precio*); ~**ing** razonamiento *m*

reassure [riːə'ʃuə] *v/t* tranquilizar, satisfacer; *com* reasegurar

rebate ['riːbeit] *s* descuento *m*; disminución *f*; *v/t*, *v/i* rebajar, descontar

rebel ['rebl] *a*, *s* rebelde *m*; insurrecto *m*; [ri'bel] *v/i* sublevarse; rebelarse; ~**lion** [ʌ'beljən] rebelión *f*; sublevación *f*; ~**lious** [ʌ'beljəs] rebelde; faccioso

rebound [ri'baund] *v/i* rebotar; repercutir

rebuff [ri'bʌf] *s* repulsa *f*; desaire *m*; *v/t* rechazar; desairar

rebuild ['riː'bild] *v/t* reconstruir

rebuke [ri'bjuːk] *s* reproche *m*; repulsa *f*; *v/t* reprender; censurar; reprochar

recall [ri'kɔːl] *s* revocación *f*; recordación *f*; retirada *f*; **beyond** ~ irrevocable; *v/t* revocar; retirar; recordar

recapture [riː'kæptʃə] *s* represa *f*; *v/t* volver a tomar; recobrar

recede [ri(ː)'siːd] *v/i* retroceder, retirarse

receipt [ri'siːt] *s* recepción *f*; recibo *m*; receta *f*; ~**s** entradas *f/pl*, ingresos *m/pl*

receive [ri'siːv] *v/t* recibir; cobrar; aceptar, admitir; acoger; ~**r** recibidor *m*;

195   recumbent

(radio, teléfono) auricular
m; for síndico m
recent ['riːsnt] reciente; **-ly
married** recién casados
reception [ri'sepʃən] recepción f; acogida f; **-ist** reci-
bidor(a) m(f), SA recep-
cionista m, f
receptive [ri'septiv] recep-
tivo
recess [ri'ses] nicho m; retiro m; **-ion** recesión f (eco-
nómica)   [guisar)
recipe ['resipi] receta f (de)
recipient [ri'sipiənt] recipiente m; recibidor m
reciprocal [ri'siprəkəl] re-
cíproco; mutuo
recit|al [ri'saitl] narración
f; mús, teat recital m; **-e**
recitar, declamar; narrar
reckless ['reklis] temerario,
imprudente
reckon ['rekən] v/t contar;
considerar; **- with** tomar
en cuenta; **-ing** ['-niŋ]
cálculo m; cómputo m
reclaim [ri'kleim] v/t reclamar
recline [ri'klain] v/t reclinar; v/i recostarse
recognition [rekəg'niʃən]
reconocimiento m; **-ze**
['rekəgnaiz] v/t reconocer;
admitir
recoil [ri'kɔil] v/i retroceder; disgustarse
recollect [rekə'lekt] v/t recordar, acordarse de; **-ion**
recuerdo m
recommend [rekə'mend]
v/t recomendar; proponer;

-ation recomendación f;
sugerencia f
recompense ['rekəmpens] s
recompensa f; compensa-
ción f; v/t recompensar
reconcil|e ['rekənsail] v/t
(re)conciliar; **-iation** [-sili-
li'eiʃən] f reconciliación f
reconsider ['riːkən'sidə]
v/t volver a considerar
reconstruct ['riːkəns'trʌkt]
v/t reconstruir; reedificar
record ['rekɔːd] s registro
m; acta f, documento m;
relación f; dep récord m;
disco m; **on -** registrado;
off the - confidencialmen-
te; inoficial; [ri'kɔːd] v/t registrar; relatar; marcar;
grabar (discos o cintas); **-er**
registrador m; (máquina)
grabadora f; for juez m
municipal; mec contador
m; **-ing** grabación f; **-
-player** tocadiscos m
recourse [ri'kɔːs] recurso
m; expediente m; **to take
- to** recurrir a
recover [ri'kʌvə] v/t recuperar, recobrar; v/i repo-
nerse; **-y** recuperación f;
restablecimiento m
recreation [rekri'eiʃən] re-
creación f; recreo m
recruit [ri'kruːt] s recluta
m; v/t, v/i reclutar
rectify ['rektifai] v/t rectificar
rector ['rektə] rector m;
cura m; **-y** rectoría f
recumbent [ri'kʌmbənt]
reclinado

7*

recur [ri'kə:] v/i repetirse;
volver (*enfermedad, etc*); **~-
rent** [ri'kʌrənt] periódico m;
recurrente

red [red] rojo; encarnado;
colorado; (*vino*) tinto; **~-
den** v/i ruborizarse; **~dish**
rojizo

rede|em [ri'di:m] v/t redi-
mir, rescatar; compensar;
~emer redentor m; salvador m; **~mption** [ri'demp-
ʃən] redención f

red|-haired [redhɛəd] pe-
lirrojo; **~-handed** en flagrante; **2 Indian** piel f ro-
ja; **~ pepper** pimentón m;
~ tape papeleo m, trámites
m/pl burocráticos

redouble [ri'dʌbl] v/t, v/i
redoblar(se)

reduc|e [ri'dju:s] v/t redu-
cir, disminuir; abreviar;
transformar; degradar; **~-
tion** [~'dʌkʃən] reducción
f; rebaja f

reed [ri:d] caña f; mús lengüeta f

reef [ri:f] s arrecife m; v/t
mar arrizar

reek [ri:k] v/i heder; oler
mal; **~** oler mal a

reel [ri:l] s carrete m, broca
f; v/t devanar; v/i tambalear, bambolear

re|-enter ['ri:'entə] v/i rein-
gresar; **~-establish** v/t restablecer

refer [ri'fə:] v/t referir, remitir; v/i referirse a; **~ee**
[refə'ri:] árbitro m; **~ence**
['refrəns] referencia f; alu-

sión f; certificado m; **~ence
book** libro m de consulta;
~endum [refə'rendəm]
plebiscito m

refill ['ri:fil] s recambio m;
['ri:'fil] v/t rellenar, volver
a llenar

refine [ri'fain] v/t refinar,
purificar; v/i pulir; v/i refi-
narse; **~d** refinado; fig fino;
~ment refinamiento m; ur-
banidad f; **~ry** refinería f

reflect [ri'flekt] v/t, v/i reflejar, reflectar; reflexionar; **~ion** reflexión f; reflejo m; meditación f; reproche m

reflex [ri:fleks] a, s reflejo
m; **~ive** [ri'fleksiv] reflexivo

reform [ri'fɔ:m] s reforma
f; reformación f; v/t reformar; **2ation** [refə'meiʃən]
Reforma f; **~er** reformador
m

refract [ri'frækt] v/t refrac-
tar; **~ory** refractorio

refrain [ri'frein] v/i abstenerse

refresh [ri'freʃ] v/t refres-
car; **~ment** refresco m

refrigerator [ri'fridʒəreitə]
refrigerador m, nevera f,
heladera f; **~ car** vagón m
frigorífico

refuel [ri'fjuəl] v/t, v/i
reabastecer(se) de combustible

refuge ['refju:dʒ] s refugio
m; asilo m; **~e** [~u(:)'dʒi:]
refugiado m; fugitivo m

refund [ri:'fʌnd] s re(e)m-

relaxation

bolso; *v/t* re(e)mbolsar; reintegrar

refus|al [ri'fju:zəl] negativa *f*, denegación *f*; **~e** [ri'fju:z] *v/t* denegar; rehusar; **['refjuːs]** *s* desperdicios *m/pl*; basura *f*

refute [ri'fjuːt] *v/t* refutar

regain [ri'gein] *v/t* recuperar, recobrar

regard [ri'gɑːd] consideración *f*; atención *f*; respeto *m*; mirada *f*; **with ~ to** en cuanto a; *v/t* mirar; considerar; **~ing** con respecto a; **~less** descuidado; **~less of** sin tomar en consideración; **~s** recuerdos *m/pl*, saludos *m/pl*

regent ['riːdʒənt] regente *m*

regiment ['redʒimənt] regimiento *m* [comarca *f*]

region ['riːdʒən] región *f*;]

register ['redʒistə] *s* registro *m*; inscripción *f*; asiento *m*; *v/t* registrar; inscribir; *(correo)* certificar; **~rar** [.'trɑː] registrador *m*; archivero *m*; **~ration** registro *m*; inscripción *f*; empadronamiento *m*

regret [ri'gret] *s* sentimiento *m*, pesar *m*; remordimiento *m*; *v/t* sentir, lamentar; **~s** excusas *f/pl*; **~table** lamentable

regula|r ['regjulə] regular; corriente; metódico; **~rity** [.'læriti] regularidad *f*; método *m*; orden *m*; **~rize** ['regjuləraiz] *v/t* regularizar; **~te** *v/t* regular; **~tion**

regulación *f*; reglamento *m*; orden *f*; **~tor** regulador *m*

rehears|al [ri'həːsəl] *teat*, *mús* ensayo *m*; **~e** *v/t*, *v/i* ensayar

reign [rein] *v/i* reinar; prevalecer; *s* reinado *m*; régimen *m*; **~ing** reinante; prevaleciente

reimburse [riːim'bəːs] *v/t* re(e)mbolsar; **~ment** re(e)mbolso *m*

rein [rein] rienda *f*; **to give ~ to** dar rienda suelta a

reindeer ['reindiə] *zool* reno *m*

reinforce [riːin'fɔːs] *v/t* reforzar; *(cemento)* armar; **~ion** rechazo *m*

reject [ri'dʒekt] *v/t* rechazar, rehusar, desechar; **~ion** rechazo *m*

rejoic|e [ri'dʒɔis] *v/t*, *v/i* regocijar(se), alegrar(se); **~ing** regocijo *m*; alegría *f*; **~ings** festividades *f/pl*

rejoin [riː'dʒɔin] *v/t* reunirse con

relapse [ri'læps] *s med* recaída *f*; reincidencia *f*; *v/i* recaer; reincidir

relat|e [ri'leit] *v/t* relatar, narrar; relacionar; *v/i* referirse; **~ion** relación *f*; relato *m*; pariente *m*; **~ive** ['relativ] *a* relativo; *s* pariente(a) *m* (*f*); **~ively** relativamente

relax [ri'læks] *v/t* relajar; reflojar; *v/i* relajarse; descansar; **~ation** [riːlæk'seiʃən] relajamiento *m*; descanso *m*; esparcimiento *m*

relay ['ri:'lei] s relevo m;
elec relé m, relevador m;
(radio) transmisión f; v/t
transmitir, pasar; *(radio)*
(re)transmitir; **~race** carrera f de relevos

release [ri'li:s] s liberación
f; exoneración f; publicación f; *for* descargo m, finiquito m; *mec* disparador m;
v/t soltar; libertar; eximir;
permitir la publicación de;
divulgar

relent [ri'lent] v/i ablandarse; **~less** inexorable

relevant ['relivənt] pertinente; a propósito

reliab|ility [rilaiə'biliti]
formalidad f; seguridad f
de funcionamiento; **~le** fidedigno, de confianza; de
funcionamiento seguro

reliance [ri'laiəns] confianza f, seguridad f

relic ['relik] reliquia f

relief [ri'li:f] alivio m; descanso m; socorro m; *mil* relevo m; *for* desagravio m;
b a relieve m

relieve [ri'li:v] v/t aliviar;
socorrer; relevar; **~ one's
feelings** desahogarse

religio|n [ri'lidʒən] reli-
gión f; **~us** religioso; devoto

relinquish [ri'liŋkwiʃ] v/t
renunciar a; abandonar

relish ['reliʃ] s gusto m; sabor m; apetito m; goce m;
v/t saborear; gustar de; v/i
saber (a)

reluctan|ce [ri'lʌktəns]

desgana f; renuncia f; **~t**
renuente; **~tly** de mala
gana, a regañadientes, a
contrapelo

rely [ri'lai]: **~ on** v/i confiar
en; fiarse de; contar con

remain [ri'mein] v/i quedar; permanecer; quedar-
se; **~der** resto m; sobras
f/pl; **~ing** demás, restante;
(mortal) ~s restos m/pl
mortales

remand [ri'mɑ:nd] v/t *for*
reencarcelar

remark [ri'mɑ:k] s observación f; v/t, v/i observar;
~able notable

remedy ['remidi] s remedio
m; v/t remediar

rememb|er [ri'membə] v/t
recordar; acordarse de; dar
recuerdos; v/i acordarse;
~rance recuerdo m, memoria f

remind [ri'maind] v/t recordar; **~er** recordatorio m;
señal f [recordativo]

reminiscent [remi'nisnt]

remiss [ri'mis] negligente;
~ion [~'miʃən] perdón m

remit [ri'mit] v/t remitir;
com remesar; **~tance** com
remesa f

remnant ['remnənt] resto
m; residuo m; retazo m

remodel ['ri:'mɔdl] v/t re-
modelar; reformar

remonstrate [riˈmɔnstreit]
v/i protestar

remorse [ri'mɔ:s] remordimiento m; **~ful** arrepentido; **~less** despiadado

remov|al [ri'mu:vəl] deposición *f*; eliminación *f*; traslado *m*; mudanza *f*; **~al van** camión *m* de mudanzas; **~e** *v/t* quitar; eliminar; trasladar; deponer

Renaissance [rə'neisəns] Renacimiento *m*

rend [rend] *v/t* desgarrar

render ['rendə] *v/t* dar; prestar (*servicios*); presentar; convertir; *mús, teat* representar, interpretar

renew [ri'nju:] *v/t* renovar; extender; prorrogar; **~al** renovación *f*; prórroga *f*

renounce [ri'nauns] *v/t* renunciar; abandonar

renown [ri'naun] fama *f*; **~ed** renombrado, famoso

rent [rent] s alquiler *m*; *com* renta *f*; *v/t* alquilar, arrendar

repair [ri'peə] *v/t* reparar; componer; remendar; *s* reparación *f*; compostura *f*; estado *m*; **~ shop** taller *m* de reparaciones

reparation [repə'reiʃən] reparación *f*; compensación *f*, satisfacción *f*

repartee [repa:'ti:] réplica *f* aguda

repay [ri:'pei] *v/t* re(e)mbolsar; desquitarse de; **~ment** re(e)mbolso *m*

repeat [ri'pi:t] *v/t* repetir; reiterar; **~edly** repetidamente

repel [ri'pel] *v/t* repeler; rechazar; repugnar

repent [ri'pent] *v/i*, *v/t* arrepentirse (de); sentir; **~ance** arrepentimiento *m*; **~ant** arrepentido

repetition [repi'tiʃən] repetición *f*; reiteración *f*

replace [ri'pleis] *v/t* re(e)mplazar; sustituir; **~ment** sustitución *f*; re(e)mplazo *m*; repuesto *m*

replenish [ri'pleniʃ] *v/t* rellenar

reply [ri'plai] s respuesta *f*, contestación *f*; *v/t*, *v/i* contestar

report [ri'pɔ:t] s relato *m*; parte *f*; informe *m*; (*arma*) estampido *m*; libreta *f* de notas; *v/t* relatar; denunciar; *v/i* presentar informe; presentarse; **~er** reportero *m*; periodista *m*

repose [ri'pəuz] s descanso *m*; tranquilidad *f*; *v/i* descansar

represent [repri'zent] *v/t* representar; simbolizar; **~ation** [‿'teiʃən] representación *f*; **~ative** *a* representativo; s representante *m*

repress [ri'pres] *v/t* reprimir; sofocar; **~ion** represión *f*

reprieve [ri'pri:v] s suspensión *f*; respiro *m*; *v/t* aplazar; suspender

reprimand ['reprimɑ:nd] *s* reprimenda *f*; *v/t* reprender

reprisal [ri'praizəl] represalia *f*

reproach [ri'prəutʃ] s reproche *m*; *v/t* reprochar

reproduce [ri:prə'dju:s] *v/t* reproducir; **~tion** [~'dʌkʃən] reproducción *f*, copia *f*

repro|of [ri'pru:f] reproche *m*; **~ve** [ri'pru:v] *v/t* reprochar

reptile ['reptail] reptil *m*

republic [ri'pʌblik] república *f*; **~an a**, *s* republicano *m*

repugnan|ce [ri'pʌgnəns] repugnancia *f*; **~t** repugnante, repulsivo

repuls|e [ri'pʌls] repulsa *f*; rechazo *m*; *v/t* repulsar, rechazar; **~ion** [~'pʌlʃən] repulsión *f*; aversión *f*, repugnancia *f*; **~ive** repulsivo, repugnante

reput|able ['repjutəbl] respetable; honrado; **~ation** reputación *f*; renombre *m*; **~e** [ri'pju:t] *s* reputación *f*; *v/t* reputar; estimar; **to be ~ed** pasar por; tener fama de; **~edly** según se cree

request [ri'kwest] *s* ruego *m*, petición *f*, instancia *f*; *v/t* solicitar; pedir; suplicar; **~ stop** parada *f* condicional

requi|re [ri'kwaiə] *v/t* necesitar; requerir; exigir; **~red** necesario; **~rement** necesidad *f*; requerimiento *m*; exigencia *f*; **~site** ['rekwizit] *a* necesario; *s* requisito *m*; **~sition** [~'ziʃən] requisición *f*

requite [ri'kwait] *v/t* corresponder a; compensar

reredos ['riədɔs] *arq* retablo *m*

rescue ['reskju:] *s* salvamento *m*; salvación *f*; liberación *f*; *v/t* salvar; liberar; rescatar

research [ri'sə:tʃ] *v/t*, *v/i* investigar; *s* investigación *f*; **~er** investigador(a) *m* (*f*)

resembl|ance [ri'zembləns] parecido *m*, semejanza *f*; *v/t* parecerse a

resent [ri'zent] *v/t* resentirse de; **~ful** resentido; **~ment** resentimiento *m*

reserv|ation [rezə'veiʃən] reservación *f*; reserva *f*, salvedad *f*; **~e** [ri'zə:v] *s* reserva *f*; *v/t* reservar; guardar; **~e fund** fondo *m* de reserva; **~ed** reservado

reservoir ['rezəvwɑ:] depósito *m*; represa *f*

reside [ri'zaid] *v/i* residir, vivir; **~nce** ['rezidəns] residencia *f*; domicilio *m*; **~nt** *a*, *s* residente *m*, *f*

residue ['rezidju:] residuo *m*; resto *m*

resign [ri'zain] *v/t* dimitir, renunciar; *v/r* resignarse; someterse; **~ation** [rezig'neiʃən] dimisión *f*; resignación *f*; **~ed** resignado

resin ['rezin] resina *f*

resist [ri'zist] *v/t*, *v/i* resistir; combatir; impedir; **~ance** resistencia *f*; **~ant** resistente

resolut|e ['rezəlu:t] resuelto; firme; **~ion** [~'lu:ʃən] resolución *f*; firmeza *f*; acuerdo *m*

resolve [ri'zɔlv] s determinación f; propósito m; v/t
resolver; decidir; determinar; solucionar; v/i decidirse

resonance ['reznəns] reso-
nancia f

resort [ri'zɔːt] s recurso m;
medio m; concurrencia f;
punto m de reunión; lugar
m de temporada; v/i to ~
acudir a; echar mano de;
recurrir a

resound [ri'zaund] v/i resonar; v/t fig cantar; celebrar

resource [ri'sɔːs] recurso m;
expediente m; ~ful inge-
nioso; ~s recursos m/pl,
riquezas f/pl naturales

respect [ris'pekt] s respeto m;
consideración f; respecto
m; aspecto m; with ~ to
con respecto a; **in every** ~
en todo concepto; ~able
respetable; ~ful respetuoso; ~ive respectivo; ~ive-
ly respectivamente; ~s recuerdos m/pl

respiration [respə'reiʃən]
respiración f

respite ['respait] s respiro
m, pausa f; tregua f; v/t for
suspender

resplendent [ris'plendənt]
resplandeciente

respon|d [ris'pɔnd] v/i res-
ponder, contestar; ~dent
demandado(a) m (f); ~se
[~ns] respuesta f; contestación f; fig reacción f; ~si-
bility [risponsə'biliti] responsabilidad f; ~sible [~-

'pɔnsəbl] responsable; de
responsabilidad

rest [rest] s descanso m;
resto m; apoyo m; pausa f;
v/i descansar, reposar;
~ (up)on apoyarse en; v/t
dejar descansar; apoyar

restaurant ['restərɔnt] restaurante m

rest|ful ['restful] descansa-
do; sosegado; ~ive inquieto; ~less intranquilo; agitado; ~lessness inquietud
f; agitación f

restor|ation [restə'reiʃən]
restauración f; renovación
f; restitución f; ~e [ris'tɔː]
v/t restaurar; restituir

restrain [ris'trein] v/t refrenar, reprimir; for prohibir; ~t moderación f; restricción f; prohibición f

restrict [ris'trikt] v/t restringir; ~ion restricción f

result [ri'zʌlt] s resultado
m; efecto m; v/i resultar

resum|e [ri'zjuːm] v/t rea-
nudar; reasumir; ~ption
[~'zʌmpʃən] reanudación
f

resurrection [rezə'rekʃən]
resurrección f

retail ['riːteil] s venta f o comercio m al por menor;
[riː'teil] v/t vender al por
menor; ~er detallista m

retain [ri'tein] v/t retener;
guardar; contratar; ~er
partidario(a) m (f); cria-
do(a) m (f), dependiente m,
f; for anticipo m

retaliat|e [ri'tælieit] v/i to-

mar represalias *f/pl*; **~ion** represalias *f/pl*; desquite *m*
retenti|on [ri'tenʃən] reten-
ción *f*; conservación *f*
retinue ['retinjuː] comitiva *f*
retir|e [ri'taiə] *v/t* retirar,
jubilar; *v/i* retirarse; jubi-
larse; **~ed** retirado; jubila-
do; **~ement** retiro *m*; re-
traimiento *m*; jubilación *f*
retort [ri'tɔːt] *s* réplica *f*;
quím retorta *f*; *v/t* replicar
retrace [ri'treis] *v/t* seguir
(*las huellas*); desandar;
volver a trazar; **~ one's
steps** volver sobre sus
pasos
retract [ri'trækt] *v/t* retractar; revocar; *v/i* retractarse,
desdecirse
retreat [ri'triːt] *s* retiro *m*,
refugio *m*; retirada *f*; *v/i*
retroceder; retirarse; refugiarse
retribution [retri'bjuːʃən]
justo castigo *m*
retrieve [ri'triːv] *v/t* recuperar; recoger (*la caza*)
retrospect ['retrəuspekt]
retrospección *f*
return [ri'tɜːn] *s* vuelta *f*;
regreso *m*; devolución *f*,
retorno *m*; recompensa *f*,
respuesta *f*; *com* utilidad *f*,
ganancia *f*; relación *f*; **by ~
mail** a vuelta de correo;
in ~ (for) a cambio (de);
v/t devolver; restituir; corresponder; producir; elegir; *v/i* volver, regresar;
contestar; **~s** informe *m*
oficial; declaración *f* (de

impuestos); *com* devolucio-
nes *f/pl*; **~ ticket** billete *m*
de ida y vuelta
reunion ['riː'juːnjən] reunión *f*
revaluation [riːvælju'eiʃən]
revaluación *f*
reveal [ri'viːl] *v/t* revelar;
descubrir
revel ['revl] *s* jarana *f*; *v/i* **~
in** deleitarse en
revelation [revi'leiʃən] re-
velación *f*
revenge [ri'vendʒ] *s* venganza *f*; *v/t* vengarse de,
vengar; vindicar; **~ful** vin-
dicativo
revenue ['revinjuː] ingresos
m/pl del Erario; *com* renta
f; **~ stamp** timbre *m* fiscal
revere [ri'viə] *v/t* reveren-
ciar, venerar; **~nce** ['revər-
əns] *s* reverencia *f*; *v/t* re-
verenciar; **~nd** reverendo;
2nd *igl* Reverendo *m*
reverse [ri'vɜːs] *s* lo contrario; revés *m*; desgracia *f*;
reverso *m*; *mec* contramarcha *f*; *v/t* volver al revés;
invertir, trastornar; cambiar
(*opinion, etc*); a inverso,
opuesto; **~ gear** engranaje
m de contramarcha
review [ri'vjuː] *s* repaso *m*;
reexaminación *f*; reseña *f*;
revista *f*, *for* revisión *f*; *v/t*
reexaminar, repasar; rese-
ñar; *mil* pasar revista a; **~er**
crítico *m*
revis|e [ri'vaiz] *v/t* revisar;
corregir; refundir; **~er** re-
visor(a) *m* (*f*); **~ion** [~iʒən]

revisi**ón** f; repaso m; corrección f

reviv**al** [ri'vaivəl] renacimiento m, restauración f; teat reposición f; **~e** v/t reanimar; restablecer; resucitar; v/t reanimarse; volver en sí

revoke [ri'vouk] v/t revocar

revolt [ri'voult] s revuelta f, rebelión f, sublevación f; v/i rebelarse, sublevarse; **~ing** repugnante

revolution [revə'lu:ʃən] revolución f; **~ary** [~ʃnəri] a, s revolucionario m; **~ize** [~ʃnaiz] v/t revolucionar

revolv**e** [ri'vɔlv] v/i revolver, girar; rodar; dar vueltas; v/t hacer girar o rodar; revolver; **~er** revólver m; **~ving** giratorio

revue [ri'vju:] teat revista f

reward [ri'wɔ:d] s recompensa f; premio m; v/t recompensar; gratificar

rheumatism ['ru:mətizm] reumatismo m

rhubarb ['ru:bɑ:b] ruibarbo m   [v/i rimar]

rhyme [raim] s rima f; v/t,

rhythm ['riðəm] ritmo m; **~ic**, **~ical** rítmico

rib [rib] anat costilla f; arq nervio m; arista f; mar cuaderna f; varilla f (de paraguas)

ribbon ['ribən] cinta f

rice [rais] arroz m; **~ field** arrozal m

rich [ritʃ] rico, adinerado; precioso; fértil (tierra);

grasoso, sustancioso (comida); **~es** riqueza f; **~ness** riqueza f, opulencia f

rick [rik] almiar m

ricket**|s** ['rikits] raquitismo m; **~y** desvencijado; raquítico

rid [rid] v/t desembarazar, librar; **to get ~ of** librarse de

riddle ['ridl] s adivinanza f, enigma m; criba f; v/t cribar; acribillar

rid**|e** [raid] s paseo m a caballo o en vehículo; v/i cabalgar; ir en coche; **~e at anchor** estar fondeado; v/t montar; **~er** jinete m

ridge [ridʒ] lomo m; loma f, cresta f; arq caballete m

ridicul**|e** ['ridikju:l] s ridículo m, mofa f; v/t ridiculizar; burlarse de; **~ous** [~'dikjuləs] ridículo

riding ['raidiŋ] a de montar; de equitación f; s cabalgata f

rifle ['raifl] s rifle m, fusil m; v/t robar; pillar   [ta f]

rift [rift] hendedura f, grie-

right [rait] s derecho m; razón f; justicia f; derecha f; a correcto; recto, derecho; justo; **to be ~** tener razón; **to set ~** arreglar; adv directamente; bien; v/t enderezar; rectificar; **all ~!** ¡muy bien!; **~ angle** ángulo m recto; **~ and left** a diestro y siniestro; **~ away** ahora mismo; **~eous** ['~əs] honrado, virtuoso; **~ful**

legítimo; **~ly** con razón;
justamente

rigid ['ridʒid] rígido; riguroso

rigor ['rigə] rigor *m*; **~ous**
riguroso; severo; duro

rim [rim] canto *m*; borde *m*

rind [raind] corteza *f* (*de
queso*); pellejo *m*

ring [riŋ] *s* anillo *m*; círculo
m (*de gente*); aro *m*; *dep*
cuadrilátero *m*; cerco *m*
(*de montañas*); sonido *m*
(*de timbre*); repique *m*
(*de campanas*); ojera *f*
(*bajo los ojos*); pelleje *m*
(*bajo los ojos*); **to give
someone a ~** llamar al-
guien por teléfono; *v/t* cercar; tocar; **~ the bell** tocar
el timbre; **~ up** telefonear,
llamar; *v/i* sonar; resonar;
repicar; zumbar (*oídos*); **~
leader** cabecilla *m*; **~let**
bucle *m*, rizo *m*

rink [riŋk] pista *f* de patinar

rinse [rins] *v/t* enjuagar;
aclarar

riot ['raiət] *s* motín *m*; tumulto *m*; *v/i* amotinarse;
alborotarse; **~ous** sedicioso; licencioso

rip [rip] *s* rasgón *m*, rasga-
dura *f*; *v/t* rasgar; descoser

ripe [raip] maduro; **~n** *v/t*,
v/i madurar; **~ness** madu-
rez *f*, sazón *f*

ripple ['ripl] *s* rizo *m*; on-
dita *f*; *v/t*, *v/i* rizar(se)

rise [raiz] *s* subida *f*; *com*
alza *f*; cuesta *f*; elevación *f*;
altura *f*; **to give ~ to** causar; *v/i* subir, ascender;

elevarse; ponerse de pie;
surgir; sublevarse; salir (*el
sol*); **~ early** madrugar

rising ['raiziŋ] levantamiento *m*; salida *f* (*del sol*)

risk [risk] *s* riesgo *m*; peligro *m*; *v/t* arriesgar; **~y**
arriesgado; aventurado

rite [rait] rito *m*; **funeral ~s**
exequias *f/pl*

rival ['raivəl] *a*, *s* rival *m*,
competidor *m*; *v/t* rivalizar;
competir con; **~ry** rivali-
dad *f*; competencia *f*

river ['rivə] río *m*; **~-basin**
cuenca *f* de río; **~-bed** lecho *m* fluvial; **~side** orilla *f*,
ribera *f*

rivet ['rivit] *s* remache *m*;
v/t remachar

rivulet ['rivjulit] riachuelo
m; arroyo *m*

road [roud] camino *m*; carretera *f*; vía *f*; *fig* senda *f*;
~ map mapa *m* de carreteras; **~ sign** señal *f* de tráfico; **~ster** coche *m* de turismo [errar]

roam [roum] *v/i* vagar;]

roar [rɔ:] *s* rugido *m*; grito
m; *v/i* rugir; gritar

roast [roust] *a*, *s* asado *m*;
v/t, *v/i* asar; tostar; **~ beef**
rosbif *m*

rob [rɔb] *v/t* robar, hurtar;
~ber ladrón *m*; bandido *m*;
salteador *m*; **~bery** robo *m*,
hurto *m*, latrocinio *m*

robe [roub] *s* túnica *f*; toga
f; manto *m*; *v/t*, *v/i* vestir

robin ['rɔbin] *orn* petirrojo
m

robot ['rəubət] robot *m*, autómata *m*

robust [rəu'bʌst] robusto; vigoroso

rock [rɔk] *s* roca *f*; peñasco *m*, peña *f*; *v/t* mecer; balancear; *v/i* mecerse; **~-crystal** cristal *m* de roca

rocket ['rɔkit] cohete *m*; **~-powered** propulsado por cohete(s); **~ry** cohetería *f*

rocking-chair ['rɔkiŋ'tʃeə] mecedora *f*

rocky ['rɔki] rocoso

rod [rɔd] vara *f*; varilla *f*

rodent ['rəudənt] *zool a*, *s* roedor *m*

roe [rəu] hueva *f* (*de pescado*); *zool* corzo *m*

rogue [rəug] pícaro *m*, bribón *m*; **~ish** pícaro, bellaco

role [rəul] papel *m*; **to play a ~** desempeñar un papel

roll [rəul] *s* rollo *m*; bollo *m*, panecillo *m*; lista *f*; redoble *m*, retumbo *m*; *fam* fajo *m* (*de dinero*); *v/t* rodar, girar; enrollar; liar (*cigarrillo*); metal laminar; **~** (*la lengua*); **~ up** envolver; arremangar; *v/i* rodar, dar vueltas; revolcarse; bambolearse; balancearse; **~er** rodillo *m*, cilindro *m*; laminador *m*; aplanadora *f*; **~er-skate** patín *m* de ruedas; **~-film** película *f* en carrete; **~ing-mill** laminador *m*; **~ing-stock** material *m* rodante

Roman ['rəumən] *a*, *s* romano(a) *m* (*f*)

roman|ce [rəu'mæns] aventura *f* o novela *f* romántica; ideas *f/pl* románticas; romance *m*; **~tic** romántico

rompers ['rɔmpəz] mameluco *m* (*para niños*)

roof [ruːf] *s* techo *m*; techumbre *f*; azotea *f*; *v/t* techar; tejar

rook [ruk] grajo *m*; (*ajedrez*) torre *f*

room [rum] cuarto *m*, pieza *f*; habitación *f*; sala *f*; espacio *m*, sitio *m*, cabida *f*; **to make ~** hacer sitio; **~y** espacioso

roost [ruːst] percha *f* de gallinero; **~er** gallo *m*

root [ruːt] *s* raíz *f*; origen *m*; base *f*; *v/t*, *v/i* arraigar; **~ out** extirpar

rope [rəup] cuerda *f*; soga *f*; cable *m*

ros|e [rəuz] *s* rosa *f*; roseta *f* (*de ducha*); *a* color *m* de rosa; **~ebush** rosal *m*; **~emary** romero *m*; **~y** sonrosado; rosado

rot [rɔt] *s* putrefacción *f*; corrupción *f*; *v/i* pudrirse; echarse a perder; *v/t* pudrir

rota|ry ['rəutəri] rotatorio; **~te** [~'teit] *v/t*, *v/i* (hacer) girar; **~tion** rotación *f*

rotor ['rəutə] *aer* rotor *m*

rotten ['rɔtn] podrido; corrompido; *fam* pésimo

rough [rʌf] áspero; tosco; quebrado; crudo; rudo;

aproximado; **~ly** áspera-
mente; aproximadamente;
~ness aspereza *f;* crudeza *f;*
grosería *f*

round [raund] *a* redondo;
rotundo; lleno; *s* esfera *f;*
curvatura *f;* redondez *f;*
vuelta *f; mil* ronda *f;* circuito *m; adv* alrededor; **to
go ~** dar vueltas; **all the
year ~** todo el año; *prep*
alrededor de; a la vuelta de;
v/t redondear; **~ up** recoger; **~about** *a* indirecto; *s*
tiovivo *m;* **~ly** completamente; rotundamente

rouse [rauz] *v/t* despertar;
excitar; levantar; **~ oneself** animarse

rout|e [ru:t] ruta *f;* itinera-
rio *m;* rumbo *m;* **~ine**
[~'ti:n] rutina *f*

rov|e [rəuv] *v/i* vagar; **~er**
vagabundo *m;* **~ing** ambu-
lante

row [rau] *s* alboroto *m;* tumulto *m;* disputa *f; v/i*
pelearse

row [rəu] *s* hilera *f;* fila *f;*
v/i remar; **~-boat** bote *m*
de remos

royal ['rɔiəl] real; **~ty** rea-
leza *f;* derecho *m* de autor;
regalía *f*

rub [rʌb] *s* frotación *f;* roce
m; v/t frotar; restregar

rubber ['rʌbə] caucho *m,*
goma *f; SA* jebe *m,* hule *m;*
~-boots botas *f/pl* de goma

rubbish ['rʌbiʃ] basura *f;*
desperdicios *m/pl; fam* tontería *f;* disparates *m/pl*

rubble ['rʌbl] ripio *m,* escombros *m/pl*

ruby ['ru:bi] rubí *m*

rucksack ['ruksæk] morral
m; mochila *f*

rudder ['rʌdə] timón *m*

ruddy ['rʌdi] rojizo

rude [ru:d] grosero; tosco;
~ness grosería *f;* rudeza *f*

ruffian ['rʌfjən] bellaco *m,*
rufián *m*

ruffle ['rʌfl] *s* frunce *m; v/t*
fruncir; erizar; arrugar;
irritar

rug [rʌg] alfombra *f;* manta
f; **~ged** áspero; abrupto;
rudo; robusto

ruin [ruin] *s* ruina *f; v/t*
arruinar; estropear; **~ous**
ruinoso; funesto

rul|e [ru:l] *s* gobierno *m;*
regla *f;* reglamento *m;* **as a
~e** generalmente; *v/t* gobernar, mandar; **~e out** descartar, excluir; *v/i* gobernar; prevalecer; **~er** gobernador *m;* gobernante *m;*
regla *f (para trazar líneas)*

rum [rʌm] ron *m*

Rumanian [ru'meinjən] *a,*
s rumano(a) *m (f)*

rumble ['rʌmbl] *v/i* retumbar; *s* retumbo *m*

rumina|nt ['ru:minənt] *a, s*
rumiante *m;* **~te** [~'eit] *v/t,*
v/i rumiar

rummage ['rʌmidʒ] *v/t, v/i*
revolver, hurgar; registrar

rumour ['ru:mə] rumor *m;*
it is ~ed se dice

rump [rʌmp] cuarto *m* trasero; anca *f;* retazo *m*

rumple ['rʌmpl] v/t arrugar (*ropa*); desgreñar (*cabellos*)

run [rʌn] s carrera f; curso m; serie f, racha f; demanda f general; **in the long ~** a la larga; ~ exploitar; manejar; llevar; v/i correr; funcionar; fluir; ~ **down** quedarse sin cuerda (*reloj*); debilitarse; ~ **on** hablar sin cesar; ~ **out** agotarse; ~ **over** derramarse

rung [rʌn] s peldaño m

runner ['rʌnə] corredor m; cuchilla f (*del patín*); bot trepadora f; **~-up** dep (el) segundo m; subcampeón m

running ['rʌnin] dirección f, manejo m; corrida f; **~-board** estribo m

runway ['rʌnwei] aer pista f de despegue o de aterrizaje

rupture ['rʌptʃə] s ruptura f, rotura f; v/t romper; quebrar

rural ['ruərəl] rural, rústico

rush [rʌʃ] s bot junco m; acometida f; prisa f, precipitación f; ajetreo m; ~ **hours** horas f/pl de mayor afluencia; v/t apremiar; v/i precipitarse; correr de prisa

Russian ['rʌʃən] a, s ruso(a) m (f)

rust [rʌst] s herrumbre f; v/i oxidarse

rustic ['rʌstik] rústico

rustle ['rʌsl] s crujido m; v/i crujir; susurrar

rusty ['rʌsti] mohoso, oxidado

rut [rʌt] rodada f; carril m; celo m (*de animales*); fig rutina f

ruthless ['ru:θlis] inexorable, cruel

rutted ['rʌtid] lleno de rodadas

rye [rai] centeno m

S

sable ['seibl] zool marta f cebellina

sabotage ['sæbətɑ:ʒ] sabotaje m; v/t sabotear

sack [sæk] s saco m; talego m; **to give the ~ to somebody** fam despedir a alguien; **to get the ~** ser despedido; v/t saquear; fam despedir, echar

sacrament ['sækrəmənt] sacramento m (*sacro*)

sacred ['seikrid] sagrado,

sacrifice ['sækrifais] s sacrificio m; v/t, v/i sacrificar; abandonar

sad [sæd] triste; melancólico; **~den** v/t entristecer

saddle ['sædl] s silla f (*de montar*); sillín m (*de bicicleta*); collado m (*de monte*); v/t ensillar; **~-bag** alforja f

sadness ['sædnis] tristeza f

safe [seif] a seguro; salvo; ileso; s caja f fuerte; v/t salvaguardar; proteger; **~ and**

sound sano y salvo; **~-conduct** salvoconducto *m*; **~guard** salvaguardia *f*; garantía *f*; **~ly** con seguridad; sin exagerar; **~ness** seguridad *f*; **~ty-belt** cinturón *m* de seguridad; **~ty-pin** imperdible *m*; **~ty-razor** maquinilla *f* de afeitar; **~ty valve** válvula *f* de seguridad

sag [sæg] *s* hundimiento *m*; comba *f*; *v/i* combarse; hundirse; *fig* decaer

sagacity [sə'gæsiti] sagacidad *f*; perspicacia *f*

sage [seidʒ] *m* sabio *m*; *bot* salvia *f*; *a* sabio

said [sed] mencionado; dicho; *for* citado

sail [seil] *s* mar vela *f*; *v/i* navegar; darse a la vela; **~ing-boat** velero *m*; **~or** marinero *m*, marino *m*

saint [seik] *s* santo *m*; *a* santo; San (*delante de nombres masculinos no empezando con t o d*)

sake [seik] causa *f*; razón *f*; respeto *m*; **for God's ~!** ¡por amor de Dios!; **for the ~ of** por; por respeto a

salad ['sæləd] ensalada *f*; **~-bowl** ensaladera *f*

salary ['sæləri] salario *m*

sale [seil] venta *f*; **for ~** de venta; **~sman** vendedor *m*; viajante *m* de comercio; **~s manager** gerente *m* de ventas

saliva [sə'laivə] saliva *f*

sallow ['sæləu] pálido; amarillento

sally ['sæli] *m* salida *f*; paseo *m*; arranque *m*

salmon ['sæmən] salmón *m*

saloon [sə'luːn] sala *f* grande; *Am* bar *m*, taberna *f*

salt [soːlt] sal *f*; *fig* agudeza *f*; **~-cellar** salero *m*; **~petre** ['~piːtə] salitre *m*; **~-works** salinas *f/pl*; **~y** salado

salu|brious [sə'luːbriəs], **~tary** ['sæljutəri] salubre, saludable

salut|ation [sælju(ː)'teiʃən] salutación *f*; saludo *m*; **~e** [sə'luːt] *s* saludo; *v/t*, *v/i* saludar

salvation [sæl'veiʃən] salvación *f*

salve [saːv] ungüento *m*; *fig* bálsamo *m*

same [seim] mismo, idéntico; **all the ~** a pesar de todo; **it is all the ~ to me** a mí me da lo mismo

sample ['saːmpl] *s* muestra *f*; patrón *m*; *v/t* probar; catar

sanatorium [sænə'tɔːriəm] sanatorio *m*

sancti|fy ['sæŋktifai] *v/t* santificar; **~on** *s* sanción *f*; ratificación *f*; *v/t* sancionar

sanctuary ['sæŋktjuəri] santuario *m*; asilo *m*

sand [sænd] *s* arena *f*; *v/t* (en)arenar

sandal ['sændl] sandalia *f*; **sand|paper** papel *m* de lija; **~stone** piedra *f* arenisca

sandwich ['sænwidʒ] emparedado *m*; sandwich *m*

sandy ['sændi] arenoso

sane [sein] cuerdo, sensato

sanita|ry ['sænitəri] sanitario; **.ry napkin** *o* **towel** paño *m* higiénico; **.tion** medidas *f/pl* sanitarias; saneamiento *m*

sanity ['sæniti] cordura *f*, sensatez *f*

Santa Claus [sæntə'klɔːz] San Nicolás

sap [sæp] *s* savia *f*; vitalidad *f*; *fort* zapa *f*; *v/i* zapar; minar; *v/t* socavar; **.per** zapador *m*

sarcasm ['sɑːkæzəm] sarcasmo *m*

sardine [sɑː'diːn] sardina *f*

sash [sæʃ] faja *f*; banda *f*; **~ window** ventana *f* de guillotina

Satan ['seitən] Satanás *m*; **♀ic** [sə'tænik] satánico

satchel ['sætʃəl] cartapacio *m*; bolso *m*

satellite ['sætəlait] satélite *m*   [*m*]

satin ['sætin] raso *m*, satén

satir|e ['sætaiə] sátira *f*; **.ize** ['.əraiz] *v/t* satirizar

satisf|action [sætis'fækʃən] satisfacción *f*; **.actory** satisfactorio; **.y** ['.fai] *v/t* satisfacer; **.y oneself** convencerse   [*m*]

Saturday ['sætədi] sábado

sauc|e [sɔːs] salsa *f*; **.epan** cacerola *f*; **.er** platillo *m*; **flying ~er** platillo *m* volador; **.y** fresco, insolente

saunter ['sɔːntə] *v/i* deambular; *f*; embutido *m*

sausage ['sɔsidʒ] salchicha *f*

savage ['sævidʒ] salvaje *m*,*f*

sav|e [seiv] *prep* salvo, excepto; *conj* a menos que; *v/t* salvar; ahorrar (*dinero*); evitar; **.ings** ahorros *m/pl*; **.ings bank** caja *f* de ahorros

saviour ['seivjə] salvador *m*; **♀** *ecl* Redentor *m*, Salvador *m*

savour ['seivə] *s* gusto *m*; sabor *m*; *v/t* saborear; **.y** sabroso, apetitoso

saw [sɔː] *s* sierra *f*; refrán *m*; *v/t* serrar; **.dust** serrín *m*; **.mill** aserradero *m*

Saxon ['sæksn] *a,s* sajón(ona) *m* (*f*)

say [sei] *v/t,i* recitar; decir; **they ~** dicen; **I ~!** ¡oiga!; **that is to ~** es decir; **.ing** dicho *m*; refrán *m*

scab [skæb] *cir* costra *f*; *vet* roña *f*; **.by** sarnoso

scaffold ['skæfəld] andamio *m*; patíbulo *m*; **.ing** andamiaje *m*

scald [skɔːld] *s* quemadura *f*; *v/t* escaldar

scale [skeil] *s* escala *f*; gama *f*; escama *f* (*de pez*); *v/t* escamar (*pescado*); escalar; **.s** balanza *f*

scalp [skælp] *s* cuero *m* cabelludo; *v/t* escalpar

scan [skæn] *v/t* escudriñar

scandal ['skændl] escándalo *m*; **.ize** *v/t* escandalizar; **.ous** escandaloso

Scandinavian [skændi-'neivjən] *a*, *s* escandinavo(a) *m* (*f*) [magro]

scant [skænt] *a* escaso; **-y** escaso(a)

scapegoat ['skeipgəut] cabeza *f* de turco

scar [skɑ:] *s* cicatriz *f*; *v/i* cicatrizar(se)

scarc|e [skeəs] escaso; **-ely** apenas; **-ity** escasez *f*

scare [skeə] *s* espanto *m*; *v/t* espantar; **-crow** espantapájaros *m*

scarf [skɑ:f] bufanda *f*; *SA* chalina *f*

scarlet ['skɑ:lit] *s* escarlata *f*; *a* de color escarlata; **- fever** escarlatina *f*

scathing ['skeiðiŋ] *fig* devastador, severísimo

scatter ['skætə] *v/t* esparcir; desparramar; dispersar

scavenge ['skævindʒ] *v/t* barrer, limpiar (*calles, etc*)

scene [si:n] *s* escena *f*; paisaje *m*; **-ry** escenario *m*; *teat* decorado *m*

scent [sent] *s* perfume *m*; olor *m*; olfato *m*; rastro *m*; *v/t* perfumar; *v/i* olfatear; husmear

sceptic ['skeptik] *s, a* escéptico(a) *m* (*f*); **-al** escéptico; **-ism** ['-sizəm] escepticismo *m*

schedule ['ʃedju:l] *s* lista *f*; programa *m*; horario *m*; *v/t* fijar el tiempo para; catalogar

scheme [ski:m] *s* esquema *m*; proyecto *m*; intriga *f*; *v/t* proyectar; idear; tramar

schola|r ['skɔlə] estudiante *m*, *f*; erudito(a) *m* (*f*); **-rly** erudito; **-rship** beca *f*; erudición *f*; **-stic** [skə-'læstik] escolar

school [sku:l] *s* escuela *f*; *v/t* instruir; entrenar; **at -** en la escuela; **-boy** colegial *m*; **-girl** colegiala *f*; **-ing** enseñanza *f*; **-mate** condiscípulo(a) *m* (*f*); **-teacher** maestro(a) *m* (*f*); profesor(a) *m* (*f*)

schooner ['sku:nə] goleta *f*

scien|ce ['saiəns] ciencia *f*; **-ces** ciencias *pl* naturales; **-tific** [,-'tifik] científico; **-tist** ['-tist] científico *m*

scissors ['sizəz] tijeras *f/pl*

scoff [skɔf] *s* mofa *f*; *v/i* burlarse

scold [skəuld] *v/t* regañar, reprender

scone [skɔn] bollo *m* suizo

scoop [sku:p] *s* pala *f*; cucharón *m*

scooter ['sku:tə] patineta *f*; motoneta *f*

scope [skəup] *s* alcance *m*; campo *m* de acción

scorch [skɔ:tʃ] *v/t* chamuscar; tostar

score [skɔ:] *s* marca *f*; raya *f*; cuenta *f*; veintena *f*; *dep* tanteo *m*; *v/t* marcar; rayar; apuntar; *v/i* tantear; marcar un tanto, golear

scorn [skɔ:n] *s* desprecio *m*; *v/t* despreciar; **-ful** desdeñoso

Scot [skɔt] escocés(esa) *m* (*f*)

Scotch [skɔtʃ], **Scottish** es-

cocés; ~man, ~woman escocés(esa) *m* (*f*)

scot-free ['skɔt'fri:] impune

scoundrel ['skaundrəl] pícaro *m* [(piar)

scour [skauə] fregar; limpiar

scout [skaut] *s* (niño *m*) explorador *m*; *v/t*, *v/i* explorar; reconocer

scowl [skaul] *s* ceño *m*; *v/i* mirar con ceño

scramble ['skræmbl] *s* rebatiña *f*; *v/i* trepar; **.d eggs** huevos *m/pl* revueltos

scrap [skræp] *s* pedazo *m*; fragmento *m*; ~s desperdicios *m/pl*; *v/t* desmontar; *fig* desechar; ~**book** álbum *m* de recortes

scrap|e ['skreip] *s* raspadura *f*; apuro *m*; *v/t* raspar; ~**e together** reunir a duras penas; ~**er** raspador *m*

scrap-iron ['skræp'aiən] chatarra *f*

scratch [skrætʃ] *s* rasguño *m*; arañazo *m*; *v/t* rascar; arañar; ~ **out** borrar

scrawl [skrɔ:l] *s* garabato *m*; *v/t*, *v/i* garabatear

scream [skri:m] *s* chillido *m*, grito *m*; *v/i* gritar, chillar

screech [skri:tʃ] chillido *m*

screen [skri:n] *s* biombo *m*; pantalla *f* (*de cine*; *radiología*); tabique *m*; *v/t* abrigar, ocultar; filmar; investigar (*personas*)

screw [skru:] *s* tornillo *m*; *v/t* atornillar; ~**-driver** destornillador *m*

scribble ['skribl] *s* garabato

m; *v/t*, *v/i* escribir mal; garabatear

script [skript] escritura *f*; guión *m* (*de película*); ℒ**ure** Escritura *f*

scroll [skrəul] rollo *m* de papel *o* de pergamino

scrub [skrʌb] *s* maleza *f*; *v/t* fregar

scrup|le ['skru:pl] escrúpulo *m*; ~**ulous** ['~pjuləs] escrupuloso

scrutin|ize ['skru:tinaiz] *v/t* escudriñar; ~**y** escrutinio *m*

scuffle ['skʌfl] *s* refriega *f*; *v/i* pelear

sculpt|or ['skʌlptə] escultor(a) *m* (*f*); ~**ure** escultura *f*; *v/t*, *v/i* esculpir; tallar

scum [skʌm] espuma *f*; *fig* hez *f*

scurf [skə:f] caspa *f*

scurvy ['skə:vi] escorbuto *m*

scuttle ['skʌtl] cubo *m*

scythe [saið] guadaña *f*

sea [si:] mar *m*, *f*; **at** ~ en el mar; **on the high** ~**s** en alta mar; **to go to** ~ hacerse marinero; ~ **food** mariscos *m/pl*; ~**gull** gaviota *f*

seal [si:l] *s* *zool* foca *f*; sello *m*; *v/t* sellar; ~ **up** encerrar herméticamente

sea level ['si:'levl] nivel *m* del mar

seam [si:m] *s* costura *f*; *mec* juntura *f*; *cir* sutura *f*; *mín* filón *m*; veta *f*; *v/t* arrugar; *v/i* resquebrajarse

sea|man ['si:mən] marinero *m*; ~plane hidroavión *m*; ~port puerto *m* de mar; ~power poderío *m* naval

search [sə:tʃ] *s* busca *f*, búsqueda *f*; registro *m*; *v/t* investigar; buscar; explorar; registrar

sea|shore ['si:'ʃɔ:] litoral *m*; ~sick mareado

season ['si:zn] *s* estación *f* (del año); temporada *f*; tiempo *m*; sazón *f*; *v/t* condimentar; madurar, curar; ~able oportuno; ~ing condimento *m*; ~-ticket abono *m*

seat [si:t] *s* asiento *m*; localidad *f*; silla *f*; sede *f*; fondillos *m/pl* (de calzones); to take a ~ tomar asiento; *v/t* sentar; colocar; tener asientos para; be ~ed! ¡siéntese!; ~-belt *aut, aer* cinturón *m* de seguridad

sea|weed ['si:wi:d] alga *f* marina; ~worthy marinero

secession [si'seʃən] secesión *f*

seclu|de [si'klu:d] *v/t* recluir; aislar; ~ded apartado, retirado; ~sion [~ʒən] retiro *m*; soledad *f*

second ['sekənd] *a* segundo; otro; *s* segundo *m*; ayudante *m*; padrino *m*; *v/t* apoyar; secundar; ~ary secundario; ~-class de segunda clase, inferior; ~-hand de segunda mano; ~ly en segundo lugar; ~ thoughts reflexión *f*

secre|cy ['si:krisi] secreto *m*; discreción *f*; ~t [~it] *a* secreto; oculto; *s* secreto *m*

secretary ['sekrǝtri] secretario(a) *m* (*f*)

secret|e [si'kri:t] *v/t med* secretar; esconder; ~ion secreción *f*; ocultación *f*; ~ive reservado; callado

sect|ion ['sekʃən] sección *f*; parte *f*; ~or sector *m*

secular ['sekjulǝ] seglar, secular; ~ize ['~raiz] *v/t* secularizar

secur|e [si'kjuǝ] *a* seguro; cierto; firme; *v/t* asegurar; afirmar; conseguir; ~ity seguridad *f*; firmeza *f*; protección *f*; *com* fianza *f*; ~ities valores *m/pl*

sedan [si'dæn] sedán *m*

sedative ['sedǝtiv] *a, s* sedativo *m*

sediment ['sedimǝnt] *s* sedimento *m*; poso *m*; hez *f*; *geol* sedimento *m*

seduc|e [si'dju:s] *v/t* seducir; ~er seductor *m*; ~tion [~'dʌkʃǝn] seducción *f*

see [si:] *v/t, v/i* ver; observar; comprender; acompañar; ~ off ir a despedir; ~ to atender a

seed [si:d] *s* semilla *f*; simiente *f*; progenie *f*; *v/t* sembrar; ~y *fam* destartalado

seek [si:k] *v/t* buscar; anhelar; procurar

seem [si:m] *v/i* parecer; ~ing aparente; ~ly agradable; decoroso

separately

seep [si:p] v/i filtrarse

seesaw ['si:sɔ:] balancín m,
SA subibaja f

segment ['segmənt] segmento m

segregat|e ['segrigeit] v/t,
v/i segregar(se); **~ion** segregación f

seiz|e [si:z] v/t asir, agarrar,
prender; capturar; fig comprender; for embargar;
~ure ['~ʒə] asimiento m;
med ataque m apoplético;
for embargo m

seldom ['seldəm] rara vez;
raramente

select [si'lekt] a selecto; v/t
escoger; seleccionar; **~ion**
selección f; surtido m

self [self] a propio; s (pl
selves) uno mismo; naturaleza f (propia); pron pers
se; sí mismo; **~-centred**
egocéntrico; **~-conscious**
cohibido; **~-defence** defensa f propia; **~-denial**
abnegación f; **~-government** autonomía f, gobierno m propio; **~ish** egoísta;
~-made man hombre que
debe su posición a sí mismo; **~-possessed** sereno;
~-respect amor m propio;
~-sacrifice abnegación f;
~-service autoservicio m;
~-willed obstinado

sell [sel] v/t vender; v/i venderse; **~ out** liquidar las
existencias; **~er** vendedor(a) m (f)

semblance ['sembləns] parecido m; semejanza f

semicolon ['semi'kəulən]
punto y coma

senat|e ['senit] senado m;
~or ['~ətə] senador m

send [send] v/t enviar, mandar; despachar; (radio)
transmitir; **~ back** devolver; **~ on** reexpedir; **~
word** avisar; v/i **~ for** enviar por; **~er** remitente m

senior ['si:njə] a mayor (de
edad); más antiguo; s persona f mayor; oficial m más
antiguo

sensation [sen'seiʃən] sensación f; **~al** sensacional

sens|e [sens] v/t percibir; s
sentido m; juicio m; significado m; **in a ~e** en cierto
sentido; **to be out of one's
~es** haber perdido el juicio;
~eless sin sentido, disparatado; **~ibility** [sensi'biliti]
sensibilidad f; discernimiento m; **~ible** sensato,
prudente (juicio); sensible;
sensitivo; **~itive** ['sensitiv]
sensitivo; **~ual** ['~juəl]
sensual

sentence ['sentəns] s oración f; frase f; for sentencia
f; fallo m; v/t sentenciar;
condenar

sentiment ['sentimənt]
sentimiento m; **~al** [~'mentl] sentimental; **~ality**
[~men'tæliti] sentimentalismo m [la m, f]

sentry ['sentri] mil centine-

separat|e ['sepəreit] v/t, v/i
separar(se); a ['seprit] separado; privado; **~ely** por

separado; **~ion** [ˌ~'reiʃən]
separación f
September [sep'tembə]
se(p)tiembre m
septic ['septik] séptico
sepulchre ['sepəlkə] sepulcro m
seque|l ['si:kwəl] secuela f;
continuación f; resultado m;
~nce ['~wəns] serie f; sucesión f
seren|e [si'ri:n] sereno, so-
segado; **~ity** serenidad f,
calma f [gento m]
sergeant ['sɑːdʒənt] sar-ʃ
seri|al ['siəriəl] a consecu-
tivo; s novela f por entre-
gas; radio, t v serial m; **~es**
['~iz] serie f; ciclo m
serious ['siəriəs] serio; grave; **~ly** seriamente; grave-
mente
sermon ['sə:mən] sermón m
serpent ['sə:pənt] serpiente
f; sierpe f
serum ['siərəm] suero m
serv|ant ['sə:vənt] criado(a)
m (f); sirviente m; **~e** v/t
servir; trabajar para; v/i servir; ser criado; dep sacar;
~ice ['~vis] servicio m;
relig oficio; **~iceable** ser-
vible; útil; **~ice-station**
estación f de servicio
session ['seʃən] sesión f
set [set] s juego m, serie f;
tendencia f; aparato m (de
radio); puesta f (del sol); v/t
poner, colocar; montar;
armar; **~ aside** reservar;
desechar; **~ down** sentar;
~ eyes on avistar; **~ on**

fire pegar fuego a; **~ up**
establecer; v/i ponerse (el
sol); cuajar; fraguar (cemento); **~ about** empezar;
~ off partir; hacer resal-
tar; **~ back** revés m
settee [se'ti:] canapé m
setting ['setiŋ] montadura
f; ambiente m; puesta f
settle ['setl] v/t arreglar;
colocar; com saldar; ajustar
(cuentas); resolver; v/i posarse, asentarse; instalarse;
radicarse; **~ment** arreglo
m, ajuste m; establecimiento m; colonia f; poblado m;
pago m; **~r** colono m
sever ['sevə] v/t separar;
cortar; v/i separarse
several ['sevrəl] varios; diversos
sever|e [si'viə] severo, rigu-
roso; grave; duro; **~ity**
[ˌ~'veriti] severidad f; rigor
m; gravedad f
sew [səu] v/t, v/i coser
sew|age ['sju:(:)idʒ] aguas
f/pl negras; **~er** alcantarilla
f; **~erage** alcantarillado m
sewing ['səuiŋ] costura f; **~
machine** máquina f de
coser
sex [seks] sexo m; **~-appeal**
atracción f sexual
sexton ['sekstən] sacristán m
sexual ['seksjuəl] sexual
shabby ['ʃæbi] gastado
shack [ʃæk] choza f
shad|e [ʃeid] s sombra f;
matiz m; celosía f; pantalla f
(de lámpara); v/t sombrear;
matizar; **~ow** ['ʃædəu] s
sombra f; vestigio m; v/t

oscurecer; sombrear; se-
guir de cerca; **~owy** um-
broso; vago; **~y** ['ʃeidi]
sombreado; *fig* sospechoso

shaft [ʃɑːft] flecha *f*; caña *f*,
vara *f*; mango *m*; eje *m*;
pozo *m*

shaggy ['ʃægi] peludo

shak|e [ʃeik] *s* sacudida *f*;
meneo *m*; vibración *f*; *v/t*
sacudir; debilitar (*fe, etc*);
~e hands estrecharse las
manos; *v/i* temblar; **~y**
trémulo, tembloroso

shall [ʃæl] *v/aux* para el futuro y para expresar una
orden o promesa; **we ~ read**
leeremos; **he ~ go** él debe
ir; **you ~ have it** lo tendrás

shallow ['ʃælou] poco profundo; *fig* superficial; **~s**
bajío *m*

sham [ʃæm] *a* fingido; falso; *v/i* simular, fingir

shame [ʃeim] *s* vergüenza *f*;
ignominia *f*; *v/t* avergonzar; **~faced** avergonzado;
~ful vergonzoso; escandaloso; **~less** desvergonzado;
descarado

shampoo [ʃæmˈpuː] *s*
champú *m*; *v/t* lavar (*la cabeza*)   [go *m*]

shank [ʃæŋk] zanca *f*; man-]

shape [ʃeip] *s* forma *f*; figura *f*; condición *f*; *v/t* formar; moldear; *fig* idear;
~less deforme; **~ly** bien
formado

share [ʃɛə] *s* porción *f*; participación *f*; parte *f*; *com*
acción *f*; *v/t* compartir; **~**

out repartir; **~holder** accionista *m*

shark [ʃɑːk] tiburón *m*; pe-
tardista *m*; estafador *m*

sharp [ʃɑːp] *a* agudo; afilado; distinto; mordaz; pe-
netrante; fino; picante;
mús sostenido; *adv* en punto; **four o'clock** las 4 en
punto; **~en** *v/t* afilar; aguzar; **~ener** afilador *m*; sa-
capuntas *m*; **~ness** agudeza
f; nitidez *f*

shatter ['ʃætə] *v/t* estrellar;
destrozar; *v/i* destrozarse

shav|e [ʃeiv] *v/t* afeitar;
carp acepillar; *v/i* afeitarse;
~ing afeitado *m*; viruta *f*
(*de madera*)

shawl [ʃɔːl] mantón *m*

she [ʃiː] *pron f* ella; *s* hembra *f*; mujer *f*; **~-cat** gata *f*

sheaf [ʃiːf] gavilla *f*; haz *f*

shear [ʃiə] *v/t* esquilar,
trasquilar; tonsurar; tundir
(*paño*)

sheath [ʃiːθ] vaina *f*; estuche
m; **~e** *v/t* envainar; aforrar

shed [ʃed] *s* cobertizo *m*;
tinglado *m*; *v/t* verter; mu-
tarse (*ropa*); dejar caer
(*hojas*)

sheep [ʃiːp] oveja(s) *f(pl)*;
carnero *m*; **~-dog** perro *m*
pastor; **~ish** avergonzado;
tímido; **~'s eyes** mirada *f*
amorosa   [rente]

sheer [ʃiə] mero; transpa-]

sheet [ʃiːt] *s* sábana *f*; hoja *f*
(*de metal, papel*); lámina *f*;
mar escota *f*; **~-iron** hierro
m laminado

shelf [ʃelf] anaquel *m*; estante *m*, repisa *f* (*de la pared*); **mar** zócalo *m*

shell [ʃel] cáscara *f* (*de nuez, huevo, etc*); vaina *f* (*de legumbres*); *zool* concha *f*; armazón *f*; *arti* granada *f*; cápsula *f* (*para cartuchos*); casco *m* (*de barco*)

shell-fish [ʃelfiʃ] marisco *m*

shelter [ʃeltə] *s* refugio *m*; asilo *m*; *v/t* abrigar; amparar; *v/i* refugiarse

shepherd [ʃepəd] *s* pastor *m*

shield [ʃiːld] *s* escudo *m* (*t fig*); *v/t* proteger

shift [ʃift] *s* cambio *m*; recurso *m*; maña *f*, evasión *f*; turno *m*, tanda *f* (*de obreros*); camisa *f* (*de mujer*); *v/t* cambiar; desplazar; *v/i* cambiar; ingeniárselas; **~y** furtivo, taimado

shilling [ʃiliŋ] chelín *m*

shin [ʃin] espinilla *f*; *v/i*, *v/i* trepar; (**~bone**) tibia *f*

shine [ʃain] *s* lustre *m*; brillo *m*; *v/i* resplandecer; brillar (*t fig*); *v/t* sacar lustre a (*zapatos*)

shingle [ʃiŋgl] *s* cascajo *m* (*playa*); tabla *f* de ripia (*techo*); *v/t* cubrir con ripia

shiny [ʃaini] brillante

ship [ʃip] *s* buque *m*, barco *m*; navío *m*; nave *f*; *v/t* embarcar; despachar; **~ment** embarque *m*; cargamento *m*; **~owner** naviero *m*, armador *m*; **~ping** embarque *m*; **~ping company** compañía *f* naviera; **~wreck** naufragio *m*; **~wrecked** *s* náufrago *m*; **~yard** astillero *m*

shire [ʃaiə] condado *m*

shirk [ʃəːk] *v/t* evadir, eludir

shirt [ʃəːt] camisa *f*; **~-sleeve** manga *f* de camisa

shiver [ʃivə] *s* escalofrío *m*; temblor *m*; *v/i* tiritar; temblar; tener escalofríos

shock [ʃɔk] *s* choque *m*; sacudida *f*; golpe *m*; *v/t* chocar; sacudir; disgustar; escandalizar; **~absorber** amortiguador *m* de choque; **~ing** chocante; escandaloso

shoe [ʃuː] *s* zapato *m*, calzado *m*; *v/t* calzar; herrar (*caballo*); **~black** limpiabotas *m*, *SA* lustrabotas *m*; **~-lace** cordón *m* de zapato; **~maker** zapatero *m*; **~-shop** zapatería *f*

shoot [ʃuːt] *s* bot vástago *m*; retoño *m*; *v/t* disparar; tirar; matar *o* herir a tiros; filmar, rodar (*una película*); *mil* fusilar; *v/i* tirar; germinar, brotar (*planta*); **~er** tirador *m*; **~ing** tiro *m*; caza *f* con escopeta; **~ing star** estrella *f* fugaz

shop [ʃɔp] tienda *f*; almacén *m*; taller *m*; **~-assistant** dependiente *m*; **~keeper** tendero *m*; **~-lifter** mechero *m*; **~ping** compras *f/pl*; **to go ~ping** ir de compras; **~ping centre** centro *m* comercial; **~-steward** dirigente *m* obre-

ro; ~**walker** vigilante *m* de tienda; ~**window** escaparate *m*

shore [ʃɔ:] costa *f*; playa *f*

short [ʃɔ:t] corto; breve; bajo *(de estatura)*; falto; escaso; **in** ~ en suma; **to cut** ~ interrumpir; abreviar; **to run** ~ escasear; ~**age** escasez *f*; falta *f*; ~**circuit** cortocircuito *m*; ~**coming** defecto *m*; ~**cut** atajo *m*; ~**en** *v/t* acortar; abreviar; ~**hand** taquigrafía *f*; ~**hand typist** taquimecanógrafa *f*; ~**ly** dentro de poco; ~**ness** brevedad *f*; deficiencia *f*; ~**s** pantalones *m/pl* cortos; ~**sighted** miope; ~**tempered** de mal genio; malhumorado; ~**term** a corto plazo

shot [ʃɔt] tiro *m*, disparo *m*; balazo *m*; tirador(a) *m* (*f*) (*persona*); foto, cine toma *f*

should [ʃud] *v/aux* para formar el condicional de los verbos *(t con el significado de obligación)* **I** ~ **go** iría; debería irme

shoulder [ˈʃəuldə] *s* hombro *m*; *v/t* llevar a hombros; *fig* cargar con; ~-**blade** omóplato *m*

shout [ʃaut] *s* grito *m*; *v/t*, *v/i* gritar; ~**ing** vocerío *m*

shove [ʃʌv] *s* empujón *m*; *v/t*, *v/i* empujar

shovel [ˈʃʌvl] *s* pala *f*

show [ʃəu] *s* exposición *f*; espectáculo *m*; *teat* función *f*; ostentación *f*; *v/t* mos-

trar; enseñar; exhibir; proyectar (*una película*); *v/i* parecer; ~ **off** alardear; ~ **up** asistir; presentarse; ~ **business** (la) farándula *f*; ~-**case** vitrina *f*

shower [ˈʃauə] *s* chaparrón *m*; ducha *f*; *v/t* llover; regar; *v/i* llover; ducharse

showy [ˈʃəui] vistoso; ostentoso

shred [ʃred] *s* tira *f*; fragmento *m*; *v/t* desmenuzar; picar

shrew [ʃru:] arpía *f*; mujer *f* de mal genio

shrewd [ʃru:d] astuto

shriek [ʃri:k] *s* chillido *m*; *v/i* chillar

shrill [ʃril] estridente; penetrante [rón *m*]

shrimp [ʃrimp] *zool* cama-

shrine [ʃrain] santuario *m*

shrink [ʃriŋk] *v/i* encogerse; disminuir; ~ **from** evadir; aborrecer

shrivel [ˈʃrivl] *v/t*, *v/i* arrugar(se); avellanarse

Shrove [ʃrəuv] **Tuesday** martes *m* de carnaval

shrub [ʃrʌb] arbusto *m*; ~**bery** maleza *f*

shrug [ʃrʌg] *s* encogimiento *m* de hombros; *v/i* encogerse de hombros

shudder [ˈʃʌdə] *s* estremecimiento *m*; *v/i* estremecerse

shuffle [ˈʃʌfl] *s* barajadura (*de naipes*); *v/t*, *v/i* barajar (*naipes*); arrastrar los pies

shun [ʃʌn] *v/t*, *v/i* esquivar

shut [ʃʌt] *v/t* cerrar; encerrar; *v/i* ~ **up** callarse la
boca; ~**down** cierre *m*,
suspensión *f* del trabajo; ~**-
ter** contravenir *f*; cierre
m; cerrador *m*; *foto* obturador *m* [midez *f*]
shy [ʃai] tímido; ~**ness** *f* ti-
sick [sik] enfermo; bas-
queado; **the** ~ los enfer-
mos; ~ **of** harto de; **to be** ~
tener náuseas; vomitar; ~
benefit prestación *f* por
enfermedad; ~**en** *v/t* enfermar; dar asco; *v/i* enfer-
marse; hartarse
sickle ['sikl] hoz *f*
sick-leave ['sikliːv] licencia *f* por enfermedad; ~**ly**
enfermizo; ~**ness** enfermedad *f*; náuseas *f/pl*
sid|e [said] *s* lado *m*; costa-
do *m*; ladera *f*; ~ **by** ~ al
lado a lado; *v/t*, *v/i* **to** ~ **e
(with)** tomar parte por;
~**eboard** aparador *m*; ~**e-
ways** de lado; ~**ing** *f c* apar-
tadero *m*
siege [siːdʒ] sitio *m*; **to lay** ~
to sitiar
sieve [siv] *s* criba *f*; tamiz
m; *v/t* tamizar
sift [sift] *v/t* tamizar; cribar;
fig escudriñar
sigh [sai] *s* suspiro *m*; *v/i*
suspirar; ~ **for** añorar
sight [sait] *s* vista *f*; visión *f*;
espectáculo *m*; lugar *m* de
interés; mira *f*; **at first** ~ a
primera vista; **by** ~ de
vista; **in** ~ visible; **to catch**
~ **of** avistar; *v/t* ver; des-

cubrir; ~**seeing** visita *f* a
puntos de interés; ~**seer**
turista *m, f*
sign [sain] *s* signo *m*; seña
f, señal *f*; indicio *m*; letrero
m; *v/t* firmar; señalar
signal ['signl] *s* señal *f*; *v/t,
v/i* indicar; hacer señales
signature ['signitʃə] firma *f*
signboard ['sainbɔːd] letrero *m*
signet ['signit] sello *m*
signif|icance [sig'nifikəns]
significación *f*; ~**icant** significante; significativo *m*
['signifai] *v/t* dar a entender; significar
signpost ['sainpəust] poste
m indicador
silen|ce ['sailəns] *s* silencio
m; *v/t* hacer callar; ~**cer**
mec silenciador *m*; ~**t** silencioso; callado; mudo (*fil-
me*); ~**t partner** *com* socio
m comanditario
silk [silk] seda *f*; ~**en** sedoso; ~ **hat** sombrero *m* de
copa; ~**y** sedoso; suave
sill [sil] antepecho *m* (*de la
ventana*) [simple]
silly ['sili] tonto; necio; *f*
silver ['silvə] *s* plata *f*; ~
smith platero *m*; ~ **wedding** bodas *f/pl* de plata;
~**y** plateado; argentino
(*tono, etc*)
similar ['similə] parecido,
semejante; ~**ity** [ˌ~'læriti]
semejanza *f*; parecido *m*;
~**ly** igualmente; del mismo
modo [a fuego lento]
simmer ['simə] *v/i* hervir

simpl|e ['simpl] simple; mero; sencillo; tonto; **~ic·ity** [sim'plisiti] simplicidad f; simpleza f; **~ification** simplificación f; **~ify** v/t simplificar

simulate ['simjuleit] v/t simular, fingir

simultaneous [siməl'teinjəs] simultáneo

sin [sin] s pecado m; v/i pecar

since [sins] adv desde entonces; hace; **long ~** hace mucho; conj ya que; puesto que; prep desde; después de

sincer|e [sin'siə] sincero; **~ity** [~'seriti] sinceridad f

sinew ['sinju:] tendón m; fig fibra f; **~y** fibroso; fig fuerte

sing [siŋ] v/t, v/i cantar; silbar (pájaros)

singe [sindʒ] v/t chamuscar; quemar (las puntas del pelo)

singer ['siŋə] cantante m, f

single ['siŋgl] a solo; único; soltero; **~ out** v/t escoger, separar; s billete m de ida; dep juego m de simples; **~-eyed** tuerto; **~-handed** solo, sin ayuda; **~-minded** sincero

singular ['siŋgjulə] singular; extraño; **~ity** [~'læriti] singularidad f; rareza f

sinister ['sinistə] siniestro

sink [siŋk] s pila f de cocina; vertedero m; v/t sumergir; hundir; bajar; v/i hundirse; **~ing** hundimiento m

sinner ['sinə] pecador(a) m (f) **[ber}**

sip [sip] s sorbo m; v/t sor-

sir [sə:] señor m; caballero m; Ingl 2 (título) Sir

siren ['saiərən] sirena f

sirloin ['sə:lɔin] solomillo m

sister ['sistə] hermana f; monja f; igl sor f; **~-in-law** cuñada f

sit [sit] v/i estar sentado; reunirse; sentar (ropa); **~ down** sentarse; **~ for** posar para; **~ up** velar; enderezarse; prestar atención; v/t sentar; dar asiento

site [sait] s sitio m

sitting ['sitiŋ] a sentado; s sesión f; **~-room** sala f de estar

situat|ed ['sitjueitid] a situado; **~ion** situación f; posición f; puesto m, empleo m

size [saiz] s tamaño m; v/t clasificar por tamaño; pint encolar

sizzle ['sizl] v/t, v/i chisporrotear, chirriar

skat|e [skeit] s patín m; v/i patinar; **~er** patinador(a) m (f); **~ing rink** pista f de patinaje

skeleton ['skelitn] esqueleto m; fig armadura f; **~-key** ganzúa f

sketch [sketʃ] s bosquejo m, boceto m; teat pieza f corta; v/t bosquejar, trazar; **~y** superficial, incompleto

ski [ski:] s esquí m; v/i esquiar

skid [skid] *s* patinazo *m*, resbalón *m*; *v/i* patinar, resbalar

ski|er ['ski:ə] esquiador *m*; **~ing** deporte *m* de esquiar

skil|ful ['skilful] hábil, diestro; **~l** habilidad *f*, destreza *f*; **~led** experto; **~led worker** obrero *m* calificado

skim [skim] *v/t* desnatar (*leche*); espumar; **~through** examinar superficialmente

skin [skin] *s* piel *f*; cutis *m*, *f*; pellejo *m*; cuero *m*; corteza *f*; *v/t* desollar, pelar; **~-deep** superficial; **~ny** flaco, magro

skip [skip] *s* brinco *m*; *v/i* brincar

skipper ['skipə] capitán *m*; patrón *m*

skirt [skə:t] *s* falda *f*; faldón *m*; borde *m*; *v/t* bordear; moverse por el borde de

skittles ['skitlz] juego *m* de bolos [vera *f*]

skull [skʌl] cráneo *m*; cala-]

sky [skai] cielo *m*; **~jack** [´~dʒæk] *v/t* secuestrar en vuelo; **~lark** alondra *f*; **~light** tragaluz *m*; claraboya *f*; **~scraper** rascacielos *m*

slab [slæb] losa *f*; plancha *f*

slack [slæk] *a* flojo; negligente; *s* cisco *m* (*de carbón*); *v/i* holgazanear; **~en** *v/t* aflojar; aplacar (*la cal*); *v/i* ceder; aflojarse; **~s** pantalones *m/pl* flojos

slake [sleik] *v/t* apagar

slam [slæm] *s* golpe *m*; portazo *m*; capote *m* (*de naipes*); *v/t* cerrar de golpe

slander ['slɑ:ndə] *s* calumnia *f*; *v/t* calumniar

slang [slæŋ] jerga *f*

slant [slɑ:nt] *s* inclinación *f*; *v/t*, *v/i* inclinar(se)

slap [slæp] *s* manotazo *m*; bofetada *f*; *v/t* pegar; abofetear; **~stick comedy** *teat* comedia *f* burda

slash [slæʃ] *s* cuchillada *f*; *v/t* acuchillar

slate [sleit] *s* pizarra *f*; *v/t* nominar; reprender

slattern ['slætə(:)n] mujer *f* desaliñada

slaughter ['slɔ:tə] *s* matanza *f*; *v/t* matar; pasar a cuchillo; *Am* masacrar; **~house** matadero *m*

slav|e [sleiv] *s* esclavo(a) *m* (*f*); siervo(a) *m* (*f*); *v/i* trabajar como esclavo; **~e-driver** capataz *m* de esclavos; **~ery** [´~əri] esclavitud *f*; **~ish** servil

slay [slei] *v/t* matar; **~er** asesino *m*

sledge [sledʒ] trineo *m*; **~(-hammer)** acotillo *m*

sleek [sli:k] *a* alisado; bruñido; *fig* blando; *v/t* alisar

sleep [sli:p] *s* sueño *m*; **to go to ~** dormirse; *v/t*, *v/i* dormir; **~ soundly** dormir a pierna suelta; **~er** *f c* coche *m* cama; *f c* traviesa *f*; **~ing partner** socio *m* secreto; **~less** desvelado; **~walker** somnámbulo(a) *m* (*f*); **~y** soñoliento

sleet [sli:t] aguanieve *f*

sleeve [sli:v] manga *f*; envoltura *f*; *mec* manguito *m*; **to have something up one's** ~ tener preparado en secreto; **to wear one's heart upon one's** ~ llevar el corazón en la mano

sleigh [slei] trineo *m*

slender ['slendə] delgado; *fig* escaso, débil

slice [slais] *s* rebanada *f* (*de pan*); *v/t* cortar en tajadas

slick [slik] liso; *fam* ingenioso; tramposo

slide [slaid] *s* tapa *f* corrediza; deslizadero *m*; alud *m*; *foto* diapositiva *f*; *v/i* resbalar; deslizarse; ~**rule** regla *f* de cálculo

slight [slait] *a* leve, ligero; escaso; pequeño; *v/t* despreciar; ~**ly** un poco

slim [slim] *a* delgado; esbelto; escaso; *v/i* adelgazar

slim|e [slaim] limo *m*; cieno *m*; babaza *f*; ~**y** viscoso; •baboso; limoso

sling [sliŋ] *s* honda *f*; *med* cabestrillo *m*; *v/t* arrojar, tirar

slip [slip] *s* papeleta *f*; tira *f*; funda *f*; enaguas *f/pl*; resbalón *m*; *fig* desliz *m*; *v/i* deslizarse, resbalarse; ~ **away** escabullirse; ~ **up** equivocarse; *v/t* hacer deslizar; ~**per** zapatilla *f*; ~**pery** resbaladizo

slit [slit] *s* hendedura *f*; *v/t* hender, rajar

slobber ['slɔbə] *s* babeo *m*; *v/i* babear

slogan ['slɔugən] lema *m*; refrán *m* (*publicitario*)

sloop [slu:p] chalupa *f*

slop [slɔp] *s* líquido *m* derramado; agua *f* sucia; *v/t*, *v/i* derramar(se)

slope [slɔup] *s* cuesta *f*; inclinación *f*; *v/i* inclinarse

sloppy ['slɔpi] lodoso; *fig* descuidado; *fam* empalagoso

slot [slɔt] muesca *f*; ranura *f*

sloth [slɔuθ] pereza *f*; *zool* perezoso *m*

slot-machine ['slɔtməˈʃi:n] tragamonedas *m*, tragaperras *m*

slough [slau] *s* fangal *m*

sloven ['slʌvn] *s* persona *f* desaseada; ~**ly** desaseado, descuidado

slow [slɔu] *a* lento; atrasado (*reloj*); *v/t*, *v/i* ~ **down** aflojar el paso; ~**ly** despacio; ~**-motion** cámara *f* lenta; ~**ness** lentitud *f*, torpeza *f*

sluggish ['slʌgiʃ] perezoso

sluice [slu:s] esclusa *f*

slum [slʌm] barrio *m* bajo, *SA* barriada *f*

slumber ['slʌmbə] *s* sueño *m*; *v/i* dormir

slush [slʌʃ] fango *m*; nieve *f* acuosa

slut [slʌt] suripanta *f*

sly [slai] disimulado; solapado; astuto

smack [smæk] *s* dejo *m*; palmada *f*; beso *m* sonoro;

v/t dar una palmada; v/i
~ **of** saber a

small [smɔːl] a pequeño;
menudo; reducido; poco;
insignificante; ~ **change**
cambio m; SA sencillo m; ~ **fry** pececillos m/pl; fig gente
f menuda; ~ **hours** primeras
horas f/pl de la madrugada; .**ness** pequeñez f;
.**pox** viruela f; .**s** ropa f
interior; ~ **talk** palique m

smart [smɑːt] a listo m, astuto, vivo; elegante; alerto,
brioso; v/i escocer; doler

smash [smæʃ] s destrozo m;
colisión f violenta; v/t, v/i
romper; destrozar; .**ing** a
extraordinario; impresionante

smattering [ˈsmætəriŋ]
tintura f

smear [smiə] s mancha f;
v/t ensuciar; embadurnar

smell [smel] s olor m; aroma m; hedor m (malo); olfato m (sentido); v/t oler;
olfatear; husmear; v/i oler;
despedir olor; heder (mal)

smelt v/t fundir; .**ing** fundición f

smil|e [smail] s sonrisa f;
v/i sonreír(se); .**ing** risueño

smith [smiθ] herrero m; .**y**
[ˈsmiθi] herrería f

smok|e [smɔuk] s humo m;
v/t ahumar; fumar; v/i
echar humo; fumar; .**er**
fumador m; f c coche m de
fumadores; .**e-screen** cortina f de humo

smock [smɔk] bata f; camisa f de mujer

smog [smɔg] humo m
mezclado con niebla

smok|ing [ˈsmɔukiŋ] el fumar m; **no** .**ing** prohibido
fumar; .**y** humeante; ahumado

smooth [smuːð] a liso m,
suave; llano; v/t alisar;
suavizar; ~ **down** tranquilizar

smother [ˈsmʌðə] v/t sofocar, apagar; encubrir

smoulder [ˈsmɔuldə] v/i
arder en rescoldo; fig estar
latente

smudge [smʌdʒ] s tiznón
m; v/t ensuciar

smuggl|e [ˈsmʌgl] v/i contrabandear; v/t pasar de
contrabando; .**er** contrabandista m; .**ing** contrabando m

smut [smʌt] s tizne m;
obscenidad f; v/t tiznar;
.**ty** tiznado; sucio; fig
obsceno

snack [snæk] s piscolabis m;
~ **bar** cantina f, merendero
m

snail [sneil] caracol m; **at a**
.**'s pace** a paso de tortuga

snake [sneik] serpiente f,
sierpe f

snap [snæp] s castañetazo m
(de dedos); chasquido m
(ruido); cierre m de resorte;
v/t mordisquear; hacer
crujir; foto tomar una instantánea de; v/i replicar
con irritación; romperse

con un chasquido; **~-fastener** corchete _m_ de presión; **~pish** regañón, arisco; **~shot** foto instantánea _f_

snare [snɛə] lazo _m_; trampa _f_

snarl [snɑːl] _s_ gruñido _m_ agresivo; _v/i_ gruñir

snatch [snætʃ] _s_ arrebatamiento _m_; trozo _m_; _v/t_ arrebatar

sneak [sniːk] _v/i_ ir a hurtadillas; **~ers** zapatillas _f/pl_ ligeras de gimnasia

sneer [sniə] _s_ risa _f_ de desprecio; mofa _f_; _v/i_ mofarse (de)

sneeze [sniːz] _s_ estornudo _m_; _v/i_ estornudar

sniff [snif] _s_ husmeo _m_; _v/t_ husmear; _v/i_ **~ at** oliscar; _fig_ despreciar

snip [snip] _s_ recorte _m_; pedacito _m_; _v/i_ tijeretear

snipe [snaip] _orn_ agachadiza _f_; **~r** tirador _m_ emboscado

snivel ['snivl] _v/i_ lloriquear

snoop [snuːp] _v/i_ curiosear, husmear

snooze [snuːz] _v/i_ dormitar

snore [snɔː] _s_ ronquido _m_; _v/i_ roncar

snort [snɔːt] _v/i_ bufar; soltar risotadas

snout [snaut] hocico _m_

snow [snəu] _s_ nieve _f_; _v/i_ nevar; **~ball** bola _f_ de nieve; **~-capped**, **~-clad** coronado de nieve; **~-drift** ventisquero _m_; **~drop** campanilla _f_ de invierno; **~-fall** nevada _f_; **~flake**

copo _m_ de nieve; **~-plough** quitanieves _m_; **~-storm** ventisca _f_; **~y** nevoso; _fig_ puro

snub [snʌb] _a_ romo; chato; _v/t_ repulsar; desairar; **~-nosed** romo, de nariz chata

snuff [snʌf] _s_ rapé _m_, tabaco _m_ en polvo; _v/t_ husmear; **~ out** apagar

snug [snʌg] cómodo; abrigado; **~gle** _v/i_ arrimarse

so [səu] _adv_, _pron_ así; de este modo; tan; **~ far** hasta ahora; **~ long** tanto tiempo; ¡hasta luego!; **~ much** tanto; **I think ~** creo que sí; **Mr. ♂-and♀** don Fulano de tal; _conj_ con tal que

soak [səuk] _s_ remojo _m_; _v/t_ remojar; empapar; **~ up** absorber

soap [səup] _s_ jabón _m_; _v/t_ enjabonar

soar [sɔː] _v/i_ encumbrarse

sob [sɔb] _s_ sollozo _m_; _v/i_ sollozar

sob|**er** ['səubə] _a_ sobrio; grave, serio; apagado (_color_); _v/t_ calmarse; **~erness**, **~riety** [~'braiəti] sobriedad _f_

so-called ['səu'kɔːld] llamado, supuesto

sociable ['səuʃəbl] sociable

soci|**al** ['səuʃəl] social; **~lism** socialismo _m_; **~list** _a_, _s_ socialista _m_/_f_; **~lize** _v/t_ socializar

society [səu'saiəti] sociedad _f_; asociación _f_; compañía _f_

sock [sɔk] calcetín *m*

socket ['sɔkit] cuenca *f* (*del ojo*); *mec* casquillo *m*; *elec* enchufe *m* [tepe *m*]

sod [sɔd] terrón *m* herboso;

sofa ['səufə] sofá *m*

soft [sɔft] blando; muelle; suave; no alcohólico; *fam* bobo; ~ **coal** carbón *m* graso; ~ **iron** hierro *m* dulce; ~**en** ['sɔfn] *v/t*, *v/i* ablandar(se)

soil [sɔil] *s* tierra *f*; suelo *m*; *v/t* ensuciar

sojourn ['sɔdʒəːn] *s* permanencia *f*; *v/i* permanecer; morar

solder ['sɔldə] *v/t* soldar; ~**ing** soldadura *f*

soldier ['səuldʒə] soldado *m*, militar *m*

sole [səul] *s* planta *f* (*del pie*); suela *f* (*del zapato*); *ict* lenguado *m*; *v/t* echar suela; *a* único, solo, exclusivo

solemn ['sɔləm] solemne; grave

solicit [sə'lisit] *v/t* demandar, reclamar; ~**or** abogado *m*; ~**ous** solícito

solid ['sɔlid] sólido; macizo; bien fundado; ~**arity** [sɔli'dæriti] solidaridad *f*; ~**ity** [sə'liditi] solidez *f*

soliloquy [sə'liləkwi] soliloquio *m*, monólogo *m*

solit|ary ['sɔlitəri] solitario; solo; ~**ude** ['~tjuːd] soledad *f*

solo ['səuləu] solo *m*; ~**ist** solista *m*, *f*

solu|ble ['sɔljubl] soluble; ~**tion** solución *f*

solve [sɔlv] *v/t* resolver; ~**nt** *a* solvente; disolutivo; *s* solvente *m* [triste]

sombre ['sɔmbə] sombrío;

some [sʌm, səm] *a* un poco de; algo de; algún; unos pocos; algunos; *pron* algunos(as); unos; algo; ~**body** ['sʌmbədi], ~**one** alguien; alguno; ~**body else** algún otro; ~**how** de algún modo

some|thing ['sʌmθiŋ] algo; ~**time** algún día; ~**times** a veces; algunas veces; ~**what** algo; un tanto; ~**where** en alguna parte

somersault ['sʌməsɔːlt] salto *m* mortal, voltereta *f*

son [sʌn] hijo *m*

song [sɔŋ] canción *f*, canto *m*, cantar *m*; ~**bird** pájaro *m* cantor; ~**book** cancionero *m*

sonic ['sɔnik] sónico

son-in-law ['sʌninlɔː] yerno *m*

sonnet ['sɔnit] soneto *m*

soon [suːn] pronto; as ~ as tan pronto como; ~**er** más pronto; **no ~er ... than** apenas ... cuando; ~**er or later** tarde o temprano

soot [sut] hollín *m*

soothe [suːð] *v/t* calmar

sophisticated [sə'fistikeitid] sofisticado

soporific [sɔpə'rifik] soporífico *m*; narcótico *m*

sorcer|er ['sɔːsərə] brujo *m*; ~**y** hechicería *f*; brujería *f*

sordid ['sɔːdid] sórdido; mezquino

sore [sɔː] *a* dolorido; inflamado; disgustado; ~ **throat** dolor *m* de garganta; *s* llaga *f*

sorrow ['sɔrəu] *s* dolor *m*; pesar *m*; ~**ful** pesaroso

sorry ['sɔri] pesaroso; arrepentido; triste; **to be ~** sentir; **to be ~ for** (someone) compadecerse de (alguien)

sort [sɔːt] *s* clase *f*; *v/t* clasificar; arreglar

soul [səul] alma *f*, espíritu *m*

sound [saund] *a* sano; ileso; correcto; profundo (*sueño*); *com* solvente; *s* sonido *m*; ~ **barrier** barrera *f* sónica; *v/t* sonar; tocar; *med* auscultar; sondear; *v/i* sonar; resonar; ~**ing** sondeo *m*; ~**less** silencioso *m*; ~**proof** insonoro; ~**track** *cine* pista *f* sonora; ~**wave** onda *f* acústica

soup [suːp] sopa *f*

sour ['sauə] *a* agrio, ácido; *fig* desabrido; *v/t*, *v/i* agriar(se)   [gen *m*)

source [sɔːs] fuente *f*; orí-∫

south [sauθ] *s* sur *m*; *a* meridional; ~**erly** ['sʌðəli], ~**ern** meridional; austral; ~**ward(s)** ['sauθwəd(z)] hacia el sur

souvenir ['suːvəniə] recuerdo *m*

sow [sau] puerca *f*, cerda *f*

sow [səu] *v/t*, *v/i* sembrar; esparcir; diseminar; ~

one's wild oats correr sus mocedades

Soviet ['səuviet] *a* soviético; *s* soviet *m*

spa [spɑː] balneario *m*

space [speis] *s* espacio *m*; intervalo *m*; *v/t* espaciar; ~**-craft**, ~**-ship** nave *f* espacial; ~**suit** escafandra *f* espacial

spacious ['speiʃəs] espacioso, amplio

spade [speid] laya *f*; pala *f*; (*naipes*) espada *f*

Spain [spein] España *f*

span [spæn] palmo *m* (*de la mano*); luz *f* (*del puente*); *arq* tramo *m*; *aer* envergadura *f*; lapso *m*; *v/t* medir; extender sobre; comprender

spangle ['spæŋgl] lentejuela *f*

Spaniard ['spænjəd] español(a) *m* (*f*)

spaniel ['spænjəl] perro *m* de aguas

Spanish ['spæniʃ] *a*, *s* español(a) *m* (*f*); hispánico

spank [spæŋk] *v/t* zurrar

spanner ['spænə] llave *f* de tuercas

spar|e [speə] *a* de repuesto; disponible; libre; enjuto; frugal; ~**e parts** piezas *f/pl* de recambio; ~**e time** tiempo *m* libre; *v/t* escatimar; ahorrar; evitar; privarse de; ~**ing** frugal; escaso

spark [spɑːk] *s* chispa *f*; *v/i* chispear; ~ **plug** bujía *f*;

sple v/i centellear; **ling** brillante [rrión m)

sparrow ['spærəu] orn go-

sparse [spɑːs] esparcido

spasm ['spæzəm] espasmo m; **odic** [~'mɔdik] espasmódico

spatter ['spætə] s salpicadura f; v/t, v/i salpicar

spawn [spɔːn] s ict huevas f/pl; v/t, v/i ict desovar

speak [spiːk] v/t, v/i hablar; expresar; **~ one's mind** hablar en plata; **~ up** hablar en alta voz; hablar claro; **~er** orador m; presidente m de un cuerpo legislativo; **~ing** habla f; discurso m

spear [spiə] lanza f; **~head** punta f de lanza

special ['speʃəl] especial; particular; **~ist** especialista m, f; **~ity** [~i'æliti] especialidad f; **~ize** v/i especializarse; **~ly** especialmente; sobre todo

species ['spiːʃiːz] especie f

speci|fic [spi'sifik] específico; **~fy** [spesifai] v/t especificar

specimen ['spesimin] muestra f

speck [spek] manchita f; **~le** v/t motear; manchar

specta|cle ['spektəkl] espectáculo m; **~cles** gafas f/pl; **~cular** [~'tækjulə] espectacular, aparatoso; **~tor** [~'teitə] espectador(a) m (f)

speculat|e ['spekjuleit] v/t,

v/i especular; **~ion** especulación f; **~or** especulador (-a) m (f)

speech [spiːtʃ] discurso m; habla f; **~day** clausura f (en escuela); **~less** mudo

speed [spiːd] s velocidad f; rapidez f; **at full ~** a toda velocidad; v/t **~ up** acelerar; **~limit** velocidad f máxima permitida; **~ometer** [spi'dɔmitə] indicador m de velocidad; **~y** rápido

spell [spel] s hechizo m, encanto m; turno m; rato m; v/t, v/i deletrear; **~ing** ortografía f

spen|d [spend] v/t gastar (dinero); emplear, pasar (tiempo); **~dthrift** derrochador; **~t** gastado; agotado

sperm [spəːm] esperma m

spher|e [sfiə] esfera f; **~ical** ['sferikəl] esférico

spic|e [spais] s especia f; v/t condimentar; **~y** picante; sabroso

spider ['spaidə] araña f; **~'s web** telaraña f

spike [spaik] púa f; escarpia f; v/t clavar, escarpiar

spill [spil] s fam vuelco m; v/t, v/i derramar(se)

spin [spin] s vuelta f; giro m; v/t, v/i hilar; girar

spinach ['spinidʒ] espinaca f

spinal ['spainl] espinal; **~ column** espina f dorsal; **~ cord** médula f espinal

spindle ['spindl] huso m

spray

spine [spain] espina f dorsal; **~less** sin energía; servil

spinster ['spinstə] solterona f

spiny ['spaini] espinoso

spiral ['spaiərəl] a, s espiral f (iglesia)

spire ['spaiə] aguja f (de)

spirit ['spirit] s espíritu m; ánimo m; humor m; alcohol m; **high ~s** animación f; **low ~s** abatimiento m; v/t **~ away** llevarse en secreto; **~ed** vivo; brioso; **~ual** [' ~tjuəl] espiritual

spit [spit] s coc asador m; saliva f; v/t, v/i escupir

spite [spait] rencor m; **in ~** of a pesar de; **~ful** rencoroso

spitt|le ['spitl] saliva f; **~oon** [~'tu:n] escupidera f

splash [splæʃ] s salpicadura f; v/t rociar; salpicar; **~-down** descenso m en el mar (de la cápsula espacial)

spleen [spli:n] anat bazo m; melancolía f; esplín m

splend|id ['splendid] espléndido; **~our** pompa f; esplendor m

splint [splint] med s tablilla f; v/t entablillar; **~er** s astilla f; v/t astillar

split [split] s hendidura f; raja f; fig cisma m; v/t hender; rajar; **~ting** violento (dolor)

splutter ['splʌtə] s farfulla f; v/t, v/i farfullar; chisporrotear

spoil [spɔil] v/t estropear;

mimar; v/i echarse a perder; **~sport** aguafiestas m; **~t child** niño m consentido; **~s** s/pl despojo m, botín m

spoke [spəuk] rayo m (de rueda)

spokesman portavoz m

spong|e [spʌndʒ] s esponja f; v/i gorrear; **~e-cake** bizcochuelo m; **~er** gorrista m, f; **~y** esponjoso

sponsor ['spɔnsə] s patrocinador m; v/t patrocinar

spontaneous [spɔn'teinjəs] espontáneo

spook [spu:k] espectro m

spool [spu:l] carrete m

spoon [spu:n] cuchara f; **~ful** cucharada f

spore [spɔ:] bot esporo m

sport [spɔ:t] s deporte m; diversión f; lo ostentar; v/i jugar; divertirse; **~ing** deportivo; **~sman**, **~s-woman** deportista m, f

spot [spɔt] s lugar m; sitio m; punto m; tacha f; v/t descubrir, encontrar; manchar; **~less** inmaculado; **~light** proyector m; **~ test** prueba f selectiva

spout [spaut] s pitón m; pico m (de cafetera); v/t, v/i arrojar

sprain [sprein] s torcedura f; v/t torcer

sprat [spræt] sardineta f

sprawl [sprɔ:l] v/t, v/i tender(se); arrellanarse

spray [sprei] s rociada f; v/t, v/i pulverizar; rociar; **~**

-gun pistola *f* pulveriza-dora

spread [spred] *s* extensión *f*; expansión *f*; propagación *f*; cobertor *m*; *v/t* exten-der; divulgar; desplegar; untar

sprig [sprig] ramita *f*

spring [spriŋ] *s* primavera *f*; fuente *f* (*de agua*); *mec* re-sorte *m*; muelle *m*; salto *m*; *v/i* saltar, brincar; brotar; nacer; surgir; **~-board** trampolín *m*; **~iness** elas-ticidad *f*; **~y** elástico

sprinkle ['spriŋkl] *v/t* ro-ciar; **~r** rociador *m*; rega-dera *f* rotativa

sprint [sprint] *s* corrida *f*; *v/i* correr a toda carrera

sprout [spraut] *s* vástago *m*; *v/i* brotar

spruce [spru:s] *a* pulcro, galano; *s* abeto *m*

spur [spə:] *s* espuela *f* (*t fig*); *v/t* **~ on** *fig* espolear

spy [spai] *s* espía *m*, *f*; *v/t*, *v/i* espiar

squabble ['skwɔbl] *v/i* reñir

squad [skwɔd] pelotón *m*; **~ron** ['~rən] *mar mil* escua-dra *f*

squall [skwɔ:l] ráfaga *f*

squander ['skwɔndə] *v/t*, *v/i* derrochar; malgastar

square [skwεə] *a* cuadrado; honesto; *fam* abundante; *dep* igualado; *s* plaza *f*; cuadrado *m*; *v/t* cuadrar; arreglar, saldar (*cuentas*); **~ly** honradamente

squash [skwɔʃ] *s* aplasta-miento *m*; jugo *m*; *v/t* aplastar

squat [skwɔt] *v/i* agacharse

squeak [skwi:k] *s* chirrido *m*; *v/i* chirriar

squeal [skwi:l] *v/i* chillar

squeamish ['skwi:miʃ] es-crupuloso

squeeze [skwi:z] *s* estrujón *m*; *v/t* estrujar; **~r** expri-midera *f*

squid [skwid] calamar *m*

squint [skwint] *s* mirada *f* bizca; *v/t*, *v/i* bizquear

squire ['skwaiə] hacendado *m*, terrateniente *m*

squirm [skwə:m] *v/i* retor-cerse

squirrel ['skwirəl] ardilla *f*

squirt [skwə:t] *s* chorretada *f*; *v/t*, *v/i* (hacer) salir a chorros

stab [stæb] *s* puñalada *f*; *v/t* apuñalar

stab|ility [stə'biliti] estabi-lidad *f*; solidez *f*; **~ilize** ['steibilaiz] *v/t* estabilizar

stable ['steibl] *s* cuadra *f*; establo *m*; *a* estable; *v/t* poner en establo; **~-boy** mozo *m* de cuadra

stack [stæk] *s* niara *f*; pila *f*; *v/t* apilar

stadium ['steidjəm] estadio *m*

staff [sta:f] *s* palo *m*; vara *f*; apoyo *m*; personal *m*; *mil* estado *m* mayor; *v/t* dotar de personal

stag [stæg] ciervo *m*

stage [steidʒ] *s* escena *f*; plataforma *f*; escenario *m*;

etapa *f*; ~ **fright** trac *m*; ~ **manager** director *m* de escena; *v/t* representar en escena, escenificar

stagger ['stægə] *s* tambaleo *m*; *v/i* tambalear; vacilar; *v/t* asombrar; hacer tambalear

stagnant ['stægnənt] estancado; estático

stain [stein] *s* mancha *f*; *v/t*, *v/i* manchar; **~ed glass** vidrio *m* de color; **~less** limpio; inoxidable

stair [steə] escalón *m*; **~s** escalera *f*

stake [steik] *s* estaca *f*; posta *f*; *com* interés *m*; **at ~** en juego; *v/t* estacar; arriesgar

stale [steil] viejo; viciado; rancio; *fig* trillado

stalk [stɔ:k] *s* *bot* tallo *m*; paso *m* majestuoso; *v/i* andar majestuosamente; *v/t* cazar al acecho

stall [stɔ:l] *s* pesebre *m*; casilla *f*; puesto *m* (en el mercado); *teat* butaca *f*; *v/t* meter en establo; atascar; *v/i* atascarse; ahogarse (*motor*) (*padre*)

stallion ['stæljən] caballo *m*

stalwart ['stɔ:lwət] forzudo; *pol* leal

stamina ['stæminə] nervio *m*; fibra *f*

stammer ['stæmə] *s* balbuceo *m*; *v/t*, *v/i* tartamudear, balbucear

stamp [stæmp] *s* sello *m*, *SA* estampilla *f*; estampado *m*, marca *f*; impresión *f*;

v/t sellar; marcar; ~ **out** extirpar; *v/i* patear

stand [stænd] *s* puesto *m*; posición *f*; pedestal *m*; estrado *m*, tribuna *f*; resistencia *f*; *v/t* resistir; aguantar, tolerar; colocar; *v/i* estar de pie; erguirse; ~ **by** alistarse; ~ **off** apartarse; ~ **out** destacarse; ~ **up** ponerse en pie; ~ **up for** apoyar

standard ['stændəd] *a* normal; *s* norma *f*; patrón *m*; tipo *m*; estandarte *m*; **~ize** *v/t* normalizar; uniformar

standing ['stændiŋ] *s* reputación *f*; duración *f*; *a* de pie, derecho, *SA* parado; **~ room** *teat* entrada *f* general

stand|-offish ['stænd'ɔfiʃ] reservado, inamistoso; **~-point** punto *m* de vista; **~still** parada *f*

star [sta:] *s* estrella *f*; *v/t* marcar con estrellas; marcar con asterisco; *v/i* *teat*, *cine* figurar como estrella

starboard ['sta:bəd] estribor *m*

starch [sta:tʃ] *s* almidón *m*; fécula *f*; *v/t* almidonar

stare [steə] *s* mirada *f*; *v/i* abrir grandes ojos; mirar fijamente

stark [sta:k] *a* rígido; severo; *adv* completamente; **~ naked** en cueros

star|ling ['sta:liŋ] estornino *m*; **~lit** iluminado por las estrellas; **~ry** estrellado;

rutilante; **~spangled** estrellado, tachonado de estrellas

start [stɑ:t] s comienzo m, principio m; salida f; sobresalto m; v/i arrancar; empezar; ~ commenzar; iniciar; **~er** aut arranque m; dep competidor m

startl|e [stɑ:tl] v/t asustar; **~ing** alarmante

starv|ation [stɑː'veiʃən] inanición f; hambre f; ~ v/i hambrear; morir de hambre; v/t matar de hambre; **~ing** famélico

state [steit] s estado m; condición f; **in ~** de gran ceremonia; **to lie in ~** estar de cuerpo presente; v/t, v/i declarar; manifestar; afirmar; **~ly** majestuoso; imponente; **~ment** declaración f; relato m; com estado de cuenta; **~room** camarote m; **~sman** hombre de estado; estadista m

static ['stætik] estático; **~s** estática f

station ['steiʃən] s estación f; puesto m; v/t colocar; **~ary** fijo; **~er's** papelería f, **~ery** útiles m/pl de escritorio; **~master** jefe m de estación; **~wagon** rubia f

statistics [stə'tistiks] estadística f

statue ['stætju:] estatua f

statute ['stætju:t] estatuto m

staunch [stɔ:ntʃ] a firme; leal; v/t restañar (la sangre)

stay [stei] s estancia f, permanencia f; soporte m; v/i quedarse; hospedarse; **~ away** ausentarse; **~ up** velar

stead [sted]: **in his ~** en su lugar; **~fast** [fɑst] firme; constante; **~y** seguro; uniforme; firme [da f]

steak [steik] biftec m; tajada f]

steal [sti:l] v/t, v/i hurtar; robar; **~thy** ['stelθi] furtivo

steam [sti:m] s vapor m; vaho m; v/i emitir vapor; navegar a vapor; **~ up** empañarse (vidrio); cocer al vapor; **~boat, ~er, ~ship** (buque m de) vapor m

steel [sti:l] s acero m; a de acero; v/t acerar; fortalecer; **~works** fábrica f de acero

steep [sti:p] a empinado; s precipicio m; v/t remojar, empapar

steeple ['sti:pl] campanario m; **~chase** carrera f de obstáculos

steer [stiə] s novillo m; v/t dirigir; gobernar; v/i navegar; **~age** dirección f; **~ing wheel** volante m; mar rueda f del timón

stem [stem] bot tallo m; caña f; mar roda f; **from ~ to stern** de proa a popa; v/t contener; v/i **~ from** provenir de

stench [stentʃ] hedor m

stenograph|er [ste'nɔgrəfə] taquígrafo(a) m (f); **~y** taquigrafía f

step [step] *s* paso *m*; escalón *m*; grado *m*; **to take ~s** tomar medidas; *v/i* dar un paso; andar; **~ in** entrar; **~brother** hermanastro *m*; **~father** padrastro *m*; **~mother** madrastra *f*; **~sister** hermanastra *f*; **~son** hijastro *m*

stereo [ˈstiəriəu] aparato *m* estereofónico; estereofonía *f*

steril|e [ˈsterail] estéril; **~ity** [~ˈriliti] esterilidad *f*; **~ize** [~ˈilaiz] *v/t* esterilizar

sterling [ˈstəːliŋ] *s* libra *f* esterlina; *a* genuino; de ley

stern [stəːn] *a* austero, severo; *s* popa *f*

stew [stjuː] *s* estofado *m*; *v/t*, *v/i* estofar

steward [stjuəd] mayordomo *m*; administrador *m*; camarero *m* (*del buque*); **~ess** administrador *f*, camarera *f*; azafata *f*, aeromoza *f*

stick [stik] *s* palo *m*; barra *f*; *v/t* clavar, picar; pegar; fijar; *v/i* quedar pegado; adherirse; perseverar; **~ out** sobresalir; **~iness** viscosidad *f*; **~ing-plaster** esparadrapo *m*; **~y** pegajoso, viscoso

stiff [stif] tieso, rígido; espeso; fuerte (*bebida*); difícil; **~en** *v/t* atiesar; endurecer; *v/i* endurecerse

stifle [ˈstaifl] *v/t* sofocar

still [stil] *a* inmóvil; quieto; silencioso; *adv* aún, todavía; *conj* no obstante, *s* quietud *f*; silencio *m*; *v/t* calmar; **~born** nacido muerto; **~ness** sosiego *m*, calma *f* [pompos∘]

stilt [stilt] zanco *m*; **~ed]**

stimul|ant [ˈstimjulənt] *a*, *s* estimulante *m*; **~ate** [ˈ~eit] *v/t* estimular; **~ating** estimulante; **~ation** estímulo *m*; excitación *f*; **~us** [ˈ~əs] estímulo *m*; incentivo *m*

sting [stiŋ] *s* aguijón *m*; picadura *f*; *v/t* picar; herir

stingy [ˈstindʒi] tacaño

stink [stiŋk] *s* hedor *m*; *v/i* apestar, heder; **~ing** hediondo

stipulate [ˈstipjuleit] *v/t* estipular; **~ion** estipulación *f*

stir [stəː] *s* conmoción *f*; *v/t* remover; revolver; **~ up** agitar; fomentar

stirrup [ˈstirəp] estribo *m*

stitch [stitʃ] *s* puntada *f*; *v/t* coser; **~ up** remendar

stock [stɔk] *s* linaje *m*; raza *f*; ganado *m*; mango *m*; *com* existencias *f/pl*, capital *m*; acciones *f/pl*; **in ~** en existencia; **out of ~** agotado; **to take ~ of** inventariar; *v/t* proveer; almacenar; **~breeder** ganadero *m*; **~broker** corredor *m* de bolsa; **~exchange** bolsa *f* (*de valores o de comercio*); **~holder** accionista *m*

stocking [ˈstɔkiŋ] media *f*

stocktaking [ˈstɔkˈteikiŋ] inventario *m*

stocky ['stɔki] rechoncho

stomach ['stʌmək] s estómago m; fig apetito m; v/t
fig tragar

stone [stəun] s piedra f;
med cálculo m; hueso m (de
fruta); v/t apedrear; deshuesar; **~eware** gres m; **~y**
pedregoso; pétreo

stool [stu:l] taburete m; med
cámara f

stoop [stu:p] s inclinación f
de hombros; v/i encorvar-
se; inclinarse

stop [stɔp] s alto m, parada
f; pausa f; fin m; paradero
m; mec retén m; v/t dete-
ner; parar; **~** up atascar,
obturar; v/i pararse; cesar;
~page interrupción f; suspensión f; tecn obturación
f; **~per** tapón m; **~ping**
med empaste m

stor|age ['stɔ:ridʒ] almace-
naje m; **~e** [stɔ:] s provisión
f; tienda f; almacén m; v/t
almacenar; surtir; **~ehouse**
depósito m, almacén m

storey ['stɔ:ri] piso m; planta f

stork [stɔ:k] cigüeña f

storm [stɔ:m] s tempestad
f; v/t asaltar; tomar por
asalto; v/i rabiar; **~y** bo-
rrascoso, tempestuoso; violento

story ['stɔ:ri] cuento m; arq
piso m, planta f

stout [staut] a fuerte; sólido; s cerveza f de malta

stove [stəuv] estufa f; hor-
nillo m

stow [stəu] v/t acomodar;
mar arrumar; **~away** polizón m [perso]

straggling ['stræɡliŋ] dis-

straight [streit] a derecho;
recto; puro; adv directa-
mente; correctamente; **~**
ahead en frente; **~** away u
off sin vacilar, en seguida;
~en v/t enderezar; arreglar; **~forward** franco;
recto; **~ness** rectitud f

strain [strein] s tensión f;
esfuerzo m; med relajación
f, distensión f; raza f; v/t
forzar; estirar; filtrar; v/i
esforzarse; **~er** colador m

strait [streit] a estrecho;
~s geog estrecho m

strand [strænd] s playa f;
ribera f; v/t varar; fig abandonar

strange [streindʒ] extraño;
raro; ajeno; **~r** forastero(a)
m (f)

strang|le ['stræŋgl] v/t es-
trangular; **~ulation** [~ju-
'leiʃən] estrangulación f

strap [stræp] s tira f; correa
f; **~ping** robusto

strat|egic [stra'ti:dʒik] es-
tratégico; **~egy** ['strætidʒi]
estrategia f [fresa]

straw [strɔ:] paja f; **~berry**

stray [strei] a extraviado;
perdido; v/i errar; extraviarse

streak [stri:k] s raya f; vena
f; fig rasgo m; **~ of lightning** relámpago m; v/t
rayar; **~y** rayado; entreve-
rado (tocino)

stream [stri:m] *s* arroyo *m*; corriente *f*; río *m*; flujo *m*; *v/t, v/i* correr; manar; ~lined aerodinámico

street [stri:t] *s* calle *f*; ~car *Am* tranvía *m*; ~-cleaner barrendero *m*

strength [streŋθ] fuerza *f*; resistencia *f*; ~en *v/t* fortalecer; robustecer

strenuous ['strenjuəs] vigoroso; arduo

stress [stres] *s* esfuerzo *m*; tensión *f*; acento *m*; *v/t* acentuar; someter a esfuerzo

stretch [stretʃ] *s* estiramiento *m*; alcance *m*; trecho *m*; *v/t* extender; estirar; *v/i* extenderse; desperezarse; ~er andas *f/pl*; camilla *f*

strew [stru:] *v/t* esparcir

stricken ['strikən] herido; afectado

strict [strikt] estricto

stride [straid] *s* tranco *m*; zancada *f*; *v/i* andar a trancos　　　　　[lucha *f*]

strife [straif] contienda *f*;}

strik|e [straik] *s* golpe *m*; huelga *f*; hallazgo *m*; *mil* ataque *m*; *v/t* pegar; golpear; dar contra; encender (*cerilla*); dar (*la hora*); hallar; arriar (*bandera, etc*); parecer a; *v/i* golpear; sonar (*campana*); declararse en huelga (*obreros*); ~er huelguista *m*; ~ing llamativo; sorprendente

string [striŋ] *s* cuerda *f*; hilera *f*; sarta *f*; *v/t* ensar-

tar; encordar; ~y fibroso; correoso

strip [strip] *s* tira *f*; faja *f*; *v/t, v/i* despojar(se); desnudar(se)

stripe [straip] raya *f*; lista *f*; *mil* galón *m*; ~d listado, rayado

strive [straiv] *v/i* esforzarse; disputar

stroke [strəuk] golpe *m*; *med* ataque *m* (*de apoplejía*); *dep* brazada *f*, remada *f*; ~ of luck golpe *m* de fortuna

stroll [strəul] *s* paseo *m*; *v/i* pasear, vagar; ~er paseante *m*

strong [strɔŋ] fuerte; robusto; bueno (*ojos, etc*); *com* en alza; ~hold fuerte *m*; fortaleza *f*; ~room bóveda *f* de seguridad

structure ['strʌktʃə] estructura *f*

struggle ['strʌgl] *s* lucha *f*; *v/i* luchar　　　　　[guear]

strum [strʌm] *v/t, v/i* ras-}

strut [strʌt] *s* arq riostra *f*; *v/i* pavonearse

stub [stʌb] tocón *m*; colilla *f* (*de cigarro*), *SA* pucho *m*

stubble ['stʌbl] rastrojo *m*

stubborn ['stʌbən] terco, testarudo

stud [stʌd] *s* tachón *m*; botón *m* de cuello; caballeriza *f*; *v/t* tachonar

stud|ent ['stju:dənt] estudiante *m, f*; ~io [.'diəu] estudio *m*, taller *m*; ~io couch diván *m* convertible;

~ious ['~djəs] estudioso;
esmerado; **~y** ['stʌdi] s estu-
dio *m*; *v/i*, *v/t* estudiar

stuff [stʌf] s materia *f*; material *m*; paño *m*; *fig* tontería *f*; *v/t* henchir; atestar;
disecar; **~ing** relleno *m*; **~y**
mal ventilado

stumble ['stʌmbl] *v/i* tropezar

stump [stʌmp] tocón *m*;
muñón *m*; troncho *m*

stun [stʌn] *v/t* aturdir; **~-
ning** asombroso; *fam* magnífico

stunt [stʌnt] truco *m*; *aer*
acrobacia *f*; ardid *m* publicitario   [londrar]

stupefy ['stju:pifai] *v/t* ato-]

stupid ['stju:pid] estúpido;
tonto; **~ity** [~'piditi] estupidez *f*   [busto]

sturdy ['stə:di] fuerte, ro-]

stutter ['stʌtə] *v/i* tartamudear

sty [stai] pocilga *f*

styl|e [stail] estilo *m*; **~ish**
elegante, de moda

suave [swa:v] suave, afable;
cortés

subdue [səb'dju:] *v/t* sojuzgar; suavizar; amortiguar

subject ['sʌbdʒikt] a sujeto;
~ to sujeto a; expuesto a; *s*
asunto *m*; tema *m*; súbdito
m; [səb'dʒekt] *v/t* someter;
exponer; **~ion** sujeción *f*;
~ive subjetivo

subjunctive [səb'dʒʌŋktiv]
subjuntivo *m*

sublime [sə'blaim] sublime,
exaltado

submachine-gun ['sʌb-
mə'ʃi:ngʌn] metralleta *f*

submarine [sʌbmə'ri:n] a,
s submarino *m*

submerge [səb'mə:dʒ] *v/t*,
v/i sumergir(se)

submi|ssion [səb'miʃən]
sumisión *f*; **~ssive** sumiso;
~t [~'mit] *v/t* someter; *v/i*
someterse; conformarse

subordinate [sə'bɔ:dnit] a,
s subalterno *m*, subordina-
do *m*

subscri|be [səb'skraib] *v/t*,
v/i suscribir; abonarse;
~be for suscribirse a ⟨*libro,
acciones*⟩; **~be to** abonarse
a ⟨*periódico, etc*⟩; **~ber** a, s
abonado(a) *m* (*f*); **~ption**
[~'skripʃən] suscripción *f*;
abono *m*

subsequent ['sʌbsikwənt]
subsiguiente; **~ly** poste-
riormente, seguido

subside [səb'said] *v/i* su-
mirse; amainarse

subsid|iary [səb'sidjəri]
subsidiario; auxiliar **~ize**
['sʌbsidaiz] *v/t* subvencio-
nar; **~y** ['~sidi] subsidio *m*,
subvención *f*

subsist [səb'sist] *v/i* subsistir, existir

substan|ce ['sʌbstəns] sus-
tancia *f*; esencia *f*; riqueza
f; **~tial** [səb'stænʃəl] sus-
tancial; sustancioso; considerable

substantive ['sʌbstəntiv]
sustantivo *m*

substitute ['sʌbstitju:t] s
sustituto *m*; *v/t* sustituir

subtitle ['sʌbtaitl] subtítulo
m; *cine* leyenda *f*

subtle ['sʌtl] sutil; fino

subtract [səb'trækt] *v/t, v/i*
restar

suburb ['sʌbəːb] suburbio
m; **~an** [sə'bəːbən] suburbano

subway ['sʌbwei] pasaje *m*
subterráneo; *Am* ferrocarril *m* subterráneo, metropolitano *m*

succ|eed [sək'siːd] *v/i* tener
éxito; **~eed in** lograr; **~eed
to** suceder; **~ess** [~'ses]
éxito *m*; **~essful** exitoso;
próspero; **~essive** sucesivo; **~essor** sucesor *m*

succulent ['sʌkjulənt] suculento (*cumbir*)

succumb [sə'kʌm] *v/i* su-

such [sʌtʃ] *a* tal; semejante;
~ as tal como; *pron* tal

suck [sʌk] *v/t, v/i* chupar;
~le *v/t* amamantar; **~ling** mamón *m*; **~ling pig** lechón *m*

sudden ['sʌdn] repentino;
súbito; **~ly** de repente;
repentinamente

suds [sʌdz] jabonaduras *f/pl*

sue [sjuː] *v/t, v/i* demandar

suède [sweid] ante *m*

suet ['sjuit] sebo *m*

suffer ['sʌfə] *v/t, v/i* sufrir;
padecer; soportar; **~er** víctima *f*; **~ing** sufrimiento *m*

suffic|e [sə'fais] *v/t, v/i* bastar; **~iency** ['fiʃənsi] cantidad *f* suficiente; suficiencia *f*; **~ient** bastante, suficiente

suffix ['sʌfiks] sufijo *m*

suffocate ['sʌfəkeit] *v/t, v/i*
sofocar(se); asfixiar(se)

sugar ['ʃugə] *s* azúcar *m*; *v/t*
azucarar; **~-beet** remolacha *f*; **~-cane** caña *f* de
azúcar; **~y** azucarado

suggest [sə'dʒest] *v/t* sugerir; evocar; **~ion** sugestión
f; **~ive** sugestivo; significante

suicide ['sjuisaid] suicidio
m; suicida *m, f*

suit [sjuːt] *s* traje *m*; (*naipes*)
palo *m*; *for* pleito *m*; *v/t*
adaptar; ajustar; convenir;
~ oneself hacer como guste; *v/i* **~ with** convenir;
bien con; **~able** conveniente; propio; apropiado; **~-case** maleta *f*

suite [swiːt] séquito *m*; serie
f (de muebles; habitaciones);
piso *m*

suitor ['sjuːtə] galán *m*; *for*
demandante *m*

sulk [sʌlk] *v/i* amorrar(se);
~y malhumorado

sullen ['sʌlən] hosco; murrio

sulphur ['sʌlfə] azufre *m*;
~ous florhornoso;

sultry ['sʌltri] bochornoso;
sensual

sum [sʌm] *s* suma *f*; **to do
~s** hacer cálculos; *v/t,
v/i* **~ up** resumir; compendiar

summar|ize ['sʌməraiz] *v/t*
resumir, compendiar;
~y resumen *m*, sumario *m*

summer ['sʌmə] verano *m*;
~ resort lugar *m* de vera-

neo; ～ **school** escuela f de
verano

summit ['sʌmit] cima f;
cumbre f; ～ **meeting**
reunión f en la cumbre

summon ['sʌmən] v/t citar;
convocar; ～s requerimien-
to m; for citación f

sun [sʌn] sol m; ～**bathe** v/i
tomar el sol; ～**beam** rayo
m de sol; ～**burnt** tostado

Sunday ['sʌndi] domingo
m

sun-dial ['sʌndaiəl] reloj m
de sol

sundries ['sʌndriz] com
géneros m/pl diversos

sunken ['sʌŋkən] hundido

sun|ny ['sʌni] soleado; ～**-
rise** salida f del sol; ～**set**
puesta f del sol; ～**shade**
parasol m; ～**shine** sol m;
～**stroke** insolación f

superb [sju(:)'pə:b] soberbio

super|fluous [sju:'pə:fluəs]
superfluo; ～**heat** ['～hi:t]
v/t recalentar; ～**human**
sobrehumano

superintend [sju:pərin-
'tend] v/t vigilar; ～**ent**
inspector m; capataz m

superior [sju(:)'piəriə] superior; sereno; altivo; ～**ity**
[～'ɔriti] superioridad f

superlative [sju(:)'pə:lətiv]
a, s superlativo m

super|man ['sju:pə'mən]
superhombre m; ～**market**
supermercado m; ～**natural**
sobrenatural; ～**scription**
sobrescrito m; ～**sonic** su-

persónico; ～**stition** [～'sti-
ʃən] superstición f; ～**-
stitious** supersticioso; ～**-
vise** ['～vaiz] v/t supervisar;
controlar; ～**visor** supervisor m; inspector m; so-
brestante m

supper ['sʌpə] cena f

supple ['sʌpl] flexible

supplement ['sʌplimənt] s
suplemento m; v/t ['～ment]
suplir, complementar

supplication [sʌpli'keiʃən]
súplica f

suppl|ier [sə'plaiə] provee-
dor m, suministrador(a)
(f); ～**y** [～ai] s abasto m;
provisiones f/pl; com oferta
f; v/t suministrar; abastecer

support [sə'pɔ:t] s apoyo m;
v/t mantener; sostener;
apoyar

suppos|e [sə'pəuz] v/t su-
poner; presumir; ～**edly**
[～idli] presuntamente; ～**i-
tion** [sʌpə'ziʃən] suposición f; supuesto m

suppress [sə'pres] v/t suprimir; ～**ion** supresión f

suppurate ['sʌpjuəreit] v/i
supurar

suprem|acy [sju'preməsi]
supremacía f; ～**e** [～'pri:m]
supremo

surcharge ['sə:tʃɑ:dʒ] sobreprecio m; sobrecarga f
(en sellos); resello m (en
billetes)

sure [ʃuə] seguro; firme; ～
enough efectivamente; **to
make ～ of** asegurarse de-

~ly seguramente; **~ness** seguridad f; **~ty** garantía f

surf [sə:f] oleaje m

surface ['sə:fis] s superficie f; v/i emerger

surge [sə:dʒ] s oleada f; v/i agitarse

surg|eon ['sə:dʒən] cirujano m; **~ery** gabinete m de cirujano; cirugía f; **~ical** quirúrgico

surly ['sə:li] áspero, hosco

surmise [sə:'maiz] s conjetura f; [~'maiz] v/t conjeturar

surmount [sə:'maunt] v/t superar   [do m)

surname ['sə:neim] apelli-

surpass [sə:'pɑ:s] v/t aventajar; exceder; **~ing** sobresaliente

surplus ['sə:pləs] a, s sobrante m; com superávit m

surprise [sə'praiz] s sorpresa f; v/t sorprender

surrender [sə'rendə] s abandono m; entrega f; rendición f; v/t, v/i entregar(se)

surround [sə'raund] v/t circundar; cercar; **~ings** ambiente m; alrededores m/pl

survey [sə:'vei] s examen m; escrutinio m; v/t inspeccionar; estudiar; **~or** topógrafo m; inspector m

surviv|al [sə'vaivəl] supervivencia f; **~e** v/t, v/i sobrevivir; **~or** sobreviviente m, f

susceptible [sə'septəbl] susceptible; sensitivo

suspect [səs'pekt] a sospechoso; v/t, v/i sospechar

suspen|d [səs'pend] v/t suspender; **~ders** ligas f/pl (de medias), Am tirantes m/pl; **~sion** suspensión f; aplazamiento m; **~sion bridge** puente m colgante

suspicio|n [səs'piʃən] sospecha f; **~us** sospechoso

sustain [səs'tein] v/t sostener; mantener

sustenance ['sʌstinəns] sustento m, alimento m

swab [swɔb] estropajo m; med torunda f

swaddl|e ['swɔdl] empañar (criatura); **~ing-clothes** pañales m/pl

swagger ['swægə] v/i pavonearse

swallow ['swɔləu] s trago m; orn golondrina f; v/t tragar

swamp [swɔmp] pantano m; **~y** pantanoso

swan [swɔn] cisne m

swarm [swɔ:m] s enjambre m; v/t, v/i enjambrar; pulular

swarthy ['swɔ:ði] moreno

swathe [sweið] v/t fajar, vendar

sway [swei] s balanceo m; dominio m; v/i tambalear; oscilar   [blasfemar)

swear [swɛə] v/t, v/i jurar;(

sweat [swet] s sudor m; v/i sudar; **~er** suéter m, SA chompa f; **~y** sudoroso; sudado

Swed|e [swi:d] sueco(a) m (f); **~ish** sueco

sweep [swi:p] *s* barrido *m*; extensión *f*; *v/t, v/i* barrer; pasar (por); pasar la vista (sobre); **~er** barredor *m*; escoba *f* mecánica; **~ing** extenso; comprensivo; **~ings** barreduras *f/pl*

sweet [swi:t] *a* dulce; *s* dulce *m*; bombón *m*; **my ~** mi amor; **~en** *v/t* endulzar; **~heart** enamorado(a) *m(f)*; **~ness** dulzura *f*; suavidad *f*; **~ pea** guisante *m* de olor

swell [swel] *a* elegante; *s* marejada *f*; *v/i* hincharse; **~ing** hinchazón *f*

swerve [swəːv] *s* desviación *f*; *v/t, v/i* desviar(se)

swift [swift] rápido; veloz; **~ness** rapidez *f*

swim [swim] *v/i* nadar; dar vueltas (*la cabeza*); *s* to **take a ~** ir a nadar; **~mer** nadador(a) *m(f)*; **~ming** nado *m*; natación *f*; **~ming pool** piscina *f*; **~suit** traje *m* de baño

swindle ['swindl] *s* estafa *f*; *v/t* estafar; **~r** estafador *m*

swine [swain] cerdo *m*; puerco *m*; *fig* canalla *m*

swing [swiŋ] *s* balanceo *m*; columpio *m*; **in full ~** en plena marcha; *v/t* balancear; *v/i* oscilar; mecerse; **~ door** puerta *f* giratoria

swirl [swəːl] *s* remolino *m*; *v/t, v/i* arremolinar(se)

Swiss [swis] *a, s* suizo(a) *m(f)*

switch [switʃ] *s* agujas *f/pl* (*de ferrocarril*); *elec* inte-

rruptor *m*; *v/t, v/i* desviar (-se); cambiar(se); **~ on** poner (*la luz*); **~ off** desconectar; apagar (*la luz*); **~-board** cuadro *m* de distribución [do]

swollen ['swəulən] hincha-}

swoon [swu:n] *s* desmayo *m*; *v/i* desmayarse

swoop [swu:p] *v/i*: **~ down on** abatirse sobre

swop [swɔp] *fam* cambalache *m*

sword [sɔːd] espada *f*

syllable ['siləbl] sílaba *f*

syllabus ['siləbəs] programa *m* de estudios

symbol ['simbəl] símbolo *m*; **~ic, ~ical** [~'bɔlik(əl)] simbólico

symmetr|ic(al) [si'metrik(əl)] simétrico; **~y** ['simitri] simetría *f*

sympath|etic [simpə'θetik] compasivo; **~y** ['simpəθi] compasión *f*; simpatía *f*

symphony ['simfəni] sinfonía *f* [toma *m*]

symptom ['simptəm] sín-}

synchronize ['siŋkrənaiz] *v/t* sincronizar

synonym ['sinənim] sinónimo *m*; **~ous** [si'nɔniməs] sinónimo

syntax ['sintæks] sintaxis *f*

synthe|sis ['sinθisis] síntesis *f*; **~tic** [~'θetik] sintético

syringe ['sirindʒ] jeringa *f*

syrup ['sirəp] almíbar *m*

system ['sistim] sistema *m*; método *m*; **~atic** [~'mætik] sistemático

T

tab [tæb] lengüeta f; oreja f de zapato

table ['teibl] mesa f; tabla f; **~cloth** mantel m; **~land** meseta f; **~-spoon** cuchara f; **~-spoonful** cucharada f

tablet ['tæblit] tableta f; pastilla f, comprimido m

tacit ['tæsit] tácito; **~urn** ['~ə:n] taciturno

tack [tæk] s tachuela f; v/t clavar con tachuelas; hilvanar; **~le** ['tækl] s avíos m/pl; mar aparejo m; v/t abordar (problema, etc)

tact [tækt] tacto m; acierto m; **~ful** discreto

tactics ['tæktiks] táctica f

tactless ['tæktlis] indiscreto; falto de tacto

tadpole ['tædpoul] renacuajo m

tag [tæg] s herrete m; rabito m; v/t marcar con rótulo

tail [teil] cola f, rabo m; cabo m; **~-coat** frac m; **~-light** luz f de cola; **~s** cruz f (de moneda); fam frac m

tailor ['teilə] sastre m; **~ing** sastrería f

taint [teint] s corrupción f; v/t corromper

take [teik] v/t tomar; coger; asir; llevar; recibir; **~ advantage of** aprovecharse de; **~ along** llevar consigo; **~ away** quitar; **~ in** admitir; arrestar; cost embe-

ber; comprender; fam engañar; **~ out** sacar; **~ over** encargarse de, encargarse de; **~ pains** esmerarse; **~ place** ocurrir; **~ to heart** tomar a pecho; **~ up** recoger; empezar algo; v/i tener efecto; arraigar; **~ off** marcharse; aer despegar; **~ to** aficionarse a; s presa f; cine toma f; **~-off** aer despegue m

taking ['teikiŋ] atractivo

tale [teil] cuento m; fábula f

talent ['tælənt] talento m; capacidad f; **~ed** talentoso

talk [tɔ:k] s conversación f; charla f; conferencia f; discurso m; rumor m; v/t decir; hablar de; v/i hablar; charlar; **~ to** hablar a; **~ative** ['~ətiv] hablador; **~er** conversador m

tall [tɔ:l] alto; grande

tallow ['tælou] sebo m

talon ['tælən] garra f

tame [teim] a manso; sumiso; v/t domar; domesticar; **~r** domador m

tamper ['tæmpə] v/i manipular indebidamente

tan [tæn] s color m de canela; v/t curtir; tostar

tangent ['tændʒənt] tangente f

tangerine [tændʒə'ri:n] mandarina f

tangible ['tændʒəbl] tangible

tangle ['tæŋgl] s enredo m;

embrollo *m*; *v/t* enredar; embrollar

tank [tæŋk] tanque *m*; depósito *m*

tankard ['tæŋkəd] pichel *m*

tanner ['tænə] curtidor *m*

tantalizing ['tæntəlaiziŋ] tentador [bieta *f*]

tantrum ['tæntrəm] ra-

tap [tæp] *s* palmadita *f*; golpecito *m*; llave *f* (*de agua*); espita *f* (*del barril*); *v/t* tocar; espitar (*barril*); utilizar

tape [teip] cinta *f*; ~-**measure** cinta *f* métrica

taper ['teipə] *s* cirio *m*; *v/i* ahusarse

tape|-recorder ['teipri'kɔːdə] grabadora *f*; ~-**recording** grabación *f* (*de cinta*)

tapestry ['tæpistri] tapiz *m*; tapicería *f*

tapeworm ['teipwəːm] solitaria *f*

tar [taː] *s* alquitrán *m*; brea *f* líquida; *v/t* alquitranar

tare [teə] *com* tara *f*

target ['taːgit] blanco *m*; objetivo *m* [cel *m*]

tariff ['tærif] tarifa *f*; aran-]

tarnish ['taːniʃ] *v/t, v/i* empañar(se); deslustrar(se)

tart [taːt] *a* ácido; seco; *s* tarta *f*

tartan ['taːtən] tartán *m*

task [taːsk] tarea *f*

tassel ['tæsəl] borla *f*

tast|e [teist] *s* gusto *m*; sabor *m*; *v/t* gustar; saborear; *v/i* tener sabor; ~**eful** de

buen gusto; ~**eless** insípido; ~**y** sabroso

ta-ta ['tæ'taː] *fam* ¡hasta luego!

tattoo [tə'tuː] tatuaje *m*; *mil* retreta *f*

taunt [tɔːnt] mofa *f*

tavern ['tævən] taberna *f*; tasca *f*

tax [tæks] *s* impuesto *m*; *v/t* gravar; tasar; ~**ation** tributación *f*; ~-**collector** recaudador *m* de impuestos

taxi ['tæksi] taxi *m*; ~-**driver** taxista *m*; ~-**rank** parada *f* de taxis

tax|payer ['tækspeiə] contribuyente *m*; ~-**return** declaración *f* de impuestos

tea [tiː] té *m*

teach [tiːtʃ] *v/t, v/i* enseñar; ~**er** maestro(a) *m* (*f*); profesor(a) *m* (*f*); ~**ing** enseñanza *f*

tea|cup ['tiːcap] taza *f* de té; ~**kettle** tetera *f*

team [tiːm] *s* equipo *m*; tiro *m* (*de caballos*); yunta *f* (*de bueyes*); *v/i* ~ **up** asociarse con; ~**work** trabajo *m* colectivo

teapot ['tiːpɔt] tetera *f*

tear [teə] *s* rasgón *m*; *v/t* rasgar; romper; ~ **off** arrancar; ~ **up** romper; desarraigar; *v/i* ~ rasgarse

tear [tiə] lágrima *f*; ~**ful** lacrimoso; lloroso

tearoom ['tiːruːm] salón *m* de té

tease [tiːz] *v/t fam* tomar el pelo a; fastidiar

tea|-spoon ['tiːspuːn] cucharilla f de té; **~-spoonful** cucharadita f

teat [tiːt] teta f

techn|ical ['teknikəl] técnico; **~ician** [~'niʃən] técnico m; **~ique** [~'niːk] técnica f; **~ologist** [~'nɔlədʒist] tecnólogo m; **~ology** tecnología f

tedious ['tiːdjəs] aburrido

teen|ager ['tiːneidʒə] adolescente m, f; **~s** años desde 13 a 19

teeny ['tiːni] chiquitín

teethe [tiːð] v/i endentecer

teetotaller [tiː'toutlə] abstemio m

telegra|m ['teligræm] telegrama m; **~ph** [~'grɑːf] telégrafo m; **~phic** [~'græfik] telegráfico; **~phy** [ti'legrəfi] telegrafía f

telephone ['telifoun] s teléfono m; v/t, v/i telefonear; **~ exchange** central f telefónica; **~ kiosk** [~'kiːɔsk] cabina f de teléfono

tele|printer ['teliprintə] teletipo m; **~scope** [~'skoup] telescopio m

televiewer ['telivjuːə] televidente m

televis|e ['telivaiz] v/t televisar; transmitir por televisión; **~ion** [~'viʒən] televisión f; **to watch ~ion** ver (por) televisión; **~ion set** aparato m de televisión, televisor m

telex ['teleks] télex m

tell [tel] v/t, v/i contar; informar; **~er** pagador m, recibidor m (en bancos); **~tale** delator m

temper ['tempə] s humor m; mal genio m; temple m (metal); **to lose one's ~** perder la paciencia; v/t templar (metal); moderar; **~ament** temperamento m; **~ance** templanza f; **~ate** ['~rit] templado; **~ature** ['~pritʃə] temperatura f; fiebre f

tempest ['tempist] tempestad f; tormenta f; **~uous** [~'pestjuəs] tempestuoso; tormentoso

temple ['templ] templo m; anat sien f

tempora|l ['tempərəl] temporal; **~ry** temporáneo

tempt [tempt] v/t tentar; seducir; **~ation** tentación f; **~ing** tentador, seductor

tenacious [ti'neiʃəs] tenaz

tenant ['tenənt] arrendatario m; inquilino m

tend [tend] v/t cuidar; atender; v/i tender a; **~ency** tendencia f

tender ['tendə] a tierno; s oferta f; v/t ofrecer; presentar; **~loin** [~'lɔin] filete m de solomillo, lomo m; **~ness** ternura f

tendon ['tendən] tendón m

tendril ['tendril] zarcillo m

tenement-house ['tenimənthaus] casa f de vecindad, SA conventillo m

tennis ['tenis] tenis m; **~-**

-court pista _f_ (_SA_ cancha _f_) de tenis

tense [tens] _a_ tieso; tenso; _s gram_ tiempo _m_; **~ness** tirantez _f_; tensión _f_

tent [tent] tienda _f_ de campaña, _SA_ carpa _f_

tentacle ['tentəkl] tentáculo _m_

tepid ['tepid] tibio

term [tə:m] _s_ término _m_; plazo _m_; período _m_ académico; _for_ sesiones _f/pl_; _v/t_ nombrar; llamar; **~s** condiciones _f/pl_; **to be on good ~s with** estar en buenas relaciones con; **to come to ~s** llegar a un acuerdo

termina|l ['tə:minl] estación _f_ terminal; **~te** ['~eit] _v/t/i_ terminar; **~tion** terminación _f_

terminus ['tə:minəs] estación _f_ terminal

terrace ['terəs] terraza _f_; terraplén _m_ [aterrador]

terrible ['terəbl] terrible,⌐

terrif|ic [tə'rifik] terrífico; tremendo; **~y** ['terifai] _v/t_ aterrar

territor|ial [teri'tɔːriəl] territorial; **~y** ['~təri] territorio _m_

terror ['terə] terror _m_; espanto _m_; **~ism** terrorismo _m_; **~ist** terrorista _m_, _f_; **~ize** _v/t_ aterrorizar

test [test] _s_ prueba _f_, ensayo _m_, experimento _m_; _v/t_ ensayar; probar; examinar

testament ['testəmənt] testamento _m_

testify ['testifai] _v/t_, _v/i_ atestiguar

testimon|ial [testi'məunjəl] certificado _m_; testimonial _m_; **~y** ['~məni] testimonio _m_; atestación _f_

testy ['testi] irritable, quisquilloso

text [tekst] texto _m_; **~book** libro _m_ de texto, _SA_ texto _m_

textile ['tekstail] textil; **~s** productos _m/pl_ textiles

texture ['tekstʃə] textura _f_; tejido _m_; estructura _f_

than [ðæn, ðən] _conj_ que (_después del comparativo_); de (_después de números_); **there are more ~ ten** hay más de diez

thank [θæŋk] _v/t_ agradecer; dar las gracias; **~ful** agradecido; **~less** ingrato; **~s** gracias _f/pl_

that [ðæt, ðət] _a_ ese, esa; aquel, aquella; _pron dem_ ése, ésa, eso, aquél, aquélla, aquello; _pron rel_ que; quien; el cual, la cual, lo cual; **~ which** el que, la que, lo que

thatch [θætʃ] barda _f_; **~ed roof** techumbre _f_ de paja

thaw [θɔ:] _s_ deshielo _m_; _v/i_ deshelar(se)

the [ðə, ð, ði] _art_ el, la, lo; los, las; _adv_ (_con comparativo_) cuanto... tanto, mientras... tanto más; **~ sooner ~ better** mientras más pronto, tanto mejor

theatr|e ['θiətə] teatro _m_;

arte *m* dramático; **~ical**
[θiˈætrikəl] teatral

theft [θeft] hurto *m*, robo *m*

their [ðɛə] *pron pos* su, sus;
suyo(a, os, as); **~s** el suyo,
la suya, los suyos, las
suyas

them [ðem, ðəm] *pron* los,
las, les; *con prep* ellos, ellas

theme [θiːm] tema *m*

themselves [ðemˈselvz]
pron pl ellos mismos; ellas
mismas

then [ðen] *adv* entonces;
luego; en otro tiempo; en
tal caso; por consi-
guiente; *s* aquel tiempo; **by**
~ para entonces

theolog|ian [θiəˈlɔudʒjən]
teólogo *m*; **~y** [θiˈɔlədʒi]
teología *f*

theor|etical [θiəˈretikəl]
teórico; **~y** [ˈ~ri] teoría *f*

therapy [ˈθerəpi] terapia *f*

there [ðɛə] *adv* ahí, allí,
allá; **~ is, ~are** hay; **~was,
~were** había; hubo; *interj*
¡mira!; **~about(s)** por ahí;
aproximadamente; **~after**
después de eso; **~by** con
eso; **~fore** por lo tanto;
~upon luego; **~with** con
eso

thermal [ˈθɜːməl] termal;
térmico; **~ barrier** *aer*
muro *m* térmico

thermo|meter [θəˈmɔmitə]
termómetro *m*; **~s (flask)**
termos *m*

these [ðiːz] *a* estos, estas;
pron éstos, éstas

thesis [ˈθiːsis] tesis *f*

they [ðei] *pron* ellos, ellas

thick [θik] espeso; grueso;
tupido; denso; **~en** *v/t, v/i*
espesar(se); **~et** [ˈ~it] matorral *m*; **~ness** espesor *m*;
densidad *f*; espesura *f*

thief [θiːf] ladrón(ona) *m*
(*f*); ratero(a) *m* (*f*)

thigh [θai] muslo *m*

thimble [ˈθimbl] dedal *m*

thin [θin] *a* delgado; fino;
ralo (*líquido*); raro (*aire*);
v/t, v/i enrarecer(se); adelgazar   [objeto *m*)

thing [θiŋ] cosa *f*; asunto *m*;ʃ

think [θiŋk] *v/t, v/i* pensar;
reflexionar; creer; **~ of**
pensar en; acordarse de;
idear; **~er** pensador(a) *m*
(*f*); **~ing** pensamiento *m*

third-party insurance
[ˈθɜːdˈpɑːti] seguro *m* de
responsabilidad civil

thirst [θɜːst] sed *f*; **~y** sediento

this [ðis] *a* este, esta; *pron*
éste, ésta, esto

thistle [ˈθisl] cardo *m*

thorn [θɔːn] espina *f*

thorough [ˈθʌrə] completo;
cabal; perfecto; minucioso;
~bred [ˈ~bred] caballo *m*
de pura sangre; **~fare** paso
m; pasaje *m*; camino *m* público; **~ly** a fondo; **~ness**
minuciosidad *f*

those [ðəuz] *a* esos, esas;
aquellos, aquellas; *pron*
ésos, ésas; aquéllos, aqué-
llas

though [ðəu] *conj* aunque;
adv sin embargo

thought [θɔ:t] pensamiento *m*; idea *f*; **~ful** pensativo; atento; **~less** descuidado; desatento

thrash [θræʃ] *v/t* trillar; apalear; **~ing** paliza *f*

thread [θred] *s* hilo *m*; *tecn* rosca *f*; *v/t* enhebrar; **~bare** raído

threat [θret] amenaza *f*; **~en** *v/t, v/i* amenazar; **~ening** amenazador

thresh [θreʃ] *v/t* trillar; **~er** (máquina) trilladora *f*

threshold ['θreʃhəuld] umbral *m*

thrice [θrais] tres veces

thrift [θrift] economía *f*, frugalidad *f*; **~less** derrochador; **~y** económico, ahorrativo; próspero

thrill [θril] *s* emoción *f*; *v/t* emocionar; **~er** novela *f* sensacional; **~ing** emocionante, excitante

thriv|e [θraiv] *v/i* prosperar; **~ing** floreciente, próspero

throat [θrəut] garganta *f*

throb [θrɔb] *v/i* latir

throne [θrəun] trono *m*

throng [θrɔŋ] *s* muchedumbre *f*; *v/t* atestar; *v/i* apiñarse

throttle ['θrɔtl] *s aut* válvula *f* de estrangulación, obturador *m*; *v/t* ahogar; estrangular

through [θru:] *a* que va hasta el final; continuo; **~train** tren *m* directo; *adv* a través; de un extremo a otro; *prep* por; a través de;

~out [~'aut] *prep* por todo; *adv* por todas partes

throw [θrəu] *v/t, v/i* echar; tirar; lanzar; **~ away** arrojar, *SA* botar; **~ out** echar fuera; expeler; *SA* botar; **~ up** vomitar; *s* tiro *m*, tirada *f*; lance *m*

thrush [θrʌʃ] tordo *m*

thrust [θrʌst] *s* empuje *m*; empujón *m*; estocada *f*; arremetida *f*; *tecn* empuje *m* axial; *v/t* empujar; meter

thud [θʌd] *s* golpe *m* sordo, baque *m*; *v/i* dar un golpe sordo

thumb [θʌm] pulgar *m*

thump [θʌmp] *s* porrazo *m*; baque *m*; *v/t, v/i* aporrear

thunder ['θʌndə] *s* trueno *m*; *v/i* tronar; **~bolt** rayo *m*; **~storm** tronada *f*; **~struck** atónito, turulato

Thursday ['θə:zdi] jueves *m*

thus [ðʌs] así, de este modo; por consiguiente

thwart [θwɔ:t] *v/t* frustrar

tick [tik] *s* garrapata *f*; funda *f*; contramarca *f*; *v/i* hacer tictac; *v/t* contramarcar

ticket ['tikit] billete *m*, *SA* boleto *m*; papeleta *f*; entrada *f*; **~ office** taquilla *f* de billetes, *SA* boletería *f*

tickl|e ['tikl] *v/t* hacer cosquillas a; **~ish** cosquilloso (*t fig*)

tid|al ['taidl] **wave** ola *f* de marejada; **~e** [taid] *s* marea *f*; *fig* corriente *f*

tidings ['taidiŋz] noticias *f/pl*; nuevas *f/pl*

tidy ['taidi] a arreglado; limpio; v/t, v/i poner en orden

tie [tai] s corbata f; lazo m; dep empate m; v/t atar

tier [tiə] s hilera f; teat fila f

tiger ['taigə] tigre m

tight [tait] apretado; ajustado, ceñido; estrecho; impermeable; fam achispado; ~en v/t, v/i apretar(se); estrechar(se); ~rope cuerda f floja

tigress ['taigris] tigresa f

tile [tail] s teja f (de tejado); baldosa f (de piso); azulejo m (de color); v/t tejar; (en-) losar

till [til] v/t labrar; cultivar; s caja f (de tienda); prep hasta; conj hasta que

tilt [tilt] s inclinación f; v/t, v/i inclinar(se)

timber ['timbə] madera f de construcción; viga f, madero m

time [taim] s tiempo m; vez f; estación f; ocasión f; **for the** ~ being por lo pronto; **in** ~ a tiempo; **in no** ~ en seguida; **to have a good** ~ divertirse; **what is the** ~? ¿qué hora es?; **three** ~s tres veces; v/t fijar para el momento oportuno; regular; ~ly puntual; ~table horario m

timid ['timid] tímido; ~orous ['~ərəs] miedoso

tin [tin] s estaño m; lata f; v/t estañar; envasar en lata;

~-foil papel m de estaño, SA platina f

tincture ['tiŋktʃə] tintura f

tinge [tindʒ] v/t teñir; fig matizar; s tinte m; matiz m

tingle ['tiŋgl] v/i hormiguear

tinkle ['tiŋkl] v/i tintinear

tin|ned [tind] en lata; ~-opener abrelatas m; ~-plate hojalata f

tint [tint] v/t teñir; s matiz m, tinte m

tiny ['taini] diminuto

tip [tip] s punta f; boquilla f; propina f; aviso m confidencial; v/t volcar, SA voltear; dar un golpecito a; dar una propina a

tipsy ['tipsi] alegre, achispado [puntillas]

tiptoe ['tiptəu] v/i andar de}

tire [taiə] s neumático m, SA llanta f

tire [taiə] v/t cansar; ~ed cansado; ~edness cansancio m; ~esome cansado; aburrido; latoso

tissue ['tiʃu:] tejido m; ~-paper papel m de seda

tit [tit] orn paro m, herrerillo m

titbit ['titbit] golosina f, bocado m predilecto

titillate ['titileit] v/t cosquillear

title ['taitl] título m; for título m, derecho m; ~ page portada f

to [tu:, tu, tə] prep para; a; hasta; hacia; menos (de la hora); **it is five minutes** ~

ten son las diez menos cinco; **~ and fro** de un lado para otro; **to have ~** tener que

toad [təud] sapo *m*

toast [təust] *s* tostada *f*; brindis *m*; *v/t* tostar; brindar por

tobacco [tə'bækəu] tabaco *m*; **~nist** [~ɔnist] estanquero *m*

toboggan [tə'bɔgən] tobogán *m*

today [tə'dei] hoy

toddle ['tɔdl] *v/i* hacer pinitos; andar tambaleando

toe [təu] *s* dedo *m* del pie; punta *f* (*de media, etc*)

toff|ee, ~y ['tɔfi] caramelo *m*

together [tə'geðə] *a* juntos; *adv* juntamente; junto; a la vez

toil [tɔil] *s* trabajo *m* duro; *v/i* afanarse; trabajar como una mula

toilet ['tɔilit] *m* tocado *m*; excusado *m*; **~-paper** papel *m* higiénico

toils [tɔilz] *fig* red *f*, trampa *f*

token ['təukən] señal *f*; prenda *f*

tolera|ble ['tɔlərəbl] tolerable; **~nce** tolerancia *f*; **~nt** tolerante; **~te** [~eit] tolerar; aguantar; **~tion** tolerancia *f*

toll [təul] *s* peaje *m*; *v/i* doblar (*campanas*) [*m*]

tomato [tə'mɑːtəu] tomate *m*

tomb [tuːm] tumba *f*; **~-stone** lápida *f* sepulcral

tomcat ['tɔm'kæt] gato *m*

tomorrow [tə'mɔrəu] *s, adv* mañana *f*; **~ night** mañana por la noche; **the day after ~** pasado mañana

ton [tʌn] tonelada *f*

tone [təun] *s* tono *m*; *v/t* modificar el tono de

tongs [tɔŋz] tenacillas *f/pl*

tongue [tʌŋ] lengua *f*; **to hold one's ~** callarse

tonic ['tɔnik] tónico *m*; *mús* tónica *f*

tonight [tə'nait] esta noche

tonnage ['tʌnidʒ] tonelaje *m*

tonsil ['tɔnsl] amígdala *f*; **~litis** [~si'laitis] amigdalitis *f*

too [tuː] *adv* demasiado; también; **~ many** demasiados(as); **~ much** demasiado

tool [tuːl] herramienta *f*

tooth [tuːθ] diente *m*; **~ache** dolor *m* de muelas; **~brush** cepillo *m* de dientes; **~paste** pasta *f* dentífrica

top [tɔp] *s* cima *f*, cumbre *f*; cabeza *f*; tapa *f*; *aut* capota *f*; **at the ~ of** a la cabeza de; **from ~ to bottom** de arriba abajo; **on ~ of** además de; *v/t* coronar; superar; llenar al tope; **~coat** sobretodo *m*; **~ hat** *fam* sombrero *m* de copa

topic ['tɔpik] asunto *m*; tema *m*

topsyturvy ['tɔpsi'təːvi] trastorno

torch [tɔːtʃ] linterna *f*; antorcha *f*

torment ['tɔːment] *s* tor-

mento *m*; suplicio *m*; [tɔː-'ment] *v/t* atormentar

tornado [tɔː'neidəu] tornado *m*

torpedo [tɔː'piːdəu] torpedo *m*

torrent ['tɔrənt] torrente *m*; *fig* raudal *m*

tortoise ['tɔːtəs] tortuga *f*

torture ['tɔːtʃə] *s* tortura *f*; *v/t* torturar; atormentar; *fig* tergiversar

toss [tɔs] *s* echada *f*; sacudida *f*; *v/t* tirar; lanzar; agitar

total ['təutl] *a* total; completo; entero; *v/t* sumar; **~itarian** [ˌtæli'teəriən] totalitario; **~ity** [ˌ'tæliti] totalidad *f*

totter ['tɔtə] *v/i* tambalear; bambolear

touch [tʌtʃ] *s* toque *m*; contacto *m*; tacto *m*; rasgo *m*; *v/t* tocar; alcanzar; conmover, afectar; concernir; *v/i* tocar(se); **~ down** *aer* aterrizar; **~ing** conmovedor; patético; **~y** susceptible; quisquilloso; irritable

tough [tʌf] duro, resistente; duro; rudo; vulgar; **~en** *v/t*, *v/i* endurecer(se); **~ness** tenacidad *f*; dureza *f*

tour [tuə] *s* excursión *f*; *v/t* viajar por; **~ist** turista *m*; **~ist office** oficina *f* de turismo

tournament ['tuənəmənt]

tousle ['tauzl] despeinar, desgreñar

tow [təu] *s* estopa *f*; remolque *m*; *v/t* remolcar; atoar

toward(s) [tə'wɔːd(z)] hacia; para

towel ['tauəl] toalla *f*

tower ['tauə] *s* torre *f*; fortaleza *f*; *v/i* elevarse; descollar

town [taun] ciudad *f*; villa *f*; población *f*; **~ council** concejo *m* municipal; **council(l)or** concejal *m*; **~ hall** casa *f* de ayuntamiento, *SA* municipalidad *f*

tow-rope ['təurəup] maroma *f* de remolque

toy [tɔi] *s* juguete *m*; *v/i* jugar; juguetear

trace [treis] *s* rastro *m*; huella *f*; señal *f*; *v/t* trazar; delinear; seguir la pista de; reconstruir; investigar

track [træk] *s* huella *f*, pisada *f*; vía *f* férrea; trocha *f*; ruta *f*; vereda *f*; *geo* pista *f*; *v/t* rastrear; seguir la pista de; **~-and-field events** pruebas *f/pl* de campo y pista

traction ['trækʃən] tracción *f*; arrastre *m*; **~ion--engine** locomotora *f* de arrastre; **~or** tractor *m*

trade [treid] *s* comercio *m*; negocio *m*; ramo *m*; oficio *m*; *v/i* comerciar; traficar; *v/t* trocar; vender; **~ agreement** acuerdo *m* comercial; **~mark** marca *f* de fábrica; **~ union** sindicato *m*; gremio *m* de obreros; **unionist** sindicalista *m*

tradition [trə'diʃən] tradición *f*; **~al** tradicional

traffic ['træfik] s tráfico *m*,
tránsito *m*, circulación *f*;
v/i comerciar; traficar; ~
jam embotellamiento *m*
del tráfico; ~ **lights** luces
f/pl del tráfico; ~ **violation**
infracción *f* de las reglas de
tráfico

trag|edy ['trædʒidi] trage-
dia *f*; ~**ical** trágico

trail [treil] s rastro *m*; pista
f; sendero *m*; *v/t* arrastrar;
v/i rezagarse; ~**er** remolque
m; *cine* avance *m* publicitario, tráiler *m*

train [trein] *tren m*; séquito
m; serie *f*; cola *f*; *v/t*, *v/i*
disciplinar; entrenar; ~**er**
entrenador *m*; ~**ing** entre-
namiento *m*

trait [trei] rasgo *m*

traitor ['treitə] traidor *m*

tram|car ['træmkɑː], ~**way**
['~wei] tranvía *m*

tramp [træmp] s marcha *f*
pesada; caminata *f*; vagabundo *m*; *v/i* vagabun-
dear; marchar; pisar con
fuerza; patullar; ~**le** *v/t*
pisar; hollar

tranquil ['træŋkwil] tranquilo; ~**lity** [~'kwiliti] tranquilidad *f*; ~**lize** *v/t*, *v/i*
tranquilizar(se)

transact [træn'zækt] *v/t*
negociar, despachar; ~**ion**
transacción *f*

transatlantic ['trænzət-
'læntik] transatlántico

transcend [træn'send] *v/i*
transcender; ~**ent** sobresaliente

transcri|be [træns'kraib]
v/t transcribir; ~**cript**
['trænskript] trasunto *m*,
copia *f*; ~**ption** transcrip-
ción *f*

transfer ['trænsfə:] s transfe-
rencia *f*; traspaso *m*;
[træns'fə:] *v/t* transferir;
transbordar; ~**able** [~'fə:r-
əbl] transferible

transform [træns'fɔ:m] *v/t*
transformar; ~**ation** trans-
formación *f*; ~**er** transfor-
mador *m*

transfus|e [træns'fju:z] *v/t*
transfundir; *med* hacer una
transfusión; ~**ion** [~ʒən]
transfusión *f* (*de sangre*)

transgress [træns'gres] *v/t*
transgredir, violar; ~**ion**
transgresión *f*

transient ['trænziənt] pasajero; transitorio

transistor [træn'sistə]
transistor *m*

transit ['trænsit] tránsito
m; [~'siʒən] transición
f; paso *m*; ~**ive** *gram*
transitivo; ~**ory** transitorio

translat|e [træns'leit] *v/t*
traducir; ~**ion** traducción *f*;
~**or** traductor *m*

translucent [trænz'lu:snt]
translúcido

transmi|ssion [trænz'mi-
ʃən] transmisión *f*; ~**t** *v/t*
transmitir; ~**tter** trans-
misor(a) *m* (*f*)

transparent [træns'peər-
ənt] transparente

transpire [træns'paiə] *v/t*

transpirar; *v/i* traslucirse;
revelarse

transplant [træns'plɑ:nt]
v/t trasplantar; **~ation**
trasplante *m*

transport [træns'pɔ:t] *s*
transporte *m*; *v/t* transportar

trap [træp] trampa *f*; lazo
m; *v/t* atrapar; aprisionar;
~door trampa *f*; *teat* escoti-
llón *m*

trapeze [trə'pi:z] trapecio *m*

trap|per [træpə] cazador
m de pieles; **~pings** arreos
m/pl

trash [træʃ] *s* hojarasca *f*;
cosas *f/pl* sin valor; basura *f*

travel [trævl] *s* viaje *m*; *v/t*,
v/i viajar (por); **~ agency**
agencia *f* de viajes; **~ler**
viajero *m*; **~ler's cheque**
cheque *m* para viajeros;
~ling bag maletín *m* (*de
viaje*)

traverse ['trævə(:)s] *v/t*
cruzar, atravesar

trawl [trɔ:l] *v/i* pescar a la
rastra; **~er** jábega *f*

tray [trei] bandeja *f*

treacherous ['tretʃərəs]
traicionero, traidor

treacle ['tri:kl] melaza *f*

tread [tred] *s* paso *m*; pisada *f*; *v/t*, *v/i* andar; pisar;
~le pedal *m*

treason ['tri:zn] traición *f*

treasur|e ['treʒə] *s* tesoro
m; *v/t* atesorar; **~er** teso-
rero *m*; **~y** tesoro *m*; **2y** ministerio *m* de hacienda

treat [tri:t] *s* convite *m*;

placer *m*; *v/t*, *v/i* tratar;
convidar; **~ise** ['~iz] tratado *m*; **~ment** trato *m*; **~y**
tratado *m*, pacto *m*

treble [trebl] *a* triple; *s* tiple *m* (*voz*); *v/t*, *v/i* triplicar
(-se)

tree [tri:] árbol *m*

trefoil ['trefɔil] trébol *m*

tremble ['trembl] *v/i* temblar

tremendous [tri'mendəs]
tremendo; formidable

tremor ['tremə] vibración
f; temblor *m*; **~ulous** ['~ju-
ləs] trémulo

trench [trentʃ] trinchera *f*

trend [trend] tendencia *f*

trespass ['trespəs] *s* intru-
sión *f*; transgresión *f*; *v/i*
violar; infringir; **~er** trans-
gresor *m*

tress [tres] trenza *f*

trestle ['tresl] caballete *m*

trial ['traiəl] prueba *f*; ensayo *m*; *for* vista *f*, proceso
m; **on ~** *com* a prueba

triang|le ['traiæŋgl] trián-
gulo *m*; **~ular** [~'æŋgjulə]
triangular

tribe [traib] tribu *f*

tribun|al [trai'bju:nl] tribu-
nal *m*; *pl* ['tribju:n] tribu-
no *m*; tribuna *f*

tribut|ary ['tribjutəri] *a*, *s*
tributario *m*; **~e** ['~u:t] tributo *m*

trick [trik] *s* ardid *m*; truco
m; *v/t* engañar; **~ery** tram-
pería *f*

trickle ['trikl] *v/i*, *v/t* (hacer) gotear

tricycle ['traisikl] triciclo *m*
trident ['traidənt] fisga *f*
trifl|e ['traifl] *s* friolera *f*; bagatela *f*; postre *m* (*de bizcocho, fruta, helado y nata*); a ~e un poquito; *v/i* jugar; chancear; ~ing baladí, insignificante
trigger ['trigə] gatillo *m*
trill [tril] *v/i* gorjear; *s mús* trino *m*
trim [trim] *a* pulcro; arreglado; *v/t* arreglar; recortar; podar; afinar; ~mings guarnición *f*; aderezos *m/pl*; accesorios *m/pl*
Trinity ['triniti] *eccl* Trinidad *f*
trinket ['trinkit] joya *f*
trip [trip] *s* excursión *f*; viaje *m*; *v/t* echar la zancadilla a; *mec* soltar; *v/i* tropezar; brincar
tripe [traip] *coc* callos *m/pl*
triple ['tripl] *a* triple; *v/t* triplicar; ~ts ['~lits] trillizos *m/pl*
tripod ['traipɔd] trípode *m*
triumph ['traiəmf] *s* triunfo *m*; *v/i* triunfar; ~ant [~'ʌmfənt] triunfante, victorioso
trivial ['triviəl] trivial, común, insignificante
trolley ['trɔli] trole *m*; carretilla *f*
trombone [trɔm'bəun] trombón *m*
troop [truːp] tropa *f*; banda *f*; ~er soldado *m* de caballería
trophy ['trəufi] trofeo *m*

tropic ['trɔpik, ~al trópico; ~s países *m/pl* tropicales
trot [trɔt] *s* trote *m*; *v/i* trotar
trouble ['trʌbl] *s* molestia *f*; dificultad *f*; to take the ~ tomarse la molestia; what's the ~? ¿qué pasa?; *v/t* molestar; preocupar; inquietar; ~d inquieto; turbio; ~some molesto; dificultoso
trough [trɔf] artesa *f*
trousers ['trauzəz] pantalones *m/pl*   [*m*]
trousseau ['truːsəu] ajuar|
trout [traut] trucha *f*
truant [tru(ː)ənt] *a* holgazán; *s* tunante *m*; to play ~ hacer novillos
truce [truːs] tregua *f*
truck [trʌk] camión *m*; vagón *m*
trudge [trʌdʒ] *v/i* caminar cansadamente
tru|e [truː] *a* verdadero; legítimo; verídico; to come ~e realizarse; ~ism truismo *m*, perogrullada *f*
truly ['truːli] verdaderamente;   sinceramente; Yours ~ su seguro servidor
trump [trʌmp] triunfo *m*
trumpet ['trʌmpit] trompeta *f*; ~er trompetero *m*
truncheon ['trʌntʃən] vara *f*; porra *f*
trunk [trʌŋk] tronco *m*; baúl *m*; ~-call llamada *f* de larga distancia
trust [trʌst] *s* confianza *f*; *com* trust *m*; *for* fideicomiso

tweed

m; **~ee** [~'i:] fideicomisario *m;* **~ful, ~ing** confiado; **~worthy** confiable, fidedigno; **~y** leal, fidedigno
truth [tru:θ] *s* verdad *f;* **~ful** verídico, veraz
try [trai] *s* tentativa *f;* prueba *f; v/t, v/i* probar; ensayar; tratar; **~ on** probarse (*ropa*); **~ing** difícil, penoso
tub [tʌb] cuba *f;* tina *f*
tube [tju:b] tubo *m;* tren metro *m*
tuberculosis [tju(:)bə:kju'ləusis] tuberculosis *f*
tuck [tʌk] *v/t* alforzar; recoger; **~ up** arropar; arremangar [*m*]
Tuesday ['tju:zdi] martes]
tuft [tʌft] tupé *m;* mechón *m* (de pelo)
tug [tʌg] *s* tirón *m;* remolcador *m; v/t* remolcar; tirar de [ñanza *f*)
tuition [tju(:)'iʃən] ense-
tulip ['tju:lip] tulipán *m*
tumble ['tʌmbl] *s* caída *f;* vuelco *m; v/i* tumbar, caer; revolcarse; *v/t* tumbar; **~r** vaso *m* [guita *f*)
tummy ['tʌmi] *fam* barri-
tumour ['tju:mə] *f* tumor *m*
tumult ['tju:mʌlt] tumulto *m;* **~uous** [~'mʌltjuəs] tumultuoso
tuna ['tu:nə] atún *m*
tune [tju:n] *s* tonada *f; v/t* sintonizar; afinar; *v/i* armonizar
tunnel ['tʌnl] *s* túnel *m; v/t* construir un túnel a través de

tunny ['tʌni] atún *m*
turbine ['tə:bin] turbina *f*
turbulent ['tə:bjulənt] turbulento
turf [tə:f] *s* césped *m; v/t* encespedar
Turk [tə:k] turco(a) *m* (*f*)
turkey ['tə:ki] pavo *m*
Turkish ['tə:kiʃ] turco
turmoil ['tə:mɔil] desorden *m,* disturbio *m*
turn [tə:n] *s* turno *m;* vuelta *f;* giro *m;* cambio *m;* favor *m;* **by ~s** por turnos; **it is your ~** es su turno; *v/t* volver; dar vuelta a; girar; convertir; **~ off** cerrar (*luz, agua*); **~ on** poner (*radio*); **~ out** echar; **~ over** volcar; entregar; *v/i* dar la vuelta; girar; revolver; ponerse (*agrio, triste, etc*); **~ in** acostarse; **~ out** resultar; **~ up** llegar, aparecer; **~coat** *pol* renegado *m;* **~ing** vuelta *f;* ángulo *m*
turnip ['tə:nip] nabo *m*
turn|-out ['tə:naut] producción *f* (total); **~over** *com* volumen *m* de negocios; **~stile** [~'stail] torniquete *m*
turret ['tʌrit] torrecilla *f*
turtle ['tə:tl] tortuga *f* (de mar); **~dove** tórtola *f*
tusk [tʌsk] colmillo *m*
tutor ['tju:tə] preceptor *m; for* tutor *m*
TV ['ti:'vi:] tevé *m,* televisión *f*
tweed [twi:d] paño *m* de lana

tweet [twiːt] *v/i* gorjear
tweezers [ˈtwiːzəz] tenacillas *f/pl*
twice [twais] dos veces
twig [twig] ramita *f*
twilight [ˈtwailait] crepúsculo *m*
twin [twin] *a, s* gemelo *m*
twine [twain] *s* guita *f; v/t* (re)torcer
twin-engined [ˈtwin-ˈendʒind] bimotor
twinkle [ˈtwiŋkl] *s* centelleo *m;* parpadeo *m; v/t, v/i* (hacer) centellear; (hacer) parpadear
twirl [twəːl] *s* rotación *f;* remolino *m; v/t, v/i* (hacer) girar
twist [twist] torcedura *f,* torsión *f;* torcimiento *m; v/t, v/i* torcer(se)

twitch [twitʃ] sacudida *f;* crispadura *f*
twitter [ˈtwitə] *s* gorjeo *m; v/i* gorjear (*pájaros*)
two [tuː] dos; to put ~ and ~ together atar cabos; ~-way de doble sentido
type [taip] *s* tipo *m; v/t, v/i* escribir a máquina; ~writer máquina *f* de escribir
typhoid (fever) [ˈtaifɔid] fiebre *f* tifoidea
typhoon [taiˈfuːn] tifón *m*
typhus [ˈtaifəs] tifus *m*
typical [ˈtipikəl] típico
typist [ˈtaipist] mecanógrafo(a) *m (f)*
tyrannical [tiˈrænikəl] tiránico; **~ize** [ˈtirənaiz] *v/t* tiranizar; **~y** tiranía *f*
tyre [ˈtaiə] neumático *m, SA* llanta *f*

U

udder [ˈʌdə] teta *f;* ubre *f*
ugly [ˈʌgli] feo; repugnante
ulcer [ˈʌlsə] úlcera *f*
ultimate [ˈʌltimit] último; final
ultimatum [ʌltiˈmeitəm] ultimátum *m*
umbrella [ʌmˈbrelə] paraguas *m*
umpire [ˈʌmpaiə] *s* árbitro *m; v/t, v/i* arbitrar
unabated [ʌnəˈbeitid] no disminuido
unable [ʌnˈeibl] incapaz
unacceptable [ʌnəkˈseptəbl] inaceptable

unaccountable [ʌnəˈkauntəbl] inexplicable
unaccustomed [ʌnəˈkʌstəmd] insólito
unacquainted [ʌnəˈkweintid]: ~ with no versado en
unaffected [ʌnəˈfektid] natural; sincero
unalterable [ʌnˈɔːltərəbl] inalterable
unanimous [juˈ(ː)næniməs] unánime
unapproachable [ʌnəˈprəutʃəbl] inasequible; inaccesible

unashamed [ˌʌnəˈʃeɪmd] desvergonzado; insolente

unasked [ʌnˈɑːskt] no solicitado

unassuming [ˌʌnəˈsjuːmɪŋ] modesto

unattainable [ˌʌnəˈteɪnəbl] inasequible [inútil]

unavailing [ˌʌnəˈveɪlɪŋ]

unavoidable [ˌʌnəˈvɔɪdəbl] inevitable

unaware [ˌʌnəˈweə] ignorante; inconsciente

unbalanced [ʌnˈbælənst] desequilibrado

unbearable [ʌnˈbeərəbl] insoportable; inaguantable

unbecoming [ˈʌnbiˈkʌmɪŋ] impropio

unbelievable [ʌnbiˈliːvəbl] increíble

unbending [ʌnˈbendɪŋ] inflexible

unbia(s)sed [ʌnˈbaɪəst] imparcial

unborn [ʌnˈbɔːn] nonato; venidero

unbounded [ʌnˈbaundɪd] ilimitado

unbroken [ʌnˈbrəukən] intacto; indómito

unburden [ʌnˈbɜːdn] v/t descargar; aliviar

unbutton [ʌnˈbʌtn] v/t desabotonar

uncalled-for [ʌnˈkɔːldfɔː] inapropiado; innecesario

uncanny [ʌnˈkæni] misterioso

uncared-for [ʌnˈkeədfɔː] desamparado

unceasing [ʌnˈsiːsɪŋ] incesante

uncertain [ʌnˈsɜːtn] incierto; dudoso

unchallenged [ʌnˈtʃælɪndʒd] incontestado

unchangeable [ʌnˈtʃeɪndʒəbl] inmutable; invariable

unchecked [ʌnˈtʃekt] desenfrenado

uncivil [ˈʌnˈsɪvl] descortés; .ized bárbaro

unclaimed [ʌnˈkleɪmd] no reclamado

uncle [ˈʌŋkl] tío m

unclean [ʌnˈkliːn] sucio, desaseado

uncomfortable [ʌnˈkʌmfətəbl] incómodo; molesto

uncommon [ʌnˈkɔmən] raro; extraño

uncompromising [ʌnˈkɔmprəmaizɪŋ] intransigente

unconcern [ˈʌnkənˈsɜːn] desinterés m; despreocupación f

unconditional [ˈʌnkənˈdɪʃənl] incondicional

unconfirmed [ˈʌnkənˈfɜːmd] no confirmado

unconquerable [ʌnˈkɔŋkərəbl] inconquistable, invencible

unconscious [ʌnˈkɔnʃəs] inconsciente; **.ness** inconsciencia f; insensibilidad f

uncontrollable [ʌnkənˈtrəuləbl] ingobernable; indomable

unconventional [ˈʌnkənˈvenʃənl] original; despreocupado

uncouth [ʌn'ku:θ] grosero; tosco

uncover [ʌn'kʌvə] v/t descubrir; destapar

uncultivated ['ʌn'kʌltiveitid] inculto, yermo

undamaged ['ʌn'dæmidʒd] indemne; ileso

undated ['ʌndeitid] sin fecha

undaunted [ʌn'dɔ:ntid] impávido

undecided ['ʌndi'saidid] indeciso

undeniable [ʌndi'naiəbl] innegable; incontestable

under ['ʌndə] debajo de; bajo; menos de; en virtud de; ~ age menor de edad; ~ way en camino

undercarriage ['ʌndəkæridʒ] aer tren m de aterrizaje

underclothing ['ʌndəkləuðiŋ] ropa f interior

underdone ['ʌndə'dʌn] soasado

underdeveloped ['ʌndədi'veləpt] subdesarrollado; en desarrollo

underestimate ['ʌndər'estimeit] v/t subestimar

underfed ['ʌndə'fed] desnutrido

undergo [ʌndə'gəu] v/t sufrir; sostener

undergraduate [ʌndə'grædjuit] estudiante m, f (universitario)

underground ['ʌndəgraund] a subterráneo; s metro m

undergrowth ['ʌndəgrəuθ] maleza f

underline ['ʌndəlain] v/t subrayar

undermine [ʌndə'main] v/t socavar; minar

undermost ['ʌndəməust] ínfimo

underneath [ʌndə'ni:θ] adv abajo; prep bajo; debajo de

underpaid ['ʌndə'peid] mal pagado

underprivileged ['ʌndə-'priviliʒd] desvalido; menesteroso

undershirt ['ʌndəʃə:t] camiseta f

undersigned ['ʌndə'saind] infrascrito m

understaffed [ʌndə-'stɑ:ft] corto de personal

understand [ʌndə'stænd] v/t, v/i entender; comprender; ~able comprensible; ~ing a inteligente; comprensivo; s entendimiento m; inteligencia f; comprensión f

undertak|e [ʌndə'teik] v/t, v/i emprender; encargarse de; comprometerse a; ~er empresario m de pompas fúnebres; ~ing empresa f

undervalue ['ʌndə'vælju:] v/t despreciar; menospreciar

underwear ['ʌndəwɛə] ropa f interior [maleza f]

underwood ['ʌndəwud]

underworld ['ʌndəwə:ld] infiernos m/pl; hampa f

undeserved ['ʌndi'zə:vd] inmerecido

undesirable ['ʌndi'zaiər-əbl] indeseable

undiminished ['ʌndi'min-iʃt] constante

undisputed ['ʌndis'pju:tid] incontestable

undisturbed ['ʌndis'tə:bd] imperturbado; inalterado

undo ['ʌn'du:] v/t deshacer; desatar   [dudable]

undoubted [ʌn'dautid] in-

undress ['ʌn'dres] v/t, v/i desvestir(se), desnudarse

undue ['ʌn'dju:] indebido

undulate ['ʌndjuleit] v/t ondular; fluctuar

unearth ['ʌn'ə:θ] v/t desenterrar

uneasy [ʌn'i:zi] inquieto

uneducated ['ʌn'edjukeit-id] ignorante

unemploy|ed ['ʌnim'plɔid] desocupado; parado; **~ment** desempleo m

unequal ['ʌn'i:kwəl] desigual; dispar; **~led** incomparable; sin par

unerring ['ʌn'ə:riŋ] infalible; seguro

uneven ['ʌn'i:vən] desigual; desnivelado

uneventful ['ʌni'ventful] sin novedad

unexpected ['ʌniks'pektid] inesperado

unfading [ʌn'feidiŋ] inmarcesible

unfailing [ʌn'feiliŋ] infalible; indefectible; incansable

unfair ['ʌn'fɛə] injusto; desleal

unfaithful ['ʌn'feiθful] infiel; **~ness** infidelidad f

unfamiliar ['ʌnfə'miljə] poco común; desconocido

unfashionable ['ʌn'fæʃn-əbl] fuera de moda, inelegante

unfathomable [ʌn'fæθəm-əbl] insondable; sin fondo

unfavourable ['ʌn'feivər-əbl] desfavorable

unfeeling [ʌn'fi:liŋ] insensible, impasible

unfinished ['ʌn'finiʃt] imperfecto; inconcluso; incompleto

unfit ['ʌn'fit] impropio; incapaz; inepto; **~ness** ineptitud f; impropiedad f

unfold ['ʌn'fəuld, fig ʌn-'fəuld] v/t desdoblar; desplegar; desarrollar

unforeseen ['ʌn-fɔ:'si:n] imprevisto

unforgettable ['ʌn-fə'getəbl] inolvidable

unforgiving ['ʌn-fə'giviŋ] implacable

unfortunate [ʌn'fɔ:tʃnit] desgraciado; desafortunado; **~ly** desgraciadamente

unfounded ['ʌn'faundid] infundado

unfrequented ['ʌn-fri-'kwentid] solitario; poco frecuentado

unfriendly ['ʌn'frendli] desfavorable; hostil

unfurnished ['ʌn'fə:niʃt] sin amueblar

ungenerous [ʌnˈdʒenərəs]
poco generoso; mezquino

ungovernable [ʌnˈgʌvən‐
əbl] ingobernable

ungraceful [ʌnˈgreisful]
desgarbado; torpe

ungracious [ʌnˈgreiʃəs]
desagradable; descortés

ungrateful [ʌnˈgreitful]
desagradecido; ingrato

unguarded [ʌnˈgɑ:dəd]
desguarnecido; desprevenido

unhappy [ʌnˈhæpi] infeliz,
desdichado

unharmed [ʌnˈhɑ:md] ileso; sano y salvo

unhealthy [ʌnˈhelθi] enfermizo; insalubre

unheard-of [ʌnˈhɑ:dəv] inaudito

unheed|ed [ʌnˈhi:did] desatendido; **~ing** desatento
sin vacilar

unhesitating [ʌnˈhesiteitiŋ]
sin vacilar

unhook [ʌnˈhuk] v/t desenganchar; desabrochar; descolgar

unhoped-for [ʌnˈhəuptfɔ:]
inesperado

unhurt [ʌnˈhɑ:t] ileso; in‐
[demne]

unification [ju:nifiˈkeiʃən]
unificación f

uniform [ˈju:nifɔ:m] a uniforme; invariable; constante; s uniforme m

unify [ˈju:nifai] v/t unificar

unimaginable [ʌniˈmædʒi‐
nəbl] inimaginable

unimportant [ˈʌnimˈpɔ:‐
tənt] sin importancia, insignificante

uninhabit|able [ˈʌnin‐
ˈhæbitəbl] inhabitable; **~ed**
inhabitado; despoblado

uninjured [ˈʌnˈindʒəd] ile‐
so; incólume

unintelligent [ˈʌninˈteli‐
dʒənt] falto de inteligencia

unintentional [ˈʌninˈten‐
ʃənl] involuntario

uninteresting [ˈʌnˈintrist‐
iŋ] falto de interés

uninterrupted [ˈʌnintə‐
ˈrʌptid] ininterrumpido,
continuo

uninvit|ed [ˈʌninˈvaitid] no
invitado; **~ing** poco atrac‐
tivo; desagradable

union [ˈju:njən] unión f;
sindicato m, gremio m (de
obreros)

unique [ju:ˈni:k] único

unison [ˈju:nizn] s unso‐
nancia f; **in ~** al unísono; a
unísono

unit [ˈju:nit] unidad f; **~e**
[~ˈnait] v/t unir; unificar;
v/i unirse; juntarse; **~ed**
Nations Naciones f/pl
Unidas, **~y** unidad f

univers|al [ju:niˈvɜ:səl]
universal; **~e** [~ˈvɜ:s] uni‐
verso m; **~ity** [~ˈvɜ:siti]
universidad f

unjust [ʌnˈdʒʌst] injusto

unkempt [ʌnˈkempt] des‐
greñado; desarreglado

unkind [ʌnˈkaind] duro

unknown [ʌnˈnəun] des‐
conocido

unlace [ˈʌnˈleis] v/t desa‐
tar

unlawful [ʌnˈlɔ:ful] ilícito

unlearn ['ʌn'ləːn] v/t olvidar, desaprender

unless [ən'les] conj a menos que

unlike ['ʌn'laik] diferente; distinto; **~ly** improbable; inverosímil

unlimited ['ʌn'limitid] ilimitado [cargar]

unload ['ʌn'loud] v/t des-

unlock ['ʌn'lɔk] v/t abrir con llave

unlucky [ʌn'lʌki] desafortunado; **to be ~** tener mala suerte

unmanageable [ʌn'mænidʒəbl] inmanejable

unmarried ['ʌn'mærid] soltero, célibe

unmask ['ʌn'maːsk] v/t desenmascarar

unmistakable ['ʌnmis-'teikəbl] inconfundible; claro

unmoved ['ʌn'muːvd] inalterado, impasible

unnatural [ʌn'nætʃrəl] antinatural; innatural; desnaturalizado; inhumano

unnecessary [ʌn'nesisəri] innecesario

unnoticed ['ʌn'noutist], unobserved ['ʌnəb'zəːvd] inadvertido

unobtrusive ['ʌnəb'truːsiv] discreto, moderado

unoccupied ['ʌn'ɔkjupaid] desocupado [oficial]

unofficial ['ʌnə'fiʃəl] in-

unpack ['ʌn'pæk] v/t desempaquetar; desembalar; deshacer las maletas

unpaid ['ʌn'peid] pendiente de pago, SA impago; irremunerado

unparalleled [ʌn'pærəleld] único; inigualado

unpardonable [ʌn'paːdnəbl] imperdonable

unperturbed [ʌn-pə(ː)-'təːbd] inalterado

unpleasant [ʌn'pleznt] desagradable; **~ness** desavenencia f; disgusto m

unpolished ['ʌn'pɔliʃt] sin pulir; fig grosero

unpopular ['ʌn'pɔpjulə] impopular

unpractical ['ʌn'præktikəl] impráctico

unprecedented [ʌn'presidəntid] sin precedente, nunca visto

unprejudiced [ʌn'predʒudist] imparcial

unpremeditated ['ʌn-pri'mediteitid] impremeditado

unprepared ['ʌn-pri'pɛəd] sin preparar; desprevenido

unproductive ['ʌn-prə-'dʌktiv] improductivo

unprofitable [ʌn'prɔfitəbl] improductivo, inútil

unprovided ['ʌn-prə'vaidid] desprovisto

unpublished ['ʌn'pʌbliʃt] inédito; no publicado

unqualified [ʌn'kwɔlifaid] incapaz, incompetente; incondicional; desautorizado

unquestionable [ʌn'kwestʃənəbl] indiscutible

unreal 258

unreal [ˈʌnˈriəl] irreal; ilusorio
unreasonable [ʌnˈriːznəbl] irrazonable
unrefined [ˈʌnriˈfaind] no refinado
unreliable [ˈʌnriˈlaiəbl] indigno de confianza
unreserved [ˈʌnriˈzɜːvd] no reservado; franco
unresisting [ˈʌnriˈzistiŋ] que no ofrece resistencia
unrest [ʌnˈrest] inquietud *f*; disturbio *m*
unrestrained [ˈʌnriˈstreind] desenfrenado; libre
unrestricted [ˈʌnrisˈtriktid] sin restricción
unripe [ʌnˈraip] verde; crudo
unrivalled [ʌnˈraivəld] sin rival; incomparable
unruffled [ʌnˈrʌfld] impasible; sereno
unruly [ʌnˈruːli] intratable
unsafe [ʌnˈseif] inseguro; peligroso
unsatisfactory [ˈʌnsætisˈfæktəri] insatisfactorio
unsavoury [ʌnˈseivəri] ofensivo; escandaloso
unscrew [ʌnˈskruː] *v/t* desatornillar
unscrupulous [ʌnˈskruːpjuləs] sin escrúpulo
unseemly [ʌnˈsiːmli] indecoroso
unseen [ʌnˈsiːn] inadvertido
unselfish [ʌnˈselfiʃ] altruista; desinteresado; abnegado

unsettled [ʌnˈsetld] inestable; pendiente; desequilibrado; despoblado; *com* por pagar
unshaven [ʌnˈʃeivn] sin afeitar
unsheathe [ʌnˈʃiːð] *v/t* desenvainar
unshrinkable [ʌnˈʃriŋkəbl] que no encoge; **ing** intrépido
unskilled [ʌnˈskild] inexperto; **labour** mano *m* de obra no calificada
unsociable [ʌnˈsouʃəbl] insociable; reservado; **al** antisocial
unsold [ʌnˈsould] sin vender
unsolved [ʌnˈsɒlvd] sin resolver
unsound [ʌnˈsaund] defectuoso; enfermizo; inseguro; malo
unspeakable [ʌnˈspiːkəbl] indecible
unspoilt [ʌnˈspoilt] no corrompido, intacto; (*niño*) no mimado
unstable [ʌnˈsteibl] inestable
unsteady [ʌnˈstedi] inestable; inconstante; irregular
unsuccessful [ˈʌnsəkˈsesful] sin éxito; fracasado
unsuitable [ʌnˈsjuːtəbl] impropio
unsuspected [ˈʌnsəsˈpektid] insospechado; **ing** confiado
unthankful [ʌnˈθæŋkful] ingrato, *SA* malagradecido; no reconocido (*trabajo, etc*)

unthink|able [ʌn'θiŋkəbl] inimaginable; **~ing** irreflexivo

untidy [ʌn'taidi] desordenado; desarreglado

untie ['ʌn'tai] v/t desatar

until [ən'til] hasta

untimely [ʌn'taimli] intempestivo; prematuro; **at an ~ hour** a deshora

untiring [ʌn'taiəriŋ] incansable

untouched ['ʌn'tʌtʃt] intacto [bado]

untried ['ʌn'traid] no pro-}

untroubled ['ʌn'trʌbld] tranquilo

untru|e ['ʌn'truː] falso; ficticio; **~th** [~'truːθ] falsedad f; **~thful** mentiroso; falso

unused ['ʌn'juːzd] no usado; [ʌn'juːst] no acostumbrado

unusual [ʌn'juːʒuəl] inusitado, extraordinario

unutterable [ʌn'ʌtərəbl] inexpresable

unvarying [ʌn'vɛəriiŋ] invariable

unveil [ʌn'veil] v/t descubrir; quitar el velo a

unvoiced ['ʌn'vɔist] gram sordo

unwarranted [ʌn'wɔrəntid] injustificado; [~'wɔrəntid] no garantizado

unwelcome [ʌn'welkəm] mal acogido; inoportuno

unwell [ʌn'wel] indispuesto, enfermizo; **to feel ~** sentirse mal

unwholesome ['ʌn'həulsəm] insalubre; dañino

unwilling [ʌn'wiliŋ] maldispuesto; **~ly** de mala gana

unwind ['ʌn'waind] v/t desenvolver; desenredar

unwise ['ʌn'waiz] indiscreto, imprudente

unworthy [ʌn'wɔːði] indigno

unwrap [ʌn'ræp] v/t desenvolver; desempaquetar

unyielding [ʌn'jiːldiŋ] obstinado, inflexible; rígido

up [ʌp] a inclinado; ascendente; adv arriba; hacia arriba; en pie, levantado; s altura f; prosperidad f; **~ and about** restablecido; **~ and down** de arriba abajo; de un lado a otro; **~ to now** hasta ahora; **what's ~?** ¿qué pasa?; **the ~s and downs** los altibajos m/pl (de la vida)

upbringing ['ʌpbriŋiŋ] crianza f

upheaval [ʌp'hiːvəl] trastorno m; revuelta f

uphill ['ʌp'hil] a ascendente; fig laborioso; adv cuesta arriba

upholster [ʌp'həulstə] v/t tapizar; **~er** tapicero m; **~y** tapizado m

upkeep ['ʌpkiːp] mantenimiento m

upland ['ʌplænd] tierra f alta; altiplano m; meseta f

upon [ə'pɔn] sobre; encima de

upper ['ʌpə] superior; más elevado; **House** *Ingl* Cámara *f* Alta; **~most** más alto

upright ['ʌp'rait] vertical; derecho; recto

uprising [ʌp'raiziŋ] sublevación *f*

uproar ['ʌprɔ:] alboroto *m*

uproot [ʌp'ru:t] *v/t* desarraigar

upset [ʌp'set] *s* vuelco *m*; trastorno *m*; *v/t* volcar; desarreglar; trastornar; revolver (*el estómago*); *a* perturbado; enfadado

upside-down ['ʌpsaid'daun] al revés

upstairs ['ʌp'stɛəz] arriba

upstart ['ʌpstaːt] *a*, *s* advenedizo *m*

upstream ['ʌp'striːm] aguas arriba

up|-to-date [ʌptə'deit] al día; moderno; **~ train** tren *m* ascendente; tren *m a* Londres

upward(s) ['ʌpwəd(z)] ascendente; hacia arriba

uranium [ju'reinjəm] uranio *m*

urchin ['əːtʃin] golfillo *m*

urge [əːdʒ] *s* impulso *m*; *v/t* instar; impulsar; incitar; **~nt** urgente

urine ['juərin] orina *f*

urn [əːn] urna *f*

us [ʌs, əs] *pron* nos; (*después de preposiciones*) nosotros (-as)

us|age [' juːzidʒ] uso *m*; trato *m*; **~e** [juːs] *s* empleo *m*, aplicación *f*; utilidad *f*; **it is no ~e** de nada vale; **what is the ~e of?** ¿para qué sirve?; *v/t* usar; emplear; utilizar; **~e up** consumir; *v/i* acostumbrar a; **~ed** [~sd] pasado; usado; de ocasión; [~st] acostumbrado; **~ed to** (do) solía (hacer); **to get ~ed to** acostumbrarse a; **~eful** útil; **~eless** inútil; inservible

usher ['ʌʃə] ujier *m*; **~ette** [~'ret] acomodadora *f*

usual ['juːʒuəl] acostumbrado; usual; **as ~** como de costumbre

usur|er ['juːʒərə] usurero *m*; **~y** ['~ʒuri] usura *f*

utensil [ju(ː)'tensl] utensilio *m*

utili|ty [juː(ː)'tiliti] utilidad *f*; **public ~ties** servicios *m/pl* públicos; **~ze** ['juːti-laiz] *v/t* utilizar

utmost ['ʌtməust] extremo; último

utter ['ʌtə] *a* completo, total; absoluto; *v/t* proferir; pronunciar; **~ance** pronunciación *f*; expresión *f*; **~ly** totalmente

V

vaca|ncy ['veikənsi] vacío
m; vacancia *f*; **.nt** vacante;
vacío; desocupado; **.te**
[və'keit] *v/t* dejar; desocupar; **.tion** vacaciones *f/pl*
(*escolares*); *Am* permiso *m*,
vacaciones *f/pl* (del trabajo)

vaccin|ate ['væksineit] *v/t*
vacunar; **.ation** vacuna *f*;
vacunación *f/pl*; **.e** ['⌐i:n] vacuna *f*

vacuum ['vækjuəm] vacío
m; ~ **bottle** termo *m*; ~
cleaner aspiradora *f*

vagabond ['vægəbɔnd] *a, s*
vagabundo(a *f*)

vagary ['veigəri] capricho
m

vague [veig] vago; incierto;
.ness vaguedad *f*

vain [vein] vano; **in ~** en
vano

valet ['vælit] criado *m*

valiant ['væljənt] valiente

valid ['vælid] válido; **.ity**
[və'liditi] validez *f*

valley ['væli] valle *m*

valour ['vælə] valor *m*,
valentía *f*

valu|able ['væljuəbl] valio-
so; precioso; **.ables** obje-
tos *m/pl* de valor; **.ation**
valuación *f*; valoración *f*;
tasa *f*; **.e** ['⌐ju:] *s* valor *m*;
precio *m*; **.e added tax**
impuesto *m* sobre el valor;
impuesto al valor añadido;
v/t valorar; tasar; **.eless**
sin valor

valve [vælv] válvula *f*

van [væn] camión *m*; *Ingl f c*
furgón *m*; *mil* vanguardia *f*

vane [vein] veleta *f*

vanilla [və'nilə] vainilla *f*

vanish ['væniʃ] *v/t* desvanecerse; desaparecer

vanity ['væniti] vanidad *f*;
engreimiento *m*; **.-case**
polvera *f*; neceser *m*

vantage ['vɑ:ntidʒ] ventaja *f*

vapor|ize ['veipəraiz] *v/t*
vaporizar; **.ous** vaporoso

vapour ['veipə] vapor *m*

varia|ble ['vɛəriəbl] varia-
ble; **.nce** desacuerdo *m*;
diferencia *f*; **.nt** variante *f*;
.tion variación *f*; cambio *m*

varicose ['værikous] varicoso

var|iety [və'raiəti] variedad
f; surtido *m*; **.iety show**
función *f* de variedades;
.ious ['vɛəriəs] vario; di-
verso; varios

varnish ['vɑ:niʃ] *s* barniz *m*;
v/t barnizar

vary ['vɛəri] *v/t, v/i* variar

vase [vɑ:z] florero *m*, vaso
m; jarrón *m*

vast [vɑ:st] vasto; inmenso

vat [væt] tina *f*, cuba *f*

vault [vɔ:lt] *s* bóveda *f*;
cueva *f*; salto *m*; *v/t, v/i* saltar

veal [vi:l] carne *f* de ternera

vegeta|ble ['vedʒitəbl] verdu-
ra *f*; legumbre *f*; **.rian**
[⌐'tɛəriən] vegetariano(a)

m (*f*); **~te** ['~eit] *v/i* vegetar; **~tion** vegetación *f*

vehemen|ce ['vi:imons] vehemencia *f*; **~t** vehemente, impetuoso

vehicle ['vi:ikl] vehículo *m*

veil [veil] *s* velo *m*; *v/t* encubrir

vein [vein] vena *f*

velocity [vi'lositi] velocidad *f*

velvet ['velvit] terciopelo *m*

venal ['vi:nl] venal

vend [vend] *v/t* vender; **~ing machine** distribuidor *m* automático, tragaperras *m*; *SA* tragamonedas *m*

venera|ble ['venərəbl] venerable; **~te** ['~eit] *v/t* venerar

venereal [vi'niəriəl] venéreo

Venetian [vi'ni:ʃən] *a*, *s* veneciano(a) *m* (*f*); **~ blind** persiana *f*

vengeance ['vendʒəns] venganza *f*; **with a ~** *fam* con creces

venison ['venzn] venado *m*

venom ['venəm] veneno *m* (*t fig*); **~ous** venenoso

vent [vent] *s* respiradero *m*; agujero *m*; salida *f*; *v/t* desahogar; **~ilate** *v/t* ventilar; **~ilation** ventilación *f*; **~ilator** ventilador *m*

ventriloquist [ven'trilokwist] ventrílocuo *m*

venture ['ventʃə] *s* empresa *f*; negocio *m* arriesgado; *v/i* atreverse; arriesgarse

verandah [və'rændə] pórtico *m*

verb [və:b] verbo *m*; **~ose** [~'bəus] verboso

verdict ['və:dikt] veredicto *m*; fallo *m*; dictamen *m*

verge [və:dʒ] *s* borde *m*; margen *m*, *f*; vara *f*; **on the ~ of** al borde de; *v/i* **~ on** rayar en

verify ['verifai] *v/t* verificar

vermicelli [və:mi'seli] fideos *m/pl*

vermin ['və:min] bichos *m/pl*; sabandijas *f/pl*

vernacular [və'nækjulə] habla *f* local

versatile ['və:sətail] adaptable

vers|e [və:s] verso *m*; **~ed** versado; **~ion** [~ʃən] ~ver-sión *f* [bra *f*]

vertebra ['və:tibrə] vérte-

vertical ['və:tikəl] vertical

very ['veri] *a* mismo; *adv* a mismo; preciso; mero, solo; *adv* mucho; muy

vessel ['vesl] vasija *f*; *mar* barco *m*

vest [vest] *s* camiseta *f*; *v/t* invertir; investir

vestry ['vestri] sacristía *f*

vet [vet] *fam* veterinario *m*

veteran ['vetərən] *a*, *s* veterano *m*

veterinary (surgeon) ['vetərinəri] veterinario *m*

veto ['vi:təu] *s* veto *m*; *v/t* vetar

vex [veks] *v/t* fastidiar; irritar; **~ation** enojo *m*; fastidio *m*; **~atious** fastidioso

vibrat|e [vai'breit] *v/t*, *v/i* vibrar; **~ion** vibración *f*

vicar ['vikə] vicario *m*; párroco *m*; **~age** vicaría *f*
vice [vais] vicio *m*
vice [vais] (*prefijo*) vice-; **~-president** vicepresidente *m*; **~roy** ['~rɔi] virrey *m*
vicinity [vi'siniti] vecindad *f* [(civo)]
vicious ['viʃəs] vicioso; no-∫
victim ['viktim] víctima *f*; **~ize** *v/t* hacer víctima, victimar
victor ['viktə] vencedor *m*; **~ious** [~'tɔːriəs] victorioso; **~y** ['~təri] victoria *f*
victuals ['vitlz] víveres *m/pl*
Viennese [viə'niːz] *a*, *s* vienés(esa) *m* (*f*)
view [vjuː] *s* vista *f*; perspectiva *f*; panorama *m*; opinión *f*; **in ~** a la vista; **in ~ of** en vista de; **on ~** expuesto; *v/t* contemplar; considerar; **~er** espectador *m*; foto visor *m*; **~point** punto *m* de vista
vigil ['vidʒil] vela *f*, vigilia *f*; **~ance** vigilancia *f*; **~ant** vigilante
vigo|rous ['vigərəs] vigoroso; **~ur** vigor *m*
vile [vail] vil; odioso
village ['vilidʒ] aldea *f*; pueblo *m*; **~ green** campo *m* comunal; **~y** vileza *f*
villain ['vilən] malvado *m*; [~'ei] vindicación *f*; justificación *f*
vindicat|e ['vindikeit] *v/t* vindicar; justificar; **~ion** vindicación *f*; justificación *f*
vindictive [vin'diktiv] vengativo

vine [vain] *bot* enredadera *f*; parra *f*; vid *f*; **~gar** ['vinigə] vinagre *m*; **~stock** cepa *f*; **~yard** ['vinjəd] viñedo *m*
[dimia *f*
vintage ['vintidʒ] ven-∫
viol|ate ['vaiəleit] *v/t* violar; **~ation** violación *f*
violen|ce ['vaiələns] violencia *f*; *~t* violento
violet ['vaiəlit] *s* color *m* violado; violeta *f*; *a* violado
violin [vaiə'lin] violín *m* ∫
VIP ['viːai'piː] persona *f* muy importante
viper ['vaipə] víbora *f*
virgin ['vəːdʒin] virgen *f*; **~ity** [~'dʒiniti] virginidad *f*
[~'riliti] virilidad *f*]
viri|le ['virail] viril; **~ity** [~'riliti] virilidad *f*
virtual ['vəːtʃuəl] virtual; **~e** ['~juː, '~ʃuː] virtud *f*; **~ous** [~juəs] virtuoso
virus ['vaiərəs] virus *m*
visa ['viːzə] visado *m*
visib|ility [vizi'biliti] visibilidad *f*; **~le** ['vizəbl] visible; manifiesto
vision ['viʒən] visión *f*
visit ['vizit] *s* visita *f*; *v/t* visitar; **~or** visitante *m*
visual ['vizjuəl] visual; **~ize** *v/t, v/i* imaginar(se)
vital ['vaitl] vital; **~ity** [~'tæliti] vitalidad *f*; **~ize** ['~laiz] *v/t* vitalizar; **~s** partes *f/pl* vitales
vitamin ['vitəmin] vitamina *f*
vivaci|ous [vi'veiʃəs] vivaracho, vivaz; **~ty** [~'væsiti] vivacidad *f*

vivi|d ['vivid] vivo; **~dness**
claridad f; **~fy** ['~fai] v/t
vivificar

vixen ['viksn] zool zorra f;
fig mujer f colérica

voca|bulary [vəu'kæbju-
ləri] vocabulario m; **~l**
['vəukəl] vocal f; **~lize** v/t
vocalizar

vocation [vəu'keiʃən] vocación f

vogue [vəug] moda f; **in
~** en boga

voice [vɔis] s voz f; v/t expresar, manifestar; **~d** [~t]
gram sonoro

void [vɔid] a vacío; for nulo;
v/t invalidar; desocupar

volatil|e ['vɔlətail] volátil;
~ize v/t volatilizar

volcano [vɔl'keinəu] volcán
m

volley ['vɔli] s mil descarga
f; salva f; voleo m (tenis);
v/t, v/i dep volear

volt [vault] voltio m; **~age**
voltaje m; **~meter** voltí-
metro m

voluble ['vɔljubl] locuaz

volum|e ['vɔljum] tomo m;
volumen m; **~inous** [və-
'lju:minəs] voluminoso

volunt|ary ['vɔləntəri] vo-
luntario; **~eer** [~'tiə] s voluntario m; v/i ofrecerse
como voluntario

voluptuous [və'lʌptjuəs]
voluptuoso; **~ness** volup-
tuosidad f

vomit ['vɔmit] s vómito m;
v/t, v/i vomitar

voraci|ous [və'reiʃəs] vo-
raz; **~ty** [~'ræsiti] voraci-
dad f

vot|e [vəut] s voto m; sufra-
gio m; v/t, v/i votar; **~ing**
votación f

vouch [vautʃ] v/t atestiguar;
~ for responder de; **~er**
comprobante m; fiador m;
~safe [~'seif] v/t conceder

vow [vau] s voto m; v/t
hacer voto de; aseverar

vowel ['vauəl] vocal f

voyage ['vɔiidʒ] s viaje m
marítimo; travesía f; v/i
viajar

vulgar ['vʌlɡə] vulgar; grosero; cursi; ordinario;
~ism vulgarismo m; **~ity**
[~'ɡæriti] vulgaridad f

vulnerable ['vʌlnərəbl]
vulnerable

vulture ['vʌltʃə] buitre m

W

wad [wɔd] s fajo m; arti
taco m; v/t cost acolchar

waddle ['wɔdl] v/i anadear

wade [weid] v/t, v/i va-
dear

wafer ['weifə] barquillo m;
eccl hostia f

waffle ['wɔfl] (especie de)
panqueque m, SA wafle m

waft [wɑːft] soplo m; v/i
flotar

wag [wæɡ] s meneo m; v/t
menear; mover (el rabo);
v/i oscilar

warning

wage [weidʒ] salario *m*; sueldo *m*; **~earner** asalariado(a) *m (f)*

wager ['weidʒə] *s* apuesta *f*; *v/t*; *s/i* apostar

waggon ['wægən] carro *m*; *f c* vagón *m* de carga

wail [weil] *s* lamento *m*; lamentación *f*; *v/t*, *v/i* lamentarse; gemir

wainscot ['weinskət] friso *m (de madera)*

waist [weist] *anat* cintura *f*; **~coat** ['weiskaut] chaleco *m*; **~line** talle *m*

wait [weit] *s* espera *f*; *v/t*, *v/i* esperar; **~ at table** servir a la mesa; **~ for** aguardar; **~er** camarero *m*; **~ing** espera *f*; **~ing-room** sala *f* de espera; **~ress** camarera *f*

wake [weik] *s* estela *f (de barco)*; *v/t* **(up)** *v/i* despertar(se); **~ful** insomne; *fig* despierto; **~n** *v/t*, *v/i* despertar(se)

walk [wɔːk] *s* paseo *m*; avenida *f*; **to go for a ~** *o* **to take a ~** dar un paseo; *v/i* andar; pasear; **~ in** entrar; **~ out** salir; *fam* declararse en huelga; *v/t* recorrer

walkie-talkie ['wɔːki'tɔːki] transceptor *m* portátil

walking papers ['wɔːkiŋ 'peipəz] *fam* carta *f* de despido; **~stick** bastón *m*; **~-tour** excursión *f* a pie

walk-out [wɔːkaut] *fam* huelga *f*

wall [wɔːl] pared *f*; muro *m*

wallet ['wɔlit] cartera *f*

wallpaper ['wɔːlpeipə] empapelado *m*

walnut ['wɔːlnʌt] (nuez *f* de) nogal *m*

walrus ['wɔːlrəs] morsa *f*

waltz [wɔːls] *s* vals *m*; *v/i* valsar

wan [wɔn] pálido; descolorido (gica)

wand [wɔnd] vasilla *f (má-)*

wander ['wɔndə] *v/i* vagar, errar; **~er** vagabundo *m*; peregrino *m*; **~ing** errante; nómado

wane [wein] *s* cuarto *m* menguante *f (de la luna)*; mengua *f*; *v/i* menguar

want [wɔnt] *s* falta *f*; necesidad *f*; *v/t* querer; desear; necesitar; **~ed** se busca: se necesita; *v/i* faltar, estar falto (de)

war [wɔː] *s* guerra *f*; *v/i* hacer guerra

ward [wɔːd] *s* pupilo *m*; sala *f*; pabellón *m (de hospital)*; *v/t* resguardar; **~ off** desviar; **~en** guardián *m*; carcelero *m*; **~er** carcelero *m*; **~robe** guardarropa *m*, *f*; ropero *m*; vestidos *m/pl*; trajes *m/pl*

ware|s [weəz] mercancías *f/pl*; géneros *m/pl*; **~house** almacén *m*; depósito *m*

warm [wɔːm] *a* caliente; *v/t* calentar; **~ up** recalentar; **~th** [~θ] calor *m*

warn [wɔːn] *v/t* avisar; poner en guardia; amonestar; **~ing** *s* aviso *m*; advertencia *f*; *a* de aviso

warp [wɔːp] *s* urdimbre *f*; *v/t* urdir; *v/i* torcerse; alabearse

warrant ['wɔrənt] *s* garantía *f*; *for* orden *f* de detención; *v/t* autorizar; garantizar

war|rior ['wɔriə] guerrero *m*; **~ship** buque *m* de guerra

wart [wɔːt] verruga *f*

wary ['wɛəri] cauteloso

wash [wɔʃ] *v/t*, *v/i* lavar(se); **~ up** lavar los platos; **~ and wear** de lavar y poner; **~er** (*persona*) lavandero(a) *m* (*f*); *mec* arandela *f*; **~ing** lavado *m*; **~ing machine** lavadora *f*; **~stand** lavabo *m*

wasp [wɔsp] avispa *f*

waste [weist] *s* desperdicios *m/pl*; desperdicio *m*; desierto *m*; demacración *f*; *a* desechado; superfluo; desolado; *v/t* malgastar; devastar; *v/i* **~ away** consumirse; menguar; **~ful** pródigo, derrochador; **~-paper basket** cesto *m* de papeles; **~-pipe** tubo *m* de desagüe

watch [wɔtʃ] *s* guardia *m*; vigilancia *f*; reloj *m*; **to be on the ~** estar alerta; **to keep ~** estar de guardia; *v/t* mirar; observar; vigilar; *v/i* velar; **~ for** esperar; **~ out** tener cuidado; **~band** correa *f* de reloj; **~dog** perro *m* guardián; **~ful** vigilante; **~maker** relojero

m; **~man** vigilante *m*, sereno *m*; **~word** contraseña *f*; consigna *f*

water ['wɔːtə] *a* acuático; *s* agua *f*; *v/t* regar; abrevar (*ganado*); mojar; **~ down** suavizar; *v/i* hacerse agua; *mar* tomar agua; **my mouth ~s** se me hace la boca agua; **~-bottle** garrafa *f*; cantimplora *f*; **~-closet** inodoro *m*; **~-colour** acuarela *f*; **~fall** salto *m* de agua; **~ing** riego *m*; **~ing-can** regadera *f*; **~ing place** balneario *m*; abrevadero *m*; **~-level** nivel *m* de agua; **~mark** marca *f* de agua; **~-power** fuerza *f* hidráulica; **~proof** impermeable; **~spout** tromba *f* marina; **~-tank** cisterna *f*; depósito *m* de agua; **~tight** estanco; sin escapatoria; **~-wheel** rueda *f* hidráulica; **~works** planta *f* de agua potable; **~y** acuoso; aguado

watt [wɔt] vatio *m*

wave [weiv] *s* ola *f*; onda *f*; ondulación *f*; *v/t*, *v/i* agitar (-se); hacer señales; ondear; **~-length** longitud *f* de onda

waver ['weivə] *v/i* vacilar; titubear

wax [wæks] *s* cera *f*; *v/t* encerar

way [wei] camino *m*; vía *f*; rumbo *m*; medio *m*; modo *m*; **by the ~** a propósito; **by ~ of** por modo de, a título de; **on the ~** de paso;

out of the ~ lejano; escondido; **this ~** por acá; **to be in the ~** estorbar; **to give ~** ceder; **to lead the ~** enseñar el camino; **to make one's ~** abrirse paso; **~ in** entrada *f*; **~ out** salida *f*; **which ~?** ¿por dónde?

we [wiː, wi] *pron pers* nosotros(as)

weak [wiːk] débil; flojo; **~en** *v/t, v/i* debilitar(se), atenuar(se); **~ling** canijo *m*; **~-minded** pobre de espíritu; **~ness** debilidad *f*; flaqueza *f*

wealth [welθ] riqueza *f*; opulencia *f*; **~y** rico; próspero; abundante

wean [wiːn] *v/t* destetar

weapon ['wepən] arma *f*

wear [weə] *s* uso *m*; **~ and tear** desgaste *m*; *v/t* llevar puesto; calzar; vestir de; desgastar; cansar; *v/i* durar, resistir el uso; conservarse; **~ away, ~ out** gastarse

wear|iness ['wiərinis] cansancio *m*; **~isome** fastidioso; **~y** *a* cansado; fatigado; *v/t* fatigar; cansar

weasel ['wiːzl] comadreja *f*

weather ['weðə] *s* tiempo *m*; intemperie *f*; *v/t* resistir a; aguantar; **~-beaten** afectado por la intemperie; **~-chart** mapa *m* meteorológico; **~-forecast** pronóstico *m* del tiempo

weav|e [wiːv] *v/t* tejer; **~er** tejedor *m*

web [web] tela *f*; red *f*,

malla *f*; *fig* enredo *m*; alma *f* (de riel); *zool* membrana *f*

wed [wed] *v/t* casar; casarse con; *v/i* casarse; **~ding** boda *f*; casamiento *m*; **~ding-ring** anillo *m* de boda

wedge [wedʒ] *s* cuña *f*; calce *m*; *v/t* acuñar; calzar

Wednesday ['wenzdi] miércoles *m*

weed [wiːd] *s* mala hierba *f*; *v/t* escardar; **~ out** extirpar; **~-killer** herbicida *m*; **~y** infestado de malas hierbas

week [wiːk] semana *f*; **to-day ~** hoy hace ocho días; **~day** día *m* útil, día *m* de trabajo; *SA* día *m* de semana; **~end** fin *m* de semana; **~ly** *a* semanal; *s* semanario *m*

weep [wiːp] *v/t, v/i* llorar; **~ing** llanto *m*; **~ing willow** sauce *m* llorón

weigh [wei] *v/t, v/i* pesar; **~t** *s* peso *m*; pesa *f*; *v/t* cargar; **~tless** sin peso; **~t-lifting** *dep* levantamiento *m* de pesas; **~ty** pesado

weir [wiə] presa *f*

weird [wiəd] sobrenatural, misterioso; fantástico

welcome ['welkəm] *a* bienvenido; grato; *s* bienvenida *f*; *v/t* dar la bienvenida; acoger; **(you are) ~!** ¡no hay de qué!

weld [weld] *s* soldadura *f*; *v/t* soldar; **~ing** soldadura *f*

welfare ['welfeə] bienestar *m*; prosperidad *f*; **~ state**

pol estado *m* benefactor; ~
work obra *f* de asistencia
social

well [wel] *s* pozo *m* (*agua, petróleo*); *arq* caja *f* de la escalera

well [wel] *a* bien; bueno; sano; **to be** *o* **feel** ~ sentirse bien; *adv* bien; muy, mucho; **as** ~ también, a la vez; **as** ~ **as** así como también; *interj* pues; bueno; ¡vaya!; **~being** bienestar *m*; **~known** consabido; muy conocido; **~nigh** casi; **~off** en buena situación; **~timed** oportuno; **~to-do** acomodado, rico; **~worn** gastado; trillado

Welsh [welʃ] *a* galés; *s* idioma *m* galés; **the** ~ los galeses; ~ **rabbit**, ~ **rarebit** [ˈreəbit] queso *m* derretido sobre tostadas

wench [wentʃ] moza *f*

west [west] *a* occidental; *s* oeste *m*, occidente *m*; poniente *m*; **~erly**, **~ern** occidental

wet [wet] *a* mojado; húmedo; *v/t* mojar; **~ness** humedad *f*; **~nurse** ama *f* de leche

whack [wæk] *s* golpe *m* fuerte; *v/t* vapulear

whale [weil] ballena *f*; **~r** buque *m* ballenero

wharf [wɔːf] muelle *m*; descargadero *m*

what [wot] *pron* que; cómo; el que, la que, ~ **about?** ¿qué te parece?; ¿qué se

sabe de?; ~ **for?** ¿para qué?; **so** ~? ¿y qué?; *interj* ¡a! ¡qué!; *a interrog y rel* qué; **~ever** cualquier; todo lo que, que sea; **~soever** *pron*, *a* cualquier(a) que; cualesquiera que; cuanto; todo lo que

wheat [wiːt] trigo *m*

wheel [wiːl] *s* rueda *f*; volante *m* (*auto*); *v/t* hacer rodar; *v/i* girar; rodar; **~barrow** carretilla *f*

whelp [welp] cachorro *m*

when [wen] *adv* cuándo; *conj* cuando; si

whenever [wenˈevə] cuando quiera que

where [weə] *adv* dónde; adónde; por dónde; *conj* donde, adonde; **~abouts** paradero *m*

where|as [ˈweəˈæz] por cuanto, visto que; mientras que; **~by** por el cual; **~fore** por lo que; **~in** en que; **~on** en que, sobre que; **~ver** dondequiera

whet [wet] *v/t* afilar; *fig* abrir (*el apetito*)

whether [ˈweðə] si; sea que

which [witʃ] *pron rel* e *interrog* que; el, la, los, las que; lo que; el, la cual; lo cual; cuál; cuáles; qué; *a interrog y rel* qué, cuál; cuyo; el, la cual

whiff [wif] soplo *m*; vaharada *f*

while [wail] *s* rato *m*; tiempo *m*; **for a** ~ por algún tiempo; *conj* mientras;

mientras que; aun cuando; aunque; v/t ~ **away** pasar, entretener (_el tiempo_)

whim [wim] antojo m; capricho m

whimper ['wimpə] v/i lloriquear; gimotear

whims|ical ['wimzikəl] caprichoso; extraño; ~**y** capricho m, extravagancia f

whine [wain] s quejido m; gemido m; v/i quejarse; gemir

whinny ['wini] v/i relinchar

whip [wip] s fusta f; látigo m; azote m; v/t dar latigazos a; azotar; ~**ped cream** crema f chantilly; ~**ping** azotamiento m, paliza f, vapuleo m

whir [wə:] s zumbido m; v/t, v/i zumbar; rehilar

whirl [wə:l] s remolino m; v/t, v/i girar; ~**pool** remolino m; ~**wind** remolino m

whisk [wisk] s escobilla f; cepillo m; movimiento m rápido; v/t barrer; cepillar; ~ **away** arrebatar; v/i pasar de prisa

whiskers ['wiskəz] patillas f/pl

whisk(e)y ['wiski] whisky m

whisper ['wispə] s susurro m; cuchicheo m; murmullo m; v/t, v/i cuchichear; susurrar

whistle ['wisl] s pito m; silbato m; v/t, v/i silbar

white [wait] a blanco; pálido; s blanco m; color m blanco; ~**collar worker** oficinista m; ~ **lie** mentiri-

lla f; ~**n** v/t blanquear; ~**ness** blancura f; palidez f; ~**wash** s blanqueo m; v/t enlucir; blanquear; fig encubrir (Pentecostés m)

Whitsuntide ['witsntaid)

whizz [wiz] s silbido m; v/i silbar; ~ **by** rehilar

who [hu:, hu] pron interrog y rel quien(es); el, la, lo, los, las que; el, la, los, las cual(es); quién; ~**ever** quienquiera; cualquiera que

whol|e [həul] a todo; entero; íntegro; intacto; total; s todo m; totalidad f; conjunto m; **on the** ~**e** en general; ~**e-hearted** sincero; ~**esale** com al por mayor; fig en masa; ~**esaler** mayorista m; ~**esome** salubre; ~**ly** ['həuli] enteramente; íntegramente

whom [hu:m] pron a quién (-es), a quien(es), al que, al cual

whoop [hu:p] s grito m; v/i gritar; ~**ing-cough** tos f ferina

whore [hɔ:] puta f

whose [hu:z] pron y a rel cuyo, cuya; cuyos, cuyas; de quien; de quienes; a interrog de quién; de quiénes

why [wai] adv por qué; para qué; conj porque; por lo cual; s porqué m; interj pues; ¡toma!

wick [wik] mecha f

wicked ['wikid] malo; perverso; malvado

wicker ['wikə] mimbre
m

wicket ['wikit] portezuela f;
ventanilla f; dep meta f (en
criquet)

wide [waid] ancho; extenso;
vasto; **~-awake** despabila-
do; muy despierto; **~ly**
muy, mucho; **~** v/t ensan-
char; extender; **~spread**
difundido

widow ['widəu] viuda f; **~er**
viudo m; **~hood** viudez f

width [widθ] anchura f

wife [waif] esposa f

wig [wig] peluca f

wild [waild] a salvaje; sil-
vestre; inculto; feroz; bravo; desenfrenado; **~cat
strike** huelga f salvaje (no
autorizada); **~erness**
['wildənis] desierto m; **like
~fire** como un reguero de
pólvora; **~ly** desatinada-
mente; ferozmente

wil(l)ful ['wilful] premeditado; testarudo

will [wil] s voluntad f; intención f; testamento m; **at
~** a discreción; v/t querer;
for lugar; **~ing** voluntario;
dispuesto; **~ingness** buena
voluntad f

willow ['wiləu] sauce m

wilt [wilt] v/t, v/i marchitar
(-se)

win [win] v/t, v/i ganar;
conquistar; lograr; **~ to
the favour of** caer en gracia a; s dep triunfo m

wince [wins] v/i hacer mueca de dolor; recular

winch [wintʃ] cigüeña f;
torno m

wind [wind] viento m;
aliento m; **to get ~ of** enterarse de

wind [waind] v/t seguir las
vueltas; enrollar; **~ up** dar
cuerda (al reloj); concluir;
v/i serpentear

wind|ed ['windid] falto de
aliento; **~fall** cosa f caída
del cielo; **~ing** ['waindiŋ]
tortuoso; en espiral; **~ing
staircase** escalera f de caracol

windlass ['windləs] mec
torno m

windmill ['windmil] molino m de viento

window ['windəu] ventana
f; **~pane** cristal m de ventana; **~-shopping: to go
~-shopping** mirar los es-
caparates sin querer com-
prar; **~sill** apoyo m de la
ventana

wind|pipe ['windpaip] anat
tráquea f; **~screen** parabrisas m; **~screen wiper**
limpiaparabrisas m; **~ward**
de barlovento; **~y** ventoso

wine [wain] vino m; **~-
grower** viticultor m

wing [wiŋ] ala f; hoja f (de
puerta); teat bastidor m;
dep alero m; **on the ~** al
vuelo

wink [wiŋk] s guiño m; v/i
guiñar; centellear

winn|er ['winə] ganador(a)
m (f); **~ing** ganador, vencedor; fig cautivador; **~ing-**

-post poste m de llegada;
~ings ganancias f/pl

wint|er ['wintə] s invierno
m; a invernal; v/i invernar;
~ry ['~tri] invernizo; fig
frío

wipe [waip] v/t limpiar;
enjugar; ~ off borrar;
~out fig aniquilar; borrar
con

wir|e [waiə] s alambre m;
hilo m; telegrama m; ~
instalar alambres en; tele-
grafiar; ~e fencing alam-
brado m; ~eless a inalám-
brico; s radio f; ~eless set
aparato m de radio; ~e-
pulling intriga f; ~y ['~ri]
de alambre; fuerte

wis|dom ['wizdəm] s sabidu-
ría f; juicio m; ~e [waiz] sabio; prudente; juicioso;
~ecrack fam agudeza f

wish [wiʃ] s deseo m; anhelo
m; v/t, v/i desear; anhelar;
~ful deseoso

wistful ['wistful] añorante;
pensativo

wit [wit] ingenio m; sal f;
agudeza f

witch [witʃ] bruja f; ~craft
brujería f; embrujo m

with [wið] con; a, entre;
por; de; para

withdraw [wið'drɔ:] v/t
retirar; retractar; v/i retirarse; ~al retirada f

wither ['wiðə] v/t, v/i mar-
chitar(se)

withhold [wið'həuld] v/t
negar; retener

with|in [wi'ðin] dentro de;

al alcance de; ~out [~'ðaut]
prep sin; fuera de; to do
~out pasarse sin; adv fuera;
afuera

withstand [wið'stænd] v/t
resistir a

witness ['witnis] s testigo
m; testimonio m; v/t atestiguar; presenciar; ~-box
banquillo m de los testigos

witty ['witi] ingenioso; gracioso   (mago m)

wizard ['wizəd] brujo m;)

wobble ['wɔbl] v/i tamba-
lear(se); vacilar

woe [wəu] dolor m; aflicción
f

wolf [wulf] s lobo m; v/t
fam engullir

woman ['wumən] mujer f;
~hood feminidad f; las
mujeres f/pl; ~ly mujeril,
femenino

womb [wu:m] anat matriz
f; fig seno m

wonder ['wʌndə] s mara-
villa f; milagro m; v/i admirarse; v/t preguntarse;
~ful maravilloso

wont [wəunt] costumbre f

woo [wu:] v/t, v/i cortejar

wood [wud] madera f;
bosque m; leña f; ~cut grabado m en madera; ~cutter
leñador m; ~ed arbolado;
~en de madera; rígido; ~-
pecker pájaro m carpin-
tero; ~ mús maderas
f/pl; ~work obra f de car-
pintería

wool [wul] lana f; ~len de
lana; ~ly lanoso

word [wɜːd] s palabra f; voz f; noticia f; v/t expresar; **~ing** expresión f; formulación f; texto m; **~y** verboso

work [wɜːk] s trabajo m; obra f, empleo m; **at ~** trabajando; en juego; **out of ~** sin trabajo; v/t labrar, trabajar; **~ out** resolver; v/i trabajar; funcionar; surtir efecto; **~able** practicable; **~day** día m laborable; jornada f de trabajo; **~er** trabajador(a) m (f), obrero(a) m (f); **~ing** trabajador; laboral; suficiente; **~ing class** clase f obrera; **~man** trabajador m, obrero m; **~manship** hechura f, confección f; pericia f; **~ of art** obra f de arte; **~s** fábrica f; mecanismo m; **~shop** taller m

world [wɜːld] s mundo m; **~ly** mundano; **~ power** potencia f mundial; **~ war** guerra f mundial; **~-wide** mundial

worm [wɜːm] s gusano m; lombriz f; mec tornillo m sin fin; **~-eaten** carcomido; apolillado

worn-out [ˈwɔːnˈaut] gastado; raído, agotado

worried [ˈwʌrid] preocupado, inquieto; **~y** s inquietud f; preocupación f; v/i inquietarse; v/t preocupar

worse [wɜːs] a, adv peor; **~n** v/t, v/i empeorar(se)

worship [ˈwɜːʃip] s adoración f; culto m; v/t adorar

worst [wɜːst] a peor; pésimo; adv pésimamente; s lo peor, lo más malo

worsted [ˈwustid] estambre m

worth [wɜːθ] s valor m; mérito m; precio m; a de valor; **to be ~** valer; merecer; valer la pena; **~less** sin valor; inútil; despreciable; **to be ~ while** valer la pena; **~y** [ˈ~ði] digno

wound [wuːnd] s herida f; v/t herir

wrangle [ˈræŋgl] disputa f; riña f

wrap [ræp] v/t envolver; cubrir; v/i envolverse; **~per** cubierta f; sobrecubierta f (de libro); **~ping** envoltura f

wrath [rɔθ] cólera f; ira f

wreath [riːθ] guirnalda f; corona f

wreck [rek] s naufragio m; destrozos m/pl; v/t arruinar; **~age** ruinas f/pl; despojos m/pl

wrench [rentʃ] s arranque m; med distensión f; mec llave f (de tuerca); v/t arrancar

wrest [rest] (**from**) v/t arrebatar; **~le** [ˈresl] s lucha f; v/t luchar con

wretch [retʃ] s infeliz m, desgraciado m; sinvergüenza m, f; **~ed** [ˈ~id] miserable; desgraciado

wriggle [ˈrigl] v/i culebrear, serpentear [trujar]

wring [riŋ] v/t torcer; es-

wrinkle [ˈriŋkl] s arruga f;

v/t arrugar; **~ one's brows**
fruncir el ceño; *v/i* arru-
garse

wrist [rist] *anat* muñeca *f*; **~
watch** reloj *m* de pulsera

writ [rit] escritura *f*; orden
f; mandato *m*

write [rait] *v/t, v/i* escribir;
~e down apuntar; **~e off**
com castigar; *fig* dar por
perdido; **~e out** escribir en
forma completa; extender
(*cheque, etc*); **~er** escritor(a)
m (f); autor(a) *m (f)*

writhe [raið] *v/i* retorcerse

writing ['raitiŋ] letra *f*; escritura *f*; escrito *m*; **in ~**

por escrito; **~-desk** escritorio *m*; **~-paper** papel *m* de
cartas

written ['ritn] escrito

wrong [rɔŋ] *a* falso; equivocado; malo; injusto;
inexacto; **to be ~** equivocarse; no tener razón; andar mal (*reloj*); *adv* mal; al
revés; **s** mal *m*; injusticia *f*;
perjuicio *m*; agravio *m*; *v/t*
injuriar; ofender; agraviar;
~fully injustamente

wrought [rɔ:t] forjado; la-
brado; **~up** sobreexcitado

wry [rai] torcido, doblado;
tergiversado; **~face** mueca *f*

X

Xmas ['krisməs] = **Christmas**

X-ray ['eks'rei] *v/t* hacer

una radiografía; *s* rayo *m* X;
radiografía *f*   [lófono *m*
xylophone ['zailəfəun] xi-⌐

Y

yacht [jɔt] yate *m*

yap [jæp] *v/i* ladrar

yard [jɑ:d] yarda *f* (*91,44
cm*); patio *m*

yarn [jɑ:n] hilo *m*; *fam*
cuento *m*, andaluzada *f*

yawl [jɔ:l] yola *f*

yawn [jɔ:n] *s* bostezo *m*; *v/i*
bostezar

yea [jei] sí

year [jə:] año *m*; **~ly** anual

yearn [jə:n] (*for*) *v/i* anhelar; **~ing** anhelo *m*

yeast [ji:st] levadura *f*

yell [jel] *s* grito *m*; *v/t, v/i*
gritar; chillar

yellow ['jeləu] amarillo;
~ish amarillento

yelp [jelp] *v/i* gañir; *s* gañi-
do *m*

yeoman ['jəumən] *Ingl* pequeño terrateniente *m*

yes [jes] sí

yesterday ['jestədi] ayer;
the day before ~ anteayer

yet [jet] *conj* sin embargo; no obstante; *adv* ya (*en
la pregunta*); aún, todavía;
as ~ hasta ahora; **not ~** aún
no; todavía no

yew [ju:] tejo *m*

yield [ji:ld] s rendimiento m; com producto m; v/t producir, rendir; admitir; ceder; v/i rendirse; ceder; consentir; **~ing** flexible; complaciente

yoke [jəuk] s yugo m; v/t acoplar

yolk [jəuk] yema f

yonder ['jɔndə] adv allá; allí; a aquel; aquella

you [ju:, ju] tú; vosotros(as); usted; ustedes

young [jʌŋ] a joven; fresco; s jóvenes m/pl; cría f (de animales); **~er** más joven; menor; **~ girl** joven f; **~ lady** señorita f; **~ster** ['~stə] jovencito m

your [jɔ:] a pos tu, tus, su,

sus; vuestro(a, os, as); de usted(es)

yours [jɔ:z] pron pos tuyo(a), tuyos(as); el (la) tuyo(a); lo tuyo, los (las) tuyos(as); suyo(a), suyos(as); el (la) suyo(a), lo suyo; los (las) suyos(as); vuestro(a), vuestros(as); el (la) vuestro(a), los (las) vuestros(as); el, la, lo, los, las de usted(es)

yourself [jɔ:'self] pron pers sing tú mismo(a); usted mismo(a); **by ~** solo

yourselves [jɔ:'selvz] pron pers pl ustedes mismos(as); vosotros(as) mismos(as)

youth [ju:θ] juventud f; joven m; **~ful** joven; juvenil; **~ hostel** albergue m para jóvenes

Z

zeal [zi:l] celo m, ardor m; ahínco m; **~ous** ['zeləs] celoso; acucioso; fervoroso

zebra ['zi:brə] cebra f; **~ crossing** (cruce m de) cebra

zenith ['zeniθ] cenit m (t fig)

zero ['ziərəu] cero m; **below ~** bajo cero

zest [zest] deleite m; gusto m

Zionism ['zaiənizm] sionismo m

zip|-fastener ['zip-], **~per** cremallera f, SA cierre m relámpago

zodiac ['zəudiæk] zodiaco m

zone [zəun] zona f

zoo [zu:] parque m zoológico

zoolog|ical [zəuə'lɔdʒikəl] zoológico; **~y** [~'ɔlədʒi] zoología f

zoom [zu:m] v/i volar zumbando; **~ lens** foto objetivo m zoom (de foco variable)

Vocabulario Español-Inglés

A

a to; towards (*with verbs expressing movement*); at; on, by, in (*with verbs expressing state or position*); **~ mano** at hand; by hand; **poco ~ poco** little by little; **~ pie** on foot; **~ mediodía** at noon; **~ las seis** at six o'clock; **voy ~ Londres** I am going to London; **sabe ~ limón** it tastes of lemon; **la mantequilla está ~ 200 pesetas el kilo** the butter is at 200 pesetas a kilo

abad *m* abbot; **~esa** *f* abbess; **~ía** *f* abbey

abajo *adv.* underneath; below; *interj.* down with!

abalanzar *v/t* to balance; **~se sobre** to rush upon

abandon|ado negligent; **~ar** *v/t* to abandon; to neglect; **~o** *m* abandon; slovenliness

abani|car *v/t* to fan; **~co** *m* fan; **~queo** *m* fanning

abaratar *v/t* to cheapen

abarca *f* wooden sandal

abarca|dura *f*, **~miento** *m* embracing, inclusion; **~r** *v/t* to embrace; to comprise

abasta|miento *m* supplying; **~r** *v/t* to supply; to provide with

abastec|edor *m* supplier; **~er** *v/t* to supply; to provide with; **~imiento** *m* supply; provisions; stores, stock

abasto *m* supplying; **~s** supplies, provisions

abat|ido dejected, depressed; discouraged; dismayed; *com.* depreciated; **~imiento** *m* depression; **~ir** *v/t* to knock down; to pull down; to lower; to depress; **~irse** to loose heart; to become depressed; **~irse sobre** to swoop down on

abdica|ción *f* abdication; **~r** *v/t* to abdicate

abdomen *m* abdomen

abecedario *m* alphabet

abedul *m* birch-tree

abej|a *f* bee; **~arrón** *m* bumblebee; **~ón** *m* drone

abertura *f* aperture; open-}

abeto *m* fir [ing; crack]

abierto open, clear, frank

abigarrado variegated; mottled; motley

abism|al abysmal; **~ar** *v/t* to baffle; to depress; **~o** *m* abyss

abjurar v/t abjure, disavow

ablandar v/t, v/i to soften; to mollify; to mitigate; to calm down

abnega|ción f abnegation; **~r** v/t to renounce; **~rse** to deny oneself

abofetear v/t to slap

aboga|cía f legal profession; **~do(a)** m (f) lawyer, barrister; **~r por** v/i to defend; to plead

abolengo m ancestry; for inheritance [v/t abolish]

aboli|ción f abolition; **~r** v/t

abolsado baggy

abolla|dura f dent; **~r** v/t to dent; to emboss

abomina|ble abominable; **~ción** f abomination; horror; **~r** v/t to abominate

abon|ado m subscriber; holder of a season ticket; **~ar** v/t to guarantee; to assure; com to pay; to credit; agr to fertilize; **~arse** to subscribe; **~aré** m promissory note; **~o** m payment; subscription; season ticket; agr manure

abordar v/t naut to board (a ship); to approach; to tackle (a person, a subject); v/i to put into port

aborigen m native

aborrec|er v/t to hate, to abhor; **~imiento** m abhorrence, hatred

aborto m abortion, miscarriage; monstrosity

abotonar v/t to button; v/i to bud

abovedar v/t to vault

abrasar v/t to burn; to parch; **~se (de, en)** fig to burn (with)

abraz|adera f clamp, clasp; **~ar** v/t to clasp; to embrace; to comprise; **~o** m embrace, hug

abrelatas m can-opener

abreva|dero m watering place; **~r** v/t to water (cattle)

abrevia|ción f abbreviation; shortening; **~r** v/t to abbreviate; to shorten; **~tura** f abbreviation; summary

abridor m (tin, etc) opener

abrig|ar v/t to shelter; to harbour; to wrap up; to keep warm; fig to cherish; **~o** m shelter; protection; wrap; overcoat

abril m April

abrir v/t to open; to whet (the appetite); v/i to open

abrochar v/t to fasten; to buckle; to button

abrogar v/t to abrogate

abrumar v/t to oppress; to weigh down; to overwhelm

abrupto rugged; abrupt

absceso m abscess

absentismo m absenteeism

ábside m or f apse

absolu|ción f absolution; acquittal; **~tismo** m absolutism; **~to** absolute; **en ~to** absolutely; not at all (in negative sentences)

absor|ber v/t to absorb; **~ción** f absorption

abstemio(a) m (f) teetotaller; a abstemious

abstención f forbearance

abstenerse to abstain, to refrain

abstinente abstinent

abstra|cción f abstraction; **~cto** abstract; **~er** v/t to abstract; **~er de** v/i to do without; **~erse** to be lost in thought

absurdo absurd

abuel|a f grandmother; fig old woman; **~ita** f fam granny, grandma; **~ito** m fam grandpa; **~o** m grandfather; fig old man; **~os** m/pl grandparents; ancestors

abulta|do bulky; **~r** v/t to enlarge; v/i to be bulky

abunda|ncia f abundance, plenty; **~nte** abundant, plentiful; **~r** v/i to abound

aburri|do boring, tiresome; **~miento** m boredom; annoyance; **~r** v/t to bore; to annoy; **~rse** to be bored

abus|ar de v/i to abuse; **~ivo** improper, abusive; SA cruel, brutal; **~o** m abuse

acá here; hither

acaba|do m finish; a perfect; finished; **~r** v/t, v/i to finish, to complete; to end; **~r con** to put an end to; **~r de** to have just; **él ~ de llegar** he has just ar-

rived; **~rse** to run out of

academia f academy

académico(a) m (f) academic(ian)

acaec|er v/i to happen; to occur; **~imiento** m event

acalora|miento m ardour; excitement; **~r** v/t to warm; to heat; **~rse** to grow excited

acallar v/t to silence; to calm down

acampar v/t to encamp

acanala|do fluted; corrugated; **~r** v/t to groove, to flute; to channel

acantilado m escarpment

acantona|miento m billet; **~r** mil v/t to quarter; to billet

acapara|dor(a) m (f) hoarder; monopolizer; **~miento** m hoarding; **~r** v/t to hoard, to buy up; to monopolize

acariciar v/t to caress

acarre|ar v/t to cart, to convey; to entail; **~o** m carting, carriage; transport

acaso m chance; adv by chance; perhaps; **por si ~** just in case

acata|miento m observance; **~r** v/t to respect, to obey

acaudala|do wealthy; **~r** v/t to amass (fortune, etc)

acaudillar v/t to lead

acce|der v/t to accede; **~sible** accessible; **~sión** f accession; **~so** m access;

entry; fit; attack; **.sorio**
accessory
accident|ado troubled;
rugged; **.al** accidental;
.almente accidentally;
.e m accident; fit
acción f action; act; gesture; *com* share
accion|ar v/t to set in mo-
tion; to drive; **.ista** m, f
shareholder
acebo m holly
acech|ar v/t to spy upon;
to ambush; **.o** m spying;
prying
aceit|e m oil; **.e de ricino**
castor oil; **.era** f oil cruet;
mech oiler; **.oso** oily;
.una f olive
acelera|ción f accelera-
tion; **.dor** m accelerator;
.r v/t to accelerate; to
hasten
acent|o m accent; **.uar** v/t
to stress
acepción f *gram* accepta-
tion, meaning
acepillar v/t to plane; to
brush
acepta|ble acceptable; **.-
ción** f acceptance; approbation; **.dor(a)** m (f) *com*
acceptor; **.r** v/t to accept;
to approve of
acequia f irrigation ditch;
S A gutter
acera f sidewalk
acerbo harsh; sour, bitter
acerca de about; with regard to
acerca|miento m approxi-
mation; **.r** v/t to bring

near; **.rse** to approach; to
come near to

acero m steel; **. damasquino** damask steel
acerolo m hawthorn
acerta|do proper, correct;
.r v/t to hit the mark;
v/i to succeed
acertijo m riddle
acidez f acidity
ácido m acid; a acid; sour;
tart; harsh
acierto m good shot; success; skill
aclama|ción f acclamation;
.r v/t to acclaim
aclara|ción f explanation;
.r v/t to make clear; to
explain; v/i to clear up
(*weather*)
aclimata|ción f acclimati-
zation; **.r** v/t to acclimatize
acobardar v/t to intimidate;
.se to become frightened;
to flinch
acodado bent
acoge|dor(a) a welcoming,
inviting; m (f) harbourer;
protector; **.r** v/t to receive;
to welcome; **.rse a** to take
refuge in [reception]
acogi|da f, **.miento** m)
acolchar v/t to quilt
acomet|edor a aggressive;
m aggressor; **.er** v/t to
attack; to undertake; **.ida**
f attack; assault
acomod|ación f accommo-
dation; adaptation; settlement; **.adizo** accommo-
dating; **.ado** wealthy,

well-to-do; **~ador(a)** m (f)
usher, usherette; **~amiento** m agreement; accomodation, lodging; **~ar** v/t to accommodate; to adapt; to arrange; v/i to suit; **~arse** to adapt oneself; **~o** m employment

acompaña|miento m company; accompaniment; attendance; **~r** v/t to accompany

acondiciona|do in (good or bad) condition; **~r** v/t to condition

aconseja|ble advisable; **~r** v/t to advise; **~rse** to take advice

acontec|er v/i to happen; **~imiento** m event

acopi|ar v/t to store; **~o** m quantity; storing

acopla|dura f, **~miento** m connexion; coupling; **~r** v/t to connect; to joint; to join; to mate (of animals); **~rse** to come to an agreement

acorazado m battleship

acorazonado heart-shaped

acord|ar v/t to decide; to agree upon; v/i to agree; **~arse** to remember; **~e** a agreed; m mus chord

acordeón m accordion

acorralar v/t to pen up (cattle); fig to corner

acortar v/t to abridge; to shorten

acosar v/t to persecute; to harass

acostar v/t to put to bed;

~se to go to bed; to lie down

acostumbrar v/t to accustom; v/i to be in the habit of; **~se** to become accustomed

acotar v/t to assess

acre a acrid (t fig); sharp; sour; m acre

acrecentar v/t to promote; to increase

acrecer v/t to increase

acreditar v/t to accredit; com to credit; to answer for; to guarantee

acreedor m creditor

acribillar v/t to riddle (with bullets, etc); to molest

acróbata m acrobat

acta f record

actitud f attitude

activ|ar v/t to hasten; to expedite; **~idad** f activity; **~o** a active; m com assets

act|o m act; **~ual** present; **~ualidad** f present time; current topic; at present; **~ualmente** presently; **~uar** v/i to act

acuar|ela f water-colour; **~io** m aquarium

acuartelar v/t mil to quarter

acuático aquatic

acuciar v/t to urge

acuclillarse to squat

acuchillar v/t to knife; to stab

acudir v/i to go; **~ a** to attend; to frequent

acuerdo m agreement; accord; resolution; **de ~ in**

agreement; **tomar un ~** to pass a resolution

acumula|dor *m* accumulator; **~r** *v/t* to accumulate; **~rse** *com* to accrue

acuñar *v/t* to· mint; to coin; to wedge

acuoso watery

acurrucarse to huddle up, to nestle

acusa|ción *f* accusation; **~dor(a)** *m* (*f*) accuser; **~r** *v/t* to accuse; to acknowledge (*receipt*); to show; **~tivo** *m* *gram* accusative

acústica *f* acoustics

acha|car *v/t* to impute; **~que** *m* indisposition

achicar *v/t* to reduce; to dwarf [to overheat]

achicharrar *v/t* to burn;]

achispado *fam* tipsy, tight

adalid *m* leader; chieftain

adapta|ción *f* adaptation; **~r** *v/t* to adapt

adecuado adequate

adelant|ado *m* governor; *a* advanced; fast (*watch*); **~ar** *v/t*, *v/i* to advance; to progress; **~arse** to take the lead; **~e** forward; ahead; **en ~e** henceforward; **~o** *m* progress; advance, advance payment

adelgazar *v/t* to make slender [(*manners*)]

ademán *m* gesture; *pl*]

además moreover; besides

adentro within; inside

adepto *m* follower; partisan

aderezar *v/t* to season; to dress; to adorn

adeudar *v/t* to debit; to charge; **~se** to get into debt

adhe|rencia *f* adhesion; **~rir(se)** *v/i* to adhere; **~sivo** adhesive

adición *f* addition; *S A* check (*in restaurant, etc*)

adicion|al additional; **~ar** *v/t* to add; to augment

adicto *a* addicted; devoted; *m* (drug) addict; follower

adiestra|miento *m* training; instruction; **~r** *v/t* to train; to instruct

adinerado wealthy, moneyed

adivin|anza *f* riddle; puzzle; **~ar** *v/t* to guess; **~o** *m* diviner; fortune-teller

adjudicar *v/t* to adjudicate; **~se** to appropriate

adjunto *a* adjoining; enclosed; *m* partner

administra|ción *f* administration; **~ción pública** civil service; **~dor** *m* administrator; manager; **~r** *v/t* to administer; **~tivo** administrative

admira|ble admirable; **~ción** *f* admiration; **~r** *v/t* to admire; **~rse de** to be surprised at

admi|sión *f* admission; entrance; acceptance; **~tir** *v/t* to admit; to accept

adob|ar *v/t* to pickle; to prepare; to season; **~e** *m* adobe

adolecer *v/i* to fall ill; to be ill

adolescen|cia *f* adoles-

cence; **~te** m, f, a adolescent

adonde where; whither; **~quiera** anywhere; wherever

adop|ción f adoption; **~tar** v/t to adopt; **~tivo** adoptive; adopted

adoquín m paving stone; **~inado** m paved floor

adora|ble adorable; **~ción** f adoration; worship; **~r** v/t to worship; to adore

adorm|ecer v/t to put to sleep; to lull; to calm; **~idera** f poppy

adorn|ar v/t to adorn; **~o** m adornment; decoration

adqui|rir v/t to acquire; to buy; **~sición** f acquisition; purchase; **poder** m **~sitivo** purchasing power

adrede on purpose

adscribir v/t to ascribe

aduan|a f custom-house; **~ero** m custom-house officer

aducir v/t to adduce

adueñarse to take possession

adul|ación f flattery; **~ar** v/t to flatter; **~ón** a cringing; m toad-eater

adulter|ación f adulteration; **~ar** v/t to adulterate; v/i to commit adultery

adúltero(a) m (f) adulterer (-ess); a adulterous

adulto(a) a, m (f) adult

adven|edizo a foreign; newly arrived; m stranger;

new-comer; upstart; **~ir** v/i to arrive

advers|ario m adversary, opponent; **~idad** f adversity; **~o** adverse

advert|encia f advice; warning; **~ir** v/t to notice; to advise; to warn

adyacente adjacent

aéreo aerial   [craft)

aerodeslizador m hover-∫

aerodinámico aerodynamic; streamlined

aeródromo m airfield

aero|moza f air hostess, stewardess; **~náutica** f aeronautics; **~nave** f airship; **~puerto** m airport

afable affable; complaisant

afamado famous

afán m anxiety; eagerness

afan|ar v/t to press; **~arse** to work eagerly; **~oso** arduous, difficult

afec|ción f affection; **~tación** f affectation; **~tar** v/t to affect; to feign; to concern

afeitar v/t to shave; to embellish

afeminado effeminate

aferrar v/t to grasp; **~se a, en** to persist obstinately in

afianzar v/t to guarantee

afición f enthusiasm

aficion|ado a fond of; m fan; **~arse a** to take a fancy to; to become fond of

afila|dor m sharpener; **~r** v/t to sharpen, to whet; to grind

afín akin; similar

afin|ar v/t to perfect; to tune; **~idad** f affinity

afirma|ción f affirmation; **~r** v/t to affirm; **~tiva** f affirmative; **~tivo** affirmative

afligir v/t to afflict, to distress; **~se** to grieve

aflojar v/t to loosen; to slacken; v/i to weaken; to diminish

aflu|encia f affluence; crowd; **~ente** m tributary; affluent; a affluent; abundant; **~ir** v/i to flow into; to congregate

aforo m gauging; appraisal

aforr|ar v/t to line (clothes); **~o** m lining; naut sheathing

afortunado lucky; fortunate

afrenta f affront; insult; **~r** v/t to insult

afrontar v/t to confront; to face, to defy

afuera adv outside; outward; **~s** f/pl suburbs; surroundings; outskirts

agachadiza f orn snipe

agacharse to stoop; to squat; to crouch

agalla f bot gall; **~s** pl guts, courage

agarra|dero m handle; naut anchorage; **~r** v/t to grasp; to seize; **~rse** to grapple

agasaj|ar v/t to entertain; to regale; v/t reception, banquet; esteem

agen|cia f agency; **~cia de viajes** travel agency; **~te** m

agent; **~te de bolsa** stockbroker; **~te de policía** policeman

ágil nimble; ready; light

agilidad f nimbleness; lightness

agio m com agio, premium; stock-jobbing

agita|ción f agitation; disturbance; **~r** v/t to agitate; to ruffle; **~rse** to flutter; to get excited

aglomerar v/t to agglomerate; to gather

agobi|ar v/t to oppress; to exhaust; **~o** m oppression; exhaustion

agolparse to crowd together

agonía f agony; violent pain

agonizar v/t to annoy; v/i: **estar agonizando** to be dying [August]

agost|ar v/t to parch; **~o** m ∫

agota|do sold-out, out of stock; out of print; **~r** v/t to exhaust; to wear out; **~rse** to give out; to be sold out

agracia|do graceful, pretty, charming; **~r** v/t to adorn; to embellish

agrad|able agreeable; **~ar** v/i to please; **~ecer** v/t to thank; **muy ~ecido** much obliged; **~ecimiento** m gratefulness; gratitude; thanks; **~o** m pleasure

agrandar v/t to enlarge; to increase

agrario agrarian

agravar v/t to aggravate

agravi|ar *v/t* to wrong; **~o** *m* offence; insult
agre|dir *v/t* to assault; **~sión** *f* aggression, assault; attack
agriarse to become sour
agrícola agricultural, agrarian
agricult|or *m* agriculturist; **~ura** *f* agriculture
agri|etar *v/t* to crack, to chap; **~o** sour; acid; rude
agrupa|ción *f* grouping; group; crowd; **~r** *v/t* to group; to cluster
agua *f* water; rain; **~s abajo** downstream; **~s arriba** upstream; **~s negras** sewage; **~cero** *m* shower, downpour; **~da** *f* watering station; flood; **~nieve** *f* sleet
aguant|able bearable; **~ar** *v/t* to stand; to bear; **~arse** to contain oneself; *SA* to stop; **~e** *m* stamina; endurance; patience
aguar *v/t* to dilute
aguardar *v/t* to await; to wait for, to expect
aguardiente *m* brandy; liquor; **~ de caña** rum
aguarrás *m* turpentine oil
agud|eza *f* sharpness; **~o** sharp; acute; witty
agüero *m* omen
aguij|ada *f* spur; **~ar** *v/t* to spur; to goad; **~ón** *m* prick; sting; goad; **~onear** *v/t* to prick; to sting; to goad
águila *f* eagle

aguj|a *f* needle; hand (*of clock*); spindle; spire (*of church*); **~as** *fc* switch; **~erear** *v/t* to prick; to pierce; to perforate; **~ero** *m* hole
aguzar *v/t* to sharpen; **~ las orejas** to prick one's ears
ahí there
ahija|da *f* goddaughter; **~r** *v/t* to adopt (*children*)
ahínco *m* eagerness, zeal
ahog|ar *v/t* to choke; to suffocate; to drown; **~arse** to drown; to be suffocated; **~o** *m* anguish; distress
ahora now; **~ mismo** at this very moment
ahorcar *v/t* to hang
ahorr|ar *v/t* to economize; to enfranchise; to emancipate; to save; **~os** *m/pl* savings
ahuecar *v/t* to hollow (out)
ahumar *v/t* to smoke
ahuyentar *v/t* to put to flight; to frighten away
airado angry
air|e *m* air; wind; grace; appearance; **al ~e libre** in the open air; tune *f*
acondicionado air-conditioned; **~oso** airy; windy; graceful; successful
aisla|miento *m* isolation; insulation; **~r** *v/t* to isolate; to insulate (*heat; current*)   [lic-field]
ajar *v/t* to crumple; *m* gar-}
ajedrez *m* chess
ajeno belonging to another;

alien; foreign; ~ **de** devoid of

ajetreo *m* hustle

ajo *m* garlic [trousseau]

ajuar *m* furniture; dowry;

ajust|ado tight; right; ~**ar** *v/t* to fit in; to arrange; ~**e** *m* adjustment; agreement

ala *f* wing; row; brim (*of hat*); leaf (*of table*)

alabar *v/t*, ~**se** to praise

alabearse to warp

alacrán *m* scorpion

alambr|ado *m* wire fencing; ~**e** *m* wire

alameda *f* (*tree-lined*) avenue; poplar-grove

álamo *m* poplar; ~ **temblón** aspen

alarde *m* parade; show; ~**ar** *v/i* to boast; to show off

alargar *v/t* to lengthen; to stretch

alarido *m* howl; scream

alarm|a *f* alarm; ~**ante** alarming; ~**ar** *v/t* to alarm

alba *f* dawn

albacea *m* executor (*of will*)

albañil *m* mason; ~**ería** *f* masonry

albaricoque *m* apricot

albedrío *m* free will; caprice

alberg|ar *v/t* to lodge; to put up; to harbour; ~**ue** *m* hostel; den (*of animals*); ~**ue para jóvenes** youth hostel

albóndiga *f* meat-ball

albornoz *m* bath-robe; wrapper; hooded cloak

alborot|adizo excitable;

~**ado** impetuous; ~**ador** *a* turbulent; disorderly; *m* rioter; ~**ar** *v/t* to disturb; to agitate; *v/i* to riot; ~**o** *m* excitement, flutter; uproar; alarm

alboroz|ar *v/t* to make merry; ~**arse** to rejoice exceedingly; to exult; ~**o** *m* merriment

albufera *f* lagoon

álbum *m* album; ~ **de recortes** scrapbook

albúmina *f* albumen

alcachofa *f* artichoke

alcaide *m* governor (*of a castle*); jailer

alcald|e *m* mayor; ~**ía** *f* mayor's office and jurisdiction

álcali *m* alkali

alcan|ce *m* reach; pursuit; **al ~ce de** within reach *or* range of; **dar ~ce** to overtake; ~**for** *m* camphor; ~**tarilla** *f* sewer; ~**tarillado** *m* sewerage; ~**zar** *v/t* to reach; to catch up with; *SA* to hand, to pass; *v/i* to suffice

alcaparra *f* caper

alcázar *m* castle

alcoba *f* alcove; bedroom

alcoh|ol *m* alcohol; ~**ólico** alcoholic

Alcorán *m* Koran

alcornoque *m* cork-tree

alcorza *f* icing (*on cake*)

aldaba *f* door-knocker; latch

aldea *f* village; ~**no(a)** *m* (*f*) villager

aleación *f* alloy

aleccionador instructive
alega|ción f allegation; **~r** v/t to allege
alegoría f allegory
alegórico allegorical
alegr|ar v/t to gladden; to cheer; **~arse de** to be glad of; **~e** merry; cheerful; **~ía** f gaiety; joy
aleja|miento m removal; separation; **~r** v/t to remove; **~rse** to withdraw; to recede
alemán, alemana m, f, a German
alenta|dor encouraging; **~r** v/t to encourage; v/i to breathe
alero m eaves; dep wing
alerta f alarm; alert; **~r** v/t to alert   [flipper]
aleta f small wing; ict fin,⌐
alfabeto m alphabet
alfalfa f lucern
alfar|ía f pottery; **~o** m potter
alférez m second lieutenant
alfil m bishop (in chess)
alfiler m pin
alfombra f carpet
alforja f knapsack; saddle-bag
alga f seaweed
algarabía f Arabic; fig hubbub
algazara f din, tumult
álgido icy-cold
algo pron something; adv somewhat
algodón cotton m; **~ ab-sorbente** med cotton wool
alguacil m constable; bailiff

alguien somebody
algún some (before masculine gender nouns); **~ día** some day; **de ~ modo** somehow
algun|o(a) a some, any; **~a vez** some time; **~os días** some days; **en ~a parte** somewhere; pron somebody; pl some, some people
alhaja f jewel   [people⌐
alia|do(a) m (f) ally; a allied; **~nza** f alliance; **~rse** to enter into an alliance
alicates m/pl pincers; tweezers; pliers
aliciente m attraction; inducement
alienar v/t to alienate
aliento m breath; **contener el ~** to hold one's breath
aligerar v/t to lighten; to shorten; to hasten
alijador m mar lighter
alimenta|ción f food; feeding; **~r** v/t to feed; to nourish; to supply
alimenticio nourishing; **valor ~** food value
alinear v/t to align
aliñar v/t to adorn; to season (food)
alisar v/t to plane; to polish
alista|do listed; **~r** v/t, **~rse** to enlist; to stand by
alivi|ar v/t to ease, to relieve; to alleviate; **~o** m relief
alma f soul; core, centre
almacén m warehouse, storehouse; shop; **en ~** in store

almacen|ar *v/t* to store; **~es** *m/pl* department store; **~ista** *m* shopkeeper; wholesaler [calendar]

almanaque *m* almanac,]

almeja *f* clam

almendr|a *f* almond; **~o** *m* almond-tree

alm|íbar *m* syrup; **~iba-rado** candied

almidón *m* starch

almidonar *v/t* to starch

almirant|azgo *m* admiralty; **~e** *m* admiral

almizcle *m* musk

almohad|a *f* pillow; **~illa** *f* pad; small cushion

almoneda *f* auction

almorranas *f/pl* hemorrhoids

alm|orzar *v/i* to have lunch; **~uerzo** *m* lunch

aloja|miento *m* lodging; **~r** *v/t* to lodge

alondra *f* lark

alongado prolonged

alpargata *f* hempen sole sandal, espadrille

alp|estre Alpine; **~inista** *m*, *f* mountain climber, mountaineer; **~ino** Alpine

alpiste *m* bird seed; **dejar a uno ~** to disregard someone

alquil|ar *v/t* to let, to lease; to hire out; to rent; **se ~a** to let; **~er** *m* rent; **de ~er** for hire

alquitrán *m* tar; pitch

alrededor *adv* around; **~ de** about; around; **~es** *m/pl* outskirts

alta *f* certificate of discharge (*hospital*); enrolment; **dar de ~** to enrol

altaner|ía *f* haughtiness; **~o** haughty; arrogant

altar *m* altar; **~ mayor** high altar

altavoz *m* loudspeaker

altera|ción *f* alteration; disturbance; **~r** *v/t* to alter; to disturb; **~rse** to grow angry; to become upset [quarrel]

altercar *v/i* to dispute; to]

altern|ado alternative; **~ar** *v/t, v/i* to alternate; **~ativa** *f* alternative; **~o** alternative, alternate; *elec* alternating

alt|eza *f* height; **Qeza Highness** (*title*); **~ibajos** *m/pl* ups and downs (*of fortune*); **El Qísimo** *m* the Most High (*God*); **~itud** *f* height; altitude; **~ivo** haughty; **~o** *a* high; tall; eminent; loud; **en lo ~o** at the top; **~as horas** small hours; *m* height; halt; **dar el ~o** to stop; **pasar por ~o** to overlook; to disregard; *adv* high; loud; loudly; **~oparlante** *m* SA loudspeaker; **~ura** *f* height; altitude; **estar a la ~ura de** to be equal to

alubia *f* French bean

alucina|ción *f* hallucination; **~r** *v/t* to dazzle

alud *m* avalanche

aludir *v/i* to allude; to refer

alumbra|do *m* lighting; **~**

miento *m* illumination; childbirth; **~r** *v/t* to light; to illuminate; to give birth to

aluminio *m* aluminium

alumno(a) *m* (*f*) pupil; student

aluniza|je *m* lunar landing; **~r** *v/i* to land on the moon

alusi|ón *f* allusion; reference; **~vo** allusive

alvéolo *m* alveole; cell

alza *f* rise; **~da** *f* height (*of horse*); appeal (*to a higher tribunal*); **~do** *m* arch front elevation; fraudulent bankrupt; **~miento** *m* lifting, rising, rebellion; **~r** *v/t* to raise; to lift; **~rse** to go fraudulently bankrupt; to rise in rebellion; **~rse con** to steal, to make off with

allá there; thither; long ago; **más ~** farther; **más ~ de** beyond

allana|miento *m* levelling, burglary; raid (*by police*); **~r** *v/t* to level; to flatten; to overcome; **~rse** to acquiesce

allegar *v/t* to collect; to gather together

allí there; thither; then

ama *f* mistress; nurse; **~ de casa** housewife; landlady; **~ de cría** or **de leche** wet nurse; **~ de llaves** housekeeper

amab|ilidad *f* kindliness; kindness; affability; **~le** lovable; affable; kind; friendly

amaestrar *v/t* to instruct; to train; to coach

amainar *v/t* naut to shorten; to calm; *v/i* to subside

amanecer *m* dawn; daylight; *v/i* to dawn; to wake up

amansar *v/t* to tame

amante *m, f* lover

amañar *v/t* to do cleverly; **~arse** to manage; **~o** *m* cleverness; pl tools

amapola *f* poppy

amar *v/t* to love

amarar *v/i* aer to land on water

amarg|ar *v/t* to make bitter; to embitter; *v/i* to be bitter; **~o** bitter; harsh; **~ura** *f* bitterness; distress

amarill|ento yellowish; **~ez** *f* yellowness; **~o** yellow

amarra *f* cable; *pl* moorings; **~r** *v/t* to fasten; to moor

amartelar *v/t* to torment with love; to court

amas|ar *v/t* to knead; **~ijo** *m* dough

amatista *f* amethyst

ámbar *m* amber

ambición *f* ambition

ambicioso ambitious

ambiente *m* atmosphere; setting; environment

ambigüedad *f* ambiguity

ambiguo ambiguous

ámbito *m* bounds; area; ambit

ambos(as) both

ambulan|cia *f* ambulance;

~te ambulant; **vendedor ~te** peddler

amenaza f threat; **~r** v/t to threaten

amenguar v/t to diminish

amen|idad f amenity; pleasantness; **~izar** v/t to render pleasant; **~o** pleasant; light

americana f jacket

americano(a) m (f), a American [gun]

ametralladora f machine

amianto m asbestos

amiga f friend; mistress; **~bilidad** f friendliness; **~ble** friendly

amígdala f tonsil

amig|dalitis f tonsilitis; **~o** m friend; lover

amillara|miento m tax assessment; **~r** v/t to assess

aminorar v/t to reduce

amist|ad f friendship; love affair; **~arse** to become friends; **~oso** friendly

amnistía f amnesty

amnistiar v/t to grant an amnesty to

amo m master; employer

amohecerse to grow mouldy; to grow rusty

amoladera f grindstone

amoldar v/t to mould; to fashion

amonesta|ción f admonition; **~ciones** pl banns; **~r** v/t to admonish, to warn

amoníaco m ammonia

amontonar v/t to heap; to pile up

amor m love; **¡por ~ de**

Dios! for God's sake!; **~ propio** self-respect

amorfia f amorphousness

amorfo amorphous

amorío m love affair

amorrarse to sulk

amortigua|dor m damper; **~dor de choque** shock-absorber; **~r** v/t to soften; to mitigate; to cushion; to damp

amortiza|ción f amortization; **~r** v/t to amortize; to pay off; to refund

amotinar v/t to incite to mutiny; **~se** to riot

amovible removable

ampar|ar v/t to protect; **~o** m protection; shelter

ampli|ación f amplification; extension; enlargement; **~ar** v/t to amplify; to extend; to enlarge; **~ficación** f amplification; **~o** ample; extensive; **~tud** f amplitude; extent

ampolla f blister; cruet; decanter

amueblar v/t to furnish

ánade m, f duck

anadino(a) m (f) duckling

analfabeto illiterate

análisis m or f analysis

analítico analytic

ananás m pine-apple

anaquel m shelf

anarquía f anarchy

anárquico anarchistic

anatomía f anatomy

anca f rump (of horse); haunch

ancian|idad f old age;

~o(a) m (f) old man, old woman

ancorar v/i to anchor

anch|o wide; ~oa f anchovy; ~ura f width; breadth

andaluz(a) m (f), a Andalusian

andamio m scaffold(ing)

anda|nte walking; errant; ~nza f event; fortune; ~r v/i to walk; to move; m gait; ~s f/pl stretcher; bier

andén m fc platform

anejo m annex; a annexed

anex|ar v/t to annex; ~o m annex, extension

anfitrión m host

ángel m angel

angélico angelic

angina f angina; ~ de pecho angina pectoris

anglicano Anglican

angost|o narrow; ~ura f narrowness

ángulo m angle; ~ recto right angle

angustia f anguish; ~r v/t to distress

anhel|ar v/t, v/i to long for; to yearn; to breathe hard; ~o m longing; craving, yearning

anill|a f ring; ~ar v/t to form into a ring; to fasten by ring; ~o m ring; ~o de boda wedding-ring

ánima f soul

anim|ación f cheerfulness; ~ado lively, cheerful; ~al m animal; ~al de tiro draught animal; ~ar v/t to animate; to encourage;

~arse to cheer up; to revive

ánimo m spirit; courage

animos|idad f animosity; ~o brave; spirited

aniquilar v/t to annihilate

anís m anise; aniseed

aniversario m anniversary

ano m anus

anoche last night; ~cer v/i to grow dark; m nightfall; dusk

anomalía f anomaly

anómalo anomalous

anonimidad f anonymity

anónimo anonymous

anotar v/t to annotate

ansia f anxiety; zest; yearning; ~r v/t to long for; ~edad f anxiety; ~oso anxious; eager

antagónico antagonistic

antagonis|mo f antagonism; ~ta m, f antagonist

antaño last year; long ago

antártico antarctic

ante m elk; buckskin; suède leather

ante prep before; in view of; at; in the face of; ~ todo first of all

ante|anoche the night before last; ~ayer the day before yesterday

antebrazo m forearm

antecede|nte a, m antecedent; ~ntes m/pl background; ~r v/t to precede

antecesor(a) m (f) predecessor

antedicho aforesaid

antelación f priority; precedence; **con ~ in** advance

antemano: de ~ beforehand

antena f aerial

anteojos m/pl spectacles

antepasados m/pl ancestors

antepecho m railing; parapet; window-sill

anteponer v/t to put before

anterior former, previous; **~idad** f anteriority; priority; **con ~idad** beforehand

antes adv before; rather; sooner; **cuanto ~** as soon as possible; conj **~ bien** on the contrary; **~ de que** before

antesala f vestibule, lobby

anticipa|ción f anticipation; **con ~ción** in advance; **~damente** in advance; **~r** v/t to anticipate; to advance; **~rse (a)** to anticipate; to forestall

anticua|do antiquated; obsolete; **~rio** m antiquarian

antideslizante non-skid

antifaz m mask

antig|ualla f ancient relic; out-of-date fashion or object; **~üedad** f antiquity; **~uo** ancient; antique; former; **2uo Testamento** Old Testament; **~uos** m/pl the ancients

antipatía f antipathy; dislike

antirreglamentario contrary to regulations

antirreligioso antireligious; irreligious

antisocial unsocial, antisocial

antítesis f antithesis

antoj|arse to fancy; **~o** m whim; caprice; craving

antorcha f torch

antropofagia f cannibalism

antropófago(a) m (f), a cannibal

anua|l annual; **~lidad** f annual income; annuity; **~rio** m year-book

anublar v/t to cloud; to darken

anudar v/t to join; to knot together

anula|ción f annulment; **~r** v/t to annul

anunci|ación f announcement; **~ador(a)** m (f) announcer; a announcing; **~ar** v/t to announce; **~o** m announcement; forecast

anzuelo m fishhook; **tragar el ~** to swallow the bait

añadi|dura f addition; **por ~** in addition; into the bargain; **~r** v/t to add

añejo old; stale; musty

añicos m/pl small pieces, fragments

añil m indigo plant; indigo blue   [leap year)

año m year; **~ bisiesto)**

añorante wistful

apacentar v/t to feed (cattle); to pasture.

apacib|ilidad f gentleness; **~le** gentle; placid, peaceful

apacigua|miento m appeasement; **~r** v/t to appease

apadrinar v/t to act as godfather to; to support

apaga|ble extinguishable; **~do** lifeless; faded; fig colourless; **~r** v/t to blow out; to extinguish; to put out; to turn off; to quench (thirst); **~rse** to go out; to die down

apale|ar v/t to beat; to thresh; **~o** m threshing

apaña|do skilful; suitable; **~r** v/t to seize; to grasp; **~rse** v/t to know the ropes; to get on

apara|dor m sideboard; **~to** m apparatus; set (radio); **~toso** spectacular

aparcar v/t to park

aparcer|ía f partnership; **~o** m partner (in farming)

aparear v/t to match, to pair off

aparecer v/i to appear

aparej|ar v/t to prepare; to get ready; to equip; **~o** m equipment; mar tackle

aparentar v/t to feign; to pretend; to seem to be

apari|ción f appearance; **~encia** f aspect; semblance

apartad|ero m siding; aut lay-by; road side; **~o** m post box; a remote; distant

apartament m flat, apartment; **~ en propiedad horizontal** cooperative apartment

apart|ar v/t to separate; to remove; **~arse** to withdraw; **~e** m theat aside; paragraph; adv apart; at a distance; **~e de** except for, apart from

apasiona|do passionate; **~miento** m enthusiasm; **~r** v/t to impassion; to excite; **~rse por** to become devoted to

apatía f apathy

apea|dero m halt; stop; **~r** v/t to dismount; **~rse** to alight

apela|ción f appeal; **~r** v/i to appeal; to have recourse

apellid|ar v/t to name; **~arse** to be called; **~o** m surname, family name, last name

apenarse to grieve

apenas scarcely; hardly; barely

apéndice m appendix

apendicitis f appendicitis

apeo m propping; survey

apercibi|miento m arrangement; for warning; caution; **~r** v/t to provide; to prepare [petizing]

aperitivo m apéritif; a ap-)

apero m implements, tools

apertura f opening

apestar to infect with the plague; fam to annoy; to pester; v/i to stink

apet|ecer v/t to desire; to long for; **~encia** f appetite; **~itoso** appetizing; savoury

ápice m apex, pinnacle; trifle; difficulty

apicultor m bee-keeper

apiñar v/t to press together

aplanar v/t to level; to flatten

10*

aplasta|nte overwhelming; ~r v/t to crush; to squash

aplau|dir v/t to applaud; ~so m applause

aplaza|miento m postponement; ~r v/t to postpone; to adjourn

aplica|ción f application; ~r v/t to apply; ~rse to apply oneself

aplom|ado lead-coloured; heavy; ~ar v/i to plumb; ~arse to collapse; ~o m tact, poise

apod|ar v/t to nickname; ~erado m attorney, agent; proxy; ~erar v/t to empower; ~o m nickname

apogeo m apogee

apoplejía f apoplexy

apoplético apoplectic

aporta|ción f contribution; ~r v/t to bring; to contribute

aposent|ar v/t to lodge; ~o m room; lodging

aposta on purpose

apostar v/t to bet; to wager

apóstol m apostle

apostólico apostolic

apoy|ar v/t to support; to base; v/i to rest, to lean; ~arse to lean; to rest; ~o m prop; support

apreci|able appreciable; worthy; esteemed; ~ación f valuation; ~ar v/t to estimate; to value; ~o m esteem; estimation; valuation

aprehen|der v/t to apprehend; ~sión f apprehension

apremi|ante urgent; pressing; ~ar v/t to urge, to hurry; to press; ~o m urgency; pressure

aprend|er v/t to learn; ~iz m apprentice; junior clerk; ~izaje m apprenticeship

aprens|ión f fear; distrust; ~ivo apprehensive; fearful

aprest|ar v/t to prepare; to equip; to finish; ~o m preparation

apresura|do hurried, hasty; ~r v/t to hasten; ~rse to make haste; to hurry

apret|ar v/t to clasp; to press, to depress; to tighten; to harass; ~ón m pressure; squeeze; ~ón de manos handshake

aprieto m crush; plight; difficulty

aprisco m corral, fold

aprisionar v/t to imprison

aproba|ción f approbation; approval; ~r v/t to approve of; to pass

apropia|ción f adaptation; ~do appropriate; ~r v/t to apply; to adapt; SA to appropriate; ~rse de to take possession of

aprovecha|ble useful; usable; ~do economical; ~miento m advantage; use; application; ~r v/t to utilize; to take advantage of; v/i to make progress; ~rse de to avail oneself of

aproxima|ción f approximation; approach; ~da-

mente approximately; **~do** approximately; **~r** v/t, **~rse** to approach; to come near; **~tivo** approximate

apt|itud f aptitude; ability; **~o** apt; capable; qualified

apuesta f bet, wager

apunt|alar v/t to prop, to brace; **~ar** v/t to aim; to point at; to note; *theat* to prompt; **~e** m note, annotation; *theat* prompter; cue

apuñalar v/t to stab

apur|adamente hastily; **~ado** needy; **~ar** v/t to purify; to exhaust; to urge; to vex; **~arse** to worry; to fret; **~o** m plight, quandary

aquejar v/t to afflict; to ail

aquel(la), pl **aquellos(as)** a that; pron m, f he, she; pl those

aquí here; hither; now; [then]

aquiescencia f acquiescence; consent

aquietar v/t to soothe; to lull; **~se** to grow calm

aquilatar v/t to assay; to appraise

árabe m, a Arab(ic)

arabesco m arabesque; moresque work

arada f ploughed ground

arado m plough

arancel m tariff; **~ario** of the customs

arándano m bilberry; **~agrio** cranberry

arandela f mech washer

araña f spider; lustre

araña|r v/t to scratch; **~zo** m scratch

arar v/t to plough

arbitr|ador m arbitrator; **~aje** m arbitration; com arbitrage; **~ar** v/t to arbitrate; dep to referee; **~ariedad** f arbitrariness; **~ario** arbitrary; **~io** m free will; **~ios** m/pl com taxes

árbitro m umpire, referee

árbol m tree; naut mast; mech arbor; shaft

arbol|ado m woodland; a wooded; **~eda** f grove

arbotante m arch flying buttress

arbusto m shrub

arca f chest; ark

arcada f arcade; nausea

arcaico archaic

arce m maple-tree

arcilla f clay

arcipreste m archpriest

arco m arc; arch; bow; **~ iris** rainbow

archiduque m archduke; **~sa** f archduchess

archipiélago m archipelago

archiv|ar v/t to file; **~o** m register; filing department; records

arder v/i to burn

ardid m stratagem; trick

ardiente burning; ardent

ardilla f squirrel

ardite m ancient coin of little value; **no me importa un ~** I don't care two hoots

ardor m ardour; heat; courage; brilliance

arduo arduous

área f area; are (*100 square metres*)

arena f sand; **~ movediza** quicksand; **~l** m sandy ground; pit

arenga f harangue; **~r** v/i to harangue

arenque m herring

arenisca f sandstone

argamasa f mortar

argentado silvery; silver-plated

Argentina f the Argentine

argentino(a) a, m (f) Argentinian; a silvery

argolla f collar; hoop; SA alliance; trust, ring

argüir v/i to discuss; to dispute

argumento m argument; theat plot [ness]

aridez f drought; barren-]

árido dry; barren

ariete m (battering) ram

arisco rude; snappish

aristocracia f aristocracy

aristócrata m, f aristocrat; a aristocratical

aristocrático(a) aristocratical

arma f weapon; arm; **~ de fuego** fire-arm; **~da** f navy; **~dor** m shipowner; **~dura** f armour; framework; **~mento** m armament; **~r** v/t to arm; to assemble; to cause; to arrange; to reinforce (*concrete*)

armario m wardrobe; cupboard

armazón m or f framework

armería f armoury; **~o** m gunsmith

armiño m ermine

armisticio m armistice

armonía f harmony

armónico harmonic

armonioso harmonious

armonizar v/t to harmonize

aro m hoop; ring

aroma m aroma

aromático aromatic

aromatizar v/t to flavour

arpa f harp

arpía f harpy, shrew

arpón m harpoon

arquear v/t to arch; to gauge (*ships*); **~o** m tonnage

arqueología f archeology

arqueólogo m archeologist

arquitecto m architect; **~ura** f architecture

arraigar v/i to take root; **~arse** to settle; **~o** m settling

arrancar v/t to pull out; to root out; SA to start (*car, etc*); **~que** m beginning; outburst (*of anger, etc*) mech starter

arrasar v/t to level

arrastrar v/t to drag along; to carry away; **~e** m hauling; dragging

arrebatar v/t to snatch away; to ravish; **~o** m transport of passion; rage

arrecife m paved road; causeway; naut reef

arreglado orderly; moderate; **~ar** v/t to arrange; to adjust; **~arse** to turn

out well; **~árselas** to manage; **~o** m arrangement; compromise; repair; **con ~o a** in accordance with

arremangar v/t to roll up, to tuck up

arremeter v/t to attack

arrenda|dor m landlord; **~miento** m lease; rent; **~r** v/t to lease; to rent; **~tario** m lessee; tenant

arreo m dress; ornament; pl harness, trappings

arrepenti|do repentant, sorry; **~miento** m repentance; **~rse** to repent; to regret

arrest|ar v/t to arrest; **~arse** to dare; **~o** m detention; arrest; enterprise

arriar v/t to lower; **~ la bandera** to strike the colours [high; upstairs]

arriba above; over; up;)

arribar v/i to arrive

arriendo m lease

arriero m muleteer

arriesga|do perilous; risky; **~r** v/t to risk; **~rse** to expose oneself to danger; to take a risk

arrimar v/t to place near; **~se** to huddle; to snuggle; to lean (against)

arrinconar v/t to corner

arrizar v/t mar to reef

arroba f weight of 25 lb;

arroba|miento m ecstasy; **~r** v/t to enrapture

arrodillar v/t to make kneel; **~se** to kneel down

arrogan|cia f bravery; arrogance; **~te** arrogant; brave

arroj|ar v/t to throw; to hurl, to fling; com to show; **~arse** to fling oneself; to rush; **~o** m daring

arrollar v/t to sweep away; to run (someone) down

arropar v/t to wrap up; to tuck up [gutter]

arroyo m stream; brook;)

arroz m rice; **~al** m ricefield

arruga f wrinkle; crease; **~r** v/t to wrinkle; to rumple; to crease [destroy]

arruinar v/t to ruin; to)

arrull|ar v/t to coo; to lull; **~o** m cooing; murmuring

arrumbar v/t to cast aside

arsénico m arsenic

arte m or f art; **bellas ~s** fine arts; **~facto** m appliance; contrivance

artejo m knuckle

artesa f trough

artesan|ía f handicraft; **~o** m artisan; craftsman

artesonado arch coffered)

ártico arctic [(ceiling)]

articul|ación f articulation; anat joint; **~ar** v/t to articulate

artículo m article; anat joint; **~ de fondo** leading article; **~s de consumo** consumer goods

artifici|al artificial; **~o** m artifice; contrivance; **~oso** skilfull; cunning; ingenious

artiller|ía f artillery; **~ía de campaña** field-artillery; **~o** m gunner

artimaña f trick

artista m, f artist

arzobisp|ado m archbishopric; **~o** m archbishop

as m ace

asa f handle; haft

asa|do a roasted; baked; m roast meat; joint; **~dor** m spit

asalariado m employee, wage-earner

asalt|ador m highwayman; **~ar** v/t to assault; **~o** m assault

asamblea f assembly; meeting

asar v/t to roast

ascen|dencia f ancestors; origin; **~dente** m ascendant; a ascending; **~der** v/i to ascend; to climb; to be promoted; **~diente** m ancestor; ascendency; influence; **~sión** f ascension; **~so** m promotion; **~sor** m lift

asceta m ascetic

ascético ascetic

asco m nausea; loathing; **dar ~** to sicken, to disgust

asear v/t to clean; to embellish

asechar v/t to ensnare; to trap; to ambush

asegura|do m insured; a guaranteed; assured; **~dor** m underwriter; **~r** v/t to secure; to insure; to fasten; to assure; **~rse** to verify

asenso m assent

asentamiento m settlement

asentar v/t to seat; to es-

tablish; to settle; v/i to fit; **~se** arch to settle.

asentimiento m assent

asentir v/i to agree

aseo m cleaning; cleanliness

asequible accessible, attainable; available

aserción f assertion; affirmation

aserradero m saw-mill

asesin|ar v/t to assassinate; **~ato** m murder; **~o** m murderer

asesor|(a) m (f) counsellor; legal adviser; **~ar** v/t to give legal advice to, to counsel; **~ía** f consulting office

asestar v/t to aim; to point; to deal (a blow)

aseverar v/t to assert

asfaltado m asphalt pavement

asfixiar v/t to asphyxiate; to suffocate

así adv so; thus; therefore; **~, ~** so so; **~ como** the same as; **~ como también** as well as

asiduo assiduous

asiento m chair; seat; site; bottom; sediment; contract; com entry; stability; list; indigestion; **~ delantero** front seat; **tomar ~** to take a seat

asigna|ción f assignation; allotment; **~r** v/t to assign; to ascribe; **~tura** f course of study

asilo m asylum; refuge

asimilar v/t to assimilate

asimismo likewise

asir v/t to seize; to grasp

asist|encia f attendance, presence; assistance; pl allowance; **~ente** m assistant; **~ir** v/t to help; to attend; to serve; v/i to attend; to be present

asma f asthma

asn|ada f foolish action; **~o** m ass

asocia|ción f association; fellowship; partnership; union; **~do** m associate; partner; **~r** v/t to associate; **~rse** to join; to form a partnership

asolar v/t to destroy; to lay waste; to burn

asomar v/t to show; **~se** to look out

asombr|ar v/t to surprise; to astonish; **~arse** to be astonished; **~o** m astonishment   [windmill]

aspa f cross; reel; vane of ∫

aspecto m aspect; look; appearance

aspereza f acerbity; roughness   [harsh; severe]

áspero rough, rugged;∫

aspersión f sprinkling

aspiradora f vacuum cleaner

aspirina f aspirin

asque|ar v/t to disgust, to revolt; **~roso** disgusting, revolting; foul

asta f cross; shaft; horn (of the bull); **~ de bandera** f

astil m handle   [flag-pole∫

astill|a f splinter; **~ar** v/t

to splinter; to chip; **~ero** m shipyard

astri|cción f astriction; contraction; **~ngente** m, a astringent; **~ngir** v/t to astringe; to compress

astro m star; **~lógico** astrological

astrólogo m astrologer

atro|nauta m astronaut; **~nave** f spaceship

astronomía f astronomy

astronómico astronomical

astrónomo m astronomer

astu|cia f shrewdness; **~to** shrewd; cunning

asu|mir v/t to assume; to take upon oneself; **~nción** f assumption

asunto m subject; matter; business

asusta|dizo easily frightened; **~r** v/t to frighten

atabal m kettledrum

ata|car v/t to attack; **~do** m bundle; **~jo** m short-cut; **~laya** f lookout, watchtower; **~que** m attack; **~que aéreo** air raid

atar v/t to bind; to fasten; **~ cabos** to put two and two together

atareado busy; occupied

atasc|ar v/t to stop up; to obstruct; **~arse** to jam; to get stuck; **~o** m obstruction

ataúd m coffin

ataviar v/t to dress up; to adorn

ateísmo m atheism

atención f attention; pl duties, responsibilities

atender v/i to attend

atenerse v/i: ~ a to abide by; to rely on

atenta|do m criminal assault; a discreet; ~r v/t to attempt (a crime)

atento heedful, thoughtful; attentive

atenua|ción f attenuation; ~r v/t to attenuate

aterrar v/t to destroy; to knock down; to terrify

aterriza|je m landing; ~je forzoso aer emergency landing, forced landing; ~r v/i to land

aterrorizar v/t to terrorize; to terrify [hoard]

atesorar v/t to treasure, to]

atesta|ción f attestation; ~dos m/pl testimonials; ~r v/t to cram; to crowd; to witness; to testify

atestigua|ción f testimony, deposition; ~r v/t to testify, to give evidence of

ático m attic

atisbar v/t to scrutinize; to peep at

atizar v/t to poke; to trim; to rouse

atlántico Atlantic

at|leta m athlete; ~lético athletic; ~letismo m athletics

atmósfera f atmosphere

atmosférico atmospherical

atolondrar v/t to confuse; to perplex; to intimidate; ~se to become confused

atolla|dero m obstacle; difficulty; ~r v/i to fall into the mire; to get stuck in a place

atómico atomic

átomo m atom

atónito stupefied, dumbfounded

atonta|do foolish; ~r v/t to stun; to confound; ~rse to grow stupid

atormentar v/t to torment

atornillar v/t to screw

atrac|ador m highwayman; ~ar v/t to assault

atrac|ción f attraction; ~o m hold-up, robbery; ~tivo attractive

atraer v/t to attract; to invite

atrancar v/t to obstruct; to bar [take in]

atrapar v/t to catch; to]

atrás backward; behind

atras|ar v/t to retard; ~arse to be late; to go slow (watch); ~o m backwardness; delay; pl arrears

atravesar v/t to place across; to run through; to cross, to go across; ~se to interrupt; to meddle

atreverse to dare

atrevi|do bold; audacious; ~miento m boldness, insolence

atribu|ir v/t to ascribe; to attribute; ~to m attribute

atril m music-stand

atrofia f atrophy

atropell|ar v/t to hit; to knock down; to run over; ~o m attack; insult; outrage

atro|cidad f atrocity; ex-

cess; **~z** atrocious; heinous;
vast   [pomp)
atuendo *m* dress, attire;)
atún *m* tuna
aturdi|do *a* giddy; distracted;
  ~r *v/t* to perplex; to bewilder
auda|cia *f* audacity; **~z**
  audacious
audición *f* hearing; audience; tryout
audi|encia *f* audience;
  hearing; reception; **~tor** *m*
  judge; com auditor
auge *m* culmination; apogee; popularity
aula *f* lecture-room; classroom   [howl)
aull|ar *v/i* to howl; **~ido** *m)
aument|ar *v/t, v/i* to raise;
  to increase; to augment;
  ~o *m* increase
aun *adv* still; even; **~
  cuando** even if
aún *adv* yet; still; as yet;
  ~ no not yet
aunque *conj* even though;
  even if
aura *f* gentle breeze
áureo golden
aureola *f* halo
auricular *m* earphone,
  headphone   [absent)
ausen|cia *f* absence; **~te)**
auspicio *m* auspice
austero austere
austral southern; **~iano(a)**
  m (*f*), *a* Australian
austríaco(a) *m* (*f*), *a* Austrian
autarquía *f* autarchy
auténtico authentic

auto *m* sentence; edict; *pl*
  record of proceedings
auto *m* motorcar
auto|bús *m* bus; **~camión**
  m lorry; **~car** *m* coach; **~es-
  cuela** *f* driving school; **~
  giro** *m* helicopter; **~má-
  tico** automatic; **~matiza-
  ción** *f* automation; **~
  motor** *m* Diesel train; **~
  móvil** *m* automobile; **~
  movilismo** *m* motoring;
  ~movilista *m* motorist;
  ~pista *f* motorway
autor *m* author
autoridad *f* authority
autoritario authoritative
autorizar *v/t* to authorize
autorretrato *m* self-por-
  trait
autoservicio *m* self-service
auxili|ar *a* auxiliary; *v/t*
  to help; **~o** *m* assistance
aval *m com* endorsement
avaluar *v/t* to assess
avan|ce *m* advance; attack;
  ~zar *v/t, v/i* to advance
avar|icia *f* avarice; **~iento**
  avaricious; greedy; **~o** *a*
  miserly; mean; *m* miser
avasallar *v/t* to subdue
ave *f* bird; **~ de paso** bird
  of passage; **~ de rapiña**
  bird of prey; **~s de corral**
  poultry
avellan|a *f* hazel-nut; **~ar-
  se** *v/r* to shrivel; **~o** *m*
  hazel-nut tree
avena *f* oat(s)
avenencia *f* agreement;
  conformity
avenida *f* avenue; flood

avenirse a to agree to
aventajado advantageous; outstanding
aventur|a f venture; adventure; **~ero(a)** m (f) adventurer, adventuress
avergonzar v/t to shame; **~se** to be ashamed
avería f damage; mech break-down; com average
averiarse to suffer damage
averigua|ción f inquiry; **~r** v/t to find out, to ascertain
avestruz m ostrich
avia|ción f aviation; **~dor** m aviator; pilot; airman
aviar v/t to provide; to make ready
avidez f avidity; covetousness
ávido avid; covetous
avión m aeroplane; **~ de línea** liner; **~ de reacción** jet-propelled aircraft
avíos m/pl tackle
avis|ar v/t to advise; to announce; to warn; **~o** m notice; information; **~o luminoso** neon sign

avisp|a f wasp; **~ón** m hornet
avivar v/t to animate
¡ay! oh!; alas!
ayer yesterday
ayuda f help; **~nte** m assistant; **~r** v/t to help; to aid
ayuntamiento m town hall, city hall; city council
azabache m min jet
azada f hoe
azafata f air hostess, stewardess
azafrán m saffron
azahar m orange-blossom
azar m hazard; risk; **al ~** at random
azot|ar v/t to whip; to beat; **~e** m whip; lashing
azotea f flat roof
azúcar m sugar; **~ de lustre** castor sugar; **~ granulado** granulated sugar
azucena f white lily
azufre m sulphur
azul blue; **~ celeste** azure; **~ marino** navy blue
azulejo m tile
azuzar v/t to incite

B

bab|a f spittle; saliva; **~aza** f slime; **~ear** v/i to slobber; **~ero** m bib
babor naut port
baboso slimy; fam callow
bacalao m cod
bacteria f bacterium
báculo m walking stick
bache m hole, pothole
bachiller|(a) m (f) bache-

lor (first degree); **~ato** m baccalaureate; **~ear** v/i to babble
bagaje m baggage
bahía f bay
bailar v/i to dance; **~ín (-ina)** m (f) dancer
baile m dance; **~ de disfraces** fancy (dress) ball
baja f fall; casualty; **darse**

de ~ to withdraw; to give up

bajá m pasha

baja|mar f low tide; **~r** v/t to reduce; to lower; v/i to fall; to descend; to go down

baj|eza f meanness; **~ista** m bear (at the stock exchange); **~o** low; short (person); fig mean

bala f ball; bullet; bale

balada f ballad [trivial, **baladí** frivolous; trivial,]

balance m wavering; balancing; balance; com balance-sheet; **~ar** v/t to balance; v/i to roll (ship); to sway; to waver; **~o** m balancing; rolling; rocking; swaying; oscillation; fig wavering

balancín m seesaw

balanza f scales; balance

balar v/i to bleat

balazo m shot

balbuce|ar v/i to stammer; **~ncia** f stammering

balcánico(a) m (f), a Balkan

balcón m balcony

balde m bucket; **de ~** gratis; free of charge; **en ~** in vain; **~ar** to wash, to flush (down)

baldío m waste land

baldosa f tile (on floors)

Baleares f/pl Balearic Isles

balística f ballistics

baliza f mar beacon

balneario m spa; health resort; watering place

balompié m football

balón m ball; football

baloncesto m basket-ball

balsa f pool; naut raft

balsámico balsamic

báltico Baltic

baluarte m bulwark

ballena f whale

ballest|a f crossbow; spring; jerk (vehicle); **~era** f loophole

bambolearse to sway

bambú m bamboo

banasta f large basket

ban|ca f banking; **~cario,** banking; **~co** m bench; form; bank

banda f sash; band; gang; **~da** f flock (of birds)

bandeja f tray

bandera f flag; banner

banderill|a f dart; **~ero** m bullfighter (who places the banderillas)

bandido m bandit

bando m edict; faction; party; **~lero** m bandit, brigand; **~lerismo** m brigandage; highway robbery

banque|ro m banker; **~te** m banquet

banquillo m for dock; **~ de los testigos** witness-box

bañ|adera f SA bath-tub; **~ador** m bathing-costume; **~arse** to take a bath; **~era** f bath-tub; **~o** m bath; bathroom; **~o espumoso** bubble bath

baque m thud, thump

baqueta f ramrod; pl drumsticks

baraja f pack of cards; **~r** v/t to shuffle (cards)

barandilla *f* railing

barat|ear *v/t* to sell cheap; **~ija** *f* trifle; **~o** cheap; **~ura** *f* cheapness

barba *f* beard; chin; **uno por ~** one for each (person)

barbari|dad *f* barbarity; foolishness; enormous amount; **~e** *f* barbarism; ignorance

bárbaro(a) *m(f)* barbarian; *a* barbarous

barbecho *m* fallow

barbero *m* barber

barbilla *f* chin

barbotar *v/i* to mumble; to babble

barbudo bearded

barca *f* boat; **~za** *f* lighter

barcia *f* chaff

barco *m* boat; ship; vessel

barda *f* thatch

barlovento: de ~ mar windward

barniz *m* varnish; glaze

barnizar *v/t* to varnish; to glaze

barométrico barometric

barómetro *m* barometer

barquero *m* ferryman; boatman

barquillo *m* wafer

barra *f* bar

barraca *f* hut; cottage

barranc|a *f* precipice; ravine; gully; **~o** *m* great difficulty

barre|dero *m* street-cleaner; **~duras** *f/pl* sweepings

barrena *f* drill

barrer *v/t* to sweep; to brush

barrera *f* barrier; **~ sónica** sound barrier

barriada *f* district; suburb; *SA* slum

barrido *m* sweeping

barriga *f* paunch, belly

barril *m* barrel

barrio *m* district; **~ bajo** slum [-stick]

barrita *f* **de labios** lip-/

barro *m* mud; pimple/

barroco baroque

barroso muddy; dirty

bártulos *m/pl* belongings; implements

barullo *m* confusion; noise

bas|ar *v/t* to base; to found; **~arse en** to base one's opinion on; **~e** *f* basis

básico basic

bastante *a* enough; *adv* enough; quite; rather; fairly [wing]

bastidor *m* frame; *theat*/

basto *a* coarse; gross; *m* pack-saddle; ace of clubs; *pl* clubs (*cards*)

bastón *m* stick

basur|a *f* dirt; rubbish; waste; **~ero** *m* dustman; garbage collector

bata *f* dressing-gown; smock; frock

batall|a *f* battle; **~ar** *v/i* to fight; **~ón** *m* battalion

batán *m* fulling-mill

batata *f* sweet potato

batea *f* washtub; punt

batería *f* battery; *mus* percussion instruments; **~ de cocina** pots and pans

bati|dero *m* beating; **~do** *m*

de leche milk-shake; **~ente** m leaf (of a door or a window); **~r** v/t to beat; to strike; to whip; to whisk

batista f cambric

batuta f baton; wand (of the conductor); **llevar la ~** to be in command

baúl m trunk

bauti|smo m christening; **~sta** m baptizer; **San Juan ~sta** St. John the Baptist; **~zar** v/t to baptize; to christen; **~zo** m christening party

bayeta f baize

bayo bay (colour)

baza f trick (at cards)

bazar m bazaar   [milt]

bazo m anat spleen; zool)

beat|a f devout woman; **~ería** f bigotry; **~ificar** v/t to beatify; to render respectable; **~itud** f blessedness; holiness; **~o** happy; blessed; devout; pious

bebedero m drinking trough; a drinkable

bebedizo drinkable

beb|edor m drinker; **~er** v/t, v/i to drink; **~ida** f drink; beverage; **~ido** tipsy, half-drunk

beca f scholarship

becada f woodcock

becerro m young bull

bedel m beadle; warden

befar v/t to mock; to scoff

beldad f beauty

Belén m Bethlehem; Christmas crib; ♀ fig bedlam

belga m, f, a Belgian

Bélgica f Belgium

bélico bellicose; warlike

beli|coso warlike; quarrelsome; **~gerancia** f belligerence

bella|co m rogue; villain; swindler; **~quería** f knavery; roguery

bell|eza f beauty; **~o** beautiful; perfect

bellota f acorn

bemol m mus flat

bencina f benzine

bend|ecir v/t to bless; **~ición** f blessing; relig grace; **~ito** blessed; happy

benefic|encia f beneficence; **~iar** v/t to benefit; to help; **~iarse** to derive benefit; to profit; **~io** m benefit; **~ioso** beneficial, useful   [consent]

beneplácito m approval;)

benign|idad f benignity; **~o** benign; mild

beodo a, m drunk

berenjena f eggplant

bermejo bright red

berrear v/t to low (of calves)

berrinche m fam anger;)

berro m watercress   [rage]

berza f cabbage   [court]

besamanos m reception at)

bes|ar v/t to kiss; **~ico** m little kiss; **~o** m kiss

bestia f beast; **~l** beastly; fam terrific; **~lidad** f bestiality

besugo m sea-bream

betún m bitumen; shoe-polish

Biblia f Bible
bíblico biblical
biblioteca f library; **~ circulante** lending library;
~rio m librarian
bicicleta f bicycle
bicho m insect, bug; pl
vermin; animal
biela f connecting rod
bien adv well; right; certainly; very; surely; m
good; property; pl assets;
~es raíces real estate, land
bienaventura|do blessed
(in Heaven); **~nza** f bliss
bienestar m well-being;
welfare
bienhechor(a) m (f) bene-
factor(-tress)
bienio m space of two years
bienvenida f welcome
biftec m beefsteak
bifurcarse to branch off,
to fork
bigamia f bigamy
bigote m moustache
bilbaíno(a) m (f) native of
Bilbao
bilingüe bilingual
bili|oso billious; **~s** f bile
billar m billiards
billete m note; short letter;
ticket; **~ de banco** bank
note; **~de ida** single ticket;
~ de ida y vuelta return
ticket; **~ de temporada**
season ticket; **~ directo**
through ticket; **~ sencillo**
single ticket; **~ro** m pocket-
book
billón m billion [plane]
bimotor m twin-engined

biografía f biography
biógrafo m biographer
biología f biology
biológico biological
biombo m folding-screen
birrete m cap
bisabuel|a f great-grand-
mother; **~o** m great-grand-
father; **~os** m/pl great-
-grandparents
bisagra f hinge
bisel m bevel
bisemanal semiweekly
bisiesto year (year)
bisniet|a f great-grand-
daughter; **~o** m great-
-grandson
bisonte m bison
bizantino Byzantine
bizarro spirited; gallant;
magnanimous
bizc|ar v/i to squint; **~o**
squint-eyed [sponge cake]
bizcocho m biscuit;∫
blanc|o a white; m white
man; target; **dar en el ~o**
to hit the mark; **en ~o**
blank; **~ura** f whiteness
blandir v/t to brandish; to
flourish
bland|o soft; mild; tender;
flabby; **~ura** f softness;
sweetness
blanque|ar v/t to bleach;
to whiten; **~o** m bleaching;
whitewash
blasfemia f blasphemy
blasón m coat of arms;
heraldry
blinda|je m armour; **~r** v/t
to armour; elec to shield
bloc m pad (of paper)

bloque *m* block; **~ar** *v/t* to block up; to blockade; **~o** *m* blockade

blusa *f* blouse

bobada *f* foolishness; foolish act [*elec* coil]

bobina *f* bobbin; spool;*f*

bobo *m* simpleton; *a* stupid; foolish

boca *f* mouth; entrance; **~ de riego** hydrant; **~ abajo** face downwards; **~ arriba** face upwards; **~calle** *f* sidestreet

bocado *m* bite; morsel; mouthful

boca|l *m* pitcher; mouthpiece; **~nada** *f* mouthful; puff (*of* smoke)

boceto *m* sketch

bocina *f* horn; **~zo** *m* honk, hoot

bochorno *m* scorching heat; sultry weather; **~so** sultry; shameful

boda *f* wedding; **~s de plata** silver wedding

bodeg|a *f* wine-cellar; vault; bar; store-room; shop; *SA* grocery; hold (*of a ship*); **~ón** *m* tavern

bofet|ada *f* slap; **~ear** *v/t* to slap in the face; to insult; **~ón** *m* blow; slap

boga *f* rowing; vogue; popularity; **en ~** in vogue

boicot *m* boycott; **~ear** *v/t* to boycott

boina *f* beret

bola *f* ball; globe; *fam* rumour; **~ de nieve** snowball

bole|ar *v/i* to bowl; to lie; **~ra** *f* bowling-alley

bolero *m* bolero (*dance*)

bolet|a *f* admission ticket; ballot; **~ería** *f SA* ticket office; **~ín** *m* bulletin; report; **~o** *m SA* ticket

boliche *m* jack (*at bowls*); dragnet

bolígrafo *m* ball-point pen

boliviano(a) *m* (*f*), *a* Bolivian

bolo *m* game of ninepins

bols|a *f* bag; purse; pouch; **~a de comercio** stock exchange; **~a del trabajo** labour exchange; **~illo** *m* pocket; **~ista** *m* stockbroker; *SA* pickpocket; **~o** *m* purse

boll|ería *f* pastry shop; **~o** *m* small cake; bun, roll

bomb|a *f* pump; bomb; **~a atómica** atom bomb; **~a de incendios** fire engine; **~a H, ~a de hidrógeno** H-bomb, hydrogen bomb; **~ardear** *v/t* to bomb; to bombard; **~ardeo** *m* bomber plane; **~ero** *m* fireman

bombilla *f* bulb

bombo *m* bass drum; *naut* lighter; **dar ~ a** to praise to the skies

bombón *m* sweet; chocolate; *fam* sweet girl

bonachón *m* kind person; *a* kindly; innocent

bonaerense of *or* from Buenos Aires

bondad *f* goodness; kind-

ness; **~oso** good; kind; generous

bonifica|ción f bonus; discount; *SA* improvement; **~r** v/t to improve

bonito m striped tunny; a nice; lovely; pretty

bono m bond; voucher

boquerón m large hole; opening

boquiabierto gaping; open-mouthed

boquilla f mus mouthpiece; cigarette-holder; tip

borbollar v/i to bubble

borbónico Bourbon...

borbotar v/i to gush; to boil; to bubble

borda|do m embroidery; **~r** v/t to embroider

bord|e m edge; border; rim; verge; **al ~e de** on the verge of; **~ear** v/t to skirt, to go round; **~illo** m kerb(stone)   [board\

bordo m shipboard; **a ~** on\

boreal northern

borla f tassel

borne m elec terminal

borra f fluff; nap; down; sediment, dregs

borrach|era f drunkenness; intoxication; **~o(a)** m (f) drunkard; a drunk

borrad|or m rough draft; copy; *SA* rubber, eraser; **~ura** f erasure

borrar v/t to delete; to rub out; to wipe out

borrasc|a f gale; storm; fig risk; **~oso** stormy

borreg|o(a) m (f) yearling

sheep; **~uero** m shepherd

borric|a f she-ass; fam fool; **~o** m donkey; fam ass; fool

borrón m blot; smudge

borroso blurred; smudged

bosque m wood

bosquej|ar v/t to sketch; to outline; **~o** m sketch

bostez|ar v/i to yawn; **~o** m yawning

bota f boot; wineskin; leather wine bottle; **~s de goma** rubber-boots

bota|dura f launching; **~r** v/t to launch; *SA* to throw away; to throw out; to fire; v/i to bounce   [botanic\

botánic|a f botany; **~o**\

bote m rowing-boat; thrust; leap; bounce; **~ de remos** row-boat; **~ plegable** folding boat; **~ salvavidas** lifeboat

botella f bottle

botica f chemist's (shop), drugstore; **~rio** m chemist

botij|a f earthenware jar; **~o** m drinking jar

botín m boot; booty, loot

botiquín m first-aid kit

botón m button; bud

botones m bellboy; page

bóveda f vault; dome; strong-room

bovino bovine

boxe|ador m boxer; **~ar** v/i to box; **~o** m boxing

boya f naut buoy

bozal m muzzle

bracero m day-labourer

braga f diaper; hoisting-rope; pl breeches; panties

brague|ro *m* truss; brace; **~ro de cañón** breeching of a gun; **~ta** *f* fly (*of trousers*)

bram|a *f* rut; **~ante** *m* twine; **~ar** *v/i* to roar; to bellow; to bawl; to bluster; **~ido** *m* roaring

bras|a *f* live coal; **~ero** *m* brazier; firepan

brasileño(a) *m* (*f*), *a* Brazilian

brav|o brave, courageous; fierce; rough (*sea*); **~ucón** *m* braggart; **~ura** *f* ferocity; fierceness; courage

braza *f mar* fathom; **~da** *f* armful; *dep* stroke; **~da de espaldas** backstroke

brazal *m* bracelet; arm band

brazalete *m* bracelet

brazo *m* arm; branch

brea *f* tar; pitch; tarpaulin

brebaje *m* beverage; potion; draught

brecha *f* breach; opening; gap

brega *f* strife; contest; **~r** *v/i* to toil, to work hard

breve *a* short; **en ~** soon; *m* apostolic brief; **~dad** *f* shortness; **~mente** briefly

breviario *m* breviary

brezal *m* heath

brezo *m* heather

bribón *m* impostor; knave; scoundrel

brida *f* bridle (*of a horse*); flange; clamp

brilla|nte *m* brilliant; *a* glossy; brilliant; gorgeous; **~ntez** *f* brilliancy; **~r** *v/i*

to shine; to sparkle; to glitter

brillo *m* lustre; glitter; splendour

brinc|ar *v/i* to jump; to skip; to hop; **~o** *m* leap; jump

brind|ar *v/i* to drink to a person's health; *v/t* to offer; **~is** *m* toast

brío *m* strength; vigour; spirit [lively]

brioso vigorous; spirited;

brisa *f* breeze

británico British

broca *f* reel

brocha *f* painter's brush

broche *m* clasp; brooch

brom|a *f* joke; **en ~a** in fun; **~ear** *v/i* to joke, to fool; **~ista** *m* joker; gay person

bronca *f fam* quarrel

bronce *m* bronze; brass; **~ de cañón** gunmetal; **~ar** *v/t* to bronze

bronco rough

bronqui|al bronchial; **~tis** *f* bronchitis

brot|ar *v/i* to shoot; to sprout; to bud; to spring, to gush (*water*); **~e** *m* shoot, bud; outbreak

bruj|a *f* witch; **~ería** *f* witchcraft; **~o** *m* sorcerer

brújula *f* compass; magnetic needle

brum|a *f* mist; **~oso** misty

bruñir *v/t* to polish

brus|co brusque; rough; **~quedad** *f* abruptness

brut|al *m* brutal; brutish; *fam* fabulous, wonderful;

~o *m* brute; *a* stupid; brutish

bubón *m* bubo; tumour

bucear *v/i* to dive

bucle *m* ringlet

bucólico pastoral

buche *m* crop, maw; stomach

budín *m* pudding

buen, *apocope of* **bueno,** *used only before a masculine noun:* **~ hombre** good man, *or before infinitives used as nounes:* **eso es ~ decir** this is good speaking; **~amente** freely; easily; **~aventura** *f* good luck; **~o** good; well; all right; healthy; usable; **¡~os días!** good day!; **¡~as tardes!** good afternoon!; **¡~as noches!** good night!; **de ~as a primeras** all of a sudden; **por las ~as** willingly

buey *m* ox; **~o** bullock

búfalo *m* buffalo

bufanda *f* scarf; muffler

bufar *v/i* to snort; to puff with rage; **~o** *m* clown; *a* clownish; rude

buhardila *f*, **~illa** *f* attic, garret, loft

búho *m* owl

buitre *m* vulture

bujía *f* candle; spark-plug

bulto *m* bundle; bulk; shape; swelling; bale; **de ~** important

bulla *f* noise; chatter

bullicio *m* bustle; noise; **~cioso** noisy; lively; **~r** *v/i* to boil; to fuss

buñuelo *m* fritter; bun, doughnut

buque *m* boat; ship; **~ ballenero** whaler; **~ de guerra** warship, man-of-war; **~ mercante** merchantman

burbuja *f* bubble; **~ear** *v/i* to bubble

burdégano *m* hinny

burdel *m* brothel

burdo coarse; ordinary

burgués(esa) *m(f)*, *a* bourgeois; middle class

burla *f* scoff; taunt; joke; trick; **~arse de** to scoff at; to make fun of; **~ón** *m* joker; scoffer; *a* mocking, derisive

burocracia *f* bureaucracy

burócrata *m*, *f* bureaucrat

burocrático bureaucratic

burra *f* she-ass; **~ada** *f* drove of donkeys; *fig* foolishness; **~o** *m* donkey

bursátil of the stock exchange

busca *f* search; **~r** *v/t* to look for; to seek; to search

búsqueda *f* search

busto *m* bust

butaca *f* armchair; *theat* orchestra seat, stall

buzón *m* letter-box, mail-box

C

cabal *a* exact; right; full; complete, thorough; *adv* perfectly; exactly

cábala *f* cabala; *fig* cabal; intrigue

cabalga|r *v/i* to ride on horseback; **~ta** *f* riding, ride

caballa *f* mackerel

caball|eresco gentlemanly; chivalrous; **~ería** *f* horse; mule; cavalry; knighthood; **~eriza** *f* stud; **~ero** *m* horseman; knight; nobleman; gentleman; **~eroso** gentlemanlike; **~ete** *m* easel; trestle; **~ito** *m* pony; **~ito del diablo** dragonfly; **~o** *m* horse; knight (*in chess*); **a ~o** on horseback; **~o de fuerza** horse-power; **~o de pura sangre** thoroughbred

cabañ|a cabin; hut; cottage; **~ero** *m* drover

cabece|ar *v/i* to nod; *mar* to pitch; **~o** *m* nodding; **~ra** *f* head (*of the bed, of the table*)

cabecilla *m* ringleader

cabell|era *f* wig; head of hair; **~o** *m* hair; **~udo** hairy

caber *v/i* to go in or into; to find room; to fit in; **no cabe duda** there is no doubt; **cabe pensar en eso** it is possible to think of that; one must think of that

cabestr|illo *m med* sling; **~o** *m* halter

cabez|a *f* head; summit; lead; **a la ~a de** at the head of; **~a de puente** bridgehead; **~a de turco** scapegoat; **~ada** *f* blow on or with the head; nod; **~al** *med* pad; bolster; *mech* head; **~ón** big-headed; stubborn; **~ota** *m, f* big--headed person; **~udo** large-headed [room]

cabida *f* space; capacity;

cabild|eo *m* lobbying; **~o** *m* chapter (*of cathedral or town council*)

cabina *f* cabin; booth; *aer* cockpit; **~ de teléfono** telephone kiosk

cabizbajo downhearted, downcast

cable *m* cable; wire; telegram; **~grafiar** *v/i* to cable

cabo *m* end; thread; rope; handle; cape; leader; corporal; **de ~ a rabo** from beginning to end; **llevar a ~** to see through; to finish; to carry out

cabotaje *m* coastal shipping

cabra *f* goat

cabrestante *m* capstan

cabriola *f* caper; capriole

cabrito *m* kid, young goat

cacahu|ete, ~ey *m* peanut

cacao *m* cacao

cacarear *v/i* to cackle; to brag; to boast

cacatúa f cockatoo

cacería f hunt (of bigger game)

cacerola f saucepan

caciqu|e m chief (among American Indians); fam boss; ringleader; **~ismo** m power of political bosses

caco m thief; pickpocket

cacto m cactus

cacharr|ería f crockery; **~o** m pot; jug; earthenware; fam junk; old vehicle

cachete m slap; blow

cachiporra f bludgeon

cachivache m odds and ends; trash

cacho m small piece; SA horn (of bull, etc)

cachorro m puppy; cub; whelp

cada every; each

cadáver m corpse

cadavérico cadaverous

cadena f chain; radio, t v network; fig tie; obligation; **~ perpetua** life imprison-ment [ment]

cadera f hip

cadete m cadet

caduc|ar v/i to lapse; to run out; to expire; **~idad** f expiry; lapse

cae|dizo unsteady; **~r** v/i to fall; to decline; to fit; to happen; aer to crash; **~r en la cuenta** to under-stand

café m coffee; café

cafetal m coffee plantation

cafeter|ía f café; snack-bar; **~o** m coffee-shop owner; coffee-seller; bar-owner

caída f fall; downfall; slope; hanging; fold; aer crash

caimán m alligator

caj|a f box, case; safe; well (of stairs); **~a chica** petty cash; **~a de ahorros** savings bank; **~a de en-granajes** gear-box; **~era** f woman cashier; **~ero** m boxmaker; cashier; **~etilla** f pack (of cigarettes); **~ita** f small box; **~ita de fós-foros** match-box; **~ón** m large box; locker; drawer

cal f lime; **~a** f creek, small bay   [marrow]

calabacín m (vegetable)

calabaza f pumpkin; gourd

calabozo m dungeon; gaol

calada f soaking

calado m draught (of ship)

calafatear v/t to caulk

calamar m squid

calambre m cramp

calamidad f calamity

calandria f mangle

calar v/t to soak; to drench; to perforate; fig to see through

calavera f skull; madcap; rake

calca|do m tracing; **~r** to trace; to copy

calce m tire; wedge

calcet|a f stocking; **~ero** m hosier; **~ín** m sock

calcinar v/t, **~se** to calcine

calco m tracing; **~manía** f transfer (picture)

calcular v/t to calculate

cálculo m calculation; esti-mate; conjecture

calda f heating; heat; pl hot springs

calder|a f kettle; boiler; ~**illa** f copper (coin); ~**o** m kettlemaker

caldo m broth; sauce

calefacción f heating; ~ **central** central heating

calendario m calendar, almanac

calent|ador m heater; ~**ar** v/t to heat; ~**arse** to get hot; to be in rut; to warm oneself up; **SA** to get angry; ~**ura** f fever

calibr|ar v/t to gauge; ~**e** m calibre

calidad f quality; condition

cálido hot; warm

calific|ción f qualification; judgement; distinction; ~**r** v/t to rate; to assess; to qualify

cáliz m chalice, cup

calma f calm; lull; ~**nte** m sedative; ~**r** v/t to soothe; to calm; ~**rse** to abate; to quiet down

caló m gipsy language; slang

calor m heat; warmth; ~**ía** f calorie; ~**ífico** calorific

caluroso hot; warm; ardent

calv|a f bald head; ~**icie** f baldness; ~**o** bald

calz|a f trousers; stockings; ~**ada** f highway; causeway; ~**ado** m footwear; shoes; ~**ar** v/t to put on (shoes, tires); to wedge, to key; ~**ones** m/pl breeches; trousers

calla|do silent; ~**r** v/t to silence; ~**rse** to hold one's tongue; ~**rse la boca** to shut up; v/i to be silent

calle f street; ~**jear** v/i to saunter about; ~**jón** m alley; passage; ~**jón sin salida** blind alley; dead end; ~**juela** f lane; narrow street; bystreet

callo m corn; callus; ~**so** callous, horny

cama f bed; ~ **plegadiza** folding bed; **guardar** ~ to be laid up; ~**da** f litter (of young); row; layer

cámara f chamber; cabin; med stool; aut inner tube; ~ **lenta** slow-motion

amarada m comrade

camarer|a f parlourmaid; chief maid; waitress; ~**o** m waiter; steward

camarilla f clique; faction

camar|ín m small chamber; closet; ~**ón** m shrimp

camarote m cabin; berth; state-room

cambalache m fam swop

cambi|able changeable; exchangeable; alterable; ~**ar** v/t to change; to exchange; to alter; v/i to change; ~**o** m change; exchange; small change; a ~**o (de)** in return (for); ~**o de velocidades** aut gearshift; ~**sta** m banker; money-changer

camelo m fam joke; nonsense

camilla f stretcher; litter

camin|ante m walker; **~ar**
v/i to walk; to travel; **~ata**
f long walk; **~o** m road;
way; **en ~o** under way; **~o
real** highway; **~o secundario** feeder road; **~o
transversal** cross-road; **~o
troncal** main road

camión m lorry; truck; **~
de mudanzas** removal van

camioneta f van

camis|a f shirt; **~a de
noche** nightdress, night-
gown; **~ería** f shirt shop;
~eta f undershirt; **~ón** m
nightdress

camorra f quarrel, brawl;
armar ~ to brawl, to pick
a quarrel

campamento m encamp-
ment; camp

campan|a f bell; **~ario** m
belfry; steeple; **~illa** f
handbell; electric bell;
tassel; **~illa de invierno**
snowdrop

campánula f blue-bell

campaña f countryside;
campaign   [excel]

campar v/i to encamp; to]

campechano frank; hearty

campeón m champion; **~
titular** defending cham-
pion   [ship]

campeonato m champion-]

camp|ero in the open; **~e-
sino(a)**, **~estre** m (f),
countryman (-woman); a
rural; **~iña** f fields; countryside; **~o** m country;
countryside; field; camp;
~o de aterrizaje aer land-

ing field; **~o de golf** golf
course or link; **a ~o travieso** cross-country; **~osan-]**

can m dog [to m cemetery)

canadiense m, f, a Canadian

canal m channel; canal;
strait; **~ización** f canali-
zation; **~ón** m gutter

canalla f mob; rabble; m
scoundrel; mean fellow

canapé m couch, settee

canario m canary; native of
the Canary Islands

canasta f basket

cancela f ironwork gate

cancela|ción cancellation;
~r v/t to cancel

cáncer m cancer

canciller m chancellor; **~ía**
f chancellery

canción f song; **~ de cuna**
lullaby

cancionero m song-book

cancha f SA dep field;
court; ground; golf links;
racetrack

candado m padlock

candel|a f candle; **~ero** m
candlestick   [redhot]

candente incandescent;]

candidato m candidate

candidez f whiteness; candour

cándido candid, naive

candil m oil-lamp; **~ejas**
f/pl footlights

candor m simplicity; pure
whiteness; sincerity

canela f cinnamon

canelón m water-pipe;
spout, gutter

cangrejo m crab

canícula f dog-days
canijo m weakling
canilla f shin-bone; tap; reel
canje m exchange; **~ar** v/t to exchange
canoa f canoe
canon m canon; catalogue; com royalty
canóni|co canonical; **~go** m canon (member of cathedral chapter)
canonizar v/t to canonize
canoso grey-haired
cansa|do tired, weary; **~ncio** m fatigue, weariness; **~r** v/t to tire, to weary; **~rse** to grow tired
cánta|ro m pitcher; jug; **llover a ~s** to rain cats and dogs
cantera f quarry
cántico m canticle
cantimplora f water-bottle
cantina f canteen; wine-cellar; SA saloon, bar
canto m singing; song; edge; crust (of bread); **~r** m singer
caña f reed; cane; stem; glass (of beer or wine); **~ de azúcar** sugar-cane; **~da** f gully; cattle-path
cáñamo m hemp
cañería f pipeline; conduit
caño m pipe; tube; drain
cañón m gun, cannon; barrel; quill; **~ de campaña** field-gun
cañon|azo m gunshot; **~eo** m bombardment

caoba f mahogany
caos m chaos
caótico chaotic
capa f cloak; cape; cover; layer
capa|cidad f capacity; capability; **~citar** v/t to qualify
capar v/t to geld; to castrate
capataz m foreman, overseer [petent]
capaz capable; able; com-∫
capcioso wily; artful; tricky
capellán m chaplain
capilar capillary
capilla f chapel; hood; choir of a church
capital a capital; essential; important; f capital (of country); m capital; wealth; stock; **~ social** joint stock; **~ista** m, f, a capitalist; **~izar** v/t to capitalize
capitán m captain; **~ de puerto** harbour master
capitan|a f flagship; **~ía** f captaincy
capitulación f capitulation; **~ de matrimonio** marriage articles
capitular a capitulary; v/i to capitulate; to sign an agreement
capítulo m chapter; assembly; governing body
caporal m overseer; leader
capot|e m woman's bonnet; aut hood, bonnet; top (of convertible); **~e** m coat; overcoat; bullfighter's cape; SA beating; **~ear** v/t to bait; to trick (a bull)

with a cape; to shirk; **~eo** *m* baiting (*of bull*); shirking

capricho *m* caprice; vagary; whim; **~so** capricious; whimsical

cápsula *f* capsule

capt|ar *v/t* to win; to attract; **~ura** *f* capture; **~urar** *v/t* to capture

capullo *m* bud; cocoon

cara *f* face; front; surface; head (*of coin*); **tener ~ de** to look like

carabela *f* caravel

carabina *f* carbine

caracol *m* snail; **¡~es!** good gracious!

carácter *m* character; type (*in printing*)

caracter|ístico characteristic; **~izar** *v/t* to characterize

¡caramba! good gracious!

carámbano *m* icicle

carambola *f* cannon

carátula *f* mask; *SA* title page (*of book*)

carbón *m* coal; carbon; **~ de palo** charcoal; **~ graso** soft coal

carboner|a *f* coal-cellar; bunker; **~ía** *f* coal-shop; coal-yard

carbónico carbonic

carbonífero carboniferous

carbonilla *f* cinder

carbunclo *m* carbuncle; ruby; anthrax

carbura|ción *f* carburation; **~dor** *m* carburettor; **~r** *v/t* to carburet

carburo *m* carbide

carcajada *f* guffaw, burst of laughter

cárcel *f* prison, jail; *mech* clamp

carcelero *m* gaoler, warden

carcom|a *f* woodworm; **~ido** worm-eaten

cardenal *m* cardinal; weal

cardíaco cardiac

cardinal fundamental

cardo *m* thistle

carear *v/t* to confront; to bring face to face

care|cer *v/i* to lack; **~ncia** *f* lack   [high cost)

carestía *f* scarcity; dearth;)

careta *f* mask; **~ antigás** gas-mask

carga *f* charge; loading; load; burden; cargo; *fig* tax; **~ útil** pay load; **~dero** *m* loading site; **~do** sultry; *elec* live; **~dor** *m* freighter; carrier; **~mento** *m* load; **~r** *v/t* to load; to burden; to charge (*battery*); **com** to charge; *v/i* to rest (*on*); to turn

cargo *m* loading; load; *com* debit; **a ~ de** in charge of; under the responsibility of

caricatura *f* caricature

caricia *f* caress

caridad *f* charity

cariño *m* affection; kindness; **~so** affectionate; loving

caritativo charitable

cariz *m* aspect

carlinga *f* step of a mast

carmesí crimson

carnal carnal

carnaval *m* carnival

carne *f* flesh; meat; pulp;
~ **de cañón** cannon fodder;
~ **de gallina** goose-flesh; ~
picada mincemeat; ~ **salvajina** game; **ser ~ y uña**
to be hand in glove

carnero *m* ram; sheep; *coc*
mutton

carnicería *f* butcher's shop;
butchery; bloodshed

carnudo fleshy, meaty

caro dear; expensive

carpa *f* carp; *SA* tent

carpeta *f* portfolio; folder;
file; *SA* desk

carpintero *m* carpenter

carrera *f* run; race; career;
course; ~ **de caballos**
horse-race; ~ **de relevos**
relay-race

carret|a *f* cart; ~**e** *m* reel;
~**ear** *v/t* to cart; ~**ero** *m*
cartwright; carter; ~**illa** *f*
wheelbarrow

carril *m* rut; furrow; rail

carrillo *m* cheek

carro *m* cart, waggon;
chariot; chassis (*of car*);
carriage (*of typewriter*)

carroza *f* coach; carriage

carruaje *m* carriage

carta *f* letter; charter; ~
comercial business letter;
~ **de crédito** *com* letter of
credit; ~**pacio** *m* satchel

cartel *m* placard, poster;
com cartel

cart|era *f* wallet; pocket-
book; lady's handbag;
briefcase; portfolio; ~**ero**
m postman

cartílago *m* cartilage

cartilla *f* card; booklet;
certificate; primer; **leerle
la ~ a** *fig* to lecture

cartografiar *v/t* to map

cartón *m* cardboard, paste-
board

cartucho *m* cartridge

casa *f* house; household;
home; firm; ~ **consistorial**
town hall; ~ **de moneda**
mint; ~ **de socorro** first aid
hospital; ~ **de vecindad**
tenement-house; ~ **pública**
brothel; **en ~** at home;
~**dero** marriageable; ~**
miento** *m* marriage

casar *v/t* to marry; to wed;
to give in marriage; *fig* to
match; to join; *for* to annul; ~**se** *v/r* to marry; to get
married

cascabel *m* small bell

cascada *f* waterfall

casca|do worn-out;
cracked; ~**jo** *m* shingle,
gravel; grit; ~**nueces** *m*
nutcracker; ~**r** *v/t* to break;
to split

cáscara *f* shell; rind, peel

casco *m* skull; helmet; hoof;
fragment; hull (*of a ship*);
empty bottle

caserío *m* hamlet

casero *m* landlord; pro-
prietor; *a* domestic; informal; home-bred; home-
-made; home-loving

caseta *f* hut; shed

casi almost; nearly

casill|a *f* hut; lodge; pi-
geon-hole; post-box;

square; **~ero** m filing
casino m club   [cabinet)
caso m case; event; occasion; matter; **en ~ de que** in case of; **dado el ~ que** provided that; **en todo ~** at any rate; **hablar al ~** to speak to the point; **hacer ~ a** to take into consideration; **hacer ~ omiso de** to ignore; **no venir al ~** to be irrelevant

caspa f dandruff

¡cáspita! by Jove!

casquillo m mech socket, metal cap

casquivano giddy, frivol

casta f lineage; race; breed; pedigree; caste

castañ|a f chestnut; **~etazo** m snap (of the fingers); **~o** m chestnut tree; **~o de Indias** horse chestnut; **~uela** f castanet

castellano(a) m (f), a Castilian; m Castilian language

casticidad f purity

castidad f chastity

castig|ador a punishing; m punisher; **~ar** v/t to punish; to correct; **~o** m punishment; penalty

castillo m castle; mar forecastle

castizo pure; authentic

casto chaste, pure

castor m beaver

castrar v/t to prune; to geld; to castrate

castrense military

casual casual; **~idad** f chance; accident; **por ~i-**

dad by chance

casu|ca, ~cha f hovel, hut

cata f sampling

catadura f sampling

catalán(ana) m (f), a Catalan

catalejo m telescope, (spy-)glass

catálogo m catalogue

cataplasma f poultice

catar v/t to sample

catarata f cataract

catarro m catarrh

catastro m registry of property

catástrofe f catastrophe

catecismo m catechism (book)

cátedra f teacher's desk; professorship; chair (at university)

catedral f cathedral

catedrático(a) m (f) (woman) professor

categoría f category

categórico categorical

catequismo m catechism

católico(a) m (f), a Roman Catholic

catolicismo m Catholicism

catre m small bed; cot; **~ de tijera** camp-bed

cauce m riverbed; channel

caución f caution; security

caucho m rubber

caudal m property; wealth; volume; **~oso** copious; wealthy; large (river)

caudill|aje m leadership; **~o** m leader

causa f cause; reason; lawsuit; **a ~ de** because of; **~r** v/t to cause; to sue

cautel|a f caution; prudence; **~oso** prudent; cautious, wary

cautiv|ar v/t to capture; **~o** m prisoner

cauto cautious; wary

cavar v/t to dig

caverna f cavern

cavidad f cavity

cavil|ar v/t to meditate upon; **~oso** distrustful

cayo m geog key

caza f hunt; hunting; game; **~dor** m hunter

cazo m ladle; pan; pot

cazuela f casserole; *theat* gallery

ceb|a f fattening; **~ar** v/t to fatten; **~o** m bait; fodder

cebolla f onion; bulb (of plant)

cebra f zebra; **(cruce ~)** ~ zebra crossing

cecear v/i to lisp

cecina f cured meat

ceder v/t to cede; to yield; to give up

cédula f document; slip (of paper); certificate; **~ hipotecaria** com mortgage bond [to blind)]

cega|r blinding; **~r** v/t)

ceguedad f blindness

ceja f eyebrow; fig rim

cela|da f ambush; **~dor** m watchman; **~r** v/t to watch; to observe

celda f cell (of convent, beehive)

celebérrimo very famous

celebrar v/t to acclaim; to applaud; to celebrate; to

say (mass); to make, to sign (an agreement, etc)

célebre famous [rity)]

celebridad f fame; celeb-)

celeridad f celerity

celeste heavenly; celestial

celibato m celibacy

célibe m, f, a celibate; unmarried

celo m zeal; rut (of animals); pl jealousy; **~sía** f lattice; **~so** zealous; jealous

célula f biol cell

celulosa f cellulose

cementerio m cemetery; graveyard

cement|ar v/t metal to cement; **~o** m cement

cena f supper; **~dor** m bower

cenagal m mire

cenar v/i to dine; to have supper [(jingle)]

cencerrear v/i to tinkle; to)

cenicero m ash-tray

cenit m zenith

ceniza f ashes

censura f censorship; **~r** to criticize; to blame; to censor

centell|a f spark; flash; **~ear** v/i to sparkle; to twinkle

centenario m centenary

centeno m rye

centímetro m centimetre

centinela m or f sentinel; sentry

central f central; head office; power station; a central; **~izar** v/t to centralize

centro *m* centre; **~ comercial** shopping centre

ceñi|do tight; **~r** *v/t* to gird;
~rse *fig* to economize

ceñ|o *m* frown; scowl; **~udo**
scowling, gruff

cepa *f* vinestock; stem;
stock

cepillo *m* brush; *carp* plane;
~ de dientes toothbrush

cepo *m* branch; stocks,
pillory; trap

cera *f* wax

cerámica *f* ceramic art;
ceramics

cerbatana *f* blow-pipe

cerca *adv* near; **~ de** *prep*
near; close to

cerca|nía *f* proximity; vi-
cinity; **~no** close; near; **~r**
v/t to enclose; to fence;
to besiege

cercenar *v/t* to cut off, to
dock, to lop off

cerco *m* circle; *mil* encircle-
ment [hog, pig]

cerd|a *f* bristle; sow; **~o** *m*
cereal *m, a* cereal

cerebr|al cerebral; **~o** *m*
brain

ceremoni|a *f* ceremony;
~al, ~oso ceremonious,
formal

cerez|a *f* cherry; **~o** *m*
cherry-tree

cerilla *f* taper; match

cero *m* zero; **bajo ~** below
zero

cerradura *f* lock

cerrajer|ía *f* locksmith's
shop; **~o** *m* locksmith

cerrar *v/t* to lock; to shut;

to close

cerril rough; boorish; wild,
untamed

cerro *m* hill

cerrojo *m* bolt (*of the door*);
lock (*of rifle*)

certamen *m* competition

cert|ero sure; certain; **~eza**
f, **~idumbre** *f* certainty

certifica|do *m* certificate;
~do de defunción death
certificate; **~r** *v/t* to register
(*letters*); to certify

cervato *m* fawn

cerve|cería *f* brewery; bar;
~za *f* beer; ale

cerviz *f* nape of the neck

cesant|e ceasing; dismissed,
jobless; **~ía** *f* dismissal;
pension

ces|ar *v/i* to cease, to stop;
~e *m* cease; stop

césped *m* lawn; turf

cest|a *f* basket, hamper;
~ero *m* basket-maker; **~o** *m*
basket; **~o de papeles**
wastepaper basket

cetro *m* sceptre

cía *f* hip-bone

ciática *f* sciatica

cicatriz *f* scar; **~ar** *v/i* to
cicatrize; to sear

cíclico cyclic

ciclista *m* cyclist

ciclo *m* cycle; period

ciclón *m* cyclone

cicuta *f* hemlock

ciego blind; choked up

cielo *m* sky; atmosphere;
heaven; **¡~s!** Good Heavens!

ciénaga *f* bog, morass

clamoroso

cien|cia f science; **~cias naturales** (natural) sciences; **~tífico** a scientific; m scientist; **~to** hundred; **por ~to** per cent

cierre m fastening; **~ relámpago** SA zip-fastener

cierto a certain; true; adv certainly

cierv|a f hind; **~o** m stag, hart

cifra f figure; number

cigarra f cicada

cigarr|illo m cigarette; **~o** m cigar

cigüeña f stork; mech winch; **~l** m crankshaft

cilíndrico cylindrical

cilindro m cylinder; impr roller

cima f summit

cimentar v/t to lay the foundation of; to consolidate

cimiento m foundation; fig underlying principle

cinc m zinc

cincel m chisel; **~ar** v/t to engrave; to cut

cine(ma) m cinema; pictures; picture-house

cínico cynical

cint|a f ribbon; strap; **~a adhesiva** adhesive tape; **~a magnetofónica** recording tape; **~a métrica** tape-measure; **~ura** f waist; **~urón** m belt; **~urón salvavidas** life-belt; **~urón de seguridad** safety-belt; aut seat-belt

ciprés m cypress

circo m circus; amphitheatre

circuito m circuit; network

circula|ción f circulation; traffic; **~r** f circular; a circular; v/i to circulate

círculo m circle; club; association

circun|dar v/t to (en-)circle; to surround; **~scribir** v/t to circumscribe

circunstan|cia f circumstance; **~cia atenuante** extenuating circumstance; **~te** m by-stander

cirio m large candle

ciruela f plum; **~ pasa** prune

ciru|gía f surgery; **~jano** m surgeon; **~jano dentista** dental surgeon

cisco m slack; fam hubbub

cisma m schism; disagreement [tank]

cisterna f cistern; water-

cisura f cut; incision

cita f appointment; engagement; quotation; summons; **~r** v/t to quote; to summon

ciudad f city; town; **~ano(a)** m (f) citizen; **~anía** f citizenship; **~ela** f citadel

cívico civic; patriotic

civil civil; polite; **~izar** v/t to civilize

cizalla f shears; pliers; metal clippings

clam|ar v/i to cry out; **~or** m outcry; **~oroso** clamorous; noisy

clandestino secret; clandestine

clara f white of an egg; fair spell (*of weather*)

claraboya f skylight

clarear v/t to lighten; to illuminate; v/i to grow brighter; to clear up

clarete m claret

claridad f brightness; clarity; light

clarín m bugle [distinct]

claro light; bright; clear;⌡

clase f class; classroom; lesson; kind; **~ media** middle-class; **~ obrera** working class

clásico classic; classical

clasifica|ción f classification; **~r** v/t to classify

claudicar v/i to limp; to give up

claustro m cloister

cláusula f clause

clavar v/t to nail; to fasten; to pierce

clave f key; clue; *mus* clef; *arch* keystone

clavel m carnation

clavícula f collar-bone

clavija f peg; pin

clavo m nail; spike; clove; **dar en el ~** to hit the nail on the head

clemen|cia f clemency; mercy; **~te** merciful

clérigo m clergyman

clero m clergy; priesthood

clientela f clientele; *com* goodwill; patronage

clima m climate

climático climatic

clínica f clinic; hospital

cloaca f sewer

cloro m chlorine

cloroformo m chloroform

cloruro m chloride

coadyuvar v/t to assist; to help   [ulate⌡

coagular v/t, **~se** to coag-

coalición f coalition

coartada f alibi

cobalto m cobalt

cobard|e m, f coward; a cowardly; **~ía** f cowardice

cobertizo m shed

cobijar v/t to cover; to shelter; **~se** to take shelter

cobra|dor m collector; **~nza** f bill-collection; **~r** v/t to collect (*money*); to cash; to charge (*price*); to acquire; v/i to get paid

cobre m copper

cobro m collection (*of money*); cashing (*of cheque*)

coc|er v/t, v/i to cook; **~ido** m stew

cociente m quotient

cocin|a f kitchen; **~ de gas** gas-stove; **~ar** v/t to cook; v/i to stew; *fig* to cook up; **~ero** m, **~era** f cook

coco m coconut; *fam* head; **~tero** m coconut tree

cóctel m cocktail

coche m coach; carriage; car; motorcar; **~ cama** m dining-car; **~ fúnebre** hearse; **~ patrulla** patrol car; **~ de turismo** roadster

cochina f sow; **~da** f dirt;

colmo

filthiness; *fam* filthy thing; dirty trick

cochinillo *m* suckling-pig

codazo *m* nudge

codear *v/i* to elbow; *v/t* to nudge

códice *m* codex

codici|ar *v/t* to covet; **~oso** covetous

código *m* code

cod|illo *m* shoulder-joint (*of quadrupeds*); elbow pipe; **~o** *m* elbow; bend

codorniz *f* quail

coercer *v/t* to constrain; to check

coexist|encia *f* coexistence; **~ir** to coexist

cofia *f* hairdress

cofradía *f* guild; society

cofre *m* chest; trunk; case; **~cito** *m* casket

coge|dor *m* dustpan; **~r** *v/t* to seize; to grasp; to catch; to collect

cogollo *m* bud

cogote *m* nape of the neck

cohete *m* rocket, missile; **~ teledirigido** guided missile; **~ría** *f* rocketry

cohibido inhibited, self-conscious

coincidencia *f* coincidence

cojear *v/i* to limp, to hobble

cojín *m* cushion

cojinete *m* *mech* bearing; **~ de bolas** *tecn* ball-bearing(s)

cojo lame

cok *m* coke

col *f* cabbage

cola *f* glue; tail; extremity;

queue; **hacer ~** to queue up

colaborador *m* collaborator; co-worker

colar *v/t* to filter; to strain; **~se** to sneak in; to slip in

colch|a *f* quilt; counterpane; **~ón** *m* mattress

colección *f* collection

coleccionar *v/t* to collect

colect|ivo collective; **~or** *m* collector; main sewage pipe

colega *m, f* colleague

colegi|al *m* schoolboy; **~ala** *f* schoolgirl; **~o** *m* college; school

cólera *f* anger; wrath; *m* cholera; **montar en ~** to fly into a rage

colérico choleric; irascible

coleta *f* pigtail; *fig* postscript

colga|dero *m* peg, rack; **~dura** *f* hangings; drapery; **~r** *v/t* to hang up; to hang; *v/i* to hang; to be hanging

colibrí *m* humming-bird, colibri

cólico *m* colic

coliflor *f* cauliflower

colilla *f* cigarette stub

colina *f* hill

colindante adjoining

colisión *f* collision

colmar *v/t* to heap; to fill up; to lavish

colmena *f* beehive

colmillo *m* canine tooth; fang; tusk

colmo *m* heap; height; limit; **¡esto es el ~!** this is the limit!

coloca|ción f setting; arrangement; post; job; **~r** v/t to put, to place; to employ; to find a job for

colon|ia f colony; **~izar** v/t to colonize; **~o** m colonist, settler; tenant farmer

color m colour; pigment; paint; **~ elemental** primary colour; **~ado** m coloured; red; **~ear** v/t to colour; **~ete** m rouge

columna f column; pillar

columpi|ar v/t, **~arse** to swing; **~o** m swing

collado m saddle, mountain pass

collar m necklace; collar (for animals)

comadre f godmother; gossiping woman

comadreja f weasel

comadrona f midwife

comandante m commander; major; **~ en jefe** commander-in-chief

comanditario m com silent partner

comando m mil command; commando; ranger

comarca f region; district

comba f curve; bend; sag; **~r** v/t to curve; to bend

combat|e m fight; battle; **~iente** m combatant; fighter; **~ir** v/t, v/i to fight; to attack

combina|ción f combination; combinations (underwear); **~r** v/t, v/i to combine; to plan; to figure out

combustible m fuel; a combustible

comedia f play; drama; comedy; **~nte** m actor; comedian

comedido prudent; polite

comedor m dining-room

comensal m fellow-boarder; table companion

comentar v/t to comment upon; to explain; **~io** m commentary; **~ista** m (radio) commentator

comenzar v/t, v/i to commence; to begin

comer v/t, v/i to eat; to dine

comerci|able marketable; **~ar** v/t to trade; to deal in; **~o** m business; trade; commerce; **~o exterior** foreign trade [food\]

comestible a edible; m/pl\]

cometa f kite

comet|er v/t to commit; **~ido** m task; commission

cómico comic; funny

comida f food; meal

comienzo m beginning

comilón m glutton; a gluttonous   [marks\]

comillas f/pl quotation\]

comino m cumin; **no me importa un ~** I don't give a damn

comisaría f commissariat; police-station

comis|ario m commissary; policeman; SA chief of police; **~ionar** v/t to commission; to empower

comité m committee

comitiva f suite, retinue; followers

comportarse

como *adv* how; as; like; when; in order that; because; **¿cómo?** *interrog* what?; how?; **¡cómo!** *interj* you don't say so!; ~ **quiera que** however; in whatever way

comod|idad *f* comfort; facility; ~**in** *m* joker (card)

cómodo *a* chest of drawers; ~**o** comfortable; easy

compacto compact

compadecer *v/t* to pity; ~**se de** to be sorry for

compadre *m* godfather

compaginar *v/t* to arrange; ~**se** to agree with

compañer|ismo *m* companionship; ~**o(a)** *m* (*f*) comrade, companion; ~**o(a) de clase** class-mate; ~**o de viaje** fellow traveller (*t fig, pol*)

compañía *f* company; ~ **de aviación** airline; ~ **naviera** shipping company

compara|ble comparable; ~**ción** *f* comparison; ~**r** *v/t* to compare

comparece|ncia *f* appearance; ~**r** *v/i* to appear (*in court, etc*)

comparti|miento *m* compartment; division; ~**r** *v/t* to divide; to share

compás *m* pair of compasses; pattern; rhythm

compasión *f* pity, compassion

compatib|ilidad *f* compatibility; ~**le** compatible

compatriota *m* compatriot

compeler *v/t* to compel

compendi|ar *v/t* to summarize; to digest; ~**o** *m* summary; digest; compendium

compensa|ción *f* compensation; ~**ción de balances** *com* clearing; ~**r** *v/t* to compensate; to indemnify

compet|encia *f* competition; rivalry; competence; capacity; ~**ente** competent; qualified; capable; adequate; ~**idor(a)** *m (f)* rival; competitor; a rival; ~**ir** *v/i* to rival; to compete

compilar *v/t* to compile

compinche *m* crony; chum

complac|encia *f* pleasure; satisfaction; ~**er** *v/t* to please, to oblige; to comply; ~**erse** to be pleased; ~**iente** obliging; complaisant; accomodating

complejo *m, a* complex

complement|ar *v/t* to complement; ~**ario** complementary; ~**o** *m* complement

completar *v/t* to complete

complicar *v/t* to complicate (accessory)

cómplice *m* accomplice,

complicidad *f* complicity

complot *m* plot; conspiracy

compone|nda *f* compromise; ~**nte** component; ~**r** *v/t* to compose; to arrange; to settle; to mend

comporta|miento *m* behaviour; demeanour; ~**rse** to behave

composi|ción f composition; repair; **~tor** m composer   [repair]

compostura f composure;

compota f stewed fruit; compote

compra f purchase; **ir de ~s** to go shopping; **~dor(a)** m (f) purchaser; **~r** v/t to purchase; to buy; *fig* to bribe

compren|der v/t to comprise; to understand; **~sibilidad** f intelligibility; **~sible** comprehensible, understandable; **~sión** f comprehension; understanding

compres|a f compress; **~ión** f compression; **~or** m compressor

comprimi|do m tablet, pastille; **~r** v/t to compress

comproba|ción f proof, verification; **~nte** m proof, voucher; **~r** v/t to verify; to check

comprom|eter v/t to compromise; to jeopardize; to involve; **~eterse** to commit oneself; to become engaged; **~iso** m commitment; engagement; arrangement; awkward situation

compuerta f hatch; lock; flood-gate

compuesto compound

compulsa f comparison

compulsión f compulsion

computar v/t to compute; to calculate

comulgar v/t to administer

communion to; v/i to receive communion

común common; **en ~** in common; **por lo ~** usually

comunal common

comunero m joint owner; a popular   [nicate)

comunicar v/t to communi-)

comuni|dad f community; **~ón** f communion

comunis|mo m communism; **~ta** m, f, a communist

con with; **~ tal que** provided that

conato m endeavour; effort; *for* attempted crime

cóncavo concave

concebi|ble conceivable; **~r** v/t to conceive; to imagine

conceder v/t to concede; to grant

concej|al m councillor; alderman; **~o** m town council

concentra|ción f concentration; **~r** v/t, **~rse** to concentrate

concepción f idea; conception

concept|o m notion; conception; opinion; **en todo ~o** in every respect; **~uar** v/t to regard; to believe

concerniente concerning

concertar v/t to arrange; to coordinate

concesión f concession, grant

concesionario m com licensee, grantee; concessionary

concien|cia f conscience;

a ~cia thoroughly; ~zudo conscientious

concierto *m* agreement; harmony; concert

concilia|ble reconcilable; compatible; ~ción *f* conciliation; ~dor conciliatory; ~r *v/t* to conciliate; ~r el sueño to get to sleep

conciso concise

conclu|ir *v/t* to conclude; to infer; ~sión *f* conclusion; ~yente conclusive; convincing

concomitante accompanying

concorda|r *v/t* to reconcile; to harmonize; *v/i* to agree; to tally; ~to *m* concordat

concordia *f* harmony

concret|ar *v/t* to sum up; to make clear; ~arse *v/r* to materialize; to limit oneself; ~o a concrete; *m* SA concrete

concubina *f* concubine; ~to *m* concubinage

concurr|encia *f* concurrence; gathering; attendance; ~ido frequented; ~ir *v/i* to concur; to attend; *com* to be in competition

concurso *m* assembly; audience; contest; exhibition

concusión *f med* concussion; ~ cerebral concussion of the brain

concha *f* shell

cond|ado *m* earldom; county; ~e *m* earl; count

condecora|ción *f* medal, decoration; ~r *v/t* to deco-

rate (*with medals, honours, etc*)

condena *f* sentence; conviction; cumplir ~ to serve a sentence; ~r *v/t* to condemn

condensa|ción *f* condensation; ~dor *m* condenser; ~r *v/t* to condense; ~rse to be condensed

condesa *f* countess

condescende|ncia *f* complaisance; ~r *v/i* to comply; to yield

condescendiente obliging

condición *f* condition; quality; class; a ~ de que on condition that; estar en condiciones de to be in a position to

condiciona|do conditioned; ~l conditional; ~r *v/t* to condition; to stipulate; *v/i* to agree

condiment|ar *v/t* to season; to spice; ~o *m* condiment

condole|ncia *f* condolence; ~rse to sympathize

condonar *v/t* to pardon

conduc|ción *f* conveyance; carriage; *aut* driving; ~ir *v/t* to convey; to transport; to lead; to drive; ~ta *f* conduct; behaviour; ~to *m* conduit; pipe; duct; channel; ~tor(a) *m* (*f*) driver; leader; conductor (*of heat, electricity, etc*)

conectar *v/t mech, elec* to connect; to join

conej|era *f* rabbit-warren;

~illo *m* bunny; ~o *m* rabbit

conexión *f* connexion

confección *f* concoction; preparation; ready-made article; dress-making

confeccionar *v/t* to make (ready); to prepare

confedera|ción *f* confederation; confederacy; ~r *v/t*, ~rse to confederate

conferencia *f* lecture, talk; (*long-distance*) telephone conversation; ~nte *m, f* lecturer; ~r *v/i* to confer together; to hold a conference

conferir *v/t* to bestow; *v/i* to discuss; to confer

confes|ar *v/t* to confess; ~ión *f* confession; ~ionario *m* confessional; ~o y convicto pleaded guilty and convicted; ~or *m* confessor

confia|do trusting, confident; unsuspecting; self-confident; ~nza *f* confidence, trust; faith; **de ~nza** reliable; ~r *v/t* to entrust; to confide in; *v/i* to trust; to be confident

confidencia confidence; ~l confidential

configura|ción *f* shape; outline; ~r *v/t* to shape

confinar *v/t* to intern; to confine; *v/i* ~ **con** to border on

confirma|ción *f* confirmation; ~r *v/t* to confirm

confiscar *v/t* to confiscate

confite *m* confectionery;

sweets; ~ería *f* confectioner's shop; ~ero *m* confectioner; ~ura *f* confectionery; preserves

conflicto *m* conflict; struggle

conform|ar *v/t* to adjust; ~arse to content oneself; to comply; ~e agreed; agreeing; ~e a in accordance with; *adv* correspondingly; ~idad *f* conformity

confortar *v/t* to comfort

confrontar *v/t* to compare; to confront

confu|ndir *v/t* to confuse; to mix up; ~sión *f* confusion; shame; ~so confused; obscure

congela|dor *m* deep-freeze, freezer; ~r *v/t, v/i* to freeze; to deep-freeze

congenia|l congenial; kindred; ~r *v/i* to be congenial

congestión *f* congestion

congestionar *v/t*, ~se to congest

conglomerar *v/t*, ~se to conglomerate

congoj|a *f* anguish; distress; ~oso painful; distressing

congraciarse to ingratiate oneself

congratular *v/t* to congratulate; ~se to be pleased; to rejoice

congrega|ción *f* congregation; ~r *v/t* to gather; ~rse to congregate; to assemble

congreso *m* congress

cónico conical
conjetura f conjecture; surmise
conjugar v/t to conjugate
conjun|ción f conjunction; **~tivo** a conjunction; **~to** a connected; m whole; set; **en ~to** together; as a whole
conjura|ción f conspiracy; **~r** v/i, **~rse** to conspire
conmemorativo memorial
conmigo with me
conminar v/t to threaten
conmo|ción f commotion; unrest; **~vedor** moving; **~ver** v/t to move; to touch, to affect
conmuta|dor m elec switch; **~r** v/t to commute; to
cono m cone [change]
conoc|edor(a) a aware of, knowing; m (f) expert; **~er** v/t to know; **~ido** well-known; **~imiento** m knowledge; pl bill of lading; pl acquaintances; friends
conque so then; well then
conquista f conquest; **~dor** m conqueror; **~r** v/t to conquer; to win
consabido well-known; aforesaid
consagrar v/t to consecrate; to devote; to sanctify
consanguíneo related by blood
consciente conscious
conscripción f SA conscription
consecuen|cia f consequence; **~te** consequent

consecutivo consecutive
conseguir v/t to obtain; to get; to succeed in
consej|ero m counsellor; adviser; **~o** m advice; council; advisory body; **~o de administración** board of directors; as a whole court-martial; **~o de guerra** court-martial; **~o de ministros** cabinet (council)
consenti|do spoilt (child); **~miento** m consent; **~r** v/t to permit; to spoil; to indulge
conserje m porter, janitor, doorkeeper; **~ría** f porter's lodge
conserva f tinned food; conserve; pl preserves; **~ción** f conservation; maintenance; **~dor** m pol conservative; a conservative; **~r** v/t to preserve; to pickle; to maintain; to keep; **~torio** m mus conservatory
considera|ble considerable; **~ción** f consideration; **~do** prudent; considerate; **~r** v/t to consider
consigna f watchword; password; luggage-room (at stations); cloak-room; **~ción** f consignment; **~r** v/t to consign; **~tario** m consignee; trustee
consigo with oneself (himself; herself; yourself; yourselves; themselves)
consiguiente consequent; **por ~** consequently
consisten|cia f consisten-

cy; ~te consistent
consocio *m* copartner; fellow member
consol|ador consoling; ~ar *v/t* to console; ~idar *v/t*, ~se to consolidate
consonante *f* consonant
consorte *m* partner; consort; (*law*) accomplice
conspira|ción *f* conspiracy; ~dor *m* conspirator, plotter; ~r *v/i* to plot; to conspire
consta|ncia *f* constancy; **dejar** ~ncia de to put on record; ~nte constant; ~r *v/impers* to be evident; **hacer** ~r to state explicitly
consternar *v/t* to dismay; to consternate
constipa|do *m* cold; ~rse to catch cold
constitu|ción *f* constitution; ~cional constitutional; ~ir *v/t* to constitute
constituyente constituent
constreñir *v/t* to constrain; *med* to constipate
constru|cción *f* construction; building; ~ctor *m* builder; ~ir *v/t* to construct; to build
consuelo *m* consolation; solace
cónsul *m* consul
consulado *m* consulate
consulta *f* consultation; decision; **horas** *f/pl* ~ consulting hours; ~r *v/t* to consult
consumado accomplished;

consummate
consum|ido lean; skinny; ~idor *m* consumer; ~ir *v/t* to consume; ~irse to languish; to waste away; ~o *m* consumption
contab|ilidad *f* book-keeping; accountancy; ~le *m* book-keeper
contacto *m* contact; touch
contad|o rare; numbered; **al** ~o cash; ~or *m* meter (*for water, gas, etc*); desk; accountant; ~uría *f* accountancy; accounts department
contagi|ar *v/t* to contaminate; to infect; ~o *m* contagion; corruption; ~so contagious
contamina|ción *f* contamination, pollution; ~ción **ambiental** environmental pollution; ~r *v/t* to contaminate; *fig* to corrupt
contempla|ción *f* contemplation; ~r *v/t* to contemplate; to envisage
contemporáneo contemporary
conten|ción *f* contention; ~cioso contentious; controversial; ~der *v/i* to contend; to fight
contener *v/t* to contain; to hold
content|ar *v/t* to satisfy; to please; ~arse to be content; ~o content; pleased
contesta|ción *f* answer; ~r *v/t* to answer
context|o *m* context; ~ura

f structure

contienda *f* dispute; struggle

contigo with you

contig|üidad *f* contiguity; **~uo** adjacent

continente *m* continent

contingen|cia *f* risk; contingency; **~te** *a* contingent; *m* quota; contingent

continua|ción *f* continuation; **~damente** continually; continuously; **~r** *v/t, v/i* to continue; **~rá** to be continued

continuidad *f* continuity

continuo constant; continuous   [tour]

contorno *m* outline; tour-*f*

contra against

contrabajo *m* contrabass

contraband|ear *v/i* to smuggle; **~ista** *m* smuggler; **~o** *m* smuggling; **pasar de ~o** to smuggle (in)

contracción *f* contraction

contraceptivo *m* contraceptive

contrad|ecir *v/t* to contradict; **~ictorio** contradictory

contraer *v/t* to contract; to enter into

contraespionaje *m* counter-espionage

contrafuerte *m* arch buttress

contralor *m* SA com controller   [swain]

contramaestre *m* boat-*f*

contramarcha *f* mech re-

verse (gear)

contraorden *f* countermand

contrapelo: a ~ against the grain

contraproducente self--defeating, counter-productive

contrari|ar *v/t* to go against; to annoy; **~edad** *f* setback; obstacle; vexation; **~o** contrary; **al ~o** on the contrary

contrarrestar *v/t* to counteract; to check

contrarrevolución *f* counter-revolution

contrasentido *m* misinterpretation; nonsense

contraseña *f* password, watchword

contrast|ar *v/t* to resist; to contrast, to be different; **~e** *m* contrast

contrata *f* contract; **~ción** *f* hiring, engagement; **~r** *v/t* to engage, to hire

contratiempo *m* mishap, setback

contravalor *m* equivalent (*in exchange*)   [vene]

contravenir *v/t* to contra-*f*

contraventana *f* shutter (*of window*)

contraventor *m* offender; violator

contribu|ción *f* contribution; tax; **~idor** contributing; **~ir** *v/t* to contribute; **~yente** *m, f* contributor; taxpayer

contrincante *m* rival

control _m_ control, check-
ing; **~ de la natalidad**
birth control; **~ desde
tierra** _aer_ ground control
controversia _f_ controversy
contumacia _f_ obstinacy;
for contumacy
convalec|encia _f_ convales-
cence; **~er** _v/i_ to convalesce; **~iente** convalescent
convenc|er _v/t_ to convince;
~imiento _m_ conviction
conven|ción _f_ convention;
~iencia _f_ conformity; con-
venience; **~iente** suitable;
convenient; **~io** _m_ agreement; convention; **~ir** _v/i_
to agree; **~irse** to come to
terms; to agree
convent|illo _m_ SA tene-
ment-house; **~o** _m_ convent
convergen|cia _f_ conver-
gence; **~te** converging
conversa|ción _f_ conversa-
tion; **~r** _v/i_ to converse
conver|sión _f_ conversion;
~tir _v/t_ to convert
convicción _f_ conviction
convidar _v/t_ to invite
convincente convincing
convocación _f_ convocation
convocar _v/t_ to convoke
convoy _m_ convoy; escort
conyugal conjugal
cónyuge _m, f_ consort; husband; wife
coñac _m_ brandy
coopera|ción _f_ coopera-
tion; **~r** _v/i_ to cooperate;
~tiva _f_ cooperative society
coordenada _f_ _mat_ coordinate

coordina|ción _f_ coordina-
tion; **~r** _v/t_ to coordinate
copa _f_ wineglass; **tomar
una ~** to have a drink
copi|a _f_ copy; **~ar** _v/t_ to
copy; **~oso** copious; plentiful; abundant
copla _f_ couplet; song; verse
copo _m_ tuft; flake
coque _m_ coke [flirt]
coquet|a _f_ flirt; **~ear** _v/i_ to
coraje _m_ courage; anger
corazón _m_ heart; _bot_ core;
llevar el ~ en la mano
to wear one's heart upon
one's sleeve
corazonada _f_ hunch; fore-
boding
corbata _f_ neck-tie
corcovado _m_ hunchback
corchete _m_ hook and eye;
impr bracket; **~ de presión**
snap-fastener
corcho _m_ cork
cordaje _m_ rigging; cordage
cordero _m_ lamb
cordial friendly; **~idad** _f_
cordiality; sincerity;
friendliness
cordillera _f_ mountain
range
cordón _m_ cord; string; **~
de zapato** shoe-lace
corista _f_ _theat_ chorus girl
corneja _f_ crow
córneo horny
corneta _f_ cornet, bugle;
horn; _m_ cornettist, bugler
cornudo horned; _m_ _fig_
cuckold [chorus]
coro _m_ _igl_ choir; _mus, theat_
corona _f_ crown; **~ción** _f_

coronation; **~r** *v/t* to crown; **~do de nieve** snow-capped or -clad

coronel *m* colonel

coronilla *f* top of the head

corpiño *m* bodice

corpora|ción *f* corporation; **~tivo** corporate

corpulento corpulent; stocky, burly [pen]

corral *m* yard; farmyard;

correa *f* leather strap; leash; *mech* belt; **~ transportadora** conveyor-belt

corrección *f* correction; correctness

correccional corrective

corred|era *f* sliding shutter; **~izo** running; folding; **~or** *m* broker; **~or de apuestas** bookmaker; **~or de bolsa** stockbroker

corregir *v/t* to correct; to rectify; to reprimand

correo *m* mail; post office; **a vuelta de ~** by return of mail; **~ aéreo** air-mail; **~so** stringy, tough

correr *v/i* to run; to elapse (time); **~se** to move; to ladder (stocking)

correspond|encia *f* correspondence; **~er** *v/i* to correspond; to return; **~iente** corresponding

corresponsal *m* correspondent (of a newspaper)

corri|da *f* race; bullfight; **~ente** *a* running; current; general; ordinary; *f* current; **estar al ~ente** to be informed, to keep abreast;

~ente alterna alternating current; **~ente continua** direct current; **~ente de aire** draught [rate]

corroborar *v/t* to corrobo-

corroer *v/t* to corrode

corromper *v/t* to corrupt; to seduce; to bribe

corrosión *f* corrosion

corrupción *f* corruption

corsé *m* corset

cortabolsas *m* pickpocket

cortaplumas *m* penknife

cort|ar *v/t* to cut; **~e** *m* cutting; cut; style; length (of cloth).

corte *f* court; entourage; yard; *SA* court of justice; **hacer la ~** to court; *pl* Parliament (in Spain)

cortej|ar *v/t* to court, to woo; **~o** *m* courtship; wooing

cortés courteous; polite

cortesía *f* politeness

corteza *f* bark (of tree); peel (of fruit); rind (of cheese)

cortijo *m* farmstead; farm

cortina *f* curtain

corto short; **a ~ plazo** short-term

cortocircuito *m* short circuit; **hacer ~** to fuse (wires)

corzo *m* roe-deer

cosa *f* thing; matter; business; **¿qué ~?** what's that?

cosech|a *f* crop; harvest; yield; **~ar** *v/t* to harvest, to reap; **~ero** *m* harvester

cos|er *v/t*, *v/i* to sew; **~ido** *m* sewing

cosmé|tica f cosmetics; **~tico** cosmetic

cosmetólogo(a) m (f) cosmetician

cósmico cosmic

cosmonauta m cosmonaut

cosquill|as f/pl tickling; **hacer ~as** to tickle; **tener ~as** to be ticklish; **~ear** v/t to tickle, to titillate

costa f coast; shore; **no hay moros en la ~** the coast is clear

costa f cost; price paid; **a ~ de** at the expense of

costado m side; flank

costar v/i to cost

coste m cost; expense; investment

costilla f rib

costo m cost; expense

costra f crust; cir scab

costumbre f habit; practice; custom; **de ~** usually; **como de ~** as usual

costura f sewing; needlework; seam

cota f quota   [collate]

cotejar v/t to compare; to}

cotidiano daily

cotiza|ción f com quotation; valuation; **~r** v/t to quote

coto m boundary; enclosure; landmark

coyuntura f joint (of bones); opportunity, occasion

coz f kick

cráneo m skull

cráter m crater

crea|ción f creation; **~dor**

m maker; **~r** v/t to make; to create; to establish; **~tivo** creative

crec|er v/i to grow; to rise; **~es** f/pl increase; **con ~es** with a vengeance; **~ido** grown; **~iente** increasing; crescent (moon); **~imiento** m growth; rise

crédito m credit

credo m creed

crédulo credulous

cre|er v/t to believe; to think; **~íble** credible

crem|a f cream; **~a chantilli** whipped cream; **~allera** f zip-fastener; **~oso** creamy

crepúsculo m twilight

cresa f maggot

crespo curly; displeased

cresta f crest (of mountain); cock's comb

creyente a believing; m, f believer

cría f breeding

cria|dero m breeding-place; deposit (of minerals); **~do(a)** m (f) servant; **~nza** f breeding; nursing; upbringing; **~r** v/t to produce; to breed; to bring up; **~tura** f creature; baby, child

criba f sieve; **~r** v/t to sift

crim|en m crime; **~inal** a, m, f criminal

crin m mane

criollo(a) creole; SA native, local

cripta f crypt

crisis f crisis

crisol m crucible

crispar v/t to contract, to make twitch (muscles, nerves)

cristal m crystal; glass; window-pane; **~ de roca** rock-crystal; **~ino** a glassy; limpid; **~izar** v/t to crystallize

cristian|dad f Christendom; **~ismo** m Christianity; **~o(a)** m (f), a Christian

Cristo m Christ

criterio m criterion

crítica f criticism; critique

criticar v/t to criticize

crítico m critic

croar v/i to croak

cromo m chromium

crónica f chronicle

cronista m chronicler; historian

cronología f chronology

cronológico chronological

croquis m sketch; outline

cruce m crossing; crossroads; **~ a nivel** grade crossing; **~ro** m crossbearer; crossing; cruiser; cruise

crucifi|car v/t to crucify; **~jo** m crucifix

crucigrama m crossword puzzle

crud|eza f crudity; rudeness; **~o** crude; raw

cruel cruel; severe; hard; **~dad** f cruelty; severity

cruji|do m creak; rustle; **~r** v/i to crackle; to creak; to rustle

cruz f cross; tails (of coin);

~ gamada swastika; **echar a cara o ~** to toss up; **~ada** f crusade; **~ado** m crusader; **~ar** v/t to cross; v/i naut to cruise

cuadern|a f mar rib; **~o** m notebook; copybook

cuadra f hall; stable; SA block (of houses)

cuadra|do square; **~ngular** quadrangular

cuadrante m sun-dial

cuadrar v/t to square; v/i to tally; to fit in; **~se** to stand at attention

cuadri|látero m dep ring; **~longo** a, m oblong

cuadrilla f gang; band; team (of bullfighters)

cuadro m painting; picture; frame; **~ de distribución** switchboard

cuadrúpedo m quadruped

cuaja|da f curd; **~r** v/i to coagulate; to curdle; to congeal; fig to turn out well

cual rel pron (with definite article) who; which; adv as; like; such as; **cada ~** each one

cuál, cuáles interrog pron which?; what?

cualesquiera pl of cualquiera

cualidad f quality

cual|quier a (used before nouns) any; **~quiera** a, sing pron any; anyone; anybody   [how)

cuan (before adjectives) as;)

cuando when; at the time

of; if; **de ~ en ~** from time
to time; **~ más** at most;
~ menos at the least; **~
quiera** whenever
¿cuándo? (*interrog*) when?
cuantía *f* quantity
cuantioso large; abundant,
copious
cuanto *a* as much as; all;
whatever; *adv* **~ más barato tanto mejor** the
cheaper the better; **~** as
soon as; **en ~ a** as to; **~
antes** as soon as possible
¿cuánto(a)? *interrog pron*
how much; how long; how
far
cuarentena *f* quarantine
cuaresma *f* Lent
cuartel *m* barracks; **~
general** headquarters
cuarteto *m mus* quartet(te)
cuarto *m* room; apartment;
quarter; **~ y comida** board
and lodging; **un ~ para
a** quarter to (*the hour*); (**la
hora**) **y ~ a** quarter past
(*the hour*); **~ trasero**
rump; **sin ~** penniless
cuba *f* cask; barrel; tub;
drunkard
cubiert|a *f* cover; lid; deck
(*of a ship*); **~o** *m* cover (*at
table*)
cubilete *m* mug
cubo *m* cube; pail; bucket,
scuttle
cubrecama *f* counterpane
cubrir *v/t* to cover; to
cloak; **~se** to put on one's
hat
cucaracha *f* cockroach

cuclill|as: sentarse en ~as
to squat; **~o** *m* cuckoo
cuchar|a *f* table-spoon;
~ada *f* spoonful; **~adita** *f*
tea-spoonful; **~illa** *f*, **~ita** *f*
teaspoon; **~ón** *m* ladle
cuchichear *v/i* to whisper
cuchill|a *f* large kitchen
knife; **~ada** *f* slash, stab;
~ería *f* cutlery; **~o** *m* knife
cuello *m* neck; collar (*of
shirt, etc*)
cuenca *f* basin (*of river*);
socket (*of eye*)
cuenta *f* calculation; account; bill; report; **~ corriente** current account;
a ~ on account; **dar ~** to
report; to account for;
darse ~ to realize;
hacer las ~s to settle accounts; to sum up; **actuar
por su ~** to act for oneself;
tomar en ~ to take into
account; **~ regresiva**
count-down
cuent|ista *m* story-teller;
~o *m* story; **~o chino** cock
and bull story; **~o de
hadas** fairy-tale; **~o de
viejas** old wives' tale;
venir a ~o to be to the
point
cuerda *f* rope; cord; chord;
mus string; spring (*of
watch or clock*); **dar ~a** to
wind up (*watch; clock*); **~
floja** tightrope
cuerdo sane; prudent
cuern|a *f* horn (*of vessel*);
stag's horn; **~o** *m* horn
cuero *m* leather; hide; skin;

en ~s naked; **~ cabelludo**
scalp

cuerpo m body; **~ de bomberos** fire brigade

cuervo m raven

cuesta f slope; **~ arriba**
uphill; **~ abajo** downhill

cuestión f problem; question

cuestionar v/t to discuss;
to dispute; **~io** m form,
questionnaire

cueva f cave; grotto; cellar

cuidado m care; fear; tener
~ to take care of; inter **¡~!**
careful!; take care!

cuidar v/t to look after; to
tend; v/i **~ de** to take care of

culata f butt; stock

culebra f snake; **~ de
cascabel** rattlesnake

culmina|nte culminating;
~r v/i to culminate

culo m bottom; buttocks

culpa f blame; fault; **~ble**
guilty; **~r** v/t to accuse;
to blame

cultiv|ar v/t to cultivate;
to till; **~o** m culture; crop

culto a cultivated; cultured; elegant; m worship

cumbre f top; summit

cumpleaños m birthday

cumpli|do a full; complete; polite; m compliment; **~miento** m fulfill-

ment; completion; **~r** v/t
to fulfil; to comply (with);
to reach; v/i to end; to
expire

cúmulo m heap

cuna f cradle

cundir v/i to spread; to increase

cuneta f gutter; ditch

cuña f wedge

cuñad|a f sister-in-law; **~o**
m brother-in-law

cuño m die; mould

cuota f quota; share

cupón m coupon

cúpula f dome; cupola

cura m parish priest; f cure;
~ndero m quack; **~r** v/t
to cure; **~rse** to recover

curios|ear v/i to snoop;
~idad f curiosity; **~o** curious

cursar v/t to frequent

cursi affected; showy, vulgar, cheap

cursillo m short course

curtir v/t to tan

curv|a f curve; **~ilíneo** curvilinear; curvaceous

cúspide f summit; top

custodia f custody; guard;
~r v/t to guard; to watch;
to look after

cutis m or f complexion; skin

cuyo(a, os, as) whose; of
whom; of which

Ch

chabacanería f bad taste;
shoddiness

chacal m jackal

chacoloteo m clatter

chacra f SA small farm

cháchara f chatter

chacharear v/i to chatter
chafar v/t to flatten
chaflán m bevel
chalado fam silly; idiotic
chalán m hawker; huckster
chaleco m waistcoat; ~
salvavidas life jacket
chalina f SA scarf, shawl
chalupa f sloop
chambelán m chamberlain
champaña m champagne
champú m shampoo
chamuscar v/t to scorch;
to singe
chancear v/i to joke; to
banter
chancla f old shoe
chanclo m clog; galosh
chancho m hog, pig
chanchullo m dirty business, swindle
changador m SA porter
chantaje m blackmail
chapa f sheet of metal;
board; ~r v/t to cover, to
plate; to panel
chaparrón m shower
chapucero clumsy; shoddy
(work)
chapurrear v/t to speak
badly (a language)
chapuzar v/i to dive
chaqueta f jacket
charca f pool; ~o m puddle, pond
charla f light talk; ~r v/i
to chatter
charlatán m chatterbox;
mountebank
charol m patent leather
chas|car v/i to crack; to
crackle; ~co m trick; dis-

appointment; ~quear v/t
to crack (a whip); to play
tricks on, to hoax; ~quido
m crack; crackling; snap
chatarra f scrap-iron
chato a flat-nosed; flat-
tened
chaval(a) m (f) lad; lass
chaveta f split pin
checo(e)slovaco(a) a, m (f)
Czechoslovak
chelín m shilling
cheque m cheque; ~ para
viajeros traveller's cheque
chi|ca f girl; ~quita f small
girl; sweet girl; ~co m
boy; a small
chicle m chewing-gum
chicharra f zool cicada
chichón m bruise; bump
chiflado crazy; mad
chileno(a) m (f), a Chilean
chill|ar v/i to scream; to
shriek; ~ido m scream;
~ón screaming; striking,
harsh (colours)
chimenea f chimney; fire-
place; hearth; mar funnel
chino(a) m (f), a Chinese
chinche m or f bug; bedbug
chipirón m squid
chiquill|ada f childish
speech or action; ~ería f
kids; children; ~o(a) m (f)
chiquitín teeny   [kid]
chiripa f stroke of luck
chirriar v/i to hiss; to
sizzle; to shriek (birds)
chism|e m gossip, rumor;
trifle, thing; gadget; ~o-
rreo m gossip; gossiping;
~oso gossiping

chisp|a f spark; **~ear** v/i to spark; to drizzle; **~orrotear** v/i to sizzle

chist|ar v/i to mutter; **~e** m joke

chistera f top hat

chivo m kid, goat

choca|nte shocking; **~r** v/t to strike; to shock; to irritate; to crash; v/i to clash; to crash

chocolate m chocolate

chófer m driver

chompa f SA jersey, pullover, sweater

chopo m black poplar

choque m shock; clash; crash

chorizo m red pork sausage

chorr|ear v/i to gush; to spout; to drip; **~o** m gushing; spouting; dripping

choza f hut, shack

chul|ada f vulgar speech; insolence; **~eta** f coc chop, cutlet; **~o** pretty, good-looking [fruit]

chumbo: higo ~ m cactus

chunga f fam joke; jest

chup|ar v/t to suck; to suck in; SA to drink; **~ón** m sponger

churro m fritter; fig stupid action; bad piece of work

chusma f mob, rabble

chuzo m pike; **llover ~s** to rain cats and dogs

D

dacrón m dacron

dactilografía f typewriting

dactilógrafo(a) m (f) typist

dádiva f gift [ist]

dado m die; pl dice

daga f dagger

daltoni|ano colour-blind; **~smo** m colour-blindness

dalle m scythe

dama f lady; gentlewoman; queen (chess)

damasco m damson; damask

damnificar v/t to hurt; to injure

danés(esa) m (f) Dane; a Danish

danza f dance; **~r** v/i to dance

dañ|ar v/t to hurt; to injure; **~ino** noxious; **~o** m damage; injury; **~oso** harmful

dar v/t to give; to grant; to yield; to strike (the hour); **~ las gracias** to thank; **~ parte de** to inform about; **~ un grito** to cry out; **~ en** v/i to hit

dársena f quay; dock

dátil m date

dato m fact; item; pl particulars; data

de of; from; for; by

deán m dean

debajo adv underneath; below; **~ de** prep under

debat|e m debate; **~ir** v/t to debate; to discuss; to argue

deb|e com debit; **~er** m

duty; debt; *v/t* to owe; to have to; **~er de** *v/i* must; **~idamente** duly; **~ido a** fitting; due; **~ido a** owing to, due to

débil feeble; weak

debili|dad *f* feebleness; **~tar** *v/t* to weaken

débito *m com* debt

década *f* decade

decadencia *f* decadence, decline

decaimiento *m* decay; weakness; decline

decapitar *v/t* to behead

decena *f* ten

decencia *f* decency; decorum

decenio *m* decade

decente decent

decepción *f* disappointment

decible expressible

decimal decimal

decir *v/t, v/i* to say; to speak; **es ~** that is to say

decisi|ón *f* decision; **~vo** decisive

declara|ción *f* declaration; **~ción de impuestos** tax-return; **~r** *v/t* to declare

declina|ción *f* declination; **~r** *v/t gram* to decline; *v/i* to decline; to decay

declive *m* declivity, decline, slope

decora|ción *f* decoration; **~do** *m theat* scenery; **~dor** *m* decorator; **~r** *v/t* to decorate   [priety)

decoro *m* decorum; pro-)

decrecer *v/i* to decrease

decrépito decrepit

decret|ar *v/t* to decree; to decide upon; **~o** *m* decree

dedal *m* thimble; **~era** *f bot* foxglove

dedicar *v/t* to dedicate; to devote

dedo *m* finger; toe

deduc|ción *f* deduction; **~ir** *v/t* to deduce; to infer; to deduct; to subtract

defect|ible imperfect; **~o** *m* defect, fault; shortcoming; **~uoso** defective

defen|der *v/t* to defend; **~sa** *f* defence; safeguard; **~sa del ambiente** environment protection

deferen|cia *f* deference; **~te** deferential

deferir *v/t/i* to defer; to yield

deficien|cia *f* deficiency; **~te** faulty

defini|ción *f* definition; **~do** definite; **~r** *v/t* to define

deform|ar *v/t* to deform; **~e** deformed; **~idad** *f* deformity

defrauda|ción *f* fraud; deceit; **~r** *v/t* to deceive; to defraud

defunción *f* decease, demise   [ate)

degenerar *v/i* to degener-)

degrada|ción *f* degradation; depravity; **~r** *v/t* to degrade

degustación *f* tasting

dehesa *f* pasture, grazing-land; paddock

dei|dad *f* deity; **~ficar** *v/t* to deify

denigrar

deja|do slovenly; **~r** v/t to
leave; to abandon; to let,
to allow; **~r en paz** to
leave alone; **~r de** v/i to
stop (doing)

dejo m accent; smack,
aftertaste

del contraction of **de el**

delación f denunciation

delantal m apron

delante adv in front; before; **~ de** prep in front of

delanter|a f front; front
row; lead; **~o** m forward
(football); **~o centro**
centre-forward

delat|ar v/t to denounce;
~or(a) m (f) informer;
tell-tale

deleit|arse v/r: **~arse en**
to delight or revel in; **~e** m
delight, pleasure

deletre|ar v/t to spell; to
decipher; **~o** m spelling

delfín m dolphin

delgad|ez f thinness; **~o**
thin; slim; slender; **~ucho**
lank, lean

delibera|ción f delibera-
tion; resolution; **~damen-
te** deliberately; **~r** v/i to
consider; to deliberate; v/t
to decide

delicad|eza f delicacy; re-
finement; **~o** delicate; delicious; dainty; refined

delici|a f delight; **~oso** de-
licious; refined

delimitar v/t to delimit

delincuencia f delinquency

delinea|nte m draftsman;
~r v/t to draw; to sketch

delir|ar v/i to rave; **~io** m
delirium; ravings, non-
sense

delito m crime; offence;
~ mayor felony; **~ menor**
misdeed

delusorio fallacious

demacrado emaciated

demagogia f demagogy

demanda f com demand;
petition; appeal; **~nte** m
plaintiff; suitor; **~r** v/t
com to demand; to claim;
fig to sue

demarca|ción f demarca-
tion; boundary line; **~r** v/t
to delimit

demás a other; remaining;
los, las ~ the others; the
rest; **por lo ~** as to the
rest; apart from this

demasía f excess; wickedness [mad]

demen|cia f madness; **~te**]

democracia f democracy

demócrata m, f democrat

democrático democratic

demol|er v/t to demolish;
~ición f demolition

demonio m demon; **¡~s!**
the deuce!

demora f delay; **~r** v/t to
delay; v/i to stay

demostra|ción f demon-
stration; **~r** v/t to demon-
strate; to prove

denega|ción f denial; refu-
sal; **~r** v/t to deny; for
to overrule

dengue m fastidiousness

denigrar v/t to defame; to
smirch

denomina|ción f denomination; **~r** v/t to name

denotar v/t to denote; to express

dens|idad f density; thickness; **~o** dense; thick

denta|do toothed; jagged; **~dura** f denture; **~r** v/t to indent

dentífrico m toothpaste

denudar v/t to denude

denuncia f denunciation; fig accusation; **~ción** f denunciation; **~r** v/t to denounce; to proclaim, to indicate

departamento m department; compartment; SA apartment, flat

depend|encia f dependence; dependency; subordination; com branch office; **~er** v/i to depend; **~iente** m shop-assistant; employee

deplorar v/t to deplore

deponer v/t to lay down; to depose; for to testify

deporta|ción f deportation; **~r** v/t to deport

deport|e m sport; **~ista** m, f sportsman, sportswoman; **~ivo** sporting; **club ~ivo** sports club

deposi|ción f removal; for statement; **~tante** m, f depositor; **~tar** v/t to deposit

depósito m deposit; storehouse

depravado depraved, corrupted

deprecar v/t to implore; to plead; to entreat

depreciar v/t to depreciate

depresión f depression

deprimi|do depressed; **~r** v/t to depress; to humiliate

depurar v/t to purify

derech|a f right; right hand; **~ista** m, f pol rightist; **~o** m right; law; **~o mercantil** commercial law; **~o de paso** right of way; **~os de admisión** entrance fee; **~os de autor** copyright; **de ~o** by right; a right; straight

deriva f drift; **~ción** f derivation; outcome; **~do** derivative; **~r** v/t to derive; **~rse** to derive (from); to result

deroga|r v/t to repeal; **~torio** repealing

derramar v/t to shed (blood); to spill; to scatter; **~se** to overflow, to run over

derrame m overflow

derretir v/t to melt, to dissolve; **~se** to melt

derrib|ar v/t to demolish; to knock down; **~o** m demolition

derrocar v/t to overthrow; to demolish

derroch|ador m spendthrift; **~ar** v/t to squander; to waste; **~e** m squandering

derrota f defeat; **~r** v/t to defeat; to beat

derrumba|miento m landslide; **~r** v/t to tear down;

desapacible

~rse to fall down; to
collapse   [button]
desabotonar v/t to un-
desabrido tasteless; disagreeable
desabrigar v/t to uncover;
to expose
desabrochar v/t to un-
clasp; to unfasten
desacat|amiento m irrever-
ence; disrespect; ~o m
for contempt
desac|ertar v/i to err; to
blunder; ~ierto m mistake;
blunder
desacomod|ado destitute;
~o m inconvenience; dis-
missal
desaconsejado ill-advised
desacostumbra|do un-
usual; ~rse to lose a habit
desacreditar v/t to discredit
desacuerdo m disagreement
desadvertido thoughtless
desafecto averse; disaf-
fected
desafia|nte defiant; ~r v/t
to defy, to challenge
desafinar v/i mus to be out
of tune; ~se to get out of
tune
desafío m challenge
desafortunado unlucky,
unfortunate
desagradable disagreeable,
unpleasant
desagradeci|do ungrate-
ful; ~miento m ingratitude
desagrado m discontent,
displeasure

desagravi|ar v/t to in-
demnify; ~o m indemni-
fication; satisfaction
desagregar v/t to separate;
to segregate
desaguadero m drain
desagüe m drainage; outlet; draining
desahogar v/t to relieve;
to ease; ~se to unburden
oneself; to relax
desahuci|ar v/t to evict
(tenants); ~o m eviction
desaira|do unattractive;
unsuccessful; ~r v/t to
snub; to ignore
desajust|ar v/t to dis-
arrange; ~e m disarrange-
ment
desal|entar v/t to dis-
courage; ~entarse to lose
heart; ~iento m discourage-
ment; dismay; depres-
sion
desaliñado untidy; slov-
enly; grubby   [less]
desalmado heartless, piti-
desalojar v/t to dislodge,
to oust   [not rented]
desalquilado unoccupied;
desampar|ado defence-
less; ~ar v/t to forsake; ~o
m abandonment
desandar v/t to retrace
(one's steps)
desangrar v/t to bleed; ~se
to lose blood; to bleed
to death
desanimar v/t to dis-
courage
desapacible unpleasant,
disagreeable

desapar|ecer *v/i* to disappear; to vanish; **~ecido** missing; **~ición** *f* disappearance

desapercibido unprepared, unprovided; unnoticed; *SA* inattentive

desaprobar *v/t* to disapprove of; to fail

desaprovechado backward; unexploited, unused

desarm|ar *v/t* to disarm; to dismount; **~e** *m* disarmament

desarraigar *v/t* to root out; to eradicate

desarregl|ado untidy; disorderly; out of order; **~ar** *v/t* to disarrange; **~o** *m* disorder

desarroll|ar *v/t* to develop; **~o** *m* development; **en ~o** developing, underdeveloped

deseaseado unclean, dirty[untidy]

desasos|egar *v/t* to disquiet; to disturb; **~iego** *m* restlessness

desast|re *m* disaster; **~roso** disastrous

desatar *v/t* to untie; **~se en lágrimas** to burst into tears

desaten|ción *f* inattention; discourtesy; **~der** *v/t* to neglect; to disregard; **~to** inconsiderate; impolite

desatinar *v/t* to confuse; *v/i* to act or speak foolishly

desaven|encia *f* discord; unpleasantness; **~irse** to quarrel

desaventajado unfavourable

desayun|ar *v/i*, **~arse** to breakfast; **~o** *m* breakfast

desazón *f* insipidity; annoyance [pleased]

desazonado tasteless; dis-[

desbanda|da *f* disbandment; **~rse** to disband

desbarajuste *m* disorder; chaos

desbarata|do wrecked; disordered; **~r** *v/t* to ruin; to frustrate; *v/i* to talk nonsense

desbocar *v/i* to debouch; to run out; **~se** to run away (*horse*); to abuse

desborda|miento *m* flooding; **~r** *v/t* to overflow, to flood; **~rse** to overflow; *fig* to be beside oneself

descabellado dishevelled; rash

descabeza|do stunned; unreasonable; **~r** *v/t* to behead

descalabr|ar *v/t* to wound in the head; **~o** *m* calamity; misfortune

descalificar *v/t* to disqualify

descalz|ar *v/t* to remove shoes and stockings; **~o** barefooted

descaminado misguided

descamisado shirtless; ragged

descans|ar *v/i* to rest; to sleep; *v/t* to lean; **~illo** *m* landing; **~o** *m* rest; relief; support

descarado shameless

descarga f unloading; discharge; discharge; **~dero** m wharf; **~r** v/t to unload; to discharge; v/i to flow (*river into sea, etc*)

descargo m discharge; *com* credit (*in accounts*); for acquittal

descaro m insolence; effrontery

descarrila|miento m derailment; **~r** v/i to derail

descartar v/t to discard

descen|dencia f descent; offspring; **~der** v/t to lower; v/i to descend; **~diente** m descendant; **~sión** f descent; **~so** m descent; *mil* degradation

descentralizar v/t to decentralize

descifrar v/t to decipher

descolgar v/t to take down (*from a hook or peg*); **~se** *fam* to say of a sudden, to come out (*with*)

descolorar v/t to discolour; **~se** to lose colour

descombrar, desescombrar v/t to clear from obstacles; to clear the rubble from

descompo|ner v/t to decompose; to unsettle; **~nerse** to get out of order; to go to pieces; *SA* to break down (*machine*); **~sición** f decomposition; disarrangement

descompuesto out of order

descon|certar v/t to disconcert, to take aback, to embarrass; to disarrange; **~cierto** m confusion

desconectar v/t to disconnect; to switch of

desconfia|do distrustful; **~nza** f distrust; **~r de** v/i to distrust

descongelar v/t to defrost

desconoc|er v/t to fail to recognize; to ignore; to be ignorant of; **~ido** a unknown; m stranger; **~imiento** m ignorance; unawareness [siderate]

desconsiderado incon-

desconsola|do afflicted; grief-stricken; **~rse** to sorrow

descontar v/t to discount; to deduct; to detract

descontentar v/t to displease [continue]

descontinuar v/t to dis-

descorazonar v/t to dishearten; to discourage; **~se** to lose heart

descorchar v/t to uncork

descort|és impolite; **~esía** f impoliteness

descos|er v/t to unstitch; **~erse** to blurt out; **~ido** m *fig* babbler

descrédito m discredit

descri|bir v/t to describe; **~pción** f description; **~ptivo** descriptive

descuartizar v/t to quarter; to cut up

descub|ierto a clear; open; bareheaded; m *com* deficit; **poner al ~ierto** to expose;

~ridor m discoverer; **~rimiento** m discovery; **~rir** v/t to discover; to uncover; to disclose; **~rirse** to remove one's hat

descuento m discount

descuid|ado careless; **~arse** to be neglectful; **~o** m neglect; carelessness; disregard

desde prep since; from; after; **~ luego** at once; of course; **~ que** adv since; **~ ya** SA right now

desdecirse to retract

desdén m contempt; disdain

desdeñ|ar v/t to disdain; to scorn; **~oso** disdainful, contemptuous, scornful

desdicha f misfortune; **~do** unfortunate; unhappy

desdoblar v/t to unfold

desdoroso discreditable

dese|able desirable; **~ar** v/t to desire

desech|ar v/t to reject; to discard; **~os** m/pl refuse

desembalar v/t to unpack

desembaraz|ar v/t to clear; to free; **~o** m freedom; naturalness

desembarc|ar v/t, v/i to disembark; **~o** m landing

desemboca|dura f mouth (of river); **~r** v/i to flow into; to lead to

desembols|ar v/t to spend; to disburse; **~o** m disbursement

desembragar v/t to disengage; to ungear

desembroll|ar v/t to disentangle; **~o** m disentanglement

desempapelar v/t to unpack; to strip (of paper)

desempaquetar v/t to unpack, to unwrap

desempeñar v/t to redeem (from pawn); to extricate; to fill (a post); to play (a rôle); to act (a part)

desempleo m unemployment

desencadenar v/t to unchain; to liberate; **~se** to break out (storm)

desencajar v/t to take out; to disconnect

desencantar v/t to disenchant

desenfad|ado free; easy; natural; **~arse** to quieten down; to regain poise; **~o** m ease; naturalness

desenfrena|do unbridled; unrestrained; **~r** v/t to unbridle; **~rse** to give way to passion

desenganchar v/t to unhook

desengañ|ar v/t to disillusion; to undeceive; **~arse** to lose illusions; **~o** m disillusion

desenla|ce m winding up; outcome; **~zar** v/t to unlace; to loosen

desenmascarar v/t to unmask

desenred|ar v/t to disentangle; **~o** m disentanglement

desenrollar v/t to unroll

desentenderse de to pay no attention to

desenterrar v/t to disinter; to unearth

desentronizar v/t to dethrone

desenvol|tura f naturalness; ease of manner; ~**ver** v/t to unfold; to unwind

desenvuelto open; free; easy

deseo m desire; wish

desequilibr|ado unbalanced; ~**ar** v/t to unbalance; ~**io** m lack of balance; disorder

deser|ción f desertion; ~**tar** v/t, v/i to desert; ~**tor** m deserter

desespera|ción f despair; ~**nzarse** to lose hope; ~**r** v/i, ~**rse** to despair

desestimar v/t to belittle; to reject

desfachatez f effrontery; cheek

desfalc|ar v/t to embezzle; ~**o** m embezzlement

desfallec|er v/t to faint; to weaken; ~**imiento** m languor; swoon

desfavorable unfavourable

desfigurar v/t to disfigure; to deface; to misrepresent

desfil|adero m narrow passage; gorge; defile; ~**ar** v/i to defile; to march past; ~**e** m parade

desflorar v/t to deflower; to violate

desgajar v/t to tear off

desgana f reluctance; ~**rse** v/r to lose one's appetite

desgarbado ungraceful

desgarra|do licentious; dissolute; ~**dor** heartbreaking; ~**r** v/t to tear, to rend

desgast|ar v/t to wear away; to corrode; ~**e** m wear and tear; corrosion

desgobernar v/t to misgovern; to mismanage

desgracia f adversity; misfortune; disfavour; ~**do** unlucky; unhappy; ~**r** v/t to displease; to spoil

desgreñar v/t to dishevel, to rumple, to tousle (hair)

desguarnec|er v/t to dismantle; to strip of ornaments; ~**ido** unguarded

deshabitado uninhabited

deshacer v/t to undo; to destroy; ~**se** de to get rid of

desharrapado ragged

deshecho exhausted; dissolved

deshelar v/t to thaw; to defrost; ~**se** to melt

desheredar v/t to disinherit

deshielo m thaw

deshilvanado disjointed; incoherent

deshinchar v/t to reduce a swelling; ~**se** to subside (swelling); fig to come off one's high horse

deshojar v/t to strip the leaves off

deshollinador m chimney-sweep(er)

deshonesto immodest; immoral

deshonra f loss of honour, disgrace; **~r** v/t to dishonor, to disgrace

deshonroso shameful

deshora f inopportune time; **a ~** inopportunely, at an untimely hour

deshuesar v/t to bone (*meat*); to stone (*fruit*)

desidia f laziness, indolence

desierto a deserted, uninhabited; m desert; wilderness

design|ación f designation; appointment; **~ar** v/t to designate; to appoint; **~io** m design, plan

desigual dissimilar; unequal; uneven; **~dad** f inequality; unevenness

desilusión f disappointment

desilusionar v/t to disillusion; to disappoint

desinfectar v/t to disinfect

desinflar v/t to deflate

desinter|és m lack of interest; indifference; unconcern; generosity; **~esado** unselfish; indifferent; **~esarse** to lose interest in

desistir de v/i to desist from; to give up

desleal disloyal, faithless; **~tad** f disloyalty

desliz m slip, lapse; **~ar** v/i to slip; to slide

deslucido unadorned; dull; inelegant

deslumbra|miento m dazzling; confusion; **~r** v/t to dazzle; to puzzle; to confuse [(*stocking*)]

desmallarse v/r to ladder

desmán m misconduct; excess; disaster

desmandar v/t to countermand

desmantelar v/t to dismantle; to abandon

desmañado clumsy

desmay|arse to faint; to lose courage; **~o** m fainting fit; discouragement

desmedido excessive, disproportionate

desmejorar v/t to damage; **~se** to deteriorate; to decline; to fail (*health*)

desmembrar v/t to dismember; to separate

desmenti|da f denial; **~r** v/t to contradict; to deny

desmenuzar v/t to crumble; to break into small pieces

desmesurado excessive

desmigajar v/t to crumble

desmilitarizado demilitarized

desmochar v/t to lop; to cut; to poll (*trees*)

desmontar v/t to dismantle; to clear away; v/i to dismount

desmoraliza|ción f demoralization; **~r** v/t to corrupt; to demoralize; **~rse** to lose heart

desmoronar v/t to demolish; **~se** to decay; to

crumble; to moulder; to collapse

desmotadora *f* SA (cotton) gin

desnat|ar *v/t* to skim (*milk*)

desnaturalizado unnatural; denatured

desnivel *m* unevenness, difference of level

desnud|ar *v/t* to strip; to denude; to undress; **~arse** to strip; **~o** a naked; *m* nude

desnutri|ción *f* malnutrition; **~do** undernourished, underfed

desobed|ecer *v/i* to disobey; **~iencia** *f* disobedience; **~iente** disobedient

desocupa|do idle; unemployed; unoccupied; **~r** *v/t* to vacate

desola|ción *f* desolation; affliction; **~do** desolate; waste; barren; **~r** *v/t* to lay waste; **~rse** to grieve

desollar *v/t* to skin; to flay

desorden *m* disorder; confusion; **~ado** untidy; **~ar** *v/t* to disorder; to disarrange; **~arse** to forget oneself; to be unmanageable

desorganiza|ción *f* disorganisation; **~r** *v/t* to disorganize

desorientar *v/t* to mislead; to confuse

desovar *v/i ict* to spawn

despabila|do alert; wide-awake, smart; **~r** *v/t* to trim (*candle*); **~rse** to wake

up; to grow alert

despacio *a* slow; *adv* slowly

despach|ar *v/t* to dispatch; to hasten; **~o** *m* office; desk; dispatch; official message

despachurrar *v/t* to crush; to squash

desparramar *v/t* to scatter, to spread

despavorido terrified, panic-stricken

despectivo contemptuous; scornful; derogatory

despech|ar *v/t* to enrage; **~o** *m* rancour; insolence; **a ~o de** in spite of

despedazar *v/t* to tear to pieces

despedi|da *f* farewell; dismissal; **~r** *v/t* to dismiss; to fire; **~rse a la francesa** to take French leave

despeg|ar *v/t* to unglue; to detach; **~ue** *m aer* take-off; blast-off (*of rocket*)

despeinar *v/t* to ruffle, to tousle (*hair*)

despej|ado quick; smart; cloudless (*sky*); **~r** *v/t* to clear; to free; **~rse** to clear up

despensa *f* pantry

despeña|dero *m* precipice; crag; **~r** *v/t* to hurl down

despepitadora *f* (cotton) gin

desperdici|ar *v/t* to throw away; **~o** *m* waste; refuse

desperezarse to stretch

desperfecto m damage; defect

desperta|dor m alarm-clock; **~r** v/t to wake up; **~rse** to wake up

despiadado merciless, pitiless

despierto awake; alert; bright, smart

despilfarr|ar v/t to waste; to squander; **~o** m waste

despistar v/t to mislead

desplaza|miento m displacement; **~r** v/t to displace, to move

despl|egar v/t to unfold; to spread; **~iegue** m mil deployment, development

desplomarse to lean forward; to collapse; to flop down

desplumar v/t to pluck (fowl); fig to fleece

despobla|do uninhabited; desert; barren; **~r** v/t to lay waste

despoj|ar v/t to despoil; to deprive; to strip; **~o** m despoiling, robbing; spoils; offal; pl left-overs

desposado newly married

desposeer v/t to dispossess

déspota m despot

despótico despotic

despreci|able contemptible; **~ación** f depreciation; loss of value; **~ar** v/t to despise; **~arse** to lose value; **~o** m contempt

desprender v/t to unfasten; to separate; fig to gather (from)

despreocupado carefree, free and easy, happy-go-lucky; unbiassed; unprejudiced

desprestigiar v/t to discredit; **~se** to lose credit

desprevenido unprepared

desproporcionado disproportionate

desprovisto unprovided

después adv after; afterwards; later; **~ de** prep after

desquiciar v/t to unhinge; **~se** to lose one's reason

desquite m revenge; retaliation; dep return match

destaca|mento m detachment; **~do** prominent; outstanding; **~r** v/t to emphasize; mil to detach; **~rse** to stand out

destajo m piece-work

destapar v/t to uncover

destartalado shabby

destello m sparkle, glint

destempla|do intemperate; dissonant; **~nza** f unsteadiness (of weather); intemperance; abuse; **~r** v/t to derange; to disturb; **~rse** to get out of tune; to lose one's temper

desteñir v/t to remove the colour from; **~se** to lose colour

desterrar v/t to banish; to exile

destierro m exile; banishment

destilar v/t, v/i to distil

destin|ar v/t to intend; to

design; to assign; to
appoint; **~atario** m addressee; consignee; **~o** m
destiny, fate; destination;
employment
destitu|ción f dismissal;
~ir v/t to dismiss; to
depose; to deprive
destornilla|dor m screwdriver; **~r** v/t to unscrew
destreza f dexterity, skill
destronar v/t to dethrone
destroz|ar v/t to destroy;
~o m devastation; destruction
destru|cción f destruction;
ruin; **~ctivo** destructive;
~ir v/t to destroy
desunir v/t to separate
desvainar v/t to shell; to
peel   [less]
desvalido destitute, help-J
desvalijar v/t to rob
desval|orización f devaluation; **~uar** v/t to devalue
desván m attic, garret, loft
desvanec|er v/t to dissipate; v/i to vanish; **~erse**
to fade away; to faint;
~imiento m faintness;
faint
desvel|ar v/t to keep
awake; **~arse** to be sleepless; **~o** m sleeplessness
desventaja f disadvantage
desventura f misfortune
desvergonzado shameless,
unashamed
desvestirse to undress
desviar v/t to divert; to
deflect; **~se** to deviate; to
turn aside

desvío m by-pass; detour
desvirtuar v/t to impair;
to spoil
desvivirse por to crave for;
to give oneself up to
detall|adamente in detail,
at length; **~ar** v/t to detail;
~e m detail; **~ista** m retailer
detective m detective
deten|ción f arrest; delay;
com embargo; **~er** v/t to
arrest; to stop; **~erse** to
stop; to stay; **~idamente**
thoroughly; in detail
detergente m detergent
deteriorar v/t to spoil; **~se**
to deteriorate
determina|ción f resolution; determination; **~r** v/t
to determine; **~rse** to
decide   [loathe]
detestar v/t to detest; toJ
detona|ción f detonation;
~r v/i to detonate; to
explode
detraer v/t to detract; to
remove
detrás behind; **por ~** in the
back; behind one's back
detrimento m detriment;
loss
deud|a f debt; pl liabilities;
~a del Estado public
debt; **~or(a)** m (f) debtor
devalua|ción f devaluation; **~r** v/t to devalue
devanar v/t to wind
(threads); v/t **~se los sesos**
to rack one's brains
devaneos m/pl delirium;
ravings

devasta|dor devastating; ~r v/t to devastate

devengar v/t to yield (*interests*); to earn

devoción f devoutness; devotion; affection

devol|ución f return; restitution; *pl com* returns; ~ver v/t to return; to restore

devorar v/t to devour

devoto devout, pious; devoted

día m day; ~ de fiesta holiday; ~ por día day by day; ~ útil weekday; ~ laborable workday; ~ de semana SA weekday; al ~ up to date; de ~ by day; de ~ en ~ from day to day; el ~ de mañana the day of tomorrow; el ~ siguiente next day; hoy en ~ today; nowadays; buenos ~s good morning; todo el ~ all day; todos los ~s every day; un ~ sí y otro no every other day

diabl|illo m little devil, imp; ~o m devil

diabólico diabolical, fiendish

diafragma m diaphragm

diagnóstico m diagnosis

dialéctic|a f dialectics; ~o dialectic; logic

dialecto m dialect

diálogo m dialogue

diamante m diamond

diapasón m mus pitch

diapositiva f foto slide, diapositive

diario m daily newspaper; diary; ~ de navegación log book; a daily

dibuj|ante m sketcher; draftsman; ~ar v/t to draw; to design; ~o m sketch; drawing; ~o animado cine cartoon [style]

dicción f pronunciation;

diccionario m dictionary

diciembre m December

dictad|o m dictation; ~or m dictator; ~ura f dictatorship

dictam|en m judgment; opinion; ~en pericial expert opinion; ~inar v/t to judge; to express an opinion

dictar v/t to dictate

dich|a f happiness; ~oso happy; fam wretched, tiresome

diente m tooth; prong (of fork); ~ canino eye-tooth; ~ de león dandelion; ~s postizos false teeth

diestr|a f right hand; ~o right; dexterous; skilful; a ~o y siniestro right and left, on all sides; m bullfighter

diet|a f diet; assembly; pl fees; ~ético dietary

difama|ción f defamation, libel; ~r v/t to defame, to libel

diferen|cia f difference; ~ciar v/t to differentiate; v/i to differ; ~ciarse to be different; to distinguish oneself; ~te different

diferir v/t to defer, to delay; v/i to differ
difícil difficult
dificul|tad f difficulty; **~ar** v/t to make difficult; **~oso** difficult
difteria f diphtheria
difundir v/t to diffuse; to spread
difunto(a) m (f), a deceased; dead
difus|ión f diffusion; broadcasting; **~o** diffuse
dige|rir v/t to digest; **~stión** f digestion
dign|arse to deign; to condescend; **~no** deserving; dignified; **~no de** worthy of; becoming to
dila|ción f delay; delaying; **~tación** f expansion; med dilatation; **~tado** enlarged; lengthy; SA delayed; **~tar** v/t to dilate, to widen; to spread; to delay; **~tarse** to expand; to linger; **~torio** dilatory
dilección f affection
dilema m dilemma
diligen|cia f diligence; errand; **~te** diligent; assiduous
dilucidar v/t to elucidate
dilu|ción f dilution; **~ir** v/t to dilute [pouring rain]
diluvio m deluge; flood;
dimana|ción f emanation; **~r** v/i to flow; to spring
dimensión f dimension
diminu|tivo m diminutive; **~to** minute; tiny
dimi|sión f resignation

(from a post); **~tir** v/t to resign
dinámic|a f dynamics; **~o** dynamic
dinamita f dynamite
dinamo, dínamo f dynamo
diner|al m fortune, large sum of money; **~o** m money
diócesis f diocese
Dios m God; **¡~ mío!** Good Heavens!; **¡por ~!** for God's sake
diosa f goddess
diploma m diploma; licence
diplom|acia f diplomacy; **~ático(a)** m (f) diplomat; a diplomatic; tactful
diputa|ción f deputation; **~do** m delegate, deputy; member of parliament
dique m dike; dam; **~ de carena** dry dock
direc|ción f direction; management; board of directors; **~to** direct; **~tor(a)** m (f) director; head; manager, manageress; **~tor de escena** stage manager
dirigir v/t to direct; to address *(letter, petition)*; to manage; to guide; to steer
discernir v/t to discern; to distinguish
disciplina f discipline; subject of study; **~r** v/t to educate; to scourge
discípulo(a) m (f) disciple
disco m disk; grammophone record; tel dial
díscolo naughty

disconformidad *f* disagreement [continue]

discontinuar *v/t* to dis-

discorda|ncia *f* disagreement; **~r** *v/i* to disagree

discordia *f* discord; disagreement

discreción *f* discretion; shrewdness; **a ~** at will

discrepa|ncia *f* discrepancy; **~r** *v/i* to disagree

discreto discreet; moderately great *or* long

disculpa *f* excuse; **~r** *v/t* to excuse; **~rse** to apologize

discurrir *v/i* to roam; to pass, to take its course; to reflect; *v/t* to invent; to scheme

discusión *f* discussion

discuti|ble disputable, questionable; **~r** *v/t* to discuss; *v/i* to argue

disecar *v/t* to dissect; to stuff [nate]

diseminar *v/t* to disseminate

disens|ión *f* dissension; **~o** *m* disagreement

disentería *f* dysentery

disenti|miento *m* dissent; **~r** *v/i* to disagree

diseñ|ador *m* designer; **~ar** *v/t* to design; **~o** *m* design; model; sketch; outline

disertar *v/i* to discourse

disfraz *m* mask; disguise; fancy dress; **~ar** *v/t* to disguise

disfrutar *v/t, v/i* to enjoy; to have a good time

disgregar *v/t* to separate

disgust|ar *v/t* to displease; **~arse** to be angry; to fall out, to quarrel; **~o** *m* displeasure; annoyance; sorrow; unwillingness; quarrel

disimu|lar *v/t* to disguise; to conceal; to feign; to excuse; **~lo** *m* concealment; feigning

disipar *v/t* to dissipate

dislocar *v/t* to dislocate

disminu|ción *f* diminution; decrease; **~ir** *v/t, v/i* to diminish

disol|ución *f* dissolution; **~uto** dissolute; **~ver** *v/t* to loosen; to dissolve; to break up

disonancia *f* dissonance; discord

dispar unequal; unlike

disparar *v/t* to shoot; to discharge; to fire; to let off; **~se** to explode; to go off; to dash off

disparat|ado absurd; **~e** *m* nonsense; foolishness; absurdity [unequality]

disparidad *f* disparity;

disparo *m* shot

dispensar *v/t* to dispense; to exempt; **~io** *m* consulting-room

dispers|ar *v/t* to disperse; to scatter; **~ión** *f* dispersal; dispersion

dispon|er *v/t* to dispose; to arrange; **~erse** to get ready; **~ible** available

disposición *f* disposition; arrangement; regulation; disposal

dispuesto a ready; inclined; able, intelligent

disputa f quarrel; **~r** v/t, v/i to dispute; to debate; to quarrel

distan|cia f distance; **~ciar** v/t to place at a distance; **~te** far away, remote

distensión f distension; med strain

distin|ción f distinction; difference; **~guir** v/t to distinguish; **~to** different; clear, distinct

distorsionar v/t to distort (sound, etc)

distrac|ción f distraction; diversion; entertainment; **~er** v/t to distract; **~erse** to amuse oneself; to get absentminded; **~ído** absentminded

distribu|ción f distribution; **~idor** a distributing; m distributor; **~ir** v/t to distribute

distrito m district

disturbio m disturbance

disua|dir v/t to dissuade; to deter; **~sivo** deterrent

diurno daily

divagar v/i to wander; to digress, to ramble

divergencia f divergence; difference of opinion

divers|idad f variety; **~ión** f amusement; mil diversion; **~o** diverse; different; various

diverti|do amusing; **~r** v/t to amuse; **~rse** to amuse oneself; to have a good time; to make merry

divid|endo m dividend; **~ir** v/t to divide

divin|idad f divinity; **~o** divine; heavenly

divisa f badge; slogan; motto; pl foreign currency

divisar v/t to make out, to espy

divisi|ble divisible; **~ón** f division

divorci|ar v/t to divorce; to separate; **~o** m divorce

divulgar v/t to publish; to spread

dobla|dillo m hem; **~r** v/t to double; to fold; to bend; to turn (the corner); v/i to toll (bells); **~rse** to give in

doble a double; m, f theat double; **al ~** doubly; **~gar** v/t to bend; to fold; to impose one's will on, to subdue; **~z** m fold; f duplicity

docena f dozen; **la ~ del fraile** the baker's dozen; **por ~** by the dozen

docente teaching

dócil docile; obedient; gentle [tleness]

docilidad f docility; gen-

docto a learned; m scholar; **~r** m doctor; **~rado** m doctorate

doctrina f doctrine

document|ación f documentation; **~ado** documented; **~al** m cine documentary; a documental; **~o** m document

dogal m halter

dogmático dogmatic

dogo *m* bulldog

dólar *m* dollar (*U.S. money*)

dole|ncia *f* illness; **~r** *v/i* to hurt; to ache; **~rse** *de* to complain; to feel offended

dolor *m* pain; grief; **~oso** painful

doloso deceitful; crafty

doma|dor *m* tamer (*of animals*); **~r** *v/t* to tame; to master

domesticar *v/t* to tame; to domesticate

doméstico domestic

domicili|ado resident; **~o** *m* residence

domin|ación *f* domination; **~ar** *v/t* to dominate

domin|go *m* Sunday; ♀**go de Ramos** Palm Sunday; **~ical** dominical; **~io** *m* dominion; control

dominó *m* domino, masquerade costume

don *m* (*to be used before Christian names only*) Esquire

don *m* gift; ability; **~ación** *f* donation; gift

donaire *m* grace; poise

don|ante *m, f* donor; **~ar** *v/t* to donate

doncel|la *f* virgin; maid; lady's maid; **~lez** *f* girlhood, virginity

donde (*interrog* **dónde**) where; **~quiera** wherever

donoso handsome; graceful

doña *f* lady (*title used only before Christian names*); *SA fam* lady of the house

dora|do golden; gilt; **~r** *v/t* to gild

dormidera *f* poppy

dormi|lón *m* sleepy-head; **~r** *v/i* to sleep; **~r a pierna suelta** to sleep soundly; **~rse** to go to sleep, to fall asleep; **~tar** *v/i* to doze, to nod, to slumber; **~torio** *m* bedroom; dormitory

dors|al dorsal; **~o** *m* back

dosi|ficar *v/t* to dose; **~s** *f* dose

dot|ación *f* endowment; **~ado** gifted; **~ar** *v/t* to endow; **~e** *f* dowry

draga *f* dredger; **~minas** minesweeper; **~r** *v/t* to dredge [dragoon)

dragón *m* dragon; *mil*)

drama *m* play; drama

dramático dramatic

dramaturgo *m* playwright

drenaje *m* drainage

drog|a *f* drug; **~uería** *f* chemist's; **~uero** *m* chemist

dual dual; **~idad** *f* duality

dúctil elastic; manageable; ductile

ducha *f* shower-bath, douche

dud|a *f* doubt; **sin ~a** no doubt; **~ar** *v/t, v/i* to doubt; **~oso** doubtful

duelo *m* duel; grief; mourning

duende *m* goblin; ghost

dueñ|a *f* mistress; owner; duenna; **~o** *m* owner; master

dul|ce sweet; pleasant;

soft; ~cificar v/t to
sweeten; ~zura f sweet-
ness; kindness; affection
duna f sand dune
dúo m duet
duodeno med m duodenum
duplic|ado m duplicate;
~ar v/t to double; to
duplicate; ~idad f duplicity

duque m duke; ~sa f
duchess
dura|ble durable; lasting;
~dero lasting; ~nte prep
during; ~r v/i to last
durazno m peach; peach-
tree
dureza f hardness
durmiente sleeping
duro hard; firm; tough

E

ebanista m cabinet-maker;
ébano m ebony   [joiner]
ebrio intoxicated; drunk
eclesiástico a ecclesiastical;
m ecclesiastic, priest
eco m echo
econom|ato m guardian-
ship; ~ía f economy; thrift;
~ía política economics
económico economical;
economic
econom|ista m, f econom-
ist; ~izar v/t to econo-
mize; to save
ecuación f equation
ecua|dor m equator; ~to-
rial equatorial
echa|da f cast; throw; ~r
v/t to throw; to cast; to
throw out; to pour; to
spread; ~r al correo to
post; ~r abajo to demol-
ish; to ruin; ~r a perder
to ruin; ~r de menos to
miss; ~rse a perder to go
bad; to spoil
edad f age; epoch; de
madura middle-aged; ~
media Middle Ages

edición f edition
edific|ar v/t to build; ~io m
building
edit|ar v/t to publish; ~or
m publisher; ~orial m
leading article, leader; f
publishing house
edredón m eiderdown
educa|ción f education;
manners; ~ción cívica
civics; ~r v/t to educate;
to bring up
efect|ivamente effectively;
truly, really; ~ivo a real;
effective; m cash; ~o m
effect; purpose; pl assets;
chattels; en ~o as a matter
of fact; indeed; ~uar v/t
to carry out; ~uarse to
take place
efervescente effervescent
efica|cia f efficacy; effi-
ciency; ~z efficacious;
able; efficient
efigie f effigy, image
efusivo effusive, affectionate
egip|cio(a) m (f), a Egyp-
tian; Qto m Egypt

12*

egocéntrico self-centred

egoís|mo *m* egoism; **~ta** *m*, *f* egoist; *a* selfish

egregio eminent

egresar *v/i SA* to leave (*school*)

eje *m* axle; axis; *fig* central point; main topic

ejecu|ción *f* execution; **~tar** *v/t* to execute; to perform; to put to death

ejempl|ar *m* copy; model; pattern; specimen; example; *a* exemplary; **~o** *m* example; **por ~o** for example

ejerc|er *v/t* to exercise; to practise; **~icio** *m* exercise; pratice; fiscal year; **~itar** *v/t* to train; **~itarse** to practise; to train oneself

ejército *m* army

el *art m sing* (*pl* **los**) the

él *pron m sing* (*pl* **ellos**) he

elabora|do elaborate; **~r** *v/t* to elaborate; to prepare

elasticidad *f* elasticity

elástico elastic

elec|ción *f* election; choice; **~cionario** *SA* electoral; **~tor** *m* elector; voter; **~torado** *m* electorate

electricidad *f* electricity

eléctrico electric; electrical

electrificar *v/t* to electrify

electro|cutar *v/t* to electrocute; **~imán** *m* electromagnet; **~motor** *m* electromotor; **~tecnia** *f* electrical engineering

elefante *m* elephant

elegan|cia *f* elegance; **~te** elegant

elegi|ble eligible; **~r** *v/t* to choose; to elect

element|al elementary; **~o** *m* element

elenco *m* list, catalogue; *theat* cast

eleva|ción *f* elevation; altitude; height; **~do** high; **~r** *v/t* to raise; **~rse** to rise; to be elated

elimina|ción *f* elimination; **~r** *v/t* to eliminate

elipse *f* ellipse

elocuen|cia *f* eloquence; **~te** eloquent

elogi|ar *v/t* to praise; **~o** *m* praise; **~oso** laudatory

eludir *v/t* to avoid; to elude

ella *pron f sing* (*pl* **ellas**) she

ello *pron neuter sing* it

emana|ción *f* emanation; **~r** *v/i* to emanate

emancipar *v/t* to emancipate

embadurnar *v/t* to smear

embajad|a *f* embassy; **~or** *m* ambassador; **~ora** *f* ambassador's wife; lady ambassador

embala|je *m* packing; **~r** *v/t* to pack

embaldosa|do *m* pavement; **~r** *v/t* to tile

embalse *m* dam, damming

embanderar *v/t* to flag, to decorate with flags

embaraz|ada pregnant; **~ar** *v/t* to embarrass; **~o** *m* embarrassment; pregnan-

cy; obstacle; **~oso** embarrassing; awkward

embarc|ación *f* ship; boat; embarkation; **~adero** *m* quay; **~ar** *v/t* to ship; to embark; to engage; **~arse** to embark on an enterprise; **~o** *m* embarkation

embarg|ar *v/t* to impede; to restrain; *for* to embargo; **~o** *m* embargo; seizure; **sin ~o** nevertheless; however

embarque *m* shipment

embeber *v/t* to absorb; *cost* to take in

embellecer *v/t* to embellish

embesti|da *f* assault; **~r** *v/t* to attack; to assail

embetunar *v/t* to black (*shoes*); to pitch

emblema *m* emblem; symbol

embobar *v/t* to bamboozle

émbolo *m* piston; plunger

embolsar *v/t* to pocket; to put into a purse

emborracha|miento *m* intoxication; **~rse** to get drunk

emboscada *f* ambush

embotar *v/t* to blunt (*an edge*); to weaken

embotella|miento *m* bottling; congestion; traffic jam; **~r** *v/t* to bottle

embozar *v/t* to muzzle; to muffle; *fig* to cloak

embrag|ar *v/t* *naut* to sling; *mech* to engage (a

gear); **~ue** *m* *mech* clutch

embriag|arse to get drunk; **~uez** *f* drunkenness; rapture

embroll|ar *v/t* to entangle; to muddle; **~o** *m* tangle, muddle

embrujar *v/t* to bewitch

embrutecer *v/t* to brutalize; **~se** to grow brutish

embuchar *v/t* to stuff (*with meat*)

embudo *m* funnel

embuste *m* fraud; **~ro** *m* habitual liar

embuti|do *a* stuffed, filled; embedded; *m* sausage; **~r** *v/t* to inlay

emerge|ncia *f* emergency; **~r** *v/i* to emerge

emigra|ción *f* emigration; **~do(a)** *m* (*f*) emigrant; **~r** *v/i* to emigrate

eminen|cia *f* eminence; **~te** eminent

emis|ario *m* emissary; **~ión** *f* emission; issue; broadcast; **~ora** *f* broadcasting station [emit, to give]

emitir *v/t* to broadcast; to]

empach|ar *v/t* to impede; to embarrass; to cloy; **~arse** to get embarrassed; to become constipated; **~o** *m* bashfulness; indigestion; **~oso** embarrassing

empalag|ar *v/t* to cloy; to annoy; **~oso** oversweet; cloying; irritating; unctuous

empalm|ar *v/t* to couple; to join; **~e** *m* connection; junction

empana|da _f_ (_meat, fish, etc_) pie; ～r _v/t_ to cover with batter _or_ crumbs

empañar _v/t_ to swaddle; to blur; to tarnish

empapar _v/t_ to drench; to soak, to steep

empapela|dor _m_ paper-hanger; ～r _v/t_ to wrap in paper; to paper (_walls_)

empareda|do(a) _m_ (_f_) recluse; _m_ sandwich; ～r _v/t_ to confine; to shut in

emparejar _v/t, v/i_ to match; to pair off

empast|ar _v/t_ to paste; to fill (_teeth_); ～e _m_ filling, stopping (_of tooth_)

empat|ar _v/t_ to equal; to hinder; ～e _m dep_ draw, tie

empedernido hard-hearted; heartless

empedrar _v/t_ to pave

empeine _m_ groin; instep

empeñ|ado pawned; persistent; ～ar _v/t_ to pawn; ～arse to insist; to take pains; ～o _m_ pledge; pawn; zeal; interest

empeorar _v/t_ to make worse; _v/i_ to grow worse, to deteriorate

empequeñecer _v/t_ to make smaller; to belittle

empera|dor _m_ emperor; ～triz _f_ empress

empero _yet_; however

empezar _v/t, v/i_ to begin

empina|do steep; ～r el codo _fam_ to drink

empírico empirical

emplasto _m_ plaster; poultice

emplaza|miento _m_ placement; location; _for_ summons; ～r _v/t_ to place; _for_ to summon

emple|ado(a) _m_ (_f_) employee; ～ar _v/t_ to employ; to use; ～o _m_ job; post; use

empobrec|er _v/i_ to impoverish; _v/i_ to become poor; ～imiento _m_ impoverishment

empolvar _v/t_ to powder

empollar _v/t_ to hatch; _fam_ to study hard

emponzoñar _v/t_ to poison

emprende|dor enterprising; bold; ～r _v/t_ to undertake

empresa _f_ enterprise; venture; ～rio _m_ contractor; manager

empréstito _m_ loan

empuj|ar _v/t_ to push; to shove; ～e _m_ push; energy, drive; ～e axial _tecn_ thrust; ～ón _m_ push, shove

empuñar _v/t_ to clutch

en _in_; at; into; on; upon; about; by

enaguas _f/pl_ petticoat

enajena|ción _f_, ～miento _m_ alienation (_of property_); estrangement; ～ción mental derangement; ～r _v/t_ to alienate; ～rse to be enraptured; to become estranged   [glorify]

enaltecer _v/t_ to praise; to

enamora|dizo liable to fall in love; ～do _a_ in love;

~do(a) *m* (*f*) sweetheart;
~rse de to fall in love with

enan|ito *m* midget; **~o(a)** *m*
(*f*) dwarf

enarbolar *v/t* to hoist

enardecer *v/t* to inflame;
~se to take a passion for

encabeza|miento *m* heading; caption; census; **~r**
v/t to head

encadenar *v/t* to chain

encaj|ar *v/t* to fit; to insert;
~e *m* lace; inlaid work

encalar *v/t* to lime

encallar *v/i* *naut* to run
aground; *fig* to get bogged
down

encaminar *v/t* to guide; to
direct; **~se** to set out for

encanecer *v/i* to grow
gray-haired

encant|ado delighted;
charmed; bewitched; **~ador** *a* charming; *m* magician; **~amiento** *m* enchantment; **~ar** *v/t* to enchant; to charm; to fascinate; **~o** *m* charm; spell

encañado *m* conduit (*for
water*)

encapotarse to cloud over

encapricharse con to take
a fancy to

encarar *v/i* to face; *v/t* to
aim at; **~se con** to face, to
stand up to

encarcelar *v/t* to imprison

encarecer *v/t* to raise the
price of; to insist on, to
emphasize; to request, to
enjoin

encarg|ado *m* agent; **~ar**

~arse de to take
charge of; **~o** *m* order;
charge; commission; *com*
order [to enrage)

encarnizar *v/t* to inflame;

encartar *v/t* to proscribe;
to summon; to enrol

encasar *med v/t* to set (*a
bone*)

encasillar *v/t* to pigeonhole; to classify [lead)

encauzar *v/t* to channel; to

encend|edor *m* lighter; **~er**
v/t to light; **~erse** to
light up; to catch fire;
~ido *m* *mech* ignition

encera|do *m* oil-cloth;
blackboard; **~r** *v/t* to wax

encía *f* gum (*of teeth*)

encierro *m* confinement;
enclosure; prison

encima *adv* above; over;
at the top; *prep* **~ de**
above; on; on top of; **por
~ de todo** above all

encina *f* oak

encinta pregnant; **~do** *m*
kerbstone

enclavar *v/t* to nail

enclenque sickly; feeble

encoger *v/t* to contract; *v/i*
to shrink; **~se** to shrink;
fig to become discouraged;
to get shy *or* timid; **~se de
hombros** to shrug one's
shoulders

encolar *v/t* to glue; *pint* to
size

encom|endar *v/t* to commend; to entrust; **~endarse** to entrust oneself;

..ienda f commission; charge; patronage; *SA* parcel, postal package

encono m rancour; ill-will

encontrar v/t to meet; to find; **..se** to meet; to collide; to feel; to be

encorvar v/t to bend; to curve; **..se** to bend down

encresparse to curl; to become agitated; to become entangled (*affairs*); to become rough (*sea*)

encrucijada f crossroads; ambush; *fig* quandary, dilemma

encuaderna|ción f binding (*of a book*); **..dor** m bookbinder; **..r** v/t to bind

encuadrar v/t to frame

encub|iertamente secretly; **..ierto** hidden; **..ridor** m concealer; *for* accessory after the fact; **..rir** v/t to cover up; to conceal

encuentro m encounter; meeting; collision

encuesta f inquiry; poll

encumbrar v/t to lift; to raise; **..se** to soar

enchuf|ar v/t to connect; to plug in; **..e** m plug; socket; joint

ende: por .. therefore

endeble feeble; weak

endémico endemic

endemoniado possessed

endentecer v/i to teethe

enderezar v/t to straighten; to put right

endeudarse to run into [debts]

endiablado fiendish; bad-

endiosar v/t to deify

endosar v/t to endorse

endulzar v/t to sweeten

endurecer v/t, **..se** to harden

enemi|go(a) m (f) enemy; a hostile; **..stad** f enmity; fiendishness

energía f energy

enérgico energetic

energúmeno m demon, one possessed; wild person

enero m January

enervar v/t to enervate; to weaken

enfad|arse to get angry; **..o** m anger; annoyance

énfasis m emphasis

enfático emphatic

enferm|ar v/i to fall ill; **..e-dad** f illness; **..ería** f infirmary; hospital; **..ero(a)** m (f) nurse; **..izo** sickly; infirm; **..o(a)** m (f) patient; a ill

enfilar v/t to put in a row; to thread

enfo|car v/t to focus; **..que** m focusing; approach

enfrascar v/t to bottle

enfrent|ar v/t to put face to face; **..arse** to face; **..e** opposite

enfria|miento m cooling; **..r** v/t to cool; **..rse** to grow cold; to cool down

enfurecer v/t to infuriate; to enrage; **..se** to grow furious; to lose one's temper

enganch|ar v/t to hook; *fig*

to catch; **~arse** to enlist (*in the armed forces*); **~e** m hooking; hanging up; enlisting

engañ|ar v/t to cheat, to deceive; **~o** m swindle, trick; mistake; **~oso** deceptive, misleading

engatusar v/t to wheedle; to coax [generate]

engendrar v/t to beget; to comprise

englobar v/t to include; to comprise

engomar v/t to gum

engordar v/t to fatten; v/i to grow fat

engorro m nuisance; trouble; **~so** troublesome; awkward

engrana|do aut, mech in gear; **~je** m mech gear; gearing; **~r** v/t to gear; to interlock

engrandec|er v/t to augment; to exaggerate; **~imiento** m increase; enlargement

engras|ar v/t to grease; to lubricate; **~e** m lubrication; lubricant

engreído conceited

engreimiento m conceit

engrosar v/t to fatten; to swell; v/i to grow fat

engrudo m paste (*for sticking*)

engullir v/t to wolf down, to gobble, to gorge

enhebrar v/t to thread

enhiesto (bolt) upright

enhilar v/t to arrange; to thread

enhorabuena f congratulations

enigma m enigma; puzzle

enigmático enigmatic

enjabonar v/t to soap, to lather; *fig* to flatter

enjaezar v/t to harness

enjambre m swarm

enjaular v/t to cage

enjuagar v/t to rinse

enjuicia|miento m trial; **~r** v/t to try; to pass judgment on

enla|ce m link; connexion; liaison; **~tar** to can; **~zar** v/t to join; to unite; to connect

enloquecer v/t to madden; v/i to go mad

enlosar v/t to pave (*with tiles or flagstones*)

enlucir v/t to plaster (*walls*); to whitewash

enmarañar v/t to entangle

enmascarar v/t to mask

enm|endar v/t to correct; to reform; **~ienda** f correction; amendment

enmohecerse to grow rusty or mildewy

enmudecer v/t to silence; v/i to be silent; to become speechless

enoj|adizo peevish; irritable; **~ar** v/t to anger; **~arse** to get angry; to get annoyed; **~o** m anger; annoyance

enorgullecer v/t to make proud; **~se** to be proud

enorm|e enormous; **~idad** f enormity; wickedness;

folly; stupidity
enrarecer v/t to thin; to rarefy; **⁓se** to grow scarce
enred|adera f bot vine, creeper; **⁓ador** m meddler; schemer; a scheming; mischievous; **⁓ar** v/t to entangle; v/i to misbehave, to get into mischief; **⁓arse** to get entangled; **⁓o** m entanglement; mess, tangle; plot
enreja|do m railings; trellis; **⁓r** v/t to surround with railings; to grate
enriquecer v/t to enrich; **⁓se** to grow rich
enrojecer v/t to make red; **⁓se** to blush
enrollar v/t to roll up, to furl; to wind up
enronquecer v/t to make hoarse; v/i to grow hoarse
enroscar v/t to twist; **⁓se** to curl
ensalad|a f salad; **⁓era** f salad bowl; **⁓illa** f medley; patchwork
ensalzar v/t to praise; to exalt
ensamblar v/t to join; to connect; to assemble
ensanch|ar v/t to widen; to enlarge; **⁓e** m enlargement; widening; extension
ensangrentado blood--stained; bloodshot
ensay|ar v/t to try, to test; to rehearse; **⁓o** m test; trial; essay; theat, mus rehearsal
enseña|nza f teaching, tu-

ition); **⁓r** v/t to teach; to show; **⁓r el camino** to lead the way
enseres m/pl chattels; household goods; furniture
ensimismarse v/i to fall into a reverie; SA to become conceited
ensordecer v/t to deafen; to muffle
ensueño m dream; illusion; daydream
entabl|ar v/t to cover with boards; fig to initiate; **⁓ar juicio** to take legal action; **⁓illar** v/t med to splint
entarimado m parquet flooring
ente m entity; being
entend|er v/t to understand; to think; to consider; **⁓imiento** m understanding
enteramente entirely, wholly   (esty)
entereza f integrity, hon-}
enternecer v/t to soften; to make tender
enterrar v/t to bury, to inter
entidad f entity; body
entierro m burial
entonar v/t to intone
entonces then; **¿⁓?** so?; **desde ⁓** since; **para ⁓** by then; **por ⁓** at that time
entorpecer v/t to numb; to obstruct; to make difficult
entrada f entry; entrance; way in; (admission) ticket; **⁓ general** theat standing room

entrambos(as) both
entraña f entrail; fig heart; centre; pl bowels; **~ble** most affectionate
entrar v/i to enter; to go in; to begin; **~ en vigencia** to come into force
entre between; among; **~acto** m theat interval
entrega f delivery; **~r** v/t to deliver; to hand over
entrelazar v/t to interlace
entremedias in between
entremés m appetizer; one-act comedy
entremeter v/t to place between; **~se** to interfere, to intrude; to meddle
entremezclar v/t to intermingle
entrenar v/t, v/i to train
entrepaño m bay; shelf; panel
entresacar v/t to select; to thin out
entresuelo m entresol
entretanto meanwhile
entretejer v/t to interweave
entreten|er v/t to entertain; to keep in suspense; to hold up; **~ido** pleasant, amusing
entrever v/t to catch a glimpse of; **~ado** streaky (bacon)
entrevista f interview
entristecer v/t to sadden; **~se** to grow sad
entronizar v/t to enthrone
entumecido numb
entusias|mar v/t to delight; **~mo** m enthusiasm;

~ta m, f enthusiast
entusiástico enthusiastic
enumera|ción f enumeration; **~r** v/t to enumerate
enuncia|ción f declaration; statement; **~r** v/t to enunciate; to state
envainar v/t to sheathe
envanecer v/t to make vain or proud
envas|ar v/t to bottle; to tin; to cask; to pack; **~e** m packing; container; bottle, tin   [to age)
envejecer v/t to make old;f
envenena|miento m poisoning; **~r** v/t to poison
envergadura f wing spread (of birds); aer span
envesti|dura f investiture; **~r** v/t to invest
envia|do m messenger; envoy; **~r** v/t to send
envidia| f envy; **~able** enviable; **~ar** v/t to envy; **~oso** envious; jealous
envilecer v/t to debase
envío m dispatch; com remittance; shipment
envol|tura f wrapping; wrapper; envelope; **~ver** v/t to wrap up; to envelop; to involve; mil to surround; **~vimiento** m wrapping up; involvement
enyesar v/t to plaster
enzarzar v/t to sow discord between
épico epic
epidemia f epidemic
epidémico epidemic
epígrafe m title; reference

(in letters); epigraph
epiléptico epileptic
episcopado m bishopric
episodio m episode
epítome m compendium, summary
época f epoch; period, time
equidad f equity; fairness; justice
equilibr|ar v/t to balance; **~io** m equilibrium, balance
equip|aje m luggage; equipment; **~ar** v/t to fit out; to equip
equipo m team; kit, equipment; **~ de casa** home team [(horse)]
equitación f riding [(on)]
equitativo equitable; just
equivalen|cia f equivalence; **~te** equivalent; **~r** v/i to be equivalent
equivoca|ción f mistake; misunderstanding; **~do** mistaken; **~rse** to be mistaken
equívoco m ambiguity
era f era; **~ atómica** atomic age
erario m exchequer
erección f establishment; elevation
eremita m hermit
erguir v/t to raise; **~se** to straighten up
erial m fallow land
erigir v/t to erect; to raise; to establish
eriz|ado bristly; bristling, full (with); **~arse** to stand on end (hair); **~o** m hedgehog

ermita f hermitage; **~ño** m hermit
erra|nte roving; **~r** v/t to miss; to fail; v/i to err; to go astray; to make a mistake; **~ta** f impr misprint
erróneo erroneous
error m mistake; error; **por ~** by mistake
eructar v/i to belch
erudi|ción f learning; **~to** learned, scholarly
esbel|tez f slenderness; **~to** slim, slender
esbirro m bailiff; henchman [m sketch]
esboz|ar v/t to sketch; **~o**]
escabech|ar v/t to pickle; **~e** m pickle; pickled fish or meat [harsh]
escabroso rough; craggy;]
escabullirse to slip away
escafandra f diving suit; **~ espacial** space-suit
escala f ladder; scale; naut port of call; **hacer ~ en** to call at (port); **~fón** m list (for promotion); **~r** v/t to scale; to climb
escalera f stairs; staircase; ladder; **~ de caracol** winding staircase; **~ de salvamento** fire-escape; **~ de servicio** backstairs
escalfar v/t to poach (eggs)
escalofrío m chill, shiver
escal|ón m step of a stair; rank; **~onar** v/t to grade; to place at regular intervals
escalpar v/t to scalp
escalpelo m scalpel

escam|a f scale (of fish or reptile); flake; fig grudge; ~oso scaly

escamot|ar, ~ear v/t to make disappear; to swindle out of

escampar v/i to clear up (sky); v/t to clear out

escandalizar v/t to scandalize; ~se to be shocked

escándalo m scandal

escandinavo a, m Scandinavian

escaño m bench; seat (in Parliament)

escap|a f escape; flight; ~rate m display window, shop-window; ~rse to escape; ~toria f flight, escape; loophole

escape m leak; exhaust; flight

escarabajo m scarab; [beetle]

escarcha f frost; ~r v/t to ice; to frost (a cake)

escardar v/t to weed

escarlat|a f scarlet; ~ina f scarlet fever

escarm|entar v/t to punish severely; ~iento m exemplary punishment

escarn|ecer v/t to ridicule; ~ecimiento m, ~io m derision

escarola f endive

escarpa f slope; declivity; ~do steep; craggy

escas|amente scantily; ~ear v/i to be scarce; ~ez f scarcity; ~o scarce; scanty

escen|a f scene; in theat scenery; stage; ~i-ficar v/t to stage

escepticismo m scepticism

escéptico m sceptic

escisión f splitting; med escision

esclarec|er v/t to lighten; to illuminate; ~imiento m illumination; enlightening

esclav|itud f slavery; ~o(a) m (f) slave

esclusa f lock; sluice

escoba f broom; brush

escocer v/i to smart; to hurt

escocés(esa) m (f) Scotsman (-woman); a Scottish

escoger v/t to choose; to select

escolar a scholastic; edad ~ school age; m pupil, student

escolta f escort; convoy; ~r v/t to escort [obstacle]

escollo m reef; pitfall;}

escombr|ar v/t to clear of rubble; ~os m/pl rubble; debris

escond|er v/t to conceal; to hide; a ~idas secretly; ~rijo m hideout; den

escopeta f shotgun

escoplo m chisel

escorbuto m scurvy

escori|a f slag; dross; scum; ~l m slag heap

escot|ar v/t to cut a neckline in (a garment); ~e m neckline; ~illa f naut hatchway; ~illón m theat trapdoor

escribano m clerk; SA court clerk

escribi|ente m clerk; **~r** v/t to write

escrito m writing, document; letter; **por ~** in writing

escritor(a) m (f) writer

escritorio m desk; study, office

escritura f writing; **for** deed; **la Sagrada ♀** the Holy Writ

escrúpulo m scruple

escrupuloso scrupulous

escrutinio m scrutiny

escuadr|a f mil squad; mar squadron; **~ón** m squadron

escuálido dirty; squalid

escuchar v/t to listen; to heed

escud|ero m shield-bearer; page; **~o** m shield; coat of arms

escudriñar v/t to scrutinize; to scan

escuela f school; **~ de párvulos** kindergarten; **~ de verano** summer school; **~ nocturna** night-school; **~ primaria** elementary school

escul|pir v/t to sculpture; to cut; **~tor** m sculptor; **~tura** f sculpture

escupi|dera f spittoon; **~r** v/t, v/i to spit

escurrir v/t to drain off; **~se** to sneak off; to drip; to slip

ese, esa (pl esos, esas) a that; pl those

ése f ésa; **eso** (pl ésos,

ésas) pron that one; the former

esencia f essence; **~l** essential

esfera f sphere; face (of watch)

esférico spherical

esforzar v/t to strengthen; to force; **~se** to make an effort

esfuerzo m effort

esgrim|a f fencing; **~ir** v/t to brandish; v/i to fence

eslabón m link

esmalte m enamel

esmerado carefully done; painstaking

esmeralda f emerald

esmeril m emery

esmoquin m dinner-jacket

espaci|ar v/t to space; **~o** m space; **~oso** spacious, roomy

espada f sword; (cards) spade; **entre la ~ y la pared** between the devil and the deep sea

espalda f shoulder

espantapájaros m scarecrow

espant|ar v/t to scare; to frighten; **~arse** to get frightened; **~o** m terror; shock; **~oso** frightful

Españ|a f Spain; **♀ol(a)** m (f) Spaniard; a Spanish

esparadrapo m adhesive tape; sticking-plaster

esparci|do merry; **~r** v/t to scatter; to spread

espárrago m asparagus

espasmo m spasm

especia f spice
especial special; **~idad** f
speciality; **~ista** m, f spe-
cialist; **~izar** v/i to spe-
cialize
especie f species; kind
especta|cular spectacular;
~dor(a) m (f) spectator, onlooker; viewer
espectro m spectre, spook
especula|ción f specula-
tion; **~dor(a)** m (f) specu-
lator; **~r** v/t to consider;
v/i to speculate
espej|ismo m mirage; il-
lusion; **~o** m mirror;
looking-glass
espera f waiting; **en ~ de**
waiting for; **~nza** f hope;
~nzado hopeful; **~r** v/t to
hope for; to expect; to wait
for; v/i to wait
esperma f sperm
espes|ar v/t to thicken; **~o**
thick; **~or** m thickness
espía m, f spy
espiar v/t to spy on
espiga f peg; pin; bot ear,
tassel   [pine\
espín: puerco m **~** porcu-
espina f thorn; **~ dorsal**
backbone, spinal column
espinaca f spinach
espin|illa f shin(bone);
~oso thorny, prickly;
spiny; arduous
espionaje m espionage;
spying
espiral f spiral
espíritu m spirit; ghost; **♀
Santo** Holy Ghost
espiritual spiritual

espléndido splendid
espliego m lavender
espoleta f wishbone; fuse
espolón m spur (of fowl);
arch buttress; mar ram
esponja f sponge; **~rse** to
get a healthy look
esponsales m/pl betrothal
espontáneo spontaneous
espor|ádico sporadic; **~o** m
spore
espos|a f wife; pl hand-
cuffs; **~ar** v/t to handcuff; **~o** m husband
espuela f spur (t fig)
espum|a f froth; foam;
~oso frothy; foamy; spark-
ling (of wine)
esquela f invitation card;
announcement
esqueleto m skeleton
esquema m scheme; plan;
chart
esquí m ski
esquiar v/i to ski
esquicio m sketch
esquilar v/t to shear
(sheep); to clip
esquilmar v/t to harvest;
to cheat   [or a house\
esquina f corner (of a street\
esquirol m fam blackleg
esquivar v/t to shun; to
avoid
estab|ilidad f stability;
~ilizar v/t to stabilize; **~le**
stable; **~lecer** v/t to establish; to set up; to decree;
~lecerse to settle down; to
establish oneself; **~leci-
miento** m establishment;
institution; **~lo** m stable

estaca f stake; stick; **~da** f paling, fence; **dejar en la ~da** to leave in the lurch

estación f season; station, stop; (*taxi*) stand; **~ gasolinera** filling station

estacion|amiento m parking; **~ar** v/t, v/i to park (*a car*); to post, to station; **prohibido ~ar** no parking

estadio m stadium; racecourse

estad|ista m statesman; **~ística** f statistics; **~ístico** statistical; **~o** m state, nation; condition; rank, estate, status; report; **~o de cuenta** com statement (of account); **~o benefactor** welfare state; **~o mayor** mil staff

estafa f swindle; trick; **~dor** m swindler

estafeta f courier; district post office

estall|ar v/i to burst; to explode; **~ido** m bang; explosion; outbreak

estambre m worsted

estamp|a f print; engraving; impression; image; **~ado** m print (*in textiles*); **~ar** v/t to print; to stamp; to imprint; **~ido** m report (*of a gun*)

estampilla f rubber stamp; *SA* postage stamp

estan|car v/t to check; to stop; com to monopolize; **~carse** to come to a standstill; **~co** a watertight; m (state) monopoly; tobacconist; **~darte** m standard, flag; **~que** m pond

estante m shelf

estaño m chem tin

estar v/i to be; **~ a** to be priced at; **¿a cuántos estamos?** what is today's date?; **está bien** allright; **~ de viaje** to be travelling; **~ de más** to be superfluous; **~ en algo** to understand something; **~ para** to be in the mood of; **está por ver** it remains to be seen

estátic|a f statics; **~o** static

estatua f statue

estatuto m statute; law

este m east, orient

este, esta a (*pl estos, estas*) this (*pl these*)

éste, ésta, esto pron (*pl éstos, éstas*) this one (*pl these*)

estela f wake (*of a ship*)

estepa f steppe

estera f mat, matting

estereofonía f stereophony, stereo

estéril barren; sterile

esterili|dad f sterility; **~zar** v/t to sterilize

esterilla f doormat

esterlina f sterling

estétic|a f aesthetics; **~o** aesthetic

estiaje m low-water mark

estibador m stevedore

estiércol m dung; manure

estigma m mark; birthmark; stigma

estil|arse to be in fashion or use; **~o** m style

estilográfica: pluma f **~** fountain pen

estima f esteem; **~r** v/t to estimate; to esteem

estimula|nte m stimulant; a stimulating; **~r** v/t to stimulate [(incentive)]

estímulo m stimulus; fig)

estipula|ción f stipulation; **~r** v/t to stipulate

estir|ado haughty, stiff; **~ar** v/t to stretch; to pull; to extend; **~ón** m jerk, wrench; rapid growth

estocada f thrust (of sword)

estofar v/t to stew

estómago m stomach

estorb|ar v/t to hinder; to disturb; **~o** m hindrance, obstacle; nuisance

estornino m starling

estornud|ar v/i to sneeze; **~o** m sneezing

estrado m dais; platform; pl court rooms

estrag|ar v/t to deprave; to ravage; **~o** m damage, havoc [odd]

estrambótico eccentric,)

estrangula|ción f strangulation; throttling (of an engine); **~dor** m mech choke; **~r** v/t to strangle; to choke; to throttle

estratagema f stratagem; trick

estrat|egia f strategy; **~égico** strategic, strategical

estrech|amente tightly; closely; intimately; **~ar**

v/t to reduce, to tighten; to take in (clothes); **~ar la mano** to shake hands; **~arse** to draw closer; to cut down expenses; **~ez** f narrowness; tightness; difficulty; poverty; **~o** a narrow; tight; austere; rigid; mean, stingy; m strait

estrella f star; **~ de cine** film-star; **~ fugaz** shooting star

estremec|er v/t to shake; to shock; **~erse** to shake, to shudder, to tremble; **~imiento** m shaking; shudder

estren|ar v/t to do or use for the first time; **~o** m first use; theat first night, premiere; first performance

estreñi|do constipated; **~miento** m constipation

estrépito m crash; din

estrepitoso deafening

estribillo m refrain, chorus

estribo m stirrup

estribor m starboard

estricto strict; severe

estridente strident, shrill

estropajo m swab, mop; pan scraper, dishcloth

estropear v/t to hurt; to damage; to ruin; to spoil

estructura f structure

estruendo m clamour; uproar; bustle; **~so** noisy

estrujar v/t to press, to squeeze out; to squash; to crush, to wring

estuche *m* case

estudi|ante *m*, *f* student; **~ar** to study; **~o** *m* study; studio; **~oso** studious; industrious

estufa *f* stove

estupefac|ción *f* stupefaction; **~iente** *m* drug; **~to** stupefied

estupendo stupendous

estupidez *f* stupidity

estúpido stupid

estupro *m* rape

etapa *f* stage; phase; period

éter *m* ether

etern|idad *f* eternity; **~o** eternal

étic|a *f* ethics; **~o** ethical

etiqueta *f* formality; etiquette; label

eunuco *m* eunuch

Europa *f* Europe

europeo(a) *m* (*f*), *a* European

evacua|ción *f* evacuation; **~r** *v/t* to evacuate

evadir *v/t* to evade, to elude

evalua|ción *f* valuation; evaluation; **~r** *v/t* to valuate; to evaluate

evangélico evangelical

evaporar *v/t*, *v/r* to evaporate

evasi|ón *f* evasion, elusion; pretext; **~va** *f* excuse; pretext; **~vo** evasive, elusive; non-committal

eventual accidental; possible; contingent; **~idad** *f* eventuality; **~mente** possibly; by chance

eviden|cia *f* obviousness; *SA* proof; **~te** evident; obvious

evitar *v/t* to avoid

evoca|ción *f* evocation; **~r** *v/t* to evoke

evoluci|ón *f* evolution; development; **~onar** *v/i* to evolve; to develop

exact|itud *f* exactness; correctness; accuracy; **~o** exact; accurate; punctual; correct

exagerar *v/t* to exaggerate

exalta|do hot-headed; impetuous; **~r** *v/t* to exalt; to praise

exam|en *m* examination; inquiry; **~inar** *v/t* to examine; to investigate; **~inarse** to take an examination

exangüe bloodless

exánime lifeless

exasperar *v/t* to exasperate; to irritate; **~se** to grow angry   [cavate]

excavar *v/t* to dig; to ex-∫

exced|ente *a* excessive; exceeding; *m* surplus; **~r** *v/t* to exceed; to surpass; **~rse** to overdo; to go too far

excelencia *f* excellence; excellency

excentricidad *f* eccentricity

excéntrico eccentric

excepción *f* exception

excep|cional exceptional; **~to** except; **~tuar** *v/t* to except

exces|ivo excessive; **~o** *m* excess; **~o de equipaje**

excess luggage
excitar *v/t* to excite; **~se** to become excited
exclama|ción *f* exclamation; **~r** *v/i* to exclaim
exclu|ir *v/t* to exclude; **~siva** *f* exclusiveness; *com* sole right; **~sivamente** exclusively; **~sivo** exclusive
excomulgar *v/t* to excommunicate
excre|ción *f* excretion; **~mento** *m* excrement
exculpar *v/t* to exculpate; to forgive
excursión *f* excursion
excusa *f* excuse; **~ble** excusable; **~do** *m* toilet; **~r** *v/t* to excuse; **~rse** to apologize
exen|ción *f* exemption; **~to** free from; devoid; exempt
exequias *f/pl* obsequies
exhalar *v/t* to exhale
exhausto exhausted
exhibi|ción *f* exhibition; **~r** *v/t* to exhibit
exhortar *v/t* to exhort
exhumar *v/t* to disinter
exig|encia *f* demand; **~ente** demanding; **~ir** *v/t* to demand
exiguo exiguous
eximir *v/t* to exempt
existen|cia *f* existence; **en ~cia** in stock; **~cias** *com* stock; **~te** existent
existir *v/i* to exist, to be
éxito *m* success; **~ de librería** best seller
éxodo *m* exodus
exonerar *v/t* to exonerate;

to relieve
exorbitante exorbitant
exótico exotic
expansi|ón *f* expansion; **~vo** expansive
expatriar *v/t* to expatriate; to banish
expecta|ción *f*, **~tiva** *f* expectation; expectancy
expectorar *v/t*, *v/i* to expectorate
expedición *f* expedition; speed; dispatch
expedi|ente *m* resource; dispatch; file; expedient; **~r** *v/t* to dispatch; to send; **~to** ready, prepared; quick
expende|dor *m* seller; dealer; agent; **~duría** *f* shop licensed to sell tobacco and stamps
experiencia *f* experience
experiment|ar *v/t* to experiment; **~o** *m* experiment
experto *m*, *a* expert
expiar *v/t* to expiate
expirar *v/i* to expire
explanar *v/t* to level
explica|ción *f* explanation; **~r** *v/t* to explain; **~tivo** explanatory
explora|dor *m* explorer; boy-scout; **~r** *v/t* to explore
explosi|ón *f* explosion; **~vo** *m*, *a* explosive
explota|ción *f* exploitation; working (*of a mine*); **~r** *v/t* to exploit; to work; to run
expone|nte *m*, *f*, *a* exponent; **~r** *v/t* to expose

exportación *f* export

exporta|dor *m* exporter; ~r *v/t* to export

exposi|ción *f* exposition; exhibition; show

exposímetro *m* *foto* exposure meter

exprés express

expres|amente expressly; ~ar *v/t* to express; ~ión *f* expression; ~o *m* express train

exprimir *v/t* to squeeze out; *fig* to express

expropiar *v/t* to expropriate

expuesto exposed; on display; in danger

expuls|ar *v/t* to expel, to throw out; to oust; ~ión *f* expulsion

exquisito exquisite

éxtasis *m* ecstasy

extemporáneo untimely

exten|der *v/t* to extend; to spread; to draw up (*document*); ~derse to extend; to reach; ~sión *f* extension; ~sivo extensive; ~so extensive; spacious

extenua|ción *f* weakening; ~r *v/t* to weaken

exterior *a* external; foreign; *m* outside; ~izar *v/t* to show; to make manifest

extermin|ar *v/t* to exterminate; ~io *m* extermination

externo external

extin|ción *f* extinction; ~guir *v/t* to extinguish; ~tor *m* fire-extinguisher

extirpar *v/t* to uproot; to extirpate; to stamp out

extra|cción *f* extraction; ~er *v/t* to extract; to mine; ~limitarse to go too far

extranjero(a) *m* (*f*) foreigner; *a* foreign; en el ~ abroad

extrañ|ar *v/t* to surprise greatly; to find strange; *SA* to miss; ~arse de to be greatly surprised at; ~o odd; foreign; strange

extraordinario extraordinary

extravagan|cia *f* extravagance; ~te extravagant

extraviar *v/t* to mislay; to lose; ~se to get lost

extrema|do extreme; excessive; ~r *v/t* to carry to the extreme; to show the greatest (*care, affection, etc*)

extremo *a* last; extreme; excessive; *m* extreme; end

exudar *v/t* to exude, to ooze

F

fábrica *f* factory; plant; ~ de gas gas-works

fabrica|ción *f* manufacture; ~nte *m* manufacturer;

~r *v/t* to manufacture

fábula *f* fable

fabuloso fabulous

facci|ón *f* faction; *pl* fea-

farmacéutico(a)

tures; **~oso** factious; rebellious

faceta f facet

fácil easy

facili|dad f facility; capacity; **~tar** v/t to facilitate; to supply

factor m factor; agent; **~ía** f factory; agency

factura f invoice; **~ consular** com consular invoice; **~r** v/t to invoice

faculta|d f faculty; permission; capacity; **~r** v/t to authorize; **~tivo** optional

facha f fam mien; aspect; appearance; **~da** f façade, front

faena f task; job

faisán m pheasant

faj|a f sash; belt; corset; **~o** m bundle; wad, roll (of money); **~artí** wad

fala|cia f deceit; fallacy; **~z** deceitful, deceptive; fallacious

fald|a f skirt; slope (of a mountain); **~ero** fond of women

fals|ear v/t to falsify; to forge; **~edad** f falseness; **~ificación** f forgery; **~ificado** forged; counterfeit; **~ificador** m forger; **~ificar** v/t to falsify; to forge; **~o** false; treacherous

falt|a f lack; deficiency; mistake; offence; dep fault; **hacer ~a** to be necessary; **~ar** v/i to be missing; to fail in; to offend; **~o de dinero** short of money

faltriquera f pocket

falla f fault; failure; **~r** v/i to fail; v/t to judge; to pronounce a sentence; to miss (the target, etc)

fallec|er v/i to die; **~imiento** m death

fallo m decision; sentence

fama f fame; reputation

famélico hungry, ravenous; starving

familia f family; **~r** a familiar; m relative; **~ridad** f familiarity; intimacy; **~rizar** v/t to acquaint (with); to accustom; **~rizarse** to get accustomed

famoso famous

fanático a fanatical; m fanatic

fanega f measure of about 1,60 bushels or 1,59 acres

fanfarr|ón m boaster; braggart; **~onear** v/i to boast; to brag

fang|al m slough, swamp; **~o** m mud

fantasía f imagination; fantasy; caprice; fancy; mus fantasia; (ghost)

fantasma m phantom;}

fantástico phantastic

fantoche m puppet

faralá m ruffle, frill

farándula f show business

fardo m bundle; bale

farfullar v/i to splutter

fariseo m Pharisee; hypocrite

farmacéutico(a) m (f) chemist, druggist; a pharmaceutical

farmacia f pharmacy; chemist's shop

faro m lighthouse; beacon; headlight (*of motor-car*)

farol m lantern; street-lamp

farsa f farce; trick; **~nte** m trickster

fascina|ción f charm; fascination; **~r** v/t to fascinate; to captivate

fascis|mo m Fascism; **~ta** m, f Fascist

fase f phase; period

fastidi|ar v/t to annoy; to pester; **~o** m annoyance; nuisance; **~oso** annoying, wearisome

fastuoso luxurious

fatal fatal; **~idad** f fate; calamity; **~ismo** m fatalism; **~ista** fatalistic; **~mente** fatally; inevitably

fatídico prophetic; ominous

fatig|a f fatigue; weariness; **~ar** v/t to tire; to annoy; **~oso** wearisome

fatu|idad f foolishness; **~o** conceited

favor m favour; **a ~ de** in favour of; **por ~** please; **~able** favourable; **~ecer** v/t to favour; to help; **~ito(a)** m (f), a favourite

faz f face; *arch* front

fe f faith; trust; **~ de nacimiento** birth certificate; **dar ~** to testify; **de buena ~ in good faith; **de mala ~** in bad faith [ness]

fealdad f ugliness; foul-}

febrero m February

febril feverish

fécula f starch

fecund|ar v/t to fertilize; **~o** fertile

fech|a f date; **hasta la ~** up to now; so far; **~ar** v/t to date; **~oría** f villainy; misdeed

federa|ción f federation; **~l** federal

fehaciente for authentic

felici|dad f happiness; **~citar** v/t to congratulate

feligrés m parishioner

feliz happy

felp|a f plush; **~udo** a plushy; m mat

femenino feminine

fenómeno m phenomenon

feo ugly; disagreeable

féretro m coffin

feria f fair; market

ferment|ar v/t, v/i to ferment; **~o** m ferment

fero|cidad f ferocity; **~z** fierce; savage

férreo ferrous; iron (*as a*)

ferretería f ironmonger's shop

ferro|carril m railway, *Am* railroad; **por ~carril** by rail; **~viario** m railwayman

fértil fertile

ferv|iente ardent; fervent; **~or** m fervour; ardour

festiv|al m festival; **~idad** f festivity; **~o** festive; gay; **día ~** o holiday

festón m garland

fétido fetid; stinking

feto m foetus

feudalismo m feudalism

fia|ble trustworthy; **~dor**
m guarantor
fiambre *m* cold meat; **~ra** *f*
lunch-case
fianza *f* guarantee, security
fiar *v/t* to guarantee; to
entrust; to sell on credit;
~rse de to trust; to rely
upon
fibr|a *f* fibre; **~oso** fibrous
fic|ción *f* fiction; invention;
~ticio ficticious
ficha *f* index; index card
fide|digno trustworthy; **~**
lidad *f* faithfulness; ac-
curacy; **alta ~lidad** high
fidelity, hi-fi
fideos *m/pl* noodles; vermicelli
fiebre *f* fever; **~ del heno**
hay fever
fiel faithful; loyal
fieltro *m* felt; felt hat
fiera *f* wild beast
fiesta *f* feast; festivity;
party; holyday
figura *f* shape; form; **~do**
figurative; **~r** *v/t* to shape;
to represent; *v/i* to figure;
~rse to imagine
fija|dor *m* fixer; **~r** *v/t* to
fix; to stick; to nail; to
secure; **~rse en** to pay
attention to
fijo firm; permanent
fila *f* row, tier; line
filete *m* fillet (of fish or
meat); thread (of screw);
~ar *v/t* to fillet; to thread
filia|ción *f* filiation; connec-
tion; **~l** filial
filibuster *m* freebooter

film|ar *v/t* to film; **~e** *m*
film
filo *m* edge (of a knife)
filólogo *m* philologist
filón *m geol* vein; seam
filosófico philosophic(al)
filósofo *m* philosopher
filtr|ar *v/t* to filter; to
strain; **~arse** to seep; **~o** *m*
filter; strainer
fin *m* end; finish; aim,
purpose; **a ~ de** in order
to; **al ~** at last; **al ~ y al**
cabo in the end; after all;
por ~ finally; **~ de se-**
mana weekend
finado(a) *m* (*f*), *a* deceased
final *m* end; *a* final; ultimate; **~idad** *f* purpose;
~izar *v/t* to finish; *v/i* to
end; **~mente** finally
finan|ciar *v/t* to finance;
~ciero *m* banker; finan-
cier; *a* financial; **~zas** *f/pl*
(public) finances
finca *f* landed property;
SA farm
fineza *f* fineness; courtesy;
kind act
fingir *v/t* to feign; to
pretend
finiquito *m* settlement of an
account; final receipt
fino fine; thin; refined
firma *f* signature; *com*
firm; **~r** *v/t* to sign
firme *m* pavement; *a* firm;
stable; fast (colour); **~za** *f*
firmness; stability
fiscal *m* public prosecutor;
a fiscal; **~ía** *f* office of

public prosecutor; **~izar**
v/t to prosecute; to investigate
fisco *m* exchequer
fisga *f* trident
físic|a *f* physics; **~o** *a*
physical; *m* physicist
fisiología *f* physiology
fisiológico physiologic(al)
fisión *f* fission; **~ nuclear**
nuclear fission
fisura *f* fissure
flaco thin; weak
flagelar *v/t* to flog, to lash
flagrante fragrant; **en ~**
red-handed [-new]
flamante brilliant; brand-
flameante blazing; fiery
flamenco *a*, *m* Flemish;
Andalusian (*dance*, *song*)
flanquear *v/t* to flank
flaque|ar *v/i* to flag; to
weaken; **~za** *f* leanness,
weakness, frailty; foible
flat|o *m med* wind; **~ulencia**
f flatulence
flauta *f* flute
fleco *m* tassel; fringe
flecha *f* arrow
fleje *m* (*iron*) hoop
flet|ar *v/t* to charter; *SA*
to hire; **~e** *m* freight
flexib|ilidad *f* flexibility;
~le flexible
flirtear *v/i* to flirt
floj|ear *v/i* to weaken; to
slacken; **~edad** *f* weakness; idleness; **~o** weak;
slack; idle
flor *f* flower; **~ecer** *v/i* to
blossom; to flower; **~ero**
m flower-bowl, vase; **~ista**

m, *f* florist
flot|a *f* fleet; **~ador** *m* float;
~ar *v/i* to float; **~e** *m*
floating; **a ~e** afloat
fluctua|ción *f* fluctuation;
~r *v/i* to fluctuate
fluente fluent; flowing
fluido *a* fluid; flowing; *m*
fluid; **~ eléctrico** electric
current [flow; flux]
flu|ir *v/i* to flow; **~jo** *m*
foca *f* seal
foco *m* focus; focal point;
centre; *SA elec* bulb
fofo spongy; soft
fogón *m* fire-place; stove
fogon|azo *m* flash (*of gun*);
~ero *m* stoker
fogos|idad *f* vehemence;
~o fiery; ardent
follaje *m* foliage
folleto *m* pamphlet, booklet
follón *a* lazy; *m* coward;
hubbub, uproar, rumpus
foment|ar *v/t* to foment; to
promote; **~o** *m* encourage-
ment; fostering; develop-
ment
fonda *f* inn, hostelry
fondear *v/t naut* to sound;
to examine; *v/i* to anchor
fondo *m* ground; bottom;
depth; *pl* funds
fonética *f* phonetics
fonocaptor *m* pick-up
fontanero *m* plumber
forastero (**~a**) *m* (*f*) alien;
stranger; *a* strange
forajido *m* outlaw
forcej|ar *v/i* to struggle;
~eo *m* struggle
forestal forestal

orja f forge; **~do** wrought;
~r v/t to forge; to invent
orma f form; shape;
mould; **de ~ que** so that;
de todas ~s at any rate;
~ción f formation; education; **~l** formal; serious; **~-**
lidad f formality; exact-
ness; **~lizar** v/t to for-
malize; to formulate; **~r**
v/t to form; to shape;
~rse to grow; to develop
ormidable formidable;
tremendous
órmula f formula; prescription; form
ormulario m form, blank
oro m forum; law-court
orraje m forage
orr|ar v/t to line, to pad;
~o m lining
ortalec|er v/t to strength-
en; **~imiento** m strengthening
ort|aleza f fortress, fort;
~ificación f fortification;
~ificar v/t to fortify
ortuito fortuitous, accidental
ortuna f chance; luck;
fortune, wealth; **por ~**
luckily
orz|ar v/t to force; to
compel; **~oso** compulsory;
forcible; inevitable
osa f grave [match]
ósforo m phosphorus; ∫
oso m moat; ditch
oto f photo; **~copia** f
photostatic copy; **~grafía**
f photograph; **~grafiar**
v/t, v/i to photograph

fotógrafo m photographer
frac m evening dress, tail-
-coat; dress coat
fracas|ar v/i to fail; **~o** m
failure
fracción f fraction
fractura f break; fracture
fragancia f fragrance
frágil fragile; brittle
fragment|ario fragmen-
tary; **~o** m fragment
fragua f forge; **~r** v/t to
forge (metal); to contrive;
v/i to set (mortar)
fraile m friar; monk
frambuesa f raspberry
francamente frankly
francés(esa) m (f) French-
man (-woman); a French
francmasón m Freemason
franco frank; com free
franela f flannel
frangollar v/t to botch, to
bungle
franja f fringe
franqu|ear v/t to exempt;
to free; to stamp, to frank;
to cross; **~eo** m postage;
~icia f privilege; com
franchise
frasco m flask; bottle
frase f sentence; phrase
fratern|al brotherly; **~i-**
dad f fraternity
fraud|e m fraud; **~ulento**
fraudulent
fray (contraction of **fraile**;
to be used as title before the
Christian names of clergy-
men) brother
frazada f SA blanket
frecuen|cia f frequency;

~tar v/t to frequent, to patronize; **~te** frequent

frega|dero m kitchen-sink; **~r** v/t to scrub, to scour; SA to annoy, to bother

freír v/t to fry

fren|ar v/t to bridle; to brake; **~o** m brake; **~o neumático** air-brake

frente f forehead; front; **hacer ~ a** to face (a problem); to meet (a demand)

fresa f strawberry

fres|co fresh; **~cura** f freshness; impertinence, cheek

fresno m ash tree

fresquera f cool pantry or cupboard; meat-safe

frialdad f coldness

fricc|ión f friction; **~ionar** v/t to rub   [ity]

frigidez f coldness; frigid-}

frijol m dry bean

frío cold

frioler|a f trifle; **~o** shivery, feeling the cold

friso m wainscot

frívolo frivolous

frondoso leafy; shadowy

fronter|a f frontier; **~izo** frontier; opposite

frotar v/t to rub

fructífero fructiferous

frugal frugal; sparing

frunc|e m ruffle; **~ir** v/t to gather, to ruffle; to pucker; to contract; to conceal; **~ir el ceño** to frown

frustrar v/t to frustrate

frut|a f fruit; **~ería** f fruit shop; **~ero** m fruiterer; **~o**

m fruit, result

fuego m fire; **~s artifi ciales** fireworks

fuelle m bellows

fuente f spring; fountain

fuera outside; **~ de** out of besides; **~ de borda** out board; **~ de juego** de off-side; **¡~!** get out!

fuero m jurisdiction; privi lege

fuer|te m fort; a strong vigorous; adv strongly **~temente** strongly; **~za** f strength; force; violence **~za aérea** mil air-force **~za hidráulica** water **~za** by force -power; a la **~za electromotriz** elec tromotive force

fug|a f flight; escape; **~ars** to flee; **~az** fugitive; pas sing; **~itivo(a)** m (f) fugi-

fulano so-and-so   [tive

fulgurante flashing

fulminante fulminating explosive

fullero m crook, cheat

fumar v/t, v/i to smoke **prohibido ~** no smokin

func|ión f function; thea performance; **~onamien to** m functioning, opera tion; **~onar** v/t to function to work; **~onario** m civ servant; official   [sheath

funda f case, cover, tick;

funda|ción f foundation **~dor** m founder; **~ment** m foundation; basis; **~r** v/ to found; to establish; t base

gallinero

fundi|ble fusible; **~ción** f
fusion; smelting; foundry;
~r v/t to smelt; to cast, to
found; **~rse** to fuse; to
blend, to merge

fúnebre mournful; lugubrious

funera|l m funeral; **~les** pl
funeral service; **~rio** m funeral

funesto ill-fated; dismal

furgón m waggon; van; f c
luggage van [furious]

furi|a f fury; rage; **~oso**}

furor m fury; rage

furúnculo m med boil

fuselaje m aer fuselage

fusib|ilidad f fusibility; **~le**
m elec fuse; a fusible

fusil m rifle; **~amiento** m
execution by shooting

fusión f fusion; smelting;
com merger

fust|a f whip; **~e** m wood;
shaft; fig importance

fútbol m football

futbolista m footballer

fútil futile

futuro(a) m (f) betrothed;
m future; a future

G

gabán m overcoat

gabardina f gabardine

gabinete m pol cabinet;
study; small reception
room

gablete m arch gable

gaceta f gazette

gachas f/pl porridge,
gruel

gach|o bent; drooping; **a
~as** on all fours

gafas f/pl spectacles; eyeglasses

gait|a f bagpipe; **~ero** m
bagpiper; a gaudy

gajo m branch; slice, segment

gala f ornament; full dress;
de ~ in full dress

galán m lover; suitor;
theat leading man

galano elegant; graceful

galante courteous; **~ar** v/i
to flirt; **~ría** f gallantry,

politeness; elegance; courtesy

galápago m tortoise, turtle

galardón m reward

gale|ote m galley-slave;
~ra f galley; waggon

galería f gallery; **~ principal** teat dress-circle

galés(esa) m (f) Welshman
(-woman); a Welsh

galgo m greyhound

galimatías m gibberish

galocha f clog

galón m gallon; braid;
stripe (on uniform)

galop|ar v/i to gallop; **~e** m
gallop

gallard|ear v/i to behave
gracefully; **~ete** m pennant; **~ía** f elegance; gallantry

galleta f biscuit

gall|ina f hen; **~inero** m
hencoop, henhouse; poul-

try-run; bedlam; *theat* top
gallery; **~o** *m* cock, rooster
gama *f* *zool* doe; *mus* gamut
gamuza *f* chamois; wash-
leather
gana *f* desire; wish; **de
buena ~** willingly; **de
mala ~** unwillingly, grudg-
ingly; **tener ~s de** to have
a mind to
ganad|ería *f* stock breed-
ing; cattle breeding; **~ero**
m stock-breeder; **~o** *m*
cattle; live stock
gana|dor *m* winner; gainer;
~ncia *f* gain; profit; **~ncia
líquida** net profit; **~r** *v/t*
to win; to earn; to gain
ganchillo *m* crochet (*needle
and work*); *SA* hair-pin
gancho *m* hook; peg
ganga *f* bargain
gans|ada *f* stupidity; **~o** *m*
goose; gander; **hacer el
~o** to make a fool of oneself
ganzúa *f* skeleton-key
gañir *v/i* to yelp
garabato *m* hook; scrawl;
scribble
garaj|e *m* garage; **~ista** *m*
garage-keeper
garant|e *m* guarantor; **~ía** *f*
guarantee; security; **~izar**
v/t to guarantee
garapiñar *v/t* to freeze; to
ice, to candy
garbanzo *m* chick-pea
garbo *m* grace; elegance;
~so graceful; attractive;
dashing
gargant|a *f* throat; gullet;

ravine, gorge; **~ear** *v/i* to
quaver (*voice*)
gárgara *f* gargle; **hacer ~s**
to gargle
gargarizar *v/i* to gargle
garita *f* sentry-box; porter's den
garra *f* claw, talon; clutch
garrafa *f* decanter; water-
bottle
garrapata *f* *zool* tick
garrocha *f* goad stick; *dep*
pole
garro|tazo *m* blow with a
cudgel; **~te** *m* cudgel
garrucha *f* pulley
garza *f* heron
gas *m* gas; vapour; fume;
~ lacrimógeno tear gas;
~es de escape exhaust
gasa *f* gauze [fumes\]
gasear *v/t* to gas
gaseos|a *f* soda water; **~o**
gaseous
gasfitero *m* *SA* plumber
gasolin|a *f* petrol; *Am* gas;
~era *f* motor-boat; petrol
station
gasómetro *m* gasometer
gasta|dor spendthrift; **~r**
v/t to spend; to waste; to
use up; to wear out
gasto *m* expense; **~s** *pl*
generales *com* overheads
gastritis *f* gastritis
gastronómico gastronomic
gat|a *f* she-cat; **a ~as** on all
fours; **~ear** *v/i* to go on
all fours; to go stealthily;
to climb; **~illo** *m* trigger;
hammer (*of arms*); den-
tist's forceps; **~ito** *m*

kitten; **~o** *m* cat; *mech*
jack; **~uno** feline

gaveta *f* drawer (*of desk*);
locker

gavilla *f* sheaf (*of corn*);
gang (*of thieves*)

gaviota *f* sea-gull

gazap|era *f* rabbit-warren;
~o *m* young rabbit; *fam*
howler, error

gazmoño prudish

gaznate *m* gullet

géiser *m* geyser

gelatina *f coc* jelly

gemelo(a) *m* (*f*) twin; *m/pl*
binoculars; cufflinks; **~s**
de campaña field glasses;
~s de teatro opera-
-glasses   [moan]

gemi|do *m* moan; **~r** *v/i to*
genera|ción *f* generation;
~dor *m* generator

general *m* general; **en ~**,
por lo ~, in general, on the
whole; **~ de división**
major general; *a* general;
universal; **~idad** *f* general-
ity; majority; **~ísimo** *m*
commander-in-chief; **~izar**
v/t to generalize

generar *v/t* to generate

género *m* genus; kind, sort;
cloth; material; **~s de**
punto knitwear

generos|idad *f* generosity;
~o generous; brave

geni|al gifted; talented; **~o**
m temper; character; genius

genitivo *m* genitive

gente *f* people; folk; **~ me-**
nuda children; small fry;

~ baja mob

gentil handsome; elegant;
~eza *f* charm; gentleness;
elegance   [*f* mob]

gent|ío *m* big crowd; **~uza)**

genuino genuine

geografía *f* geography

geográfico geographical

geología *f* geology

geológico geological

geólogo *m* geologist

geometría *f* geometry

geométrico geometrical

geranio *m* geranium

geren|cia *f* management;
~te *m* manager; **~te de**
ventas sales manager

germ|en *m* germ; source;
origin; **~inar** *v/i* to germinate

gerundio *m gram* gerund

gestación *f* gestation

gesticular *v/i* to gesticu-
late; to pull faces

gest|ión *f* step; manage-
ment (*of affairs*); **~ionar**
v/t to negotiate; **~o** *m*
gesture; **~or** *m* manager;
agent

gib|a *f* hunch; **~oso** hump-
backed

gigante *m* giant; *a* huge;
~sco gigantic

gimnasi|a *f* gymnastics;
~o *m* gymnasium

gimnástica *f* gymnastics

gimotear *v/i* to whimper

ginebra *f* gin

Ginebr|a *f* Geneva; **&i-**
no(a) *m* (*f*) Genevan

ginecólogo *m* gynaecologist

giralda *f* weathercock (*on*

a tower)

girar v/i to rotate; to
revolve; to turn; to spin;
com to draw (check, draft);
~ en descubierto com to
overdraw

girasol m sunflower

gir|atorio revolving; **~o** m
rotation; com draft; **~o en
descubierto** com over-
draft; **~o postal** money
order

gitano(a) m (f), a gipsy

glacia|l glacial; **~r** m
glacier

glándula f gland

glauco light green

gleba f clod

glicerina f glycerine

glob|al global; **~o** m globe;
~o aerostático balloon;
~o de ojo eyeball; **~o
terrestre** earth; **~ular**
globular; spherical

glóbulo m biol globule

glori|a f glory; heaven;
bliss; **~arse** to boast; **~oso**
glorious

glosa f gloss; **~r** v/t to gloss;
~rio m glossary; comment

glot|ón m glutton; a glut-
tonous; **~onería** f gluttony

glucosa f glucose

glutinoso glutinous; viscid

gnomo m gnome

goberna|ción f govern-
ment; **~dor** m governor;
~nte a governing; m, f
governor; **~r** v/t to govern;
to rule; to manage

gobierno m government;

rule; mar rudder

goce m enjoyment

godo(a) m (f) Goth; a
Gothic

gol m goal; **~eta** f schooner

golf|illo m urchin; **~o** m
geog gulf; ragamuffin

golondrina f swallow

golos|ina f sweet; delicacy;
~o sweet-toothed

golpe m blow; stroke; **de ~**
all of a sudden; **~ de
estado** coup d'état; **dar ~**
to surprise; **~ de fortuna**
stroke of luck; **~ar** v/t to
strike; to hit, to knock

gollete m neck (of bottle)

goma f gum; rubber

góndola f gondola

gord|iflón m fat person; **~o**
fat; stout; greasy; **~ura** f
obesity

gorgote|ar v/i to gurgle;
~o m gurgle

gorila m gorilla

gorjear v/i to trill, to
tweet, to warble

gorra f cap; bonnet

gorrear v/i to sponge

gorrión m sparrow

gorrista m sponger

gorro m cap

gorrón m cadger, leech

got|a f drop; gout; **~ear** v/i
to leak; **~eo** m drip, dripping; leakage; **~era** f
dripping; leak; gutter (of)

gótico Gothic   [roof)]

gotoso gouty

go|zar de v/i to enjoy; to
possess; **~zo** m joy; pleasure

graba|ción f recording; **~do** m engraving; print; **~do en madera** woodcut; **~dora** f (tape) recorder; **~r** v/t to engrave; to record (*gramophone, tape*)

graci|a f grace; charm; witticism; **caer en ~a** to win the favour of, to please; **~as** thanks; **~as a** thanks to; **dar las ~as** to thank

grácil slender; slim

gracios|idad f gracefulness; **~o** funny; amusing

grad|a f step; stair; row of seats; *agr* harrow; **~ar** v/t to harrow; **~o** m degree; step; rank; **~uación** f graduation; **~ual** gradual; **~uar(se)** v/t, v/i to graduate

gráfic|o m f graph; diagram; a graphic

grafito m graphite

gramátic|a f grammar; **~o** grammatical

gramo m gram(me)

gramófono m gramophone

gran (apocope of **grande**, used before singular m or f nouns) large, big, great

granad|a f pomegranate; *arti* grenade, shell; **~o** m pomegranate-tree

grand|e a big; large; great; m grandee; **~eza** f bigness; greatness; nobility; **~ioso** grandiose; grand; **~ote** huge; enormous

grane|ado granulated; **~ro**

m granary

graniz|ada f hailstorm; **~ar** v/i to hail; **~o** m hail

granj|a f farmhouse; farm; **~ear** v/t to gain; to win; **~ero** m farmer

grano m grain; seed; pimple [drel]

granuja m rogue; scoundrel]

granular v/t to granulate; a granular

gránulo m *farm* small pill

grapa f staple

gras|a f grease; **~iento** greasy; fatty

gratifica|ción f gratification; bonus; **~r** v/t to reward; to tip

gratis gratis; free

grat|itud f gratitude; **~o** pleasant; agreeable; kind (*letter*); *SA* grateful

gratuito gratis; free

grava f gravel

grava|men m charge; tax; **~r** v/t to burden; to impose (*tax*) upon

grave grave; serious; **~dad** f gravity; seriousness

gravita|ción f gravitation; **~r** v/i to gravitate

grazn|ar v/i to croak; to quack; **~ido** m croak

greda f clay [union]

gremio m guild; (trade)]

greñ|a f mop (of hair); **~udo** dishevelled (*hair*)

gres m stoneware

grey f herd; flock; congregation (*of parish*)

griego(a) m (f), a Greek

grieta f crack; fissure;

grifo   384

chink, flaw

grifo *m* tap; faucet; *SA*
filling station

grill|ete *m* shackle; fetter;
~**o** *m* cricket; *pl* fetters

gringo *m* Yankee; foreigner
(*in South America*)

gripe *f* influenza

gris grey, *Am* gray

grisú *m* fire-damp (*in mines*)

grit|ar *v/i* to shout; ~**ería** *f*
shouting; ~**o** *m* shout;
outcry; yell

grosella *f* red currant

groser|ía *f* rudeness; ~**o**
rude

grosor *m* thickness

grotesco grotesque; ridiculous

grúa *f mech* crane

grueso *a* bulky; thick;
stout; corpulent; *m* thickness; bulk

grulla *f zool* crane

grumete *m* cabin-boy

gruñi|do *m* grunt; ~**r** *v/i* to
grunt; to growl

gruñón *m* grumbler

grupo *m* group

guadaña *f* scythe

gualdo *m* yellow

guante *m* glove; ~**s de
cabritilla** kid gloves

guapo pretty; handsome

guarda *m* or *f* guard; keeper; custody; ~ **de playa**
life-guard; ~**barrera** *m f* c
gate-keeper; ~**barros** *m*
mudguard; splashboard;
fender; ~**bosque** *m* game-
keeper; ~**espaldas** *m*
body-guard; ~**meta** *m dep*

goalkeeper; ~**muebles** *m*
store-room for furniture;
~**polvo** *m* dust-cover; ~**r**
v/t to keep; to guard;
~**rropa** *m* wardrobe; *f*
cloakroom

guardia *m* police-agent;
constable; *f* custody; de-
fence; **estar de ~** to
be on guard, to keep
watch

guardián *m* keeper; custo-
dian, warden

guardilla *f* attic, garret

guarn|ecer *v/t* to garnish;
to trim; to garrison; ~**ición**
f trimming; setting; garrison; *pl* harness; ~**icionero**
m saddler

guas|a *f* joke; irony; ~**ón**
joking

guberna|mental, ~tivo
governmental

guerr|a *f* war; warfare; ~**a
bacteriológica** germ warfare; ~**a mundial** world
war; ~**a psicológica** psychological warfare; ~**ear**
v/i to make war; to wage
war; to fight; ~**ero** *m*
warrior; *a* warlike; ~**illa** *f*
guerrilla warfare; parti-
san; ~**illero** *m* guerrilla

guía *m* guide (*person*); *f*
guide; telephone direc-
tory

guiar *v/t* to guide; to steer;
to drive

guij|a *f* pebble; ~**arro** *m*
small round pebble; ~**o** *m*
gravel

guinda *f* sour cherry

guiñ|ar v/i to wink; *mar* to lurch; **~o** m sign; wink

guión m *gram* hyphen; script (*of film*)

guirnalda f garland, wreath

guisa f manner; **a su ~** in his way

guis|ado m stew; **~ante** m green pea; **~ar** v/t to cook; to stew; to prepare (*food*); **~o** m cooked dish

guita f twine, string

guitarr|a f guitar; **~ista** m, f guitar-player

gula f gluttony

gusano m worm; grub

gust|ar v/t to taste; to try; v/i to please, to be pleasing; **~ar de** to enjoy; to relish; **~o** m taste; relish; **~oso** a savoury; *adv* with pleasure; gladly

gutural guttural

H

haba f broad bean

haber v/t to have, to possess; v/aux to have; **~ escrito** to have written; **hemos leído** we have read; v/imp there is no doubt; v/t **~ de** to have to; to be due to; **he de leer este libro** I've got to read this book; **~ que** it is necessary; **hay que estar puntual** it is necessary to be punctual; m property; salary; *com* credit

habichuela f kidney bean; runner bean

hábil clever; able

habili|dad f skill; ability; **~tación** f qualification; **~tado** m paymaster; **~tar** v/t to qualify; to equip; to enable; to validate

habita|ción f room; lodging; **~nte** m, f inhabitant;

~r v/t to inhabit; to live in

hábito m habit; custom; dress; *pl eccl* vestments

habitua|r v/t to accustom; **~se** to get accustomed

habl|a f language; speech; **~ador** talkative; **~aduría** f gossip; **~ar** v/i to talk; to speak; to converse; **~ar en plata** to speak one's mind; v/t to speak (*a language*); **~illa** f gossip

hacend|ado a landed; m landowner; **~ero** industrious; **~ista** m economist; expert in financial matters

hacer v/t, v/i to make; to create; to manufacture; to prepare; to perform; **~ caso** to consider; to take into consideration; **~ cola** to queue up; **~ como si** to act as if; **~ las maletas** to pack; **~ pedazos** to break into pieces; **~ un papel** to act a part; **~ calor** to be hot (*weather*); **~ frío**

to be cold (*weather*); **~se**
to become; **hace** since;
hace mucho long ago;
since long; **se hace tarde**
it is getting late

hacia towards; **~ abajo**
downwards; **~ adelante**
forwards; **~ arriba** upwards; **~ atrás** backwards

hacienda *f* landed property; estate; ministry of
finance

hach|a *f* axe; hatchet; **~ear**
v/t to hew

hachís *m* hashish

hada *f* fairy

hado *m* fate

halag|ar *v/t* to flatter; **~o** *m*
flattery; **~üeño** flattering

halcón *m* falcon

halo *m* halo

halla|r *v/t* to find; to come
across; **~rse** to find oneself (*in a place*); **~zgo** *m*
find; finding; discovery

hamaca *f* hammock

hambr|e *f* hunger; **~ear** *v/i*
to famish; to starve; **~ien-
to** hungry; starved;
greedy; **~una** *f* famine

hampa *f* underworld, world
of criminals

harag|án *a* idle; *m* loafer;
~anear *v/i* to idle about;
~anería *f* idleness

harap|iento ragged; **~o** *m*
rag

harin|a *f* flour; meal; pow-
der; **~a de pescado** fish
meal; **~oso** mealy; floury

hart|ar *v/t* to satiate; to
glut; **~o** sufficient; full;

estar ~o de to be fed up
with; to be sick of; **~ura** *f*
satiety; abundance

hasta *prep* till; until; as
far as; **~ luego** see you
later, so long; **~ la vista**
until next time; good-bye;
conj even

hato *m* herd

hay there is; there are;
~ que it is necessary; **¡no ~
de qué!** don't mention it!;
you are welcome!

haya *f* beech-tree

haz *f* face; outside (*of
cloth*); *m* sheaf; bundle

hazaña *f* exploit, feat

hebilla *f* buckle

hebra *f* thread; strand

hebroso fibrous

hectárea *f* hectare (*2.47
acres*)

hechi|cero(a) *m (f)* wizard;
witch; *a* bewitching; **~zar**
v/t to bewitch; to charm;
~zo *m* spell; *a* false

hech|o made; done; com-
plete; ready; *m* fact; **~ura** *f*
making; workmanship

hed|er *v/i* to stink; **~iondez**
f stench; **~iondo** stinking;
~or *m* stench

hela|da *f* frost; **~dera** *f*
refrigerator; **~dería** *f* ice-
cream shop; **~dero** *m SA*
ice-cream vendor; **~do** *m*
ice-cream; *a* frozen; icy;
~r *v/t, v/i* to freeze; to ice;
to congeal; to astonish;
~rse to be frozen; to be
astonished

helecho *m* fern

hélice f spiral; propeller
helicóptero m helicopter
helio m helium
hembra f female; nut (of
a screw)
hemi|ciclo m semicircle;
~**sferio** m hemisphere
hemorragia f haemorrhage
henchir v/t to fill, to cram;
~**se** to fill oneself
hend|edura f crack; crev-
ice; ~**er** v/t to cleave; to
crack
heno m hay
heráldica f heraldry
herb|aje m grass; pasture;
~**icida** f weed-killer
hered|ad f estate; ~**ar** v/t to
inherit; ~**era** f heiress;
~**ero** m heir; ~**itario**
hereditary
herej|e m, f heretic; ~**ía** f
heresy
herencia f inheritance
heri|da f wound; ~**do**
wounded; ~**r** v/t to wound
herman|a f sister; ~**a polí-
tica** sister-in-law; ~**astra** f
stepsister; ~**astro** m step-
brother; ~**dad** f brother-
hood; alliance; ~**o** m brother; ~**o político** brother-
-in-law   [tight]
hermético hermetic; air-
hermos|ear v/t to em-
bellish; ~**o** beautiful; ~**ura**
f beauty
héroe m hero
heroico heroical
heroísmo m heroism
herra|dor m blacksmith;
~**je** m

ironwork; ~**mienta** f implement; tool; ~**r** v/t to
shoe (horses); to brand
(cattle)
herrer|ía f smithy; black-
smith's forge; ~**illo** m orn
tit; ~**o** m smith, blacksmith
herrete m tag, tip
herrumbre f rust
herv|ir v/i to boil; to bub-
ble; v/t to boil; ~**or** m
boiling; ebullition; fervour
hético hectic
hez f dregs; lees; scum; pl
heces excrements
hidalgo m nobleman
hidráulico hydraulic
hidro|avión m seaplane;
flying boat; ~**carburo** m hydrocarbon;
~**clórico** hydrochloric; ~**-
eléctrico** hydroelectric
hidró|filo absorbent (cot-
ton); ~**geno** m hydrogen
hiedra f ivy
hiel f gall, bile; bitterness
hielo m ice
hiena f hyena
hierba f grass; **mala ~**
weed; ~**buena** f mint
hierro m iron; brand; ~**
acanalado** corrugated
iron; ~**colado**, ~**fundido**
cast iron; ~**dulce** soft iron;
~**forjado** wrought iron;
~**laminado** sheet-iron
hígado m liver
higiénico hygienic
hig|o m fig; ~**o chumbo**
prickly pear; ~**uera** f
fig-tree
hij|a f daughter; ~**astro(a)**

m (*f*) stepchild; **~o** *m* son;
~o político son-in-law

hila *f* row; line; **~da** *f* row;
line; **~do** *m* spinning;
thread

hilera *f* row; line; rank

hilo *m* yarn, thread; wire;
edge

himno *m* hymn; **~ nacional**
national anthem

hincapié *m* planting the
foot; **hacer ~ en** to emphasize, to insist on

hincar *v/t* to thrust; **~se
de rodillas** to kneel; to
genuflect

hincha|r *v/t* to swell; to in-
flate; **~zón** *f* swelling

hinojo *m* fennel

hípico equine

hipnótico hypnotic

hipocresía *f* hypocrisy

hipócrita *m*, *f* hypocrite;
a hypocritical

hipódromo *m* racecourse,
hippodrome

hipoteca *f* mortgage; **~r** *v/t*
to mortgage; **~rio** hypoth-
ecary

hipótesis *f* hypothesis

hipotético hypothetical

hispánico Hispanic

hispanoamericano Span-
ish-American

histeria *f* hysterics

histérico hysterical

historia *f* history; story;
~dor *m* historian

histórico historical

historietas *f/pl* comics

hito *m* landmark; target

hocico *m* snout, muzzle;

mouth; *fam* face; **meter
el ~** to meddle

hogar *m* hearth; home

hoguera *f* bonfire; pyre

hoja *f* leave; blade; sheet

hojalata *f* tin plate

hojaldre *m or f* puff-pastry

hojarasca *f* dead leaves;
trash

hoj|ear *v/t* to skim through
a book *or* paper; **~uela** *f*
small leaf; foil; pancake
¡hola! hello!

holandés(esa) *m* (*f*) Dutch-
man (-woman); *a* Dutch

holg|ado loose, spacious;
comfortable; **~** ; **~**
well-off; **~ar** *v/i* to rest;
to be idle; to be unnecessary; **huelga decir** need-
less to say; **~azán** *m* idler;
~azanear *v/i* to idle about;
~ura *f* ampleness; suf-
ficiency; ease; comfort

hollín *m* soot

hombr|e *m* man; **¡~e!** I
say!; good gracious!; **~e de
fuste** bigwig; **~ía** *f* manhood; courage

hombro *m* shoulder

homenaje *m* homage

homicidio *m* homicide;
murder; **~ impremedi-
tado** manslaughter; **~ premeditado** first-degree
murder

homogéneo homogeneous

hond|a *f* sling; **~o** deep;
profound; **~onada** *f* hollow, depression; **~ura** *f*
depth

honest|idad *f* modesty;

honesty; decency; ~o decorous; decent; chaste; honest

hongo m mushroom; toadstool; fungus; bowler hat

honor m honour; virtue; reputation; ~able honourable; ~ario a honorary; m fee

honr|a f honour; respect; ~adez f honesty; ~ado honest; ~ar v/t to honour; ~arse to deem it an honour; ~oso honourable

hora f hour; time; **a la** ~ on time; **~ de acostarse** bedtime; **¿qué** ~ **es?** what time is it?; ~s **de oficina** business hours; ~rio m time-table [pitchfork]

horca f gallows, gibbet; f

horcajadas: a ~ astride

horchata f almond juice

horda f horde

horizont|al horizontal; ~e m horizon

horma f last, shoe-tree

hormiga f ant

hormigón m concrete; ~ **armado** reinforced concrete

hormig|uear v/i to tingle; ~uero m ant-hill

hormona f hormone

hornilla f gas ring; (electric) heating plate

horno m oven; **alto** ~ blast furnace

horquilla f hairpin

horrendo dreadful, heinous

hórreo m granary

horri|ble horrible; fright-

ful; ~pilante horrifying, hair-raising

horror m horror; dread; ~izar v/t to horrify; to terrify; ~oso horrible; hideous

hort|aliza f vegetable; ~elano m market gardener; ~icultura f horticulture

hosco sullen, surly

hosped|aje board and lodging; ~r v/t to accomodate; ~rse to take lodgings

hospicio m hospice; poorhouse; orphan-asylum

hospital m hospital; ~ **de sangre** mil field hospital; ~ario hospitable; ~idad f hospitality

hoste|lero(a) m (f) innkeeper; ~ría f inn, hostelry

hostia f relig host, wafer

hostil hostile; ~idad f hostility; ~izar v/t to antagonize

hotel m hotel; villa; ~ero m hotel-keeper

hoy today; ~ **en día** nowadays

hoy|a f large hole, pit; ~o m hole; cavity; pit; ~uelo m dimple

hoz f sickle; ravine; gorge

hucha f chest; piggy-bank; savings

hueco m hollow; a hollow;

huelg|a f strike; **declararse en** ~**a** to go on strike, to walk out; ~ **salvaje** wildcat strike; ~uista m, f striker

huella f print; mark; foot-

print; **~s dactilares** fin-
gerprints
huérfano(a) m (f) orphan
huert|a f vegetable garden;
irrigated land; **~o** m
orchard [fruit]
hueso m bone; stone (of)
huésped(a) m (f) guest;
host, hostess
hueva f spawn of fishes; roe
huev|era f egg-cup; **~o** m
egg; **~o duro** hard-boiled
egg; **~o frito** fried egg;
~o pasado por agua
boiled egg; **~os revueltos**
scrambled eggs
hu|ida f flight; **~ir** v/i to
flee; to escape
hule m SA rubber
hull|a f hard coal; **~era** f
coal mine
human|idad f humanity,
mankind; **~itario** humani-
tarian; **~o** human; humane
humear v/i to smoke; to
emit fumes
humed|ad f moisture;
dampness; **~ecer** to mois-
ten, to damp

húmedo moist; damp;
humid
humild|ad f humility; **~e**
humble, meek
humillar v/t to humble; to
humiliate; to shame
humo m smoke; fume
humor m disposition; temper; nature; mood; **mal ~**
ill temper; **~ada** f joke;
mal ~ado bad tempered;
~ismo m humour; **~ista**
humourist; **~ístico** amus-
ing, humorous
hundi|miento m sinking;
collapse; **~r** v/t to sink; to
submerge; **~rse** to sink;
to collapse
huracán m hurricane
hurón m ferret
hurtadillas: a ~ stealthily
hurt|ar v/t to steal; **~o** m
theft; larceny
husillo m screw, worm.
husm|ear v/t to scent, to
smell out
huso m spindle
¡huy! interj ouch!

I

ibérico(a) m (f), a Iberian
icono m icon
ictericia f jaundice
ida f departure; trip; **~s y
venidas** comings and go-
ings
idea f idea; notion; **~l** a,
m ideal; **~lismo** m ideal-
ism; **~lista** a, m, f idealist;
~r v/t to imagine; to plan;

to design
idéntico identical
identi|dad f identity; **~fi-
cación** f identification;
~ficar v/t to identify
ideología f ideology
idilio m idyll
idioma m language
idiomático idiomatic
idiot|a a stupid; m idiot;

~ez f stupidity; idiocy
idólatra a idolatrous; m
idolater; fig worshipper
ídolo m idol
idóneo suitable; adequate
iglesia f church
ignomini|a f infamy; ~oso
ignominious
ignoran|cia f ignorance;
~te m ignorant person; a
ignorant
igual equal; same; level;
~ar v/t to equalize; to
match; to level; v/i to be
equal; ~dad f equality;
uniformity; evenness
ilegal illegal; ~idad f
illegality
ilegible illegible
ilegítimo illegitimate
ileso unhurt
ilícito illicit; unlawful
ilimitado unlimited; unbounded
ilógico illogical
ilumina|ción f illumina-
tion; lighting; ~r v/t to
light; to illuminate; to enlighten
ilusión f illusion; delusion
ilus|ionar v/t to fascinate;
~o m dreamer; ~orio
illusory, deceptive
ilustra|ción f illustration;
education; enlightenment;
~r v/t to illustrate
imag|en f image; likeness;
~inable imaginable; ~i-
nación f imagination;
fancy; fantasy; ~inar v/t
to imagine; ~inario imag-
inary

imán m magnet
imbécil a, m, f imbecile
imitar v/t to imitate
impaciencia f impatience
impacto m impact; shock
impago SA unpaid
impar odd (numbers); ~es
m/pl odd numbers
imparcial impartial
impartir v/t to impart, to
give
impasib|ilidad f impas-
siveness; ~le impassive;
unfeeling [daunted]
impávido intrepid, un-⌐
impedido invalid; crippled
impedi|mento m impedi-
ment; ~r v/t to impede;
to hinder; to prevent
impele|nte impelling; ~r
v/t to impel; to stimulate
impenetrable impenetrable, impervious; unfath-
omable
impeniten|cia f impeni-
tence; ~te impenitent
imperativo a, m gram imperative   [tible]
imperceptible impercep-⌐
imperdible m safety-pin
imperdonable unpardonable
imperfecto imperfect; unfinished
imperi|al a imperial; f top
deck (of a bus); ~alismo m
imperialism; ~alista m
imperialist
impericia f inexperience;
lack of skill
imperio m empire; ~so
imperious, imperial

impermeable *a* water-
proof; *m* raincoat, mackintosh

impertinen|cia *f* imperti-
nence; **~te** impertinent

imperturbado undisturbed

ímpetu *m* impetus; im-
petuousness; vehemence;
energy

impío godless; wicked

implacable implacable; inexorable, unforgiving

implica|ción *f* implication;
~r *v/t* to implicate; to
imply

implorar *v/t* to implore

impone|nte imposing;
striking; grandiose; **~r** *v/t*
to impose (*tax*); to inflict;
to inspire

impopular unpopular

importa|ción *f* import;
~dor *m* importer

importa|ncia *f* impor-
tance; **~nte** important; **~r**
v/i to be important; to
matter; **no ~** it does not
matter, no matter, never
mind; *v/t* to import

importe *m* amount; price,
value

importun|ar *v/t* to annoy;
to pester; **~idad** *f* im-
portunity; pestering; **~o**
unwelcome

imposibil|idad *f* imposs-
ibility; **~itar** *v/t* to make
impossible

imposible impossible

imposición *f* imposition,
tax

impostor(a) *m (f)* impostor

impoten|cia *f* impotence;
~te impotent

impracticable impracticable; impassable (*of roads*)

impreca|ción *f* curse; **~r**
v/t to imprecate; to curse

impregnar *v/t* to impregnate

impremeditado unpre-
meditated

imprenta *f* print; printing-
house

imprescindible indispensable

impres|ión *f* impression;
print; **~ión digital** finger-
print; **~ionante** impres-
sing; **~ionar** *v/t* to impress; **~o** *m* printed matter; printed form; **~or** *m*
printer

imprevisto unforeseen

imprimar *v/t* to prime
(*canvas*)

imprimir *v/t* to print; to
imprint; to stamp

improbab|ilidad *f* im-
probability; **~le** improbable, unlikely

improbo dishonest; difficult [missible]

improcedente *for* inad-

improductivo unproductive; unprofitable

impropio unsuitable; unfit; incorrect; improper,
unbecoming

improvisar *v/t* to improv-
ise

improvisto unexpected;
unforeseen

impruden|cia f imprudence; **~te** imprudent; rash

impudicia f immodesty

impúdico immodest; shameless

impuesto m tax; duty; **~ sobre la renta** income tax; **~ sobre el valor, ~ al valor añadido** value added tax

impugnar v/t to contradict, to refute

impuls|ar v/t to impel; to propel; to drive; **~ión** f impulsion; propulsion; **~ivo** impulsive; **~o** m impulse

impune unpunished

impureza f impurity

imputa|ble imputable; **~ción** f imputation; accusation; **~r** v/t to impute; to accuse of

inacaba|ble endless; **~do** unfinished

inaccesible inaccessible

inacción f inaction; inertia

inaceptable unacceptable

inactiv|idad f inactivity; **~o** inactive

inadapta|ble unadaptable; **~do** a unadjusted; m misfit

inadecuado inadequate

inadmisible inadmissible

inadvert|encia f inadvertency; carelessness; inattention; **~ido** careless; unnoticed, unobserved, unseen

inagotable inexhaustible

inaguantable intolerable, unbearable; insufferable

inajenable inalienable

inaltera|ble unchangeable, unalterable; **~do** unchanged; unperturbed, unmoved

inamovible immovable; irremovable

inanición f inanition

inanimado lifeless; inanimate [able)

inapagable inextinguish-

inapetencia f lack of appetite

inaplicable inapplicable

inapreciable priceless; inappreciable

inarticulado inarticulate

inasequible unobtainable, unattainable; inaccessible, unapproachable

inaudito unheard-of

inaugura|ción f inauguration, opening; **~r** v/t to inaugurate

incandescen|cia f incandescence; **~te** incandescent

incansable indefatigable; untiring

incapa|cidad f incapacity; inability; **~citar** v/t to incapacitate; **~z** incapable; unable [less)

incauto incautious; heed-

incendi|ar v/t to set on fire; **~ario** incendiary; **~o** m fire

incentivo m incentive

incertidumbre f uncertainty; insecurity

incesante unceasing; incessant

inciden|cia f incidence; incident; **~tal, ~te** incidental

incidir en v/i to fall into (an error)

incienso m incense

incierto uncertain

incinerar v/t to incinerate; to cremate

incipiente incipient

incisi|ón f incision; cut; **~vo** a incisive; m incisor (tooth)

incita|ción f incitement; **~r** v/t to incite

inclemente inclement (weather); harsh; severe

inclina|ción f inclination; propensity; slope; bow, reverence; **~r** v/t to incline, to bow; to induce; **~rse** to be inclined; to feel disposed; to stoop; to bow; to lean

incluir v/t to include; to enclose; to comprise

inclus|ión f inclusion; **~ive** including; **~ivo** inclusive; **~o** enclosed; contained; included

incógnit|a f unknown quantity; mystery; **~o** unknown

incoheren|cia f incoherence; **~te** incoherent

incoloro colourless

incólume uninjured; unharmed

incomod|ar v/t to inconvenience; to annoy; **~arse** to trouble oneself; to get angry; **~idad** f discomfort; inconvenience; nuisance

incómodo uncomfortable; inconvenient

incompatib|ilidad f incompatibility; **~le** incompatible

incompetente incompetent; unqualified

incompleto incomplete; unfinished

incomprensible incomprehensible

incomunicado isolated; in solitary confinement

inconcebible inconceivable

incondicional unconditional, unqualified

inconfundible unmistakable

incongruo incongruous; unsuitable

inconmovible unrelenting, immovable

inconquistable unconquerable

inconscien|cia f unconsciousness; **~te** unconscious; unaware

inconsecuente inconsequent

inconsidera|ción f lack of consideration; **~do** inconsiderate

inconstan|cia f inconstancy; **~te** unsteady; unsettled

incontable innumerable

incontesta|ble undeniable; **~do** unquestioned, unchallenged

incontinente incontinent

inconvenien|cia f inconvenience; indiscretion; **~te** m drawback, disadvantage;

no tengo ~te (en) I don't mind; *a* improper; inconvenient

incorporar *v/t* to incorporate; **~se** to sit up (*in bed*); **mil** to join

incorrec|ción *f* incorrectness; inaccuracy; **~to** incorrect; inappropriate; improper

incorregible incorrigible

incredibilidad *f* incredibility

incredulidad *f* incredulity; scepticism

incrédulo *a* incredulous; sceptical; *m* unbeliever

increíble incredible, unbelievable

increment|ar *v/t* to augment; **~o** *m* increase; rise; addition [scold]

increpar *v/t* to rebuke;

incrimina|ción *f* incrimination; **~r** *v/t* to incriminate

incrustar *v/t* to incrust

incubar *v/t* to incubate; to hatch

inculpa|ción *f* accusation; blame; **~r** *v/t* to accuse; to blame

incult|o uncultured; uncultivated; uncouth; **~ura** *f* lack of culture

incumb|encia *f* duty; **~ir** *v/impers* to be incumbent on; to be proper of

incurable incurable

incurrir en *v/i* to incur

incursión *f* mil raid; incursion

indagar *v/t* to investigate

indebido undue; illegal

indecen|cia *f* immodesty; indecency; **~te** immodest; indecent

indecible inexpressible, unspeakable

indecis|ión *f* indecision; **~o** irresolute; undecided

indeclinable unavoidable; *gram* indeclinable

indecoroso unseemly

indefectible unfailing

indefini|ble indefinable; **~do** indefinite; undefined

indeleble indelible

indeliberado unpremeditated

indelicado indelicate

indemn|e unhurt; undamaged; **~izar** *v/t* to indemnify; to compensate

independiente independent [able]

indescriptible indescrib-⌐

indeseable undesirable

indeterminado irresolute; indeterminate

indica|ción *f* sign; indication; hint; **~dor** *m* indicator, pointer; **~dor de velocidad** speedometer; **~r** *v/t* to indicate; **~tivo** *a*, *m* gram indicative

índice *m* index; sign; forefinger

indicio *m* indication; sign

indiferen|cia *f* indifference; apathy; **~te** indifferent; unconcerned; apathetic

indígena *a, m, f* native

indigen|cia f poverty; **~te** destitute

indigest|ión f indigestion; **~o** indigestible

indign|ación f indignation; **~ar** v/t to irritate; **~arse** to become indignant; **~o** unworthy; ignoble

indio(a) m (f), a Indian

indirect|a f insinuation; **~o** indirect

indisciplina f indiscipline

indiscre|ción f indiscretion; **~to** indiscreet

indisculpable inexcusable

indiscutible unquestionable, indisputable

indisoluble indissoluble

indispensable indispensable

indis|poner v/t to indispose; to upset; **~poner con** to set against; **~ponerse** to become indisposed; to fall ill; **~posición** f indisposition; **~puesto** indisposed; unwell

indisputable indisputable; evident [vague; dim]

indistinto indistinct;}

individu|al individual; **~alidad** f individuality; **~o(a)** m (f), a individual

indivis|ible indivisible; **~o** undivided

indócil unruly; intractable

índole f character; nature; kind

indolente indolent

ind|omable indomitable; **~ómito** untamed

inducción f inducement;

(*electr*) induction

inducir v/t to induce

indudable indubitable

indulgen|cia f indulgence; **~te** indulgent; lenient, forgiving

indult|ar v/t to pardon; to exempt; **~o** m pardon; for amnesty

indumentaria f fig clothing; apparel

industria f industry; manufacturing; trade; skill; diligence; **~l** m industrialist; a industrial; **~lizar** v/t to industrialize

inefica|cia f inefficiency; inefficacity; **~z** inefficient

inelegante unfashionable; inelegant

ineludible unavoidable

inep|cia f stupidity; incapacity; **~to** inept, unfit

inequívoco unequivocal

inercia f inactivity

inesperado unexpected; unhoped-for

inestab|ilidad f unstability; **~le** unstable; unsettled

inevitable unavoidable, inevitable

inexacto inaccurate

inexistencia f non-existence

inexperto inexperienced; unskilled

inexplicable unexplainable, inexplicable

inexpresable unutterable, inexpressible

inexplorado unexplored

infalib|ilidad f infallibil-

infalible; **~le** infallible; unerring
infama|r v/t to defame; to
dishonour; **~torio** slan-
derous
infam|e infamous, vile;
~ia f baseness; infamy
infan|cia f childhood; **~te**
m infant; prince; **~til** in-
fantile; childish; **~tería** f
infantry
infatigable indefatigable
infecci|ón f infection; **~oso**
infectious
infectar v/t to infect
infecundo fruitless; sterile;
infertile
infeliz unhappy
inferencia f inference, im-
plication
inferior inferior; lower;
subordinate; **~idad** f in-
feriority   [to]
inferir v/t to infer; to lead∫
infernal infernal; hellish
infiel unfaithful
infierno m hell, underworld
infiltrar v/t to infiltrate
ínfimo lowest; smallest
infini|dad f infinity; **~to**
infinite; endless   [ing]
inflación f inflation; swell-∫
inflacionista inflationary
inflama|ble inflammable;
~ción f combustion; in-
flammation; **~r** v/t to
ignite; to inflame; to burn;
~rse to catch fire; **~torio**
inflamatory
inflar v/t to inflate; **~se** to
swell; to become inflated

inflexi|ble inflexible; un-
bending, rigid; **~ón** f in-
flection
infligir v/t to inflict
influen|cia f influence;
~te influential
influ|ir v/t to influence; **~jo**
m influx; influence; **~-**
yente influential
información f information
informal informal; unconventional
inform|ar v/t to inform; **~e**
m report; a shapeless
infortunio m bad luck;
misfortune
infracción f infringement;
violation (of laws etc)
infranqueable unsur-
mountable; impassable
infrascrito undersigned
infringir v/t to violate
infructuoso fruitless; useless
infundado unfounded,
baseless
infundir v/t to inspire
with; to infuse
ingeni|ar v/t to think up;
~árselas to shift, to
manage
ingeni|ería f engineering;
~ero m engineer; **~ero de**
minas mining engineer;
~o m genius; talent; wit;
~osidad f ingenuity; **~oso**
ingenious, resourceful;
clever; witty
ingenuo ingenuous, naive
inger|encia f interference;
~ir v/t to insert; to in-
troduce

ingle f groin

inglés(esa) m (f) Englishman (-woman); a English

ingrat|itud f ingratitude; ~o ungrateful, unthankful; disagreeable, thankless

ingrediente m ingredient

ingres|ar v/i to enter; to be admitted; ~o m entrance; pl earnings; receipts

inhábil unskilful; clumsy

inhabilitar v/t to disable, to incapacitate; to disqualify

inhabita|ble uninhabitable; ~do uninhabited

inhalar v/t to inhale

inherente inherent

inhibir v/t to inhibit

inhospitalario inhospitable

inhumano inhuman; brutal

inhumar v/t to bury

inicia|l initial; ~r v/t to initiate; ~tiva f initiative

inicuo unjust

inigualado unparalleled

inimaginable unimaginable

inimitable inimitable

ininteligente unintelligent

ininterrumpido uninterrupted, continuous

iniquidad f injustice

injert|ar v/t to graft; ~o m graft

injuri|a f outrage; affront; ~ar v/t to insult; ~oso m insulting; offensive

injust|icia f injustice; ~ificable unjustifiable, un-

warrantable; ~o unjust; unfair

inmaculado immaculate

inmanejable unmanageable

inmediato immediate

inmejorable excellent; insurpassable

inmemorial immemorial

inmen|so immense; ~surable immeasurable

inmerecido undeserved

inmigra|ción immigration; ~r v/i to immigrate

inminente imminent

inmiscuir v/t to mix; ~se to meddle

inmobiliario pertaining to real estate

inmoderado immoderate

inmodest|ia f immodesty; ~o immodest

inmoral immoral; ~idad f immorality

inmortal immortal; ~idad f immortality

inmóvil immobile, motionless   [bilize]

inmovilizar v/t to immo-

inmuebles m/pl real estate

inmunidad f immunity

inmutable changeless; unchangeable

innato innate, inborn; inherent

innecesario unnecessary

innegable undeniable

innovar v/t to innovate

innumerable innumerable; countless

inobedien|cia f disobedience; ~te disobedient

inocen|cia f innocence;
candour; **~te** innocent;
candid
inocular v/t to inoculate
inodoro a odourless; m
water-closet
inofensivo harmless
inoficial unofficial
inolvidable unforgettable
inopinado unexpected
inoportuno inconvenient;
ill-timed; unwelcome
inoxidable non-rusting
inquebrantable firm, inalterable
inquiet|ante disquieting;
~ar v/t to trouble; **~arse**
to worry; **~o** worried;
uneasy; **~ud** f uneasiness,
unrest; interest
inquilin|ato m lease; ten-
ancy; **~o(a)** m (f) tenant
inquina f dislike; grudge
inqui|rir v/t to investigate;
to enquire into; **~sición** f
inquisition; **~sidor** m in-
quisitor; **~sitivo** in-
quisitive
insaciable insatiable
insalubre unhealthy; unwholesome
insano unhealthy; insane
insatisfactorio unsatisfactory
inscri|bir v/t to inscribe;
~pción f inscription
insect|icida m insecticide;
~o m insect
insegur|idad f insecurity;
~o insecure
insensat|ez f folly; **~o**

stupid; meaningless, foolish
insensible insensible; in-
sensitive, unfeeling
insertar v/t to insert
inservible useless
insidioso insidious
insign|e distinguished; **~ia**
f badge; pl insignia
insignifican|cia f insignif-
icance; **~te** insignificant
insincer|idad f insincerity;
~o insincere
insinuar v/t to insinuate;
~se to endear oneself, to
ingratiate oneself
insipidez f insipidity
insípido insipid; tasteless
insist|encia f insistence;
~ente insistent; **~ir** v/i to
insist
insociable unsociable
insolación f sunstroke
insolen|cia f insolence; **~te**
impudent; insolent
insólito unusual
insoluble insoluble
insolven|cia f insolvency;
~te insolvent
insomn|e sleepless, wake-
ful; **~io** m insomnia
insondable unfathomable
insonoro soundless; sound-
-proof
insoportable intolerable,
insupportable, unbearable
insospechado unsuspected
insostenible indefensible
inspec|ción f inspection;
superintendence; **~cionar**
v/t to inspect; to super-
vise; **~tor** m inspector,

superintendent; super-
visor
inspira|ción f inspiration;
~r v/t to inspire
instala|ción f installation;
~r v/t to set up; to install;
~rse to establish oneself
instan|cia f instance; plea;
~te m instant; **al ~te** in-
stantly, immediately
instantáne|a f snapshot;
~o instantaneous
instar v/t to urge; to press
instigar v/t to instigate; to
urge [m instinct)
instint|ivo instinctive; **~o**]
institu|ción f institution;
establishment; **~ir** v/t to
institute; to establish; **~to**
m institute; school; **~triz** f
schoolmistress; governess
instru|cción f education;
instruction; teaching;
knowledge; **~ctivo** instructive; **~ido** educated; learned; **~ir** v/t to instruct, to
teach; to train
instrumento m instru-
ment; **~ de cuerda** string
instrument; **~ de viento**
wind instrument
insubordina|ción f insub-
ordination; **~do** insub-
ordinate; rebellious; **~rse**
to rebel
insuficien|cia f insuffi-
ciency; incapacity; **~te** in-
sufficient; inadequate
insufrible insufferable
insult|ar v/t to insult; to
affront; **~o** m insult; offence

insuperable insuperable;
unsurpassable
insur|gente insurgent; re-
bellious; **~rección** f insurrection; **~recto** m rebel
insustituible irreplaceable
intacto intact; untouched
intachable blameless; irreproachable
integr|al a entire; mat m
integral; **~ar** v/t to inte-
grate; **~idad** f integrity;
honesty
íntegro entire; complete
intel|ecto m intellect; **~ec-
tual** intellectual; **~igencia**
f intelligence; **~igente** intelligent
intemperie f harsh weather
intempestivo untimely;
ill-timed
intenso intense
intento m intent; attempt;
aim, intention
intercalar v/t to inter-
polate
intercambio m inter-
change; exchange
interceder v/i to intercede
interceptar v/t to intercept
interdicción f prohibition
interés m interest; **~ compuesto** com compound
interest; **intereses crea-
dos** m/pl vested interests
interes|ado(a) m (f) inter-
ested party; a interested;
mercenary; **~ante** interest-
ing; **~ar** v/t to interest;
~arse por to take an
interest in
interferencia f interfer-

ence; atmospherics (*radio*)
interino temporary; provisional
interior m inside; interior; a internal; inner; **~idades** f/pl personal affairs
intermedi|ario intermediary; **~o** m interval; *dep* half-time
interminable endless
intermisión f interruption
intermitente intermittent
internacional international
intern|ado m boarding-school; **~ar** v/t to intern; to import; **~arse en** to go deeply into; **~o(a)** m (f) boarding pupil; a internal
interpelar v/t to appeal to; to interpellate
interponer v/t to interpose
interpreta|ción f interpretation; explanation; **~r** v/t to interpret
intérprete m, f interpreter
interrogar v/t to interrogate; to question; *for* to examine
interru|mpir v/t to interrupt; **~pción** f interruption; **~ptor** m *elec* switch
intervalo m interval; gap; break
interven|ción f intervention; *med* operation; **~ir** v/i to intervene; v/t to audit; **~tor** m auditor; inspector
intestin|al intestinal; **~o** m intestine
intim|ar v/t to hint; **~arse**

to become intimate; **~idad** f intimacy, close friendship; privacy
intimidar v/t to intimidate; to frighten
íntimo innermost; intimate
intoleran|cia f intolerance; **~te** intolerant
intoxica|ción f poisoning; **~r** v/t to poison
intraducible untranslatable
intranquil|idad f intranquillity; **~izar** v/t, **~izarse** to worry; **~o** restless; uneasy; worried
intransigen|cia f intransigence; **~te** uncompromising
intransitable impassable
intransitivo intransitive
intratable unruly; unsociable
intrepidez f intrepidity
intrépido intrepid; daring
intriga f intrigue; **~r** v/t to intrigue; to fascinate; v/i to intrigue; to scheme
intrincado intricate; entangled
introduc|ción f introduction; **~ir** v/t to introduce
intromisión f interference
intrus|ión f intrusion; **~o** m intruder; a intrusive
intui|ción f intuition; **~tivo** intuitive
inunda|ción f flood; deluge; **~r** v/t to flood; to inundate
inusitado unusual; unused
inútil useless

invadir

invadir v/t to invade
inválido m invalid; a weak; disabled; null
invariable invariable; unchanging, unvarying
invasión f invasion
invencible invincible
inven|ción f invention; discovery; **~tar** v/t to invent; **~tariar** v/t to take stock of; **~to** m invention; **~tor** m inventor; designer
invern|áculo m greenhouse; **~adero** m winter quarters; hothouse; **~ar** v/i to spend the winter; **~izo** wintry
inverosímil improbable
inver|sión f inversion; investment; **~so** inverse; inverted; opposite; **~tido** a, m homosexual; **~tir** v/t to invert; to reverse; to use, to make use of; com to invest
investiga|ción f research, investigation; **~r** v/t to investigate
investir v/t to invest; to confer upon
inveterado inveterate
invierno m winter
inviola|ble inviolable; sacred; **~do** inviolate
invita|ción f invitation; **~do(a)** m (f) guest; **~r** v/t to invite
invoca|ción f invocation; **~r** v/t to invoke
involuntario involuntary, unintentional
inyec|ción f injection; **~tar**

v/t to inject
ir v/i to go; to fit, to suit; **~ haciendo algo** to begin doing something; **va anocheciendo** it is beginning to grow dark; **~ a** to go to; to intend to; **voy a hacer unas compras** I am going to do some shopping; **~ a buscar** to fetch; **~ a pie** to walk; **~ en tren** to go by train; **¡vaya!** is that so?, really!; **~se** to go away
ira f anger; **~cundo** angry, irascible
iris m iris; rainbow
irlandés(esa) m (f) Irishman (-woman); a Irish
ironía f irony
irónico ironical
irracional irrational
irradia|ción f radiation; **~r** v/t to radiate
irrazonable unreasonable
irreal unreal; **~idad** f unreality; **~izable** unattainable; unrealizable
irreconciliable irreconcilable
[able]
irreemplazable irreplace-}
irregular irregular; abnormal; uneven; **~idad** f irregularity; unevenness; abnormality
irreparable irreparable; beyond repair
irrespetuoso disrespectful
irrevocable irrevocable
irrigación f med irrigation
irrita|bilidad f irritability; **~ble** irritable; short-tempered; **~r** v/t to irritate

isla *f* island

islandés(esa) *m* (*f*) Icelander

isl|eño(a) *m* (*f*) islander; ~ote *m* small barren island

istmo *m* isthmus

italiano(a) *m* (*f*), *a* Italian

itinerario *m* itinerary

izar *v/t* to hoist

izquierda *f* left side; left hand

J

jabalí *m* wild boar

jabalina *f* wild sow; javelin

jábega *f* trawler

jabón *m* soap

jabon|aduras *f/pl* suds; ~ar *v/t* to soap; *fam* to reprimand; ~era *f* soapdish; ~ero *m* soap maker; soap merchant

jaca *f* pony

jacinto *m* hyacinth

jacta|ncia *f* boasting; ~rse to boast; to brag

jadear *v/i* to pant; to gasp

jalar *v/t*, *v/i SA* to pull

jale|a *f* jelly; ~o *m* hullaballoo; racket

jamás never; nunca ~ never; nevermore

Japón *m* Japan

japonés(esa) *a*, *m* (*f*) Japanese

jaque *m* check (*in chess*); ~ mate checkmate

jaqueca *f* headache, migraine [drink]

jarabe *m* syrup; sweet

jardín *m* garden; ~ de la infancia nursery school

jardinería *f* gardening

jardinero(a) *m* (*f*) gardener

jarr|a *f* earthen jar; ~o *m* jug; pitcher; ~ón *m* urn; flower bowl

jaspeado speckled

jaula *f* cage; cell

jauría *f* pack of hounds

jebe *m SA* rubber

jef|atura *f* leadership; headquarters; ~e *m* chief; leader; employer; boss; ~e de estación stationmaster

jengibre *m* ginger

jeringa *f* syringe

jersey *m* jersey; jumper

jesuita *m* Jesuit

jesuítico Jesuitical

jinete *m* horseman

jira *f* strip (*of cloth*); picnic; tour; ~fa *f* giraffe

jocos|idad *f* jocularity; waggery; ~o jocose; merry

jorna|da *f* working day; day's journey; de ~da completa full-time; ~l *m* wage; day's pay; ~lero *m* day labourer; worker

joroba *f* hunch; ~do *m* hunchback

joven *m*, *f* young man; young girl; young (*of animals*); *a* young; ~cito *m* youngster

joy|a f jewel; gem; **~ería** f
jewelry shop; **~ero** m
jeweller; jewel-case

jubila|ción f retirement;
pension; **~r** v/t to pension
off; **~rse** to retire (*from
job*)

jubileo m jubilee

júbilo m joy; rejoicing

jubiloso joyful, jubilant

judaico Judaical; Jewish

judicial legal; judicial

judío(a) m (f) Jew; Jewess;
a Jewish

juego m game; sport; play;
set (*of cutlery, crockery,
furniture, etc*); **en ~** at
stake; **~ de prendas** for-
feits; **hacer ~** to match

juerga f spree; carousal

jueves m Thursday

juez m judge; umpire;
~ de paz magistrate

juga|da f trick; play; move;
~dor(a) m (f) player;
gambler; **~r** v/t, v/i to
play; to gamble

jugo m juice; sap; sub-
stance; **~so** juicy

juguet|e m toy; plaything;
~ear v/i to toy; to gambol;
~ón playful; frisky

juicio m judgment; sense;
opinion; **día del ~ final**
Judgment Day; **fuera de
su ~** out of one's mind;
~so sensible; discreet;
judicious

julio m July

jumento m donkey

junco m rush; junk (*boat*)

jungla f jungle

junio m June

junt|a f board; council;
junta; meeting; **~a directiva** board (*of directors*);
~a de accionistas stock-
holders' meeting; **~ar** v/t
to join; to connect; **~arse**
to meet; to assemble; **~o** a
together; close; adv near;
close; at the same time
~o a next to; **~ura** f joint;
juncture; mech seam

jura|do m jury; juror; a
sworn; **~mentar** v/t to
swear in; **~mentarse** to
take the oath; **~mento** m
oath; **~mento falso** perjury; **prestar ~mento** to
take an oath; **~r** v/t, v/i
to swear; to curse

jurídico juridical; legal

juris|consulto m legal ad-
viser; jurist; **~dicción** f
jurisdiction; **~ta** m jurist;
lawyer

just|amente adv justly;
exactly; just, precisely;
~icia f justice; **~iciero**
just; severe; **~ificar** v/t to
justify; **~ificativo** justify-
ing; **~ipreciar** v/t to appraise; **~iprecio** m appraisal; **~o** a just; exact;
tight-fitting; adv tightly

juven|il juvenile; youthful;
~tud f youth; young
people

juzga|do m court of justice;
tribunal; **~r** v/t, v/i to
judge; to pass judgment

lamparilla

K

kaki m, a khakí
kilogramo m kilogram

kilómetro m kilometer
kiosco m kiosk

L

la def art f the; pron pers
acc f her; it
laberinto m labyrinth,
maze
labia f gift of the gab;
tener mucha ~ to have
the gift of the gab
labio m lip; brim (of a cup);
edge
labor f work, labour; farming; needlework; **~able**
workable; **~ar** v/t to work;
to till (soil); **~atorio** m
laboratory; **~eo** m exploitation (mines); **~ioso** laborious
labr|ado wrought, tooled;
hewn; **~ador** m husbandman; farmer; farm labourer; **~antío** arable;
~anza f husbandry; cultivation; **~ar** v/t to farm, to
till; to work; **~iego** m
farmer
laca f lac, lacquer
lacayo m footman
lacr|ar v/t¹ to seal with
sealing wax; to injure
(health); **~e** m sealing wax
lacri|mógeno tear-producing; **gas** m **~mógeno**
tear gas; **~moso** tearful;
lachrymose
lacta|ncia f lactation; **~r**

v/t to nurse; v/i to suckle
lácteo milky
ladear v/t to tilt; v/i to
deviate; **~se** to lean; to incline
lad|era f slope; m side;
al ~o de beside; **~o a ~o**
side by side; **de ~o** sideways
ladr|ar v/i to bark; **~ido** m
barking
ladrillo m brick
ladrón(ona) m(f) thief
lagart|ija f small lizard; **~o**
m lizard
lago m lake
lágrima f tear
laguna f lagoon; gap
laico lay; secular
lamenta|ble regrettable,
deplorable; **~r** v/t to lament; **~rse** to wail
lamer v/t to lick
lámina f lamina; sheet (of
metal); engraving plate
lamina|do laminated;
rolled; **~dor** m rolling
press; rolling mill; **~r** v/t
to laminate; to roll (metal)
lámpara f lamp; tube
(radio); **~ de destello** foto
flash bulb; **~ indicadora**
o **testigo** pilot lamp or light
lamparilla f small lamp;

night-light
lana f wool
lance m throw; cast; event; incident; move; **~ro** m lancer; **~ta** f lancet
lancha f launch; lighter; **~automóvil** motor launch
langosta f locust; lobster; **~ino** m crawfish
languide|cer v/i to languish; to pine; **~z** f languor [guorous]
lánguido languid, lan-
lanoso woolly
lanza f spear; lance; **~dera** f shuttle; **~dor** m dep pitcher; **~r** v/t to launch; to throw, to cast; **~rse** to rush; **~rse de morro** aer to nose-dive
lapicero m pencil case; pencil holder
lápida f tablet; memorial stone; **~ sepulcral** tombstone [lipstick]
lápiz m pencil; **~ labial**
lapso m lapse; fall
larga: **a la ~** in the long run; **~rse** to leave; to make off
largo long; free; liberal; **a ~ plazo** long-term; **a lo ~ de** alongside; along; **¡~ de aquí!** get out!
larguero m door-post
larguirucho lanky
laring|e f larynx; **~itis** f laryngitis [lewd]
lascivo lascivious; sensual,
lástima f pity; **dar ~** to inspire compassion; **¡qué ~!** what a pity!

lastim|ar v/t to wound; to hurt; **~oso** pitiful; pitiable
lastre m ballast
lata f can; tin; fam nuisance; **dar la ~** to be a nuisance
latente latent
lateral lateral; side
latido m throb; beat; throbbing
latifundio m large estate
latigazo m lash or crack of a whip
látigo m whip
latín m Latin
latir v/i to beat; to throb
latitud f latitude
lat|ón m brass; **~oso** fam a annoying, tiresome; boring; m bore
latrocinio m theft; robbery
laudable laudable
lava|bo m wash-stand; lavatory; **~dero** m laundry; washing-place; **~do** m washing; **~do del cerebro** brainwashing; **~dora** f washer-woman; washing-machine; **~dora de platos** dish-washer
lavanda f lavender
lavandería f SA laundry, cleaners
lavaplatos m dishwasher (machine)
laxante m laxative
laya f spade
lazo m slip-knot; tie; bow (of ribbons); fig link; bond
leal loyal; **~tad** f loyalty
lec|ción f lesson; **~tor(a)** m (f) reader; **~tura** f reading

leche f milk; ~ra f dairy-maid; milk can; ~ría f dairy; ~ro m milkman

lecho m bed; river-bed; layer

lechón m suckling-pig

lechuga f lettuce

lechuza f barn-owl

lega|ción f legation; ~do m legacy; legate

legal legal, lawful; ~idad f legality; ~izar v/t to legalize

lega|r v/t to bequeath; ~tario m legatee

legendario a legendary; m book of legends

legible legible, readable

legión f legion

legionario m, a legionary

legisla|ción f legislation; ~dor m legislator; a legislative; ~tivo legislative; ~tura f term of a legislature

legitim|ación f legitimation; ~ar v/t legitimize; legalize; ~idad f legitimacy; lawfulness

legítimo legitimate; lawful; authentic, original

lego m lay brother; layman; a lay, secular

legua f league; mile; ~ marítima sea-mile

legum|bre f vegetables; ~inoso leguminous

lejan|ía f distance; ~o distant; remote

lejía f lye; fam reprimand

lejos adv far away; far off; a lo ~ in the distance;

desde ~ from a distance

lema m motto; catch-word; slogan

lencería f linen (goods); linen shop

lengua f tongue; language; ~ materna mother tongue; tirar de la ~ to make talk

lenguado m sole; flounder

lenguaje m language; parlance [mus reed]

lengüeta f carp feather;]

lente m or f lens; m/pl spectacles, glasses

lentej|a f lentil; ~uela f spangle [slow]

lent|itud f slowness; ~o]

leña f firewood; ~dor m woodcutter, lumberjack

león m lion

leopardo m leopard

lepra f leprosy

lesión f injury; lesion

lesionar v/t to injure, to wound

letal lethal

letanía f litany

letárgico lethargic

letr|a f letter; handwriting; words, lyrics (of a song); ~a de cambio bill of exchange; draft; ~ado m lawyer; a learned; ~ero m sign; signboard; notice; placard; poster; inscription

letrina f latrine

leva f press, levy; mech cam

levadizo that can be lifted; puente ~ m drawbridge

levadura f yeast, leaven

levanta|miento m lifting;

raising; rising, rebellion;
~miento de pesas *dep*
weight-lifting; **~r** *v/t* to
raise; to lift; **~rse** to rise;
to get up; to stand up
levante *m* Levant; east
wind
leve light; slight
levita *m* Levite; *f* frockcoat
léxico *m* lexicon
ley *f* law; standard; fineness
(*of gold etc*)
leyenda *f* legend; caption;
cine subtitle
liar *v/t* to tie; to roll
(*cigarette*)
liber|ación *f* liberation; **~al**
liberal; **~ar** *v/t* to liberate;
to free; **~tad** *f* liberty;
freedom; **~tad condi-**
cional *for* probation; **~ta-**
dor *m* liberator; *a* liberat-
ing; **~tar** *v/t* to liberate,
to release
libertin|aje *m* licentious-
ness; **~o** *m* libertine
libra *f* pound; **~ esterlina**
pound sterling
libra|do *m com* drawee;
~dor *m com* drawer; **~**
miento *m* delivery; rescue;
com draft; **~r** *v/t* to free;
com to draw; **~rse de** to
get rid of
libre free
librer|ía book-shop; **~o** *m*
bookseller
libro *m* book; **~ de bolsillo**
pocket-book, paperback;
~ de consulta reference
book; **~ mayor** ledger
licencia *f* permit; **~ de**

conducir driving licence;
~ por enfermedad sick-
leave; *SA* lawyer; **~r** *v/t* to permit; to license; **~do** *m* licentiate;
SA lawyer; **~r** *v/t* to permit; to license; *mil* to discharge; **~rse** to take a
degree
lícito legal; lawful
licor *m* liquid; liquor
lid *f* contest; dispute; **~iar**
v/t to fight; *v/t* to fight
(*bulls*)
liebre *f* hare
lienzo *m* linen cloth; canvas
liga *f* garter; league; **~dura**
f ligature, binding; **~men-**
to *m* ligament; bond; tie;
~r *v/t* to bind; **~rse** to join
together; to combine; **~s**
f/pl suspenders; **~zón** *f*
linking; union
liger|eza *f* lightness; levity;
~o light; nimble, fast;
flighty
lignito *m* lignite
lija *f* sandpaper; dogfish
lila *f* lilac tree; lilac colour
lima *f* lime; file; **~dura** *f*
filing; **~r** *v/t* to file, to
polish
limero *m* lime-tree
limitar *v/t* to limit
límite *m* limit
limítrofe bordering
limo *m* slime
limón *m* lemon
limonero *m* lemon-tree
limosna *f* alms
limpia|botas *m* boot-black,
shoe-black; **~dientes** *m*
toothpick; **~parabrisas** *m*
wind-screen wiper; **~r** *v/t*

to clean; to cleanse; **~r en
seco** to dry-clean
limpi|eza f cleanliness;
cleaning; **~o** clean; tidy
linaje m lineage; class
linaza f linseed
lince m lynx
linchar v/t to lynch
lind|ante adjoining; **~ar** v/i
to border; **~e** m boundary
lind|eza f prettiness; **~o**
pretty; beautiful; **~ura** f
pretty thing; **¡qué ~ura!**
how lovely!
línea f line; **~ aérea** airline; **~ de montaje** tecn
assembly line
lineal linear; **~r** v/t to
draw lines on
linfa f lymph
lingote m ingot
lingüísta m linguist
lingüístic|a f linguistics;
~o linguistic
lino m flax; linen
linóleo m linoleum
linterna f lantern
lío m bundle; intrigue; fam
mess, jam
liquida|ción f com liqui-
dation; SA accounting;
~r v/t to liquefy; com to
liquidate
liquidez f liquidity; fluidity
líquido m, a liquid
lira f mus lyre; lira
lírico a lyrical
lirio m lily
lirón m zool dormouse
lis f lily; iris; **~iado** disabled; crippled
liso smooth; even; **~ y llano**

plain, simple (truth)
lisonj|a f flattery; **~ero**
flattering
lista f list; strip; slip (of
paper); **~ de precios** price
list
listo clever; quick; ready
litera f litter; berth; fc
couchette
litera|rio literary; **~tura** f
literature
litig|ar v/t to dispute; **~io**
m dispute
litografía f lithography
litoral m littoral; sea-
shore
litro m litre
liturgia f liturgy
lívido livid
lo art, neut the; acc of **ello**
it, that; pers pron acc of **él**
him, it
lobo m wolf; **~s de una
camada** birds of a
feather
lóbulo m lobe
local m premises; site; a
local; **~idad** f place; seat
(in the theatre); locality;
~izar v/t to localize
loción f wash; lotion
loco a mad; m madman
locomo|ción f locomotion;
~tora f locomotive, engine;
~tora de arrastre trac-
tion-engine
locuaz talkative; garrulous
locura f madness
locutor m radio announcer;
commentator
lodo m mud; **~so** muddy
lógic|a f logic; **~o** logical

logr|ar v/t to achieve; to succeed in; **~o** m achievement; gain; success

lombarda f red cabbage

lombriz f earthworm

lomo m loin; sirloin (of an animal); back (of a book or knife); ridge (of a mountain)

lona f canvas

loncha f slice of meat

lonche m SA lunch

Londres m London

longaniza f pork sausage

longitud f length; **~ de onda** wave-length; **~inalmente** lengthwise

lonja f exchange; portico

loro m parrot

losa f flagstone; slab

lote m share; lot; com consignment; **~ría** f lottery

loza f china; porcelain

lubrica|nte m lubricant; **~r** v/t to lubricate, to oil

lucera f skylight

lucerna f chandelier

lucero m morning star

lucidez f lucidity; brightness; brilliancy

lúcido lucid, clear

luci|do brilliant; splendid; successful; **~érnaga** f glow-worm; **~rse** to dress up; to shine

lucio m ict pike

lucro m gain, profit

lucha f struggle; **~ libre** catch as catch can; **~r** v/i to fight; to struggle; to wrestle

luego adv immediately; then; later; **¡hasta ~!** so long!; **~ que** after; **desde ~** at once; of course; conj therefore

lugar m place; spot; **~ común** commonplace; **~ de veraneo** summer resort

lúgubre dismal, gloomy

lujo m luxury; **~so** luxurious

lumbre f fire; brightness

luminoso luminous

luna f moon; mirror; plate glass; **~ de miel** honeymoon

lunar a lunar; m mole; beauty spot

lunático a lunatic; m lunatic, madman

lunes m Monday

lupa f magnifying glass

lúpulo m hop

lustrabotas m SA bootblack, shoe-black

lustr|e m gloss; splendour; lustre; **~oso** shining

luto m mourning; **estar de ~** to be in mourning

luxar v/t med to luxate

luz f light; daylight; span (of bridge); **dar a ~** to give birth to; **~ de calcio** limelight; **~ de cola** tail-light; **~ difusa** diffused light; **~ de faro** floodlight; **~ de tráfico** traffic light

Ll

llaga f wound; sore; ulcer; **~r** v/t to wound

llama f flame; sudden blaze; *zool* lama

llama|da f call; knock; motion *or* sign to call attention; *print* index mark; **~da de larga distancia** trunk-call; **~miento** m calling; call; **~r** v/t to call; to summon; to invoke; v/i to knock or ring at the door; **~rse** to be named; **¿cómo se ~ Ud?** what's your name?; **~tivo** provoking thirst; gaudy; showy

llamear v/i to blaze

llan|a f trowel; flat land; **~amente** clearly; plainly; simply; **~o** flat, even; level; plain, simple

llanta f tyre; *SA* pneumatic tyre   [tears]

llanto m weeping; flood of ∫

llanura f evenness; flatness; plain

llave f key; *mech* wrench; faucet; tap; bolt; *elec* switch; *mus* key; **~ inglesa** monkey wrench; **~ maestra** pass-key; **~ de tuercas** spanner; **~ro(a)** m (f) keeper of the keys; m key ring

llavín m latch-key

llega|da f arrival; **~r** v/i to arrive; to reach; **~r a ser** to become; **~r a las manos** to come to blows

llena f flood; overflow; **~r** v/t to fill; to stuff; to occupy; to satisfy

llen|o full; complete; **~o de bote en bote** full to the brim; **~ura** f fullness; abundance

lleva|dero tolerable; **~r** v/t to carry; to take; to bring; to lead (*a life*); to wear (*clothes*); to spend (*time*); to keep (*books*); to bear; to endure; *com* to bring forward (*suma*); **~r a cabo** to carry out; **~rse** to take away; to carry off; **~rse bien con** to get on well with

llor|ar v/i to cry; to weep; v/t to bewail, to mourn; **~iquear** v/i to snivel, to whimper; **~ón(ona)** m (f) weeper; a always weeping; **~oso** tearful

llovediz|o leaky; **agua ~a** rain water

llov|er v/i to rain; **~er a cántaros** to rain cats and dogs; **~iznar** v/i to drizzle

lluvi|a f rain; **~oso** rainy

M

maca f bruise (*on fruit*); spot; deceit

macabro macabre

maca|dam, ~dán m macadam pavement

macarrones m/pl macaroni

macarse to rot (*fruit*)

macerar v/t to steep; to soak; to mortify

maceta f flower-pot

macizo a solid, massive; m mass, bulk; block; flower-bed

macuto m knapsack

macha|car v/t to pound; to crush; v/i to harp (*on*); **~do** m hatchet; **~queo** m pounding

mach|ar v/t to hammer; to pound; **~ete** m machete

machina f crane, derrick

macho m male; man; screw pin; hook (*for fastening in an eye*); a male; manly; virile, very vigorous

machucar v/t to pound; to bruise

machucho ripe; judicious

madeja f skein

mader|a f wood; timber; m Madeira wine; pl mus woodwinds; **~a aglomerada** chipboard; **~a nada** plywood; **~ería** f lumberyard; **~ero** m timber merchant; **~o** m beam (*of timber*); fam blockhead

madr|astra f stepmother; **~e** f mother; fig origin; **~e patria** mother country; **~e política** mother-in-law; **~eperla** f mother-of-pearl; **~eselva** f honeysuckle

madriguera f burrow; den

madrileño(a) m (f) inhabitant of Madrid

madrina f godmother; **~ de boda** bridesmaid

madruga|da f dawn; early morning; **~dor(a)** m (f) early riser; **~r** v/i to rise very early

madur|ar v/t to ripen; to think out; v/i to ripen; **~ez** f maturity; ripeness; prudence; **~o** mature; ripe, mellow; aged

maestr|a f schoolmistress; master's wife; teacher; **~ía** f mastery; title of a master; **~o** a masterly; m schoolmaster; master; **~o de obras** builder

magia f magic

mágico magic; magical

magisterio m mastery; mastership; scholastic degree; teaching profession

magistra|do m magistrate; **~l** magistral; masterly; **~tura** f judicature

magnánimo magnanimous

magnético magnetic

magneti|smo m magnetism; **~zar** v/t to magnetize;

to hypnotize
magnífico magnificent;
excellent
magnitud f magnitude
mago m magician; wizard
magro lean; meagre
mahometano a, m Mohammedan
maíz m maize; Indian corn
maizal m maize-field
majader|ía f bother, annoyance; **~o** annoying,
tiresome
majest|ad f majesty; **~uoso**
majestic
majo(a) m (f) beau, belle;
a attractive, pretty
mal a apocope of **malo**,
used before masculine nouns;
un ~ consejo a bad
advice; but: **un consejo
~o** a really bad advice
(as opposed to a good one);
m evil; harm; illness,
disease; damage; adv badly
mala f mail
malabarista m juggler
malaconsejado ill-advised
malacostumbrado having
bad habits; spoiled
malagradecido unthankful, ungrateful
malandante unfortunate
malavenido faultfinding,
querulous
malaventura f misfortune
malbaratar v/t to squander
malcasado unfaithful (in
marriage)
malcomido undernour-⌉
ished⌋
malcontento discontent
malcriado ill-bred

maldad f wickedness
maldecir v/t to curse
maldispuesto unwilling
maldito wicked; bad; accursed; **¡~ sea!** confound
it!, damn!
maléfico harmful
malentendido m misunderstanding
malestar m malaise; uneasiness
malet|a f suit-case; bag;
~ero m aut boot; **~ín** m
small case, travelling bag
malevolencia f ill will
malévolo malevolent
maleza f undergrowth,
scrub, shrubbery
malgastar v/t to waste, to
squander
malhablado foul-mouthed
malhecho ill made; **~r** m
malefactor
malhumorado bad-tempered; moody, peevish
malici|a f malice; cunning;
~oso malicious; suspicious
maligno malignant
malintencionado ill-disposed
mal|o bad; evil; ill; unpleasant, disagreeable;
a las ~as by force;
ponerse ~o to fall ill
malogra|do abortive; frustrated; **~r** v/t to waste; to
lose; SA to break, to ruin;
~rse to fail; to come to an
untimely end; SA to break
down (machine), to go bad
(food)

malparir *v/i* to miscarry

malquerer *v/t* to dislike

malsano unhealthy

malta *f* malt

maltratar *v/t* to ill-treat; to spoil; to abuse

malva *f bot* mallow

malvado wicked [loss)

malvender *v/t* to sell at a]

malversación *f* embezzlement [web)

malla *f* mesh; network,J

mamá *f* mamma; mummy

mama *f* breast; ~r *v/t, v/i* to suck

mameluco *m* Mameluke; *fam* simpleton; rompers

mamífero *m* mammal

mampostería *f* masonry

manada *f* flock; herd

mana|ntial *m* spring; fountain; well; source; ~r *v/i* to flow; to spring from

manc|ar *v/t* to cripple; one-armed; one-handed

mancomun|ar *v/t*, ~**arse** to associate; to form a pool; ~**idad** *f* association; community; union

mancha *f* stain; spot; ~r *v/t* to stain

mand|ado *m* order; mandate; errand; ~**amiento** *m* commandment; order; ~**ar** *v/t, v/i* to order; to command; to bequeath; to send; to rule

mandarina *f* tangerine; mandarin orange

mandat|ario *m* agent; ~**o** *m* order; command; mandate; rule

mandíbula *f* jaw-bone

mand|o *m* command; ~**ón** imperious; domineering

mandril *m* baboon

manecilla *f* hand, finger (of watch)

manej|ar *v/t* to handle; to wield; to manage; ~**o** *m* handling; management

manera *f* manner; way; **de ~ que** so that; **de ninguna ~** by no means

manga *f* sleeve; hose; *mar* beam; **tener ~ ancha** to be broad-minded

mango *m* handle; shaft; ~**near** *v/i* to meddle; to loaf

manguera *f* water-hose

manguito *m* muff; *mech* sleeve

manía *f* mania; craze; ~**co** *m* maniac; *a* mad

maniatar *v/t* to handcuff

manicomio *m* lunatic asylum, mental home

manifesta|ción *f* manifestation; declaration; ~**nte** *m* public demonstrator; ~**r** *v/t* to show; to declare; to reveal

manifiesto *m* manifest; *a* evident; obvious

manija *f* handle; haft

manilla *f* bracelet; handcuff

maniobra *f* handiwork; manœuvre; operation; trick; ~**r** *v/t, v/i* to handle; to manœuvre

manipula|ción *f* manipula-

tion; ~r v/t, v/i to handle; to manage; to manipulate

maniquí m tailor's dummy; puppet; f mannequin

manivela f crank; handle

mano f hand; forefoot; coat (of paint); hand (at cards); ~ de obra labour, manpower; ~ de obra (no) calificada (un)skilled labour; a ~ at hand; a una ~ of one accord; de primera ~ at first hand; echar una ~ a to lend a hand; mudar de ~s to change hands; por su ~ by oneself; ~jo m bunch; ~sear v/t to handle, to finger; to paw; ~tazo m slap

mansión f mansion; abode; stay

manso meek; gentle; tame

mant|a f blanket; plaid; ~ear v/t to toss up in a blanket

mantec|a f fat; butter; ~oso buttery; fat

mantel m table-cloth; ~ería f table-linen

manten|er v/t to maintain; ~imiento m maintenance; support

mantequ|era f churn; butter-dish; ~ero m dairyman; ~illa f butter

mant|illa f mantilla; baby clothes; ~o m cloak; ~ón m shawl   [ual\]

manual m handbook, man-

manu|brio m crank; han-

dle; ~factura f manufacture; ~scrito m manuscript; ~tención f maintenance; maintaining; support

manzan|a f apple; block of houses; ~illa f camomile; manzanilla wine; ~o m apple-tree

maña f skill; cleverness

mañan|a f morning; morrow; por la ~a in the morning; pasado ~a the day after tomorrow; ~a por la ~a tomorrow morning; ~ear v/i to rise early

mañoso skilful; clever

mapa m map; ~ de carreteras road map; ~ meteorológico weather-chart

mapache m racoon

maquilla|je m make-up; ~rse to make up; to do one's face

máquina f machine; engine; apparatus; locomotive; ~ de afeitar safety razor; ~ de coser sewing-machine; ~ de escribir typewriter; ~ herramienta machine tool

maquin|ación f machination; ~aria f machinery; ~ista m engine driver; mechanic

mar m or f sea; ~ de fondo ground swell; en alta ~ on the high seas; en el ~ at sea; la ~ de a lot of

maravill|a f marvel; ~arse to wonder; to marvel; ~oso marvellous

marca f mark; trade-mark; brand; standard; **de ~ excellent; ~ de fábrica** trade mark; **~r** v/t to mark; to score (a hit, a goal); to dial (telephone); to designate; to stamp

marco m frame; standard

marcha f march; progress; departure; mech motion, working; **~r** v/i to go; **~r en vacío** mech to idle; **~rse** to leave, to clear out

marchitar v/t to wither, to wilt

mare|a f tide; **~a baja** lowtide; **~ado** seasick; dizzy; giddy; **~ar** v/t fig to annoy; **~arse** to get sea-sick; **~jada** f swell (of the sea); fig commotion; **~o** m sea-sickness; fam vexation

marfil m ivory

marga f marl, loam; **~rina** f margarine

margarita f daisy

margen m or f margin; border

maric|a f magpie; m fam milksop; effeminate man

marido m husband

marin|a f navy; seamanship; **~ero** a seaworthy; m sailor; **~o** marine

maripos|a f butterfly; **~ear** v/i to flit about

mariquita f ladybird

mariscal m marshall; **~ de campo** field marshall

marisco m shellfish; pl sea food

marítimo maritime

marmita f cooking-pot

mármol m marble

marmota f marmot

maroma f thick rope; **~ de remolque** towrope

marqués m marquis

marquesa f marchioness

marran|a f sow; fig slut; **~ada** f dirty trick; **~o** m hog; fam dirty person

marrón brown

marroquí m morocco (leather)

marsopa f porpoise

marta f pine marten; **~ cebellina** sable

Marte m astr Mars

martes m Tuesday; **~ de carnaval** Shrove Tuesday

martill|ar v/t to hammer; **~eo** m hammering; **~o** m hammer

martín pescador m kingfisher

martinete m ram; piledriver

mártir m martyr

martiri|o m martyrdom; **~zar** v/t to torment

marzo m March

mas conj but; yet

más more; most; besides; plus; **a lo ~** at most; **a ~ tardar** at the latest; **sin ~ ni ~** without much ado; **por ~ que** however much; **no ~ que** only; **los ~** the majority

masa f mass; bulk; dough

masaj|e m massage; **~ista** m, f masseur, masseuse

máscara f mask; disguise

mascar v/t to chew; *fam* to mumble

mascarilla f small mask; death mask

masculino masculine; male

masilla f putty

masón m freemason

masticar v/t to masticate, to chew

mástil m mast; tent-pole

mastín m mastiff

mata f bush; grove

mata|dero m slaughter-house; **~dor** m killer; slayer; matador; **~nza** f massacre, slaughter; **~r** v/t to kill; **~sanos** m *fam* quack

mate a dull; mat; m check-mate; maté tea

matemátic|as f/pl mathematics; **~o** m mathematician; a mathematical

materia f matter; material; subject; **~l** a material; m material; ingredient; **~l rodante** rolling stock; **~lista** m, f materialist; a materialistic

matern|idad f maternity; motherhood; **~o** motherly; maternal [tinal]

matinal morning; matu-f

matiz m tint; shade; **~ar** v/t to colour; to shade; to tint; to match, to blend (colours)

matorral m thicket

matraca f jest; pestering

matrícula f list; register

matricular v/t to matriculate; to enrol

matrimonio m matrimony, marriage

matriz f matrix; womb; mould

matrona f matron

matute m smuggling

maullar v/i to mew, to meow

máxima f maxim, rule

máxim|e especially; **~o** a principal; greatest; m maximum

maya f daisy

mayo m May

mayonesa f mayonnaise

mayor a greater; bigger; major; **~ de edad** of age; **al por ~** wholesale; m chief; **mil** major; **~es** m/pl ancestors; elders

mayordomo m steward; butler

mayorista m wholesaler

mayúscula f capital letter

maza f mace

mazapán m marzipan

mazmorra f dungeon; jail

me pers pron me; to me; myself

mecáni|ca f mechanics; **~co** m mechanic; engineer; a mechanical

mecanismo m mechanism

mecanografía f typewriting [typist]

mecanógrafo(a) m (f)

mece|dora f rocking-chair; **~r** v/t to rock; to swing

mech|a f wick; fuse; lock (of hair); **~ero** m burner (of lamp); cigarette-lighter; shop-lifter; **~ón** m strand,

tuft (*of hair*); bundle (*of threads*)

medall|a *f* medal; **~ón** *m* large medal; medallion

médano *m* sand dune

media *f* stocking; **~ panta-lón** panty hose

media|ción *f* mediation; intervention; **~do** half-full; **a ~dos de enero** in the middle of January; **~dor** *a* mediating; *m* mediator; **~nero** intermediate; **~no** medium; average; mediocre

medianoche *f* midnight

media|nte *a* intervening; *prep* by means of; **~r** *v/i* to be at the middle; to intercede; to mediate

medic|ación *f* medical treatment; **~amento** *m* medicament; **~ina** *f* medicine

medición *f* measurement

médico *a* medical; *m* physician, doctor

medid|a *f* measure; **a ~ que** whilst; at the same time as; **hecho a la ~a** made to measure; **~or** *m* SA meter

medio *a*, *adv* half; middle; **a ~ camino** half-way; **en ~ de** in the middle of; **de por ~** half; between; **por ~ de** by means of; **~ centro** *m* (*football*) centre-half; **m/pl** means; resources

mediocre mediocre

mediodía *m* midday; south

medir *v/t* to measure

meditar *v/t*, *v/i* to meditate

Mediterráneo *m* Mediterranean Sea; **Ƨ** *a* Mediterranean [flourish]

medrar *v/i* to grow; to [flourish]

medroso timorous

médula *f* marrows (*of the bones*), pith; **~ espinal** spinal cord

medusa *f* jelly-fish

mejicano(a) *m* (*f*), a Mexican [mussel]

mejill|a *f* cheek; **~ón** *m* [mussel]

mejor better; finer; superior; (*with definite article*) best; **lo ~** the best thing; **a lo ~** maybe, as like as not; **tanto ~** so much the better; **~a** *f* improvement; **~ar** *v/t*, *v/i* to improve; **~ía** *f* improvement

melancolía *f* melancholy

melancólico gloomy; sad

melaza *f* molasses, treacle

melena *f* long hair; mane

melocotón *m* peach

melodía *f* melody

melón *m* melon

meloso sweet; mild; gentle

mella|do jagged; **~r** *v/t* to nick, to notch

mellizo(a) *m* (*f*), a twin

membrana *f* membrane; *zool* web [head]

membrete *m* note; letter-[head]

membrillo *m* quince

memo foolish

memor|ándum *m* memorandum; note-book; **~ia** *f* memory; remembrance; report; *pl* memoirs; **~ial** *m*

note-book; ~izar v/t to memorize

mención f reference, mention

mencionar v/t to mention; sin ~ to say nothing of, not to mention

mendi|cante begging; ~cidad f beggary; ~gar v/t to beg; ~go m beggar

mendrugo m piece of dry bread

mene|ar v/t to shake; to wag, to move; to conduct; ~arse to move; to be active; ~o m shaking; wagging

menester m need; necessity; ser ~ to be necessary; ~oso needy, destitute

menestra f vegetable stew

mengua f diminution; decrease; decay; ~nte a decreasing; f decline; waning (of moon); ~r v/i to diminish; to decrease, to dwindle

menor smaller; less; minor; ~ de edad under age; ~ e-dad minority; al por ~ retail

menos adv less; least; fewer; fewest; a ~ que unless; ~ de less than; m mat minus (sign); prep except

menos|cabo m detriment; damage; ~preciar v/t to despise; to belittle; to undervalue; ~precio m scorn; contempt

mensaje m message; er-

rand; ~ría f steamship line; ~ro(a) m (f) messenger

mensual monthly; ~idad f monthly salary or allowance

mensurable measurable

menta f mint; peppermint

mental mental; ~idad f mentality

mente f mind; intellect

mentecato m fool

mentir v/i to lie; ~a f lie, falsehood; ~illa f little lie, fib; ~oso(a) m (f) liar; a untruthful, lying

menú m menu

menud|ear v/t to repeat; v/i to happen frequently; ~encia f trifle; ~illos m/pl giblets (of fowls); ~o small; a ~o often

meñique m little finger

meollo m marrow; fig core, essence

merca|dear v/i to trade; ~dería f SA merchandise; ~do m market; market-place; ~do común common market; ~do negro black market; ~ncía f merchandise, goods; commodity; ~nte, ~ntil mercantile, commercial

merced f mercy; bounty; favour; grace; gift; vuestra ~ your honour, your worship (abbreviated: Vd); a la ~ de at the mercy of; dependent on

mercenario m mercenary soldier; a mercenary

mercería *f* haberdashery
mercurio *m* mercury, quicksilver
merec|edor deserving, worthy; **~er** *v/t* to deserve; to merit; **~ido** deserved
merend|ar *v/i* to take a snack; to lunch; **~ero** *m* lunch-room
merengue *m* meringue
meretriz *f* prostitute
meridiano *m* meridian
meridional southern
merienda *f* snack; light meal; lunch
mérito *m* merit; worth
meritorio meritorious, deserving
merluza *f* hake
merma *f* shrinkage; loss; leakage; waste; **~r** *v/i* to decrease, to become less; to dwindle
mermelada *f* jam, marmalade
mero mere, pure, simple
merodear *v/i* to maraud
mes *m* month
mes|a *f* table; executive board; **poner la ~a** to set the table; **~eta** *f* tableland; plateau; **~illa** *f* bedside\
mesón *m* inn [table\
mesonero *m* innkeeper
mestizo(a) *m* (*f*), *a* half--breed
mesura *f* moderation, restraint; **~do** moderate; restrained
meta *f* goal; objective; limit; *SA m* goalkeeper
metal *m* metal; *mus* brass

metálico *a* metallic; *m* cash
metalúrgico metallurgical
meteoro *m* meteor; **~logía** *f* meteorology
meter *v/t* to put in; to insert; to stake; to invest; **~se** to interfere; to intrude; **~se con** to pick a quarrel with
meticuloso meticulous
metódico methodical
método *m* method
metraje *m* length
metrall|a *f* grapeshot; **~eta** *f* submachine-gun
métrico metric, metrical
metro *m* verse (*poetry*); metre; underground
metrópoli *f* metropolis; mother-country
metropolitano *m* metropolitan; underground, subway
mezcla *f* mixture; **~r** *v/t* to mix; to mingle
mezcolanza *f* *fam* hotch-potch; medley
mezquin|dad *f* niggardliness; meanness; poverty; **~o** niggardly; mean; miserable, petty; puny
mezquita *f* mosque
mí *pers pron* me
mi *poss pron* (*pl* mis) my
miaja *f* crumb
mico *m* monkey
microbio *m* microbe
micrófono *m* microphone
microscopio *m* microscope [kitten\
michino *m* pussy(-cat),\
miedo *m* fear, dread; **tener**

~ to be afraid; **~so** timorous; afraid

miel *f* honey

miembro *m* member; limb

mientras while, whilst, when; **~ que** so long as; **~ tanto** meanwhile, in the meantime

miércoles *m* Wednesday

miga *f* crumb; **~ja** *f* small crumb

migra|ción *f* migration; **~torio** migratory

mijo *m* millet

milagro *m* miracle; **~so** miraculous

mili|cia *f* militia; **~ciano** *m* militiaman; **~tante** militant; **~tar** *m* soldier; *a* military; *v/i* to fight; to serve

milla *f* mile; **~ marina** nautical mile; **~je** *m* mil(e)age

millón *m* million

millonario *m* millionaire

mimar *v/t* to pet, to fondle; to spoil, to pamper

mimbre *m* willow; wicker

mímico *m* mimic

mimoso pampered, spoiled

mina *f* mine; source; **~r** *v/t* to mine; to excavate; to undermine

miner|al *m*, *a* mineral; ore; **~ía** *f* mining; **~o** *m* miner

miniatura *f* miniature

minifalda *f* miniskirt

mínim|o minimum; smallest; **~um** *m* minimum

minino *m* pussy-(cat), kitten

minist|erial ministerial; **~erio** *m* ministry; government; cabinet; **2erio de Comercio** Board of Trade; **2erio de la Gobernación** Home Office; **2erio de Hacienda** Treasury, Exchequer; **2erio de Relaciones Exteriores** Foreign Office; **~ro** *m* minister

minoría *f* minority

minucios|idad *f* thoroughness; **~o** minutely; precise

minúscula *f* small letter

minuta *f* rough copy; list; bill of fare; menu; *pl* minutes

minutero *m* minute-hand

mío, mía, míos, mías mine

miop|e short-sighted, near-sighted; **~ía** *f* myopia; short-sightedness

mira *f* sight; aim; **con ~s a** with an eye to; **~da** *f* look; **echar una ~da a** to take a look at; **~dero** watch tower; **~do** considerate; **~dor** *m* observatory; **~r** *v/t* to look; to watch; to consider

mirlo *m* blackbird

mirón *m* onlooker; spectator

mirto *m* myrtle

misa *f* mass; **~ del gallo** midnight mass

misceláneo miscellaneous

miser|able miserable, wretched; mean; niggardly; **~ia** *f* misery; poverty;

meanness; **~icordia** f
mercy [ble}
mísero wretched, misera-/

misi|**ón** f mission; **~onero**
m missionary

mismo same, similar; -self;
very; **yo ~ I** myself; **el ~
rey** the same king; **el rey
~** the king himself; **lo ~** the
same thing; **lo ~ da** it is
all the same; **en el ~
centro de Madrid** in the
very centre of Madrid

misterio m mystery; **~so**
mysterious

místico mystic

mitad f half; middle; **a ~
del camino** midway

mitigar v/t to mitigate

mitin m meeting

mito m myth

mitón m mitten

mitra f mitre

mixto mixed

mobiliario movable; m
furniture

mocedad f youthfulness;
youth; **correr sus ~es**
to sow one's wild oats

moción f motion; movement

moco m mucus; **~so** a
snotty-nosed; m impudent
youngster [ersack}

mochila f knapsack; hav-/

mochuelo m owl

moda f fashion; **de ~** fash-
ionable

modales m/pl manners

model|**ar** v/t to model; **~o**
m model; pattern

modera|**ción** f modera-

tion; **~r** v/t to moderate

modern|**idad** f modernity;
~o modern

modest|**ia** f modesty; **~o**
modest

módico moderate; reasonable (prices)

modifica|**ción** f modifica-
tion; **~r** v/t to modify

modismo m idiom; idiomatic expression

modist|**a** f dressmaker;
milliner; **~o** m ladies'
tailor; fashion designer

modo m mode, method;
manner; **de ~ que** so that;
de otro ~ otherwise, or
else; **de ningún ~** by no
means; **de todos ~s** at any
rate, by all means

modular a modular; v/i
to modulate

módulo elec, aer module

mofa f mockery; ridicule;
derision; **~rse de** to mock
at

mohín m grimace

moho m moss; mould;
mildew; must; rust; **~so**
mouldy; musty; rusty

mojar v/t to wet; to soak;
~se to get soaked

moje m gravy; broth

mojigato(a) m (f) hypocrite; a hypocritical; prude

mojón m landmark

mold|**ar** v/t to mould; **~e** m
mould; form; cast

molécula f molecule

moler v/t to grind; to mill;
to annoy; **~ a palos** to beat
up

molest|ar v/t to annoy; to
upset; to trouble; **~arse**
to get annoyed; to take the
trouble; **~ia** f trouble; annoyance; **tomarse la ~ia**
to take the trouble; **~o**
troublesome; annoying

molin|ero m miller; **~illo**
m hand-mill; coffee-grin-
der; **~o** m mill; **~o de
viento** windmill

mollera f crown of the
head; **cerrado de ~** rude;
ignorant

moment|áneo momen-
tary; **~o** m moment; **a cada
~o** at every moment; **al ~o**
immediately

mom|ería f clowning; **~ia** f
mummy

mona f female monkey;
fam hangover; **~cal** monk-
ish; **~cillo** m acolyte; **~da**
f stupid action; grimace;
pretty child

monar|ca m monarch; sov-
ereign; **~quía** f monarchy

monasterio m monastery

monda f pruning; paring;
~dientes m toothpick; **~-
duras** f/pl peelings, parings; **~r** v/t to peel; to
cleanse; to prune

moned|a f coin; money;
currency; **~a de curso
legal** legal tender; **~ero** m
coiner

monetario monetary

monigote m grotesque
figure; weakling; childish
drawing

monitor m monitor (*person
and ship*)

monj|a f nun, sister; **~e** m
monk

mono(a) m (f) monkey;
ape; overall; *a* pretty

monóculo m monocle

monólogo m monologue

monopoli|o m monopoly;
~sta m monopolist; **~zar**
v/t to monopolize (*t fig*)

monótono monotonous,
humdrum

monstruo m monster; **~si-
dad** f monstrosity; **~so**
monstrous; freakish

monta f mounting; amount;
~cargas m hoist; lift (*for
baggage*); **~discos** m disc
jockey; **~do** m horseman;
~dor m fitter; **~dura** f
(*jewel*) mount, mounting;
~je m assembling; in-
stalling

montañ|a f mountain; **~és
(-esa)** m (f) highlander;
inhabitant of Santander;
~oso mountainous

montar v/i to mount; **~ en
cólera** to fly into a rage;
v/t to mount; to ride; to
assemble; to set up

monte m mountain; forest;
difficulty; **~ bajo** scrub;
undergrowth

montería f hunting, chase

montículo m mound

montón m heap, pile

montuoso hilly

montura f mount; as-
sembly

monumento m monu-
ment; memorial

moño m knot; bun; tuft

mora f mulberry; blackberry; Moorish woman

morada f dwelling

moral f morale; ethics; m black mulberry tree; a moral; **~eja** f moral; maxim; lesson

mórbido soft; morbid; diseased

morboso morbid

morcilla f black sausage; *theat* gag

mord|az pungent, biting; **~aza** f gag; clamp; **~edura** f bite; **~er** v/t to bite; **~iscar** v/t to nibble

moren|a f geol moraine; ict moray; brown bread; **~o** brown-skinned; dusky

morera f white mulberry tree [phine]

morfina f morphia, mor-

morir v/i to die

morisco Moorish

moro(a) m (f) Moor; a Moorish

morosidad f slowness; com delinquency

morral m nose-bag; knapsack

morriña f sadness; blues

morro m snout; headland; peak

morsa f walrus

mortaja f shroud; mortise

mortal mortal, fatal; **~idad** f mortality; death-rate

mortero m mortar

mortífero deadly

mortificar v/t to mortify

mortuorio a mortuary; m

burial

morrueco m ram, male sheep

mosaico m mosaic

mosca f fly; **soltar la ~** to give money unwillingly

moscardón m blue-bottle

moscatel muscatel (*grape or wine*)

mosquea|do mottled; **~rse** to take offense

mosquit|era f mosquito net; **~o** m mosquito; gnat

mostaza f mustard

mosto m must

mostra|dor m counter; (*hotel*) desk; **~r** v/t to show; to display

mote m device; catchword; nickname

motín m riot; rebellion

motiv|ar v/t to cause; to motivate; **~o** m motive; motif; **con ~ de** on the occasion of

moto|cicleta f motorcycle; **~nave** f motor-ship; **~neta** f scooter; **~r** a moving; m motor; engine; **~rista** m motorist

motriz motive; moving

move|dizo movable; **~r** v/t, **~rse** to move

movible movable

móvil mobile

movi|lidad f mobility; inconstancy; **~lización** f mobilization; **~lizar** v/t to mobilize; **~miento** m movement; motion; mus movement

moz|a f girl, lass; **~albete** m lad; **~o** m young man;

servant; waiter; **~o de cuadra** groom; stable-boy; **~o de cuerda** porter

mucama f SA parlour-maid; servant

mucos|idad f slime; mucosity; **~o** mucous

muchach|a f girl; **~o** m boy

muchedumbre f crowd

mucho a a lot; much; pl many; **~con** ~ by far; adv a great deal, considerably; **~ mejor** far better; **~ menos** let alone

muda f change; **~nza** f move, removal; **~r** v/t, v/i to change

mud|ez f dumbness; **~o** dumb; mute

mueble m piece of furniture; pl furniture; chattels

mueca f grimace; **hacer ~s** to pull faces   [tooth}

muela f millstone; molar}

muelle m spring (of watch, etc); quay; wharf; dock; jetty, mole

muérdago m mistletoe

muert|e f death; **de mala ~e** insignificant; **~o(a)** a dead; m (f) deceased, dead person; corpse

muestra f pattern; sample

muestrario m pattern-book; collection

mugi|do m lowing (of cattle); **~r** v/i to low; to moo; to bellow

mugr|e f grime, filth; **~iento** grimy, filthy

mujer f woman; wife;

~iego feminine; womanly

mul|a f she-mule; **~adar** m rubbish heap, dump; **~ero** m mule-boy; **~o** m mule

mulato(a) m (f), a mulatto

muleta f crutch; red cloth used by bullfighters

multa f fine; **~r** v/t to fine

multiplicar v/t to multiply

multitud f crowd, multitude

mund|ial world-wide; **~o** m world; **todo el ~o** everybody

munición f ammunition

municip|al municipal; **~alidad** f municipality; SA town hall; **~io** m town

muñec|a f wrist; doll; dressmaker's model; **~o** m puppet; effeminate man

muñón m stump (of an amputated limb); pivot

mural a, m mural

muralla f wall; rampart

murciélago m bat

murmullo m rustle; murmur

murmurar v/i to murmur; to criticize; to slander; to ripple (of water)

muro m wall; **~ térmico** thermal barrier, heat barrier

muscul|ar, ~oso muscular

músculo m muscle

muselina f muslin

museo m museum

musgo m moss

música f music

musical musical

músico m musician

musitar v/i to mumble
muslo m thigh
mustio sad; withered
musulmán(ana) m (f), a Moslem
muta|bilidad f mutability; **∼ción** f mutation; change
mutilar v/t to mutilate; to mangle

mutis m theat exit
mutismo m muteness
mutual mutual; **∼idad** f mutuality; mutual benefit society
mutuo mutual
muy very; **∼ señores nuestros** Dear Sirs (in letters)

N

nabo m turnip; newel
nácar m mother-of-pearl
nac|er v/i to be born; to sprout; to spring; to start; **∼iente** nascent; growing; rising (sun)
naci|ón f nation; **∼ones Unidas** United Nations
nacional national; **∼idad** f nationality; **∼izar** v/t to nationalize; to naturalize
nada f nothingness, nothing; pron nothing; **de ∼** you are welcome; not at all
nada|dor(a) m (f) swimmer; **∼r** v/i to swim; to float
nadie nobody; no one; **∼ más** nobody else
nafta f naphta
nailon m nylon
naipe m playing-card
nalga f buttock
nana f lullaby; SA nanny
naranj|a f orange; **∼ada** f orangeade; **∼al** m orange grove; **∼o** m orange-tree
narciso m daffodil
narcó|mano m drug addict; **∼tico** m narcotic;

drug; a narcotic
narcotizar v/t to drug; to dope
nari|gudo big-nosed; **∼z** f nose; nostril; sense of smell; bouquet (of wine)
narra|ción f narration, story; tale; **∼r** v/t to narrate, to recite; **∼tiva** f narrative
nata f cream; elite
natación f swimming
natal native, natal; **∼icio** m birthday; **∼idad** f birthrate
nat|ividad f nativity; **∼ivo(a)** m (f) native; indigenous; a natural; **∼o** native; born
natural a natural; native; sincere; innate; **al ∼** without artificial aid; as it is; naked; **∼eza** f nature; character; **∼idad** f naturalness; **∼ismo** m naturalism; **∼izar** v/t to naturalize; **∼izarse** to be naturalized
naufrag|ar v/i to be shipwrecked; **∼io** m shipwreck

náufrago(a) m (f) shipwrecked person; a shipwrecked

náusea f nausea; disgust

náutic|a f navigation, seamanship; **~o** nautical

nava f barren plain (between mountains)

navaja f clasp-knife; razor

nav|al naval; **~e** f ship; **nave** (of church); **~e espacial** space-craft, space-ship; **~egador** m navigator; **~egante** a navigating; m aer navigator; **~egar** v/i to navigate; to sail

navidad f Christmas Day

naviero m shipowner

navío m ship; **~ de guerra** warship

neblina f mist

nebuloso cloudy; misty; nebulous

neces|ario necessary; **~er** m vanity-case, toilet-case; **~idad** f necessity; **~itar** v/t to want; to need

necio foolish, silly

necrología f obituary

nefasto ominous

nega|ción f negation; denial; **~r** v/t to deny; to refuse; to prohibit; **~tiva** f denial; refusal; **~tivo** a negative; m foto negative

negligen|cia f negligence; neglect; carelessness; **~te** careless; negligent

negoci|ación f negotiation; business transaction; **~ado** m bureau; division of an office; **~ante** m trader; dealer; **~ar** v/i to trade; to negotiate; **~o** m occupation; business

negr|a f negress; **~ero** m fig slave-driver; **~o** m negro; a black; **~ura** f blackness

nene(a) m (f) baby, child

neón m neon

neoyorquino(a) m (f) New Yorker

nervio m anat nerve; sinew; energy; arch rib; **~so** nervous

neto neat; pure; com net

neumático m tyre; a pneumatic

neurótico neurotic

neutral neutral; **~idad** f neutrality

neutrón m quím neutron

nev|ada f snowfall; **~ar** v/i to snow; **~era** f ice-box; **~oso** snowy

ni conj. neither, nor; **~ esto ~ aquello** neither this nor that; **~ siquiera** not even

nicho m niche, recess

nid|ada f nestful of eggs; **~o** m nest

niebla f fog; mist; haze

niet|a f granddaughter; **~o** m grandson

nieve f snow

ningún a (apocope of **ninguno** used before masculine nouns) not, not one; **de ~ modo** by no means

ningun|o(a) a no, not one, not any; **~a cosa** nothing; **de ~a manera** in no way;

indef pron none, no one, nobody

niñ|a *f* girl; **~era** *f* nurse-maid, nanny; **~ez** *f* childhood; **~o** *m* boy; child; **~o expósito** foundling; **desde ~o** from childhood; **~o prodigio** infant prodigy 〔nese〕

nipón(ona) *m* (*f*), *a* Japa-

níquel *m* nickel

niquelado nickel-plated

níspero *m* medlar (*tree and fruit*)

nitro *m* nitre

nitrógeno *m* nitrogen

nivel *m* level; **~ de agua** water-level; **~ar** *v/t* to level; to grade

no no, not; **~ más** no more; **~ sea que** lest

nobiliario nobiliary

noble noble; highborn; **~za** *f* nobleness; nobility; aristocracy

noción *f* idea; notion

nocivo harmful; noxious

nocturno nocturnal; nightly

noche *f* night; evening; **buenas ~s** good evening; good night; **Qbuena** *f* Christmas Eve

nodriza *f* wet nurse

nog|al *m*, **~uera** *f* walnut (*tree or wood*)

nombr|amiento *m* appointment; **~ar** *v/t* to name; to appoint; **~e** *m* name; title; **~e de pila** Christian name, first name; **~e de soltera** maiden name

nomeolvides *f* forget-me-not

nómina *f* pay-roll

nomina|l nominal; **~ativo** *m* nominative

non odd, uneven (*number*)

nordeste *m* north-east

noria *f* chain-pump

norma *f* norm; standard; rule; **~l** normal

noroeste *m* north-west

norte *m* north; **~ño** northerly

norueg|o(a) *m* (*f*), *a* Norwegian; **Qa** *f* Norway

nos *pers pron* us; each other

nosotros(as) *pers pron pl* we, ourselves; us

nostalgia *f* nostalgia; homesickness

nota *f* note; annotation; mark; *com* account; bill

nota|ble noteworthy, notable; noticeable; **~r** *v/t* to note, to observe; to take down; **~ría** *f* notary's office; **~rio** *m* notary

notici|a *f* news; notice; information; **~ar** *v/t* to notify; to inform; **~ario** *m* newsreel; *radio, tv* newscast; **~ero** *m* news agent; reporter; *SA* news bulletin

notificar *v/t* to notify

notorio well-known; evident

novato(a) *m* (*f*) beginner, newcomer

novedad *f* novelty; newness; surprise; latest news

or fashion; **sin ~** as usual
novel|a f novel; story; fiction; **~a policíaca** detective story; **~ista** m, f novelist; writer
novia f bride; fiancée
novicio(a) a inexperienced; m (f) novice
noviembre m November
novill|a f heifer; **~ada** f fight with young bulls; **~o** m young bull; steer; **hacer ~os** to play truant
novio m bridegroom; fiancé
novísimo most recent
nub|e f cloud; film (on the eye); **~ecita** f small cloud; **~loso** cloudy
nuca f nape of the neck
nuclear nuclear
núcleo m nucleus
nud|illo knuckle; small knot; **~o** m knot; **~oso** gnarled
nuera f daughter-in-law
nuestro(a, os, as) poss pron our, ours

nueva f news; **~mente** again; recently
nuevo new
nuez f walnut; nut; Adam's apple; **~ moscada** nutmeg
nul|idad f nullity; incompetence; **~o** null, void
numera|ción f numeration; **~dor** m mat numerator; **~r** v/t to number; to count
numérico numerical
número m number; figure; **sin ~** countless
numeroso numerous
nunca never; **~ jamás** nevermore
nuncio m eccl nuncio; messenger
nupcia|l nuptial, bridal; **~s** f/pl wedding, nuptials
nutria f otter
nutri|ción f nutrition; **~do** abundant; copious; **~r** v/t to nourish; to feed; to support; **~tivo** nutritious; nourishing

Ñ

ñandú m American ostrich
ñaque m odds and ends

ñoñ|ería f excessive modesty; prudery; **~o** timid, shy, modest; prude

O

o or; either
oasis m oasis
obcecación f obsession
obed|ecer v/t to obey; **~iencia** f obedience; **~iente** obedient

obertura f mus overture
obes|idad f fatness; **~o** fat
obisp|ado m episcopate; **~o** m bishop

obje|ción *f* objection; **~tar**
v/t to object; to oppose;
~tivo *m* objective; **~tivo**
zoom *foto* zoom lens; *a*
objective; **~to** *m* object;
thing; purpose; subject
matter

oblicuo oblique; slanting

obliga|ción *f* obligation;
duty; *pl com* liabilities;
~cionista *m, f com* bond-
holder; **~r** *v/t* to oblige,
to bind; **~rse** to commit
oneself; **~torio** compulsory

oblongo oblong

obr|a *f* work; creation;
structure; building site;
~a de arte work of art; **~a**
maestra masterpiece; **~a**
de asistencia social welfare work; **~as públicas**
public works; **~ar** *v/t* to
work; to manufacture; *v/i*
to act; to be; **~ero(a)** *m*
(*f*) worker; **~ero califi-**
cado skilled worker

obsceno obscene, indecent

obscur|ecer *v/t* to darken;
~ecerse to grow dark; to
cloud over; **~idad** *f* darkness; **~o** dark

obsequi|ar *v/t* to enter-
tain, to present with; **~o** *m*
courtesy; gift; attention;
~oso attentive, obliging

observa|ción *f* observa-
tion; remark; **~dor(a)** *m*
(*f*) observer; *a* observing;
~r *v/t* to observe, to remark; to watch; to regard;
~torio *m* observatory

obsesión *f* obsession

obstáculo *m* obstacle

obsta|nte: no ~nte never-
theless; however; **~r** *v/i* to
obstruct, to hinder

obstina|ción *f* obstinacy,
stubbornness; **~do** obstinate, stubborn; **~rse (en)**
to persist (in)

obstru|cción *f* obstruction;
~ir *v/t* to obstruct; **~irse**
to be blocked

obten|ción *f* attainment;
~er *v/t* to obtain; to attain

obtura|dor *m aut* throttle;
foto shutter; **~r** *v/t* to stop
up; to plug

obús *m* shell; howitzer

obvio obvious, evident

ocasión *f* occasion; **de ~**
second-hand

ocasiona|l occasional; **~r**
v/t to cause

ocaso *m* setting (*of the sun*);
decline; west; *fig* evening;
decline

occident|al western; oc-
cidental; **~e** *m* west; oc-
cident

oceánico oceanic

océano *m* ocean

ocio *m* leisure; idleness;
~so idle; inactive; useless

octubre *m* October

ocul|ar *a* ocular; *m* eye-
piece; **~ista** *m* eye-spe-
cialist, oculist

ocult|ación *f* concealment;
hiding; **~ar** *v/t* to conceal;
to hide; **~o** hidden; occult

ocupa|ción *f* occupation;

business; ~nte *m, f* occupant; ~r *v/t* to occupy; ~rse en to look after; to be engaged in

ocurr|encia *f* occurrence; incident; happening; witticism; ~ir *v/i* to occur; to happen

odi|ar *v/t* to hate; ~o *m* hatred; ~osidad *f* hatefulness; ~oso *m* hateful, odious

odontólogo|a) *m (f)* dentist [grant)

odorífero aromatic, fragrant)

oeste *m* west

ofen|der *v/t* to offend; to insult; ~derse to take offence; ~sa *f* offence; ~siva *f* offensive; ~sivo offensive; ~sor(a) *m (f)* offender; *a* offending

oferta *f* offer; offering; com ~ y demanda supply and demand

ofici|al *a* official; *m* officer; official; clerk; ~alidad *f* body of officers; ~almente officially; ~ar *v/i* to officiate; ~na *f* office; ~na de colocaciones employment agency; ~na de turismo tourist office; ~na principal head office; ~nista *m, f* clerk; white-collar worker; ~o *m* trade; profession; work; ~oso officious

ofre|cer *v/t* to offer; to present; ~cerse to occur; to offer oneself; ~cimiento *m* offer; ~nda *f* offering

oftalmólogo *m* oculist

ofuscar *v/t* to dazzle; to confuse

oí|ble audible; ~da *f* hearing; de ~das by hearsay; ~do *m* ear; sense of hearing; de ~do by ear

oír *v/t* to hear; to listen

ojal *m* buttonhole

oje|ada *f* glance, glimpse; ~r *v/t* to eye, to have a look at [eye)

ojera *f* dark ring under the)

ojete *m (sewing)* eyelet

ojo *m* eye; eye of the needle; ~! look out!; ~ amoratado black eye; a ~s cerrados blindly

ola *f* wave; ~ de marejada tidal wave

olea|ginoso oily; ~aje *m* surf

óleo *m* oil; oil painting; extreme unction

oleoducto *m* pipe-line

oler *v/t* to smell; to scent; *v/i* to smell; ~ a to smell of

olfat|ear *v/t, v/i* to sniff; to smell; ~o *m* sense of smell, nose

oliente smelling

oliv|a *f* olive; olive-tree; owl; ~ar *m* olive grove; ~o *m* olive-tree

olmo *m* elm tree

olor *m* smell, odour

olvid|adizo forgetful; ~ar *v/t* to forget; ~o *m* forgetfulness; oblivion

oll|a *f* stew-pot; ~a de presión pressure cooker; ~ero *m* potter

ombligo *m* anut navel

omi|sión *f* omission; carelessness; **~so** neglectful; careless; **~tir** *v/t* to omit

ómnibus *m* omnibus; bus

omnipotente omnipotent

omnisciente omniscient

omóplato *m* shoulder--blade

ond|a *f* wave (*sea, hair, radio*); **~a acústica** sound--wave; **~ear** *v/i* to wave; to ripple; to undulate; **~ulado** wavy; waved; undulated; **~ular** *v/t* to undulate; to wave

oneroso onerous, burdensome

onza *f* ounce [some]

opaco opaque

opción *f* option; choice

ópera *f* opera

opera|ción *f* operation; *com* transaction; **~dor** *m* operator; *cine* camera--man); **~r** *v/t* to operate; **~rio** *m* operator, worker

opereta *f* operetta

opin|ar *v/t* to be of the opinion; **~ión** *f* opinion; **cambiar de ~ión** to change one's mind; **en mi ~ión** in my opinion

opio *m* opium

opo|ner *v/t* to oppose; **~nerse** to object; to be opposed; **~sición** *f* opposition; **~sitor(a)** *m* (*f*) opponent; competitor

oportun|idad *f* opportunity; **~ista** *m, f* opportunist; **~o** opportune; convenient

opr|esión *f* oppression; **~e-sivo** oppressive; **~imir** *v/t* to oppress

optar *v/t* to opt; to choose

óptic|a *f* optics; **~o** *a* optical; *m* optician

optimis|mo *m* optimism; **~ta** *m, f* optimist; *a* optimistic

óptimo best; very good

opuesto opposite

opulen|cia *f* opulence; **~to** opulent; rich

ora whether; either; now; then [*sentence*]

oración *f* speech; prayer;)

oráculo *m* oracle

ora|dor(a) *m* (*f*) orator; speaker; **~l** oral, vocal; **~r** *v/i* to pray

oratori|a *f* oratory, eloquence; **~o** *m* oratory; chapel; *mus* oratorio

orbe *m* world; globe

órbita *f* orbit; eye-socket

orden *m* order; method; system; class; religious order; *f* order, command; *com* order; order of knighthood; **~ación** *f* arrangement; disposition; **~a-miento** *m* edict; **~anza** *f* statute; ordinance; *m mil* orderly; **~ar** *v/t* to put in order; to order, to arrange; to command; to ordain; **~arse** to be ordained

ordeñar *v/t* to milk

ordinal ordinal

ordinario ordinary, vulgar; coarse; regular

oreja *f* ear; tab (*of shoe*)

orfanato *m* orphanage

orfebre *m* goldsmith; silversmith; **~ría** *f* gold or silver work

organillo *m* barrel-organ

organi|smo *m* organism; **~sta** *m, f* organist; **~zación** *f* organization; **~zar** *v/t* to organize

orgánico organic

órgano *m* organ

orgullo *m* pride; **~so** proud

orient|ación *f* orientation; **~al** oriental; **~e** *m* orient; **el** 2e **el Este**, the East, the Orient

orificio *m* orifice; hole

origen *m* origin; source

origina|l original; queer; **~r** *v/t* to originate; **~rse** to spring from

orilla *f* edge; bank, shore, riverside

orina *f* urine; **~l** *m* chamberpot; **~r** *v/t, v/i* to urinate

oriundo native (of)

orla *f* border, edging; **~r** *v/t* to border, to edge

orna|mento *m* ornament; **~r** *v/t* to adorn

oro *m* gold; gold colour

orquesta *f* orchestra

ortiga *f* nettle

ortografía *f* spelling

oruga *f* caterpillar

orujo *m* refuse of grapes, olives, *etc*

orzuelo *med* sty

os *pers pron* you; to you

osad|ía *f* boldness; daring; **~o** bold

osar *v/i* to dare

oscila|ción *f* oscillation; **~r** *v/i* to swing; to oscillate

óseo bony, bone

ostenta|r *v/t* to show off; to exhibit; **~tivo** ostenta-\
ostra *f* oyster [tious)

otoño *m* autumn

otorga|miento *m* license, grant, permission; **~nte** *m, f* granter; **~r** *v/t* to grant, to confer

otr|o(a, os, as) other; another; **~o día** another time; **~a cosa** something else; **~a vez** again; **~os tantos** as many

ovaci|ón *f* ovation; **~onar** *v/t* to give an ovation to

oval, ~ado oval

ovario *m anat* ovary

ovej|a *f* sheep; ewe; **~ero** *m* shepherd

ovillo *m* ball (*of wool*)

oxidar *v/t*, **~se** to oxidize; to rust

óxido *m* oxide

oxígeno *m* oxygen

oyente *m, f* listener; hearer

P

pabellón *m* pavilion; ward (*in hospital*); *mil* bell tent; flag; lodge

pacer *v/i* to graze

pacien|cia *f* patience; **~te** *m, f, a* patient; **~te externo(a)** outpatient

pacifi|cación *f* pacifica-

tion; peace of mind; ~cador *m* peacemaker; ~car *v/t* to pacify; to appease; ~carse to calm down

pacífico peaceful, pacific

pacifista *m, f* pacifist

paco *m* alpaca

pacotilla *f com* venture; de ~ of poor quality

pact|ar *v/t* to contract; to stipulate; ~o *m* pact

padecer *v/t* to suffer from; to tolerate; ~imiento *m* suffering

padr|astro *m* stepfather; *fig* obstacle; ~e *m* father; priest; *pl* parents; ancestors; ~e Santo Holy Father (*the Pope*); ~enuestro *m* Lord's Prayer, Our Father; ~ino *m* godfather; best man; patron

padrón *m* census; register; pattern; model

pag|a *f* salary, pay; ~adero payable; ~ador(a) *m* (*f*) payer; ~aduría *f* paying-office

pagano(a) *m* (*f*), *a* heathen

pagar *v/t* to pay; to repay; to atone; **por ~ com** unsettled; **~é** *m* promissory note; IOU

página *f* page (*of a book*)

pago *m* payment; **~ a plazos** instalment plan

país *m* country; land; region; **~ de origen** native country

paisa|je *m* landscape; ~no(a) *m* (*f*) fellow-countryman (-woman); civil

ian; **vestido de ~no** in civilian clothes

Países *m*/*pl* **Bajos** Netherlands

paja *f* straw

pájaro *m* bird; sly fellow; **~ cantor** song-bird; **~ carpintero** woodpecker

pajarraco *m* large, ugly bird; sly fellow

paje *m* page; cabin-boy

pala *f* shovel; spade; peel; blade (*of oar*)

palabr|a *f* word; ~ota *f* coarse expression

palacio *m* palace

palad|ar *m* palate; taste; relish; ~ear *v/t* to taste

palanca *f* *mech* lever; bar

palangana *f* washbasin

palco *m* *theat* box

palenque *m* palisade

palet|a *f* small shovel; ~o *m* rustic

palia|r *v/t* to palliate; to lessen; ~tivo palliative

palide|cer *v/i* to pale; to turn pale; ~z *f* pallor

palique *m* small talk

paliza *f* beating; thrashing

palizada *f* palisade; paling

palm|a *f* *bot* palm-tree; palm-leaf; palm of the hand; ~ada *f* smack; clapping of the hands; applause; ~ar *m* palm-grove; ~atoria *f* small candlestick; ~era *f* palm-tree; ~o *m* span (*measure of length, 8 inches*); ~o a ~o inch by inch

palo *m* stick; pole; cudgel; (*card*) suit

palom|a f pigeon; dove; **~ar** m pigeon-house; dovecot; **~o** m cock pigeon

palpable evident, palpable

palpitación f palpitation

paludismo m malaria

pampa f pampa, prairie

pan m bread; loaf; **~ con mantequilla** bread and butter; **~ de jengibre** gingerbread; **~ de oro** gold-leaf

pana f corduroy; **~dería** f bakery; **~dero** m baker

panal m honeycomb

pandereta f tambourine

pandill|a f gang, pack (of thieves); clique; **~ero** m gangster

panecillo m roll (bread)

pánico m panic

panqueque m SA pancake

pantalón m trousers; **~ bombacho** knickers, knickerbockers

pantalla f lamp-shade; screen

pantan|al m swamp; **~o** m marsh; swamp; reservoir; **~oso** marshy

pantera f panther [leg]

pantorrilla f calf (of the)

panz|a f paunch, belly; **~udo** big-bellied

pañal m (baby's) napkin; diaper; **~es** swaddling-clothes; infancy

pañ|ería f draper's shop; clothing shop; **~o** m cloth; duster; **~o higiénico** sanitary napkin or towel;

~uelo m handkerchief; kerchief

papá m father; daddy

papa m pope; f SA potato; **~do** m papacy

papagayo m parrot

papamoscas m fly-catcher

papel m paper; document; pamphlet; theat rôle; **~ carbón** carbon paper; **~ decorado** wallpaper, paperhangings; **~ de cartas** writing-paper; **~ de estaño** tin-foil; **~ de estraza** brown paper; **~ de fumar** cigarette-paper; **~ higiénico** toilet-paper; **~ de lija** sandpaper; **~ de seda** tissue paper; **~ moneda** paper money; **~ secante** blotting-paper; **~era** f writing-desk; **~ería** f stationer's; **~ero** m stationer; **~eta** f card; check; slip of paper; **~ucho** m scurrilous article

paperas f/pl mumps

papilla f pap

paquete m packet; parcel

par m pair; couple; peer; a even (of numbers); equal; **a la ~** equally; com at par; **sin ~** matchless

para for; intended for; to; **~ que** in order that; **estar ~** to be about to; **¿~ qué?** what for?

parabrisas m wind-screen

paracaídas m parachute

paracaidista m parachutist

parachoques m bumper

para|da f stop; stopping-

place; **~da condicional**
request stop; **~da de
taxis** cabstand, taxi-rank;
~dero *m* whereabouts;
SA busstop, railway stop;
~do *a* motionless; unemployed; *m* unemployed
worker

paradoja *f* paradox

paradójico paradoxical

parador *m* inn; tourist
hotel

parafina *f* paraffin

paraguas *m* umbrella

paraíso *m* paradise; heaven

paralela *f* parallel; **~o**
parallel

parálisis *f* paralysis

paralítico paralytic

páramo *m* moor; *SA* bleak
plateau

parapeto *m* breastwork,
rail (*of a bridge*)

parar *v/t*, **~se** to stop; *SA*
to stand

pararrayos *m* lightning-
conductor

parásito(a) *m* (*f*) parasite

parasol *m* sunshade

parcela *f* parcel, plot (of
ground); **~r** *v/t* to allot;
to parcel out

parcial partial, one-sided;
~idad *f* partiality; bias

parco sparing; moderate

parche *m* sticking plaster;
patch

pardo *a* dark; brown; **~usco**
greyish; drab

parec|er *m* opinion; ap-
pearance; looks; *v/i* to
appear; to seem; **~erse**

to resemble; **~ido** *a* like,
similar; **bien ~ido** good-
looking; *m* resemblance,
likeness

pared *f* wall   [ner]

pareja *f* couple; pair; part-∫

parente|la *f* kin(folk), rela-
tions, parentage; **~sco** *m*
kinship

paréntesis *f* brackets

paria *m, f* outcast

paridad *f* parity, equality

pariente *m, f* relative

parir *v/t*, *v/i* to give birth

parl|amentar *v/i* to con-
verse; **~amentario** parl-
iamentary; **~amento** *m*
parliament; **~anchín** *m, f*
chatter-box; **~otear** *v/i*
to prattle, to babble, to
chatter

paro *m* lock-out; *orn* tit; **~
forzoso** unemployment

parpadear *v/i* to blink, to
twinkle

párpado *m* eyelid

parque *m* park; **~ zoológico** zoo

parqué *m* parquet

parquímetro *m* parking
meter

parra *f* climbing vine

párrafo *m* paragraph

parrilla *f* grill; grate;
gridiron

párroco *m* parish priest

parroquia *f* parish; parish
church; *com* customers;
~no *m* parishioner; *com*
customer

parsimonia *f* economy;
frugality

parte f part; share; party; side; cause; place; *theat* rôle; **de ~ de** from; on behalf of; **de ~ a ~** through; **en ~** partly; **en todas ~s** everywhere; **por otra ~** on the other hand; **la mayor ~** most of; **~s vitales** vitals; m report; news; **~luz** *m arch* mullion

participa|ción f share; participation; announcement; **~r** *v/t* to inform, to notify; *v/i* to partake, to participate; to share

partícipe sharing

participio *m gram* participle

partícula f particle

particular particular; special; private; lot; **~idad** f particularity, peculiarity; **~izar** *v/t* to specify

partida f departure, parting; document; certificate; *com* item; party; lot; shipment; game (*of cards*); entry (*in a register*); **~ doble** *com* double-entry; **~ de matrimonio** marriage certificate; **~rio(a)** *m* (*f*) partisan, follower; **~rios** *m/pl* following

parti|do *m pol* party; match, game (*in sport*); profit; **sacar ~do de** to take advantage of; **tomar ~do** to make a decision; to take sides; **~r** *v/t* to part, to divide, to split; to break; *v/i* to depart; **a ~r de hoy** from today on-wards

partitura f *mus* score

parto *m* childbirth; **estar de ~** to be in labour, to be confined

parva f heap, large amount

párvulo a small; tiny; *m* small child

pasa f dried grape; raisin; **~ de Corinto** currant

pasado a past; **~ de moda** old-fashioned, out of fashion; **~ mañana** the day after tomorrow; *m* past

pasador *m* bolt; pin; smuggler

pasaje *m* passage; voyage; fare; **~ro(a)** *m* (*f*) passenger

pasaman|ería f passementerie; **~o** *m* banister, handrail

pasante *m* assistant (*to lawyer or doctor*)

pasaporte *m* passport

pasar *v/t* to pass; to cross; to surpass; to hand; to transfer; to smuggle; to undergo; to endure; to overlook; **~lo bien** to have a good time; **~ por alto** to ignore; to overlook; *v/i* to pass; to manage; to go past; to end; **~ de** to exceed; **~ a** to proceed; **~ por** to be reputed; **¿qué pasa?** what's the matter?; what's the trouble?; **~se** to go over; **~ sin** to do without, to dispense with; **~se de** to be too

pasatiempo *m* pastime

pascua f Passover; 2 **del Espíritu Santo** Pentecost; 2 **de la Navidad** Christmas; 2 **de Resurrección** Easter

pase m permit; pass

pase|ante m, f walker, stroller; **~o** m walk; stroll; **dar un ~o** to take a walk

pasillo m corridor

pasión f passion

pasional passionate

pasiv|idad f passivity; **~o** m com liabilities; debit; a passive

pasm|ar v/t to stun; **~o** m amazement; **~oso** amazing

paso m pace; step; passing; gait; walk; **~ a nivel** level crossing; **~ de peatones** pedestrian crossing; **~ superior** fc overpass; **a pocos ~s** at a short distance; **a ~ de tortuga** at a snail's pace; **de ~** in passing; on the way; **abrirse ~** to make one's way; **ceder el ~** to make way; **marcar el ~** to mark time; **salir del ~** to get out of a difficulty

pasta f paste; dough; pl pastry; **~ dentífrica** toothpaste

pastel m cake; pie; fig shady deal; **~ería** f pastry shop; pastry; **~ero** m pastry cook; **~illo** m fancy cake

pastilla f tablet; cake (of soap); drop, lozenge

pasto m grazing; pasture; food; **~r(a)** m (f) shepherd

(-ess); **~ral** pastoral; **~rear** v/t to pasture; **~reo** m pasturing

pastoso pasty, doughy

pata f foot; leg; paw; **~s de gallo** wrinkles, crow's feet; **a cuatro ~s** on all fours; **~s arriba** upside down; **meter la ~** fig to put one's foot in it; **~da** f stamp (with the foot); kick

patán m rustic; lout

patata f potato

patear v/t, v/i to kick; to stamp

patent|e f patent; warrant; a patent, evident; **~izar** v/t to evidence

patern|al paternal; **~idad** f paternity; **~o** paternal; fatherly

patético moving, pathetic

patíbulo m gallows

patillas f/pl side-whiskers

patín m skate; **~ de ruedas** roller-skate

patin|adero m skating-rink; **~ador(a)** m (f) skater; **~aje** m skating; **~aje artístico** figure skating; **~ar** v/i to skate; to skid; **~ete** f scooter

patio m courtyard; theat pit

pato m duck; **pagar el ~** fig to be the scapegoat

patológico pathological

patraña f fake, swindle, humbug

patria f fatherland; native country

patrimonio m patrimony

patrio native; **~ta** m, f

patriot; **~tero** m chauvinist

patriótico patriotic

patriotismo m patriotism

patrocin|ador m patron, sponsor; **~ar** v/t to sponsor; **~io** m patronage; protection

patrón m patron; protector; landlord; employer; standard; *cost* pattern; **~ oro** gold standard

patron|a f patroness; landlady; **~ato** m trust; trusteeship; foundation

patronímico m surname

patrulla f patrol; squad; **~r** v/t, v/i to patrol

paulatinamente gradually

pausa f pause; rest; **~damente** leisurely, slowly; **~do** calm; slow; **~r** v/i to pause

pava f turkey-hen; **pelar la ~** v/i to carry on a flirtation

pávido timid, fearful

paviment|ar v/t to pave; **~o** m pavement; paving

pavo m turkey; **~ real** peacock; **~nearse** v/t to swagger, to show off

pavor m terror

payas|ada f clowning; **~o** m clown

paz f peace, tranquillity

peaje m toll

peatón m pedestrian

peca f freckle, spot

peca|do m sin; **~dor(a)** m (f) sinner; **~minoso** sinful

pecera f aquarium

pécora f head of sheep; **mala ~** malignant woman

peculiar peculiar; **~idad** f peculiarity

pechera f shirt-front

pecho m chest; breast; bosom; slope; courage; **dar el ~** to breast-feed; **tomar a ~** to take to heart

pechuga f breast (of fowls); *SA* impudence

pedag|ogía f pedagogy; **~ógico** pedagogical; **~ogo** m teacher

pedal m pedal m; *mech* treadle; **~ear** v/i to pedal

pedante pedantic; **~ría** f pedantry

pedazo m piece, fragment

pedernal m flint

pedestal m pedestal

pedestre pedestrian

pedicuro(a) m (f) chiropodist

pedi|do m demand; *com* order; **~r** v/t to beg; to request; to demand; to sue for; *com* to order

pedr|ada f blow with a stone; **~ea** f stone-throwing; **~egal** m stony place; **~egoso** stony; **~ejón** m boulder; **~ero** m stone-cutter; **~isca** f hailstorm; **~usco** m big, rough stone

peg|a f gluing; sticking; *fig* difficulty; poser; **~adizo** sticky; **~ado** a attached to; **~ajoso** sticky; **~ar** v/t to stick; to glue; to beat; **~ar fuego a** to set on fire; **no ~ar los ojos**

not to sleep a wink; ~ar un
tiro a to shoot; ~arse to
adhere; to stick to; ~ote m
sticking plaster; *fam* sponger; ~otear *v/i fam* to
sponge

pein|ado m hairdo; ~ador
m dressing-gown; ~adura
f combing; ~ar *v/t* to
comb; ~e m comb

peladilla f sugar almond

pelad|o shorn; peeled;
penniless; ~uras *f/pl*
parings

pelar *v/t* to peel; to cut the
hair off; to shear; to pluck
(*fowls*); *fig* to fleece

peldaño m step (*of staircase*); rung (*of ladder*)

pelea f fight; quarrel; ~r *v/i*
to fight; to quarrel

pelele m dummy; simpleton

peleter|ía f furrier's shop;
~o m furrier   [cult]

peliagudo furry; *fig* diffi-

pelícano m pelican

película f film; motion
picture

peligr|ar *v/i* to be in dan-
ger; ~o m risk; peril; correr ~o to run a risk; ~oso
dangerous

pelillo m annoying trifle;
echar ~s a la mar to
make it up; pararse en
~s to stick at trifles

pelinegro black-haired

pelmazo m heavy food;
sluggard

pelo m hair; fibre, fila-
ment; down (*of birds, fruit*);
nap (*of cloth*); coat (*of

animals); tomar el ~o to
pull one's leg, to tease;
~ón hairless; penniless

pelot|a f ball; fellow; pelota (*ball-
game*); ~azo m blow with
a ball (*accounts*); *v/i* to knock
a ball about; to argue

pelotón m tuft of hair; *mil*
platoon; ~ de ejecución
shooting squad

pelu|ca f wig; ~do hairy,
shaggy; ~quería f hair-
dresser's shop; ~quero(a)
m (f) hairdresser; barber

pelusa f fluff; down

pellej|a f, ~o m skin; hide;
salvar el ~o to save one's
skin

pellizc|ar *v/t* to pinch; to
nip; ~o m pinch, nip

pen|a f grief, sorrow; pun-
ishment, penalty; ~a capital capital punishment; a
duras ~as with great
trouble; valer la ~a to be
worthwhile; ~ado m con-
vict; *a painful*; ~al penal;
~ar *v/t* to punish; ~arse
to grieve

pendenciero quarrelsome

pend|er *v/i* to hang; to
dangle; ~iente *a* pending;
~iente de pago unpaid;
f slope, hill

péndulo m pendulum

pene m penis

penetra|ción f penetra-
tion; insight; ~nte pene-
trating; piercing; ~r *v/t*
to understand; to penetrate

penicilina f penicillin

península f peninsula

penique m penny

peniten|cia f penitence; penance; **~ciaría** f penitentiary; **~te** penitent, repentant

penoso painful

pensa|do deliberate, premeditated; **mal ~do** evil-minded; **~dor(a)** m (f) thinker; **~miento** m thought; thinking; bot pansy; **~r** v/t to think; to intend; **~r en** to think of; **~tivo** thoughtful, pensive

pensi|ón f pension; rent; boarding-house; **~onar** v/t to pension; **~onista** m, f pensioner; boarder

pentecostés m Whitsuntide

penúltimo last but one

penuria f poverty, need; hardship

peña f rock; crag; group of friends; **~ascal** m rocky hill; **~asco** m crag, cliff; **~ascoso** rocky, mountainous; **~ón** m large rock

peón m foot-soldier; day labourer; pawn (chess)

peor a, adv worse; worst; **de mal en ~** from bad to worse

pepin|illos m/pl gherkins; **~o** m cucumber

pepita f pip; stone (of fruit); nugget

pequeñ|ez f smallness; trifle; pettiness; **~o** little; small

pera f pear; goatee; **~l** m pear-tree

percance m misfortune, accident, mishap

percatarse de to realize, to notice

percep|ción f perception; **~tible** perceptible; **~tivo** perceptive; **~tor** m perceiver; observer

percib|ir v/t to collect (taxes); to receive; to perceive; to notice

percu|sión f percussion; **~tir** v/t to percuss; to strike

percha f perch; rack; peg; hat-stand; roost

perd|er v/t to lose; to waste; to ruin; to miss; **~erse** to get lost; to pass out of sight or hearing; **~ición** f perdition; loss; ruin

pérdida f loss; **~s y ganancias** f/pl profit and loss

perdido lost; wasted; stray; spoilt; ruined

perdig|ón m young partridge; bird shot; **~uero** m setter; retriever (dog)

perdiz f partridge

perdón m pardon; mercy

perdonar v/t to forgive; **¡perdóneme!** excuse me!

perdurar v/i to endure; to last

perece|dero perishable; **~r** v/i to come to an end; to perish

peregrin|ación f pilgrimage; **~ar** v/i to go on a pilgrimage; **~o(a)** m (f) pilgrim; a migratory

perejil *m* parsley
perentorio peremptory, de-cisive
perez|a *f* laziness, idleness, sloth; **~oso** *a* lazy, idle; *m zool* sloth
perfección *f* perfection
perfeccionar *v/t* to perfect
perfecto perfect, complete
perfidia *f* perfidy, treachery
pérfido perfidious, disloyal
perfil *m* profile, outline; **~ar** *v/t* to profile; to outline; **~arse** to loom, to appear
perforar *v/t* to punch; to perforate; to drill
perfum|ar *v/t* to scent; **~e** *m* perfume; **~ería** *f* perfumery
pergamino *m* parchment
pericia *f* skill; expertness, know-how; **~l** expert
perico *m* parakeet
periferia *f* periphery, out-skirts
perilla *f* door-knob; handle
periódico *m* daily, news-paper; *a* periodical
periodi|smo *m* journalism; **~sta** *m* newspaperman, journalist
período *m* period
peripecia *f* episode; acci-dent
perito *m* expert
perjudic|ar *v/t* to harm; to damage; **~ial** harmful
perjuicio *m* damage, hurt
perjur|ar *v/i* to commit perjury; **~io** *m* perjury; **~o** *m* perjurer

perla *f* pearl
permane|cer *v/i* to re-main; to stay; **~ncia** *f* permanency; stay; sojourn; **~nte** *f fam* perm; *a* per-manent
permeable permeable
permi|sible permissible; **~sión** *f* permission; leave; permit; licence; **~sivo** per-missive, tolerant; **~tir** *v/t* to permit; to allow
permuta *f* exchange; bar-ter; **~ble** exchangeable; **~ción** *f* exchange, inter-change; **~r** *v/t* to exchange
pernicioso harmful; per-nicious
perno *m* bolt; pin
pernoctar *v/i* to spend the night
pero but, yet
perogrullada *f fam* truism, platitude [ular]
perpendicular perpendic-
perpetrar *v/t* to perpetrate
perpetuo perpetual
perplej|idad *f* perplexity; **~o** perplexed
perr|a *f* bitch; *fam* copper (*coin*); **~ada** *f* pack of dogs; **~era** *f* kennel; drudgery; **~ero** *m* dog-catcher; **~illo** *m* small dog; trigger; **~illo de falda** lap-dog; **~o** *m* dog; **~o de aguas** spaniel; **~o de lanas** poodle; **~o de presa** bulldog; **~o del hortelano** dog in the manger; **~o guardián** watchdog; **~o pastor** sheep-dog; **~uno** doggish;

doglike
persa m, f, a Persian
persecución f persecution; pursuit; harassment
persegui|miento m persecution; ~r v/t to pursue; to harass
perseverar v/i to persevere, to persist
persiana f Venetian-blind
persignarse to cross oneself
pérsigo m peach; peachtree
persisten|cia f persistency; ~te persistent
persona f person; individual; personage; *theat* character; ~je m personage; ~l a personal, private; m personnel; ~lidad f personality; ~rse v/r to appear personally
personifica|ción f personification; ~r v/t to personify
perspectiva f perspective, outlook, prospect
perspica|cia f perspicacity; sagacity; ~z perspicacious, shrewd
persua|dir v/t to persuade; ~sivo persuasive, inducing
pertene|cer v/i to belong; to appertain; to concern; ~ncia f ownership; property
pertina|cia f stubbornness; ~z stubborn
pertinente pertinent; *for* concerning
pertrechar v/t, ~se *mil* to

equip; to supply; to store
perturba|dor a disturbing; m disturber, perturber; ~r v/t to confuse, to agitate, to interrupt
peruano(a) m (f), a Peruvian
perver|sión f perversion; ~so perverse, evil; ~tido m pervert; ~tir v/t to pervert, to corrupt; to debase
pesa f weight; clock weight; counterweight; ~dez f heaviness; sluggishness; drowsiness; fatigue; ~dilla f nightmare; ~do heavy; massive; wearisome; tedious; fat; ~dumbre f heaviness; sorrow; regret
pésame m condolences
pesar v/t to weigh; to ponder; v/i to weigh; to be important; to cause sorrow or regret; m sorrow, grief; **a ~ de** in spite of; **a ~ de todo** all the same, nevertheless; ~oso sorry, regretful
pesca f fishing; fishery; ~dería f fishmonger's shop; ~dero m fishmonger; ~do m fish (*caught*); ~dor m fisherman; ~r v/t, v/i to fish; to catch, to angle
pescuezo m neck
pesebre m manger; crib; stall
peseta f peseta (*Spanish currency unit*)
pesimista m, f pessimist

pésimo worst; very bad
peso m weight; burden; heaviness; balance, scales; peso (currency unit); ~ **bruto** gross weight; ~ **ligero** light-weight; ~ **medio** middle-weight
pesquisa f inquiry; investigation; ~**idor** m for coroner
pestañ|a f eyelash; ~**ear** v/i to wink; to blink
pest|e f pest; plague; stench; ~**ífero** foul; ~**ilencia** f pestilence
pestillo m door-latch
petaca f cigar(-ette)-case
pétalo m petal
petardo m bomb; petard; fam swindle
petición f petition; demand
petirrojo m robin
petrificar v/t to petrify
petróleo m petroleum, (mineral) oil
petulan|cia f arrogance; ~**te** haughty, arrogant
pez m fish (living); pitch, tar; ~ **gordo** fam bigwig
pezón m stalk; nipple
pezuña f hoof
piadoso pious; devout; merciful
piano m piano
piar v/i to chirp, to peep
piara f herd of pigs
pica f pike
picadero m riding-school
picadillo m minced meat, hash
picado a pricked; m aer nose-dive

picadura f pricking; sting; bite
picante hot, strongly, spiced; biting
picaporte m door-knob; latch; door-handle
picar v/t to prick; to sting; to bite; to chop; to mince; v/i aer to nose-dive; ~ **en** to be something of a; ~**se** to be moth-eaten; to turn sour; to become choppy (sea); to take offence
picardía f knavery; roguery; mischievousness
pícaro a sly, crafty; base; roguish; m rogue; rascal; scoundrel
picatoste m buttered toast
picazón f itch, itching; smarting
pico m beak, bill (of a bird); peak, summit; pick; spout (of teapot)
picotazo m peck of a bird
pictórico pictorial
pichón m young pigeon
pie m foot; trunk (of tree); stem (of plants); support; **a** ~ on foot; **al** ~ **de la letra** literally; **en** ~ standing; in force; pending; **dar** ~ to give cause; **de** ~**s a cabeza** from head to foot; **estar de** ~ to stand; **ponerse en** ~ to stand up; **poner** ~**s en polvorosa** to take to one's heels
piedad f piety; devoutness; mercy; pity
piedra f stone; hail
piel f skin; hide; leather

pienso *m* fodder; feed; **ni por ~** by no means

pierna *f* leg; **a ~ suelta** soundly

pieza *f* piece; play; room

pifia *f* false stroke at billiards; *fam* blunder

pigmento *m* pigment

pijama *m* pyjamas, *Am* pajamas

pila *f* (*kitchen*) sink; basin; water trough; *eccl* font; *elec* battery; pile; **~ atómica** atomic pile

pilar *m* pillar, column

píldora *f* pill

pilón *m* trough; basin; loaf (*sugar*); pylon

pilot|aje *m* pilotage; pile-work; **~o** *m* pilot; driver

pilla|je *m* plundering; **~r** *v/t* to pillage, to plunder, to loot

pillo *m* rascal; knave

piment|ero *m* pepper-plant; **~ón** *m* red pepper

pimient|a *f* black pepper; **~o** *m* green pepper

pimpollo *m* shoot; bud; pretty youth

pinar *m* pine-grove

pinch|ar *v/t* to prick, to puncture; **~azo** *m* prick; puncture (*t aut*)

pingüe greasy; *fig* fat (*profits, etc*)

pin|güino *m* penguin; **~ito** *m* first step; **hacer ~itos** to toddle

pino *m* pine-tree

pinta *f* spot, mark; appearance; pint; **~dillo** *m*

goldfinch; **~r** *v/t* to paint; to describe; **~rse** to make up one's face

pintor|(a *m* (*f*) painter; **~esco** picturesque

pintura *f* painting, picture; paint

pinzas *f/pl* tweezers; forceps; tongs; claws (*of crabs, etc*)

pinzón *m* chaffinch

piña *f* pineapple; pine-cone

piñón *m* pine kernel; *mech* pinion

pío *m* peep, peeping

piojo *m* louse; **~so** lousy, mean

pionero *m* pioneer

pipa *f* cask; butt; pipe; pip (*of some fruits*)

pique *m* pique, resentment; **echar a ~** *v/t* to sink; **irse a ~** to sink; to fail; to be ruined [picket]

piquete *m* prick; sting; *mil*]

piragua *f* canoe

pirámide *f* pyramid

pirat|a *m* pirate; corsair; **~ear** *v/i* to pirate; **~ería** *f* piracy

Pirineos *m/pl* Pyrenees

pirop|ear *v/t, v/i* to compliment (*a woman*); **~o** *m* compliment

pirotécnico *a* pyrotechnical; *m* pyrotechnician

pisa *f* treading; **~da** *f* footstep; track; **~r** *v/t* to tread on; to trample

pisaverde *m fam* dandy, buck

piscina *f* swimming-pool

piscolabis m snack

piso m floor; flooring; paving; storey; flat; **~ bajo** ground floor

pisón m rammer

pisotear v/t to trample on

pista f track; lane (of highway); scent; ring (of the circus); **~ de aterrizaje** runway (on the airfield); **~ de baile** dancing floor; **~ de cenizas** dep cinder track; **~ de despegue** aer runway; **~ de esquiar** skiingtrack; **~ de patinaje** skating rink; **~ de tenis** tennis court; **~ sonora** cine sound-track

pistola f pistol; **~ pulverizadora** spray-gun; **~ero** m gangster, gunman

pistón m piston

pit|ar v/t to discharge (a debt); v/i to whistle; **~illera** f cigarette-case; **~illo** m cigarette; **~o** m whistle

pitón m protuberance, lump; horn (of a young bull); spout (of vessel); SA nozzle; young shoot

pivote m pivot

pizarra f slate; blackboard

pizca f bit; crumb; dash; mite

placa f plate; plaque; **~ de matrícula** aut number or licence plate; **~ giratoria** turntable

place|ntero pleasant; **~r** m pleasure; v/t to please

plácido placid

plaga f scourge; calamity; plague; misfortune; **~r** v/t to infest

plagio m plagiarism

plan m plan; project; design

plana f page; copy; record; **primera ~** front page

plancha f metal sheet; flatiron; **~do** m ironing; pressing; **~r** v/t to iron; to press (clothes)

planea|dor m aer glider; **~r** v/i to glide; v/t to plan, to design

planeta m planet

planicie f plain

planificar v/t to plan; to organize

planilla f SA pay-bill

plano m plan; draft; plane; map (of city, etc); **primer ~** foreground; a level, flat

plant|a f plant; sole (of the foot); storey; industrial building, plant; **~ación** f planting; plantation; **~ar** v/t to plant; **~arse** to stop (animal); to stand firm

plantear v/t to outline, to state; to propose, to present

plantel m nursery garden; school

plantilla f young plant; inner sole (of a shoe)

plantío m planting; plantation, bed

plañi|dera f mourner; **~r** v/i to weep, to lament

plaqué m (gold-)plating

plasma m plasma

plástico *a, m* plastic

plata *f* silver; money

plataforma *f* platform; **~ de lanzamiento** launching-pad (*for rockets*)

plátano *m* banana; plane tree

platea *f* theat pit

plate|ado silverplated; silvery; **~ro** *m* silversmith

plática *f* conversation; sermon

platija *f* plaice [mon]

platillo *m* saucer; small dish; **~ volador** flying saucer

platin|a *f SA* tin-foil; **~o** *m* platinum

plato *m* dish; plate; course

playa *f* shore; beach, strand

plaza *f* (public) square; market-place; post; **~ fuerte** *mil* fortress; **~ de armas** parade-ground, *SA* main square (*of the town*); **~ de toros** bull--ring; **sentar ~** *mil* to enlist

plazo *m* term; due date; instalment; period; **a ~s** on credit, by instalments; **corto ~** short notice

plazoleta *f* small (public) square

pleamar *f* high tide; flood

pleb|e *f* populace; **~eyo** *a, m* plebeian; commoner; **~iscito** *m* referendum

plega|ble, ~dizo pliable; folding; collapsible; **~r** *v/t* to fold; to pleat; **~rse** to fold; to submit

plegaria *f* prayer

pleit|ear *v/i* to litigate; **~o** *m* lawsuit

plen|amente fully; **~ario** plenary; **~ipotencia** *f* full powers; **~itud** *f* plenitude; fullness; **~o** full; complete; **en ~o día** in broad daylight; **en ~o invierno** in mid winter

pleuresía *f* pleurisy

pliego *m* sheet (*of paper*); sealed letter or document; envelope; **en este ~** com enclosed

pliegue *m* fold, crease

plisar *v/t* to pleat

plomo *m* lead; lead weight; bullet

plum|a *f* feather; quill; pen; nib; **~a estilográfica** fountain-pen; **~aje** *m* plumage; **~azo** *m* feather pillow; pen stroke; **~ero** *m* feather duster; **~ón** *m* down; pillow; **~oso** feathery

plural *m* plural [ery]

pluralidad *f* majority

pluscuamperfecto *m* pluperfect

pobla|ción *f* population; town; **~cho** *m* miserable village; **~do** *m* town; village; inhabited place; **~r** *v/t* to populate; to people; to settle; to stock; **~rse** to fill (*with people*)

pobre *a* poor; *m, f* poor person; beggar; **~za** *f* poverty

pocilga *f* pigsty [erty]

poción *f* potion; dose (*of medicine*)

poco *a* little; scanty; *adv*

little, not very; **dentro de** ~ shortly; presently; ~ **más o menos** more or less; **por** ~ nearly; ~ **ha** lately; **tener en** ~ to think little of

pocho discoloured
poda f pruning; ~**r** v/t to prune
poder m power; authority; strength; might; ~ **notarial** power of attorney; **en** ~ **de** com in possession of; **plenos** ~ full authority; v/t, v/i to be able; **a más no** ~ to the utmost; **no** ~ **con** to be unable to bear
poder|ío m power, might; authority, dominion; wealth; ~**ío naval** sea-power; ~**oso** powerful, mighty; wealthy
podri|do rotten; corrupt; ~**rse** to rot, to putrefy
poe|ma m poem; ~**sía** f poetry; poem; ~**ta** m poet
poético poetic [(Pole)]
polaco(a) a Polish; m (f)∫
polarizar v/t to polarize
polea f pulley
polémica f polemics
policía f police; m policeman, constable; ~**co** of the police
poliéster m polyester
polígamo m polygamist
polilla f moth
pólipo m polyp; med polypus
politécnico polytechnic
polític|a f politics; policy; ~**a exterior** foreign policy;

~**o** political
póliza f com policy; ~ **de seguro** insurance policy
polizón m stow-away; tramp
polizonte m fam copper, policeman
polo m pole; polo
polonés(esa) Polish
poltrón idle, lazy
polv|areda f dust cloud; ~**era** f powder-box; vanity-case; ~**o** m dust; powder; pl toilet powder; **en** ~**o** powdered; ~**o radiactivo** atomic dust
pólvora f gunpowder
polv|oriento dusty; ~**orín** m powder magazine; fig powder keg
poll|a f pullet; young girl; ~**ada** f hatch of chickens; ~**ería** f poultry-shop; ~**ero** m poulterer; ~**o** m chicken; fam youngster; ~**uelo** m chick
pomar m apple orchard
pomelo m grapefruit
pómez: piedra f ~ pumice-stone
pomo m pip-fruit; flagon (of perfume); pommel of a sword
pomp|a f pomp; show; ~**oso** magnificent; grandiose; pompous
pómulo m cheek-bone
ponche m punch (drink); ~**ra** f punch-bowl
poncho m cloak, blanket
pondera|ción f deliberation; consideration; ~**r** v/t

to weigh; to ponder

poner v/t to put; to place; to set (a table); to lay (a table, eggs); to give (name); to cause; to set to; **~ en claro** to make clear; **~ en duda** to doubt; **~ en marcha** to start (an engine); **~se** to become, to get; to set (the sun)

poniente m west; west wind

pontifica|do m pontificate; **~l** pontifical

pontón m pontoon

ponzoñ|a f poison; **~oso** poisonous

popa f naut stern

populacho m populace

popular popular; **~idad** f popularity; **~izarse** to become popular

poqu|edad f fewness; timidity; irresoluteness; **~ito** very little

por by; for; through; as; across; for the sake of; on behalf of; **escrito ~** written by; **pasamos ~ París** we travel through Paris; **~ la mañana** in the morning; **~ Navidad** by or about Christmas; **se vende al ~ mayor** it is sold wholesale; **~ ciento** percent; **~ docena** by the dozen; **~ adelantado** in advance; **~ escrito** in writing; **ir ~ pan** to go for bread; **la casa está ~ terminar** the house is about finished; **~ ahora** now; **¡~ supuesto!** sure!; **~ ende** for that

reason; **~ si acaso** just in case

porcelana f porcelain; china

porcentaje m percentage

porción f lot; portion; part

porche m porch, portico

pordiosero m beggar

porfiado obstinate

pormenor m detail; **~izar** v/t to detail

poro m pore; **~so** porous

porque because; in order that

porqué m cause, reason; **¿por qué?** interrog why?; what for?

porquer|ía f dirt; rubbish; dirty business; **~o** m swineherd

porra f cudgel; truncheon; club; **~zo** m blow, thump; knock

porro dull, stupid

porta|aviones m aircraft-carrier; **~bombas** m bombcarrier

portada f doorway; porch; frontispiece; title-page

portador(a) m (f) bearer

portaequipajes m luggage-rack

portal m porch; house-door; gate; **~ón** mar gangway

portamonedas m purse

portarse to behave

portátil portable

portavoz m spokesman, mouthpiece

portazgo m toll

portazo m slam of a door;

dar ~s to slam doors
winning-post; ~**indicador**
signpost

porte m carriage fee;
freight; postage; behav-
iour; ~ **franco** postage
prepaid

porter|ía f porter's lodge;
dep goal; portholes; ~**o**(a)
m (f) porter, janitor, con-
cierge; doorkeeper; superintendent; dep goalkeeper

portezuela f carriage door;
wicket

pórtico m porch, verandah

portilla f porthole

portugués(esa) m (f), a
Portuguese

porvenir m future

posad|a f inn, hostel; ~**ero**
m innkeeper

pose|edor(a) m (f) possess-
or; owner; ~**er** v/t to
possess; to own; ~**ído** possessed; ~**sión** f possession;
ownership; property; ~
sionarse to take pos-
session; ~**sivo** possessive

posib|ilidad f possibility;
~**ilitar** v/t to make possible; ~**le** possible

posición f position; rank

positivo positive

poso m sediment; dregs;
lees

posponer v/t to place behind; to postpone

postal postal; (**tarjeta**) ~
postcard; ~ **ilustrada** picture postcard

pos(t)data f postscript

poste m post; pillar; pole;
~ **de alumbrado** lamp-
post; ~ **de llegada** dep

postergar v/t to postpone;
to pass over

posteri|dad f posterity;
~**or** subsequent; rear; back

postguerra f ~ post-war

postigo m wicket; shutter

postizo false; artificial

postor m bidder

postra|do prone; prostrate;
~**r** v/t to overthrow; to
prostrate; ~**rse** to prostrate
oneself; to kneel down

postre m dessert; ~**mo**, ~**ro**
last

postular v/t to claim; to
postulate

póstumo posthumous

postura f posture, pose,
position; com bid; price

potable drinkable

potaje m vegetable soup

potasa f potash

pote m pot; jar

poten|cia f power; might;
~**cia mundial** world power; ~**cial** f potential; capacity; a potential; ~**te**
powerful; strong

potesta|d f power; juris-
diction; ~**tivo** facultative

potingue m fam medicinal
concoction

potr|a f filly; ~**anca** f
young mare; ~**ero** m stud
farm; SA cattle ranch; ~**o**
m foal, colt

poza f puddle; pool

pozo m well; ~ **de mina** pit;
shaft

práctic|a f practice, cus-

tom; **~o** m mar pilot; a
practical
practica|ble feasible; **~nte**
m apprentice; **~r** v/t to
practice; to perform
prad|era f meadowland; **~o**
m field, meadow
preámbulo m preamble
preboste m provost
precario precarious
precaución f precaution
precavido cautious, wary
prece|ncia f precedence;
priority; preference; **~nte**
m precedent; a preceding;
prior; **~r** v/t to precede;
to be superior to
precepto m precept; order;
rule; **~r** m tutor
preci|ar v/t to value; to
appraise; **~o** m price;
worth; value; esteem; **~o
fijo** fixed price; **~oso** precious; excellent
precipi|cio m precipice;
~tación f **radioactiva**
fallout; **~tar** v/t to precip-
itate; to hasten; **~tarse**
to rush; to dash
precis|amente precisely;
~ar v/t to define exactly,
to specify; to need; **~ión** f
precision; need; **~o** pre-
cise; necessary
preconizar v/t to praise; to
extol
precoz precocious
precursor(a) m (f) fore-
runner; a preceding
predecesor m predecessor
predestinar v/t to pre-
destinate

prédica f sermon
predica|dor(a) m (f)
preacher; **~mento** m category; predicament; **~r** to
preach
predicción f prediction
predilec|ción f predilec-
tion; **~to** favourite
predio m landed property;
estate   [position}
predisposición f predis-}
predomin|ar v/t to pre-
dominate; **~io** m predomi-
nance; superiority
prefabricado   prefabricated   [logue}
prefacio m preface, pro-}
prefect|o m prefect; **~ura** f
prefecture
preferen|cia f preference;
~te preferential
preferi|ble preferable; **~r**
v/t to prefer
prefijo m prefix
pregón m announcement;
cry (of traders)
preguerra: de ~ pre-war
pregunta f question; query;
inquiry; **estar a la cuarta
~** to be hard up; **hacer
una ~** to ask a question;
~r (por) v/t, v/i to ask
(for); **~rse** to wonder
prehistórico prehistoric
preju|icio m prejudice;
~zgar v/t to prejudge
prelado m prelate
preliminar a preliminary;
m preliminary
preludio m prelude
prematuro premature; untimely

premedita|ción f premeditation; **~do** premeditated; deliberate, wilful; **~r** v/t to premeditate

premi|ar v/t to reward; to award a prize to; **~o** m prize; premium

premisa f premise; assumption

premura f pressure, urgency

prenda f pledge; token; forfeit; pl talents; **~r** v/t to pawn; to please

prende|dor m clasp; brooch; **~r** v/t to seize; to catch; SA to switch on; **~r fuego** to catch fire; **~ría** f pawnshop

prendimiento m capture

prensa f press; **~do** m lustre (on material); **~r** v/t to press

preñ|ado a pregnant; full; m pregnancy; **~ez** f pregnancy

preocupa|ción f worry; preoccupation; **~do** preoccupied, worried; concerned; **~r** v/t to worry; to preoccupy; **~rse** to worry; to concern oneself; to take an interest in

prepara|ción f preparation; **~r** v/t to prepare; **~rse** to get or make ready; **~tivo** a preparatory; m preparation; arrangement

prepondera|ncia f preponderance; **~nte** preponderant; **~r** v/i to prevail

preposición f gram preposition

prerrogativa f prerogative; privilege

presa f capture; prey, quarry; dam, weir

presagi|ar v/t to presage; **~o** m presage, omen

presbicia f med far-sightedness

présbita far-sighted

presbítero m priest

prescindir de v/i to do without, to dispense with

prescri|bir v/t to prescribe; **~pción** f prescription; **~to** prescribed

presencia f presence; bearing; appearance; **~ de ánimo** presence of mind; **~r** v/t to attend; to be present at, to witness

presenta|ción f introduction; presentation; **~r** v/t to introduce; to present; to display; to exhibit; to enter (a claim, etc); **~rse** to present oneself; to introduce oneself; to turn up

presente a present; **al ~** at present; **tener ~** to bear in mind, to keep in view; m present; gift; **~mente** at present

presenti|miento m presentiment; **~r** v/t to have a presentiment of

preserva|ción f preservation; conservation; **~r** v/t to preserve; **~tivo** a preservative

presiden|cia f presidency; chairmanship; **~te** m pres-

ident; chairman
presidi|ario m convict; **~o**
m prison; imprisonment
presidir v/t to preside over
presilla f loop, fastener;
clip
presión f pressure; compression
preso m prisoner; a captured
presta|ción f lending; loan;
~ción por enfermedad
sick benefit; **~do** loaned;
pedir ~do to borrow;
~dor(a) m (f) lender;
~mista m moneylender,
pawnbroker
préstamo m loan
presta|r v/t to lend; to pay
(attention); **~tario** m borrower
prestidigitador m conjurer, magician
prestigio m prestige; **~so**
famous, renowned
presto quick; ready
presu|mible presumable;
~mido conceited; presumptuous; **~mir** v/t to
presume; to surmise; v/i
to show off; to be conceited; **~nción** f presumption; **~nto** presumed;
presumptive; **~ntuosidad** f
presumptuousness, **~ntuoso** conceited; presumptuous
presupuesto m budget
presur|a f anxiety; speed;
~oso hasty; prompt
preten|der v/t to seek; to
endeavour; to claim; to
attempt; to pretend; to

pay court to; **~diente** m
pretender; claimant; suitor; **~sión** f claim; pretension
pretérito m, a preterite;
past
pretexto m pretext, pretence
prevalecer v/i to prevail;
to take root
preven|ción f prevention;
warning; foresight; **~ir** v/t
to warn; to foresee; to
prevent; **~irse** to get
ready; to be prepared;
~tivo preventive
prever v/t to foresee; to
forecast
previo previous, prior
previs|ión f foresight; forecast; **~or** careful; far-seeing
prima f female cousin;
com premium; bounty; **~
de seguro** insurance premium
primacía f primacy
primado m primate
primario primary
primavera f spring; bot
primrose
primer|amente in the first
place; **~izo** m beginner;
~o(a) a first; former; best;
~ ministro prime minister; **de ~a** com prime; **de
~a (clase)** first-rate; **de
~a mano** first-hand; **en
lugar** firstly; **~os auxilios** first aid; adv first;
rather
primitivo primitive

primo m cousin; ~ **hermano**, ~ **carnal** first cousin; a first; prime; excellent; ~**génito** first-born

primor m excellence; beauty; ability; ~**oso** excellent; exquisite; skilful

primula f primrose

princ|esa f princess; ~**i-pado** m principality; ~**ipal** a principal; main; m chief; com principal

príncipe m prince; ~ **heredero** crown prince

principi|ante m, f beginner; ~**ar** v/t to begin; ~**o** m beginning; principle; **al** ~**o** at first; **por** ~**o** on principle

pring|ar v/t to dip in fat; to soil with sticky matter; to stain with fat; ~**oso** dirty; greasy; sticky

prioridad f priority

prisa f haste, hurry, speed; **darse** ~ to hurry, to make haste, to be quick

prisión f prison, jail; imprisonment

prisionero(a) m (f) prisoner; captive [prismatic]

prism|a m prism; ~**ático**}

priva|ción f privation, loss; want; ~**do** private; personal; ~**r** v/t to deprive; to prohibit; ~**tivo** privative; special, exclusive

privilegi|ar v/t to privilege; ~**o** m privilege; sole right

pro m or f profit; benefit; **en** ~ **de** for, on behalf of

proa f naut bow; prow; **de** ~ **a popa** from stem to stern

probab|ilidad f probability; likelihood; ~**le** probable; likely

proba|r v/t to test; to try; to prove; ~**torio** probative

probidad f integrity; probity

problem|a m problem; ~**ático** problematic

proced|encia f origin; ~**ente** justified; lawful; ~**ente de** proceeding from; ~**er** v/i to proceed; to be right; to behave; ~**er a** to proceed to; to start; ~**er contra** to proceed against; ~**er de** to proceed from; to originate; m behaviour; ~**i-miento** m process; procedure; for proceedings

proces|ar v/t to prosecute; to process; ~**o** m process; prosecution; for trial, lawsuit

proclama|ción f proclamation; ~**r** v/t to proclaim

procura f power of attorney; proxy; ~**dor** m attorney; solicitor; ~**r** v/t to try; to procure

prodigar v/t to squander; to lavish

prodigio m miracle; ~**so** prodigious; wonderful

pródigo prodigal; lavish; spendthrift

produc|ción f production; output; ~**ente** a producing; m producer; ~**ir** v/t to produce; to yield; to

cause; to create; ~tivo productive; ~to m product; produce; proceeds; yield; ~tos lácteos dairy products; ~tor(a) m (f) producer

proeza f prowess

profano profane; lay

profecía f prophecy

proferir v/t to proffer; to utter

profes|ar v/t to profess; to feel; to practise (a profession); ~ión f profession; calling; ~ional professional; ~or(a) m (f) teacher; professor; ~orado m teaching staff; teaching profession; ~oral professorial

profet|a m prophet; ~izar v/t to predict, to prophesy

prófugo(a) m (f) fugitive; m deserter

profund|idad f depth; ~izar v/t to deepen; to study thoroughly; ~o profound; deep

profus|ión f profusion; abundance; ~o profuse, abundant

programa m programme

progres|ar v/t to progress; ~ivo progressive; ~o m progress

prohibi|ción f prohibition; ~r v/t to prohibit; ~tivo prohibitive

prohijar v/t to adopt

prójimo m neighbour; fellow being

proletari|ado m proletar-

iat; ~o m, a proletarian

prolijo tedious, prolix; long-winded

prólogo m prologue

prolongar v/t to prolong; to extend

promedio m average

prome|sa f promise; ~tedor promising; ~ter v/t to promise; ~tido (a) m (f) fiancé(e), betrothed

prominente prominent

promiscuo promiscuous

promisorio promissory

promontorio m cape; headland

promo|tor m promoter; ~ver v/t to promote; to foster; to provoke

promulgar v/t to promulgate; to publish officially

pronombre m pronoun

pronosticar v/t to forecast

pronóstico m forecast; prediction; med prognosis; ~ del tiempo weather forecast

pront|itud f promptness, dispatch; ~o a prompt; fast; ready; adv quickly; soon; por lo ~o for the time being; tan ~o como as soon as

pronuncia|ción f pronunciation; ~miento m military riot; ~r v/t to pronounce; to utter

propaga|ción f propagation; spreading; ~dor a spreading; m propagator; ~nda f propaganda; ~ndista m, f propagandist;

~r v/t to spread; to propagate

propens|ión f propensity, leaning, inclination; **~o** inclined, prone

propiamente properly

propicio favourable; propitious

propie|dad f ownership; property; real estate; propriety; special quality; **~dad mancomunada** joint property; **~tario(a)** m (f) proprietor (-tress); landowner

propina f tip; gratuity

propio own; proper; suitable; typical; himself, herself, themselves; **el ~ rey** the king himself

proponer v/t to propose

proporción f proportion; symmetry

proporciona|do proportionate; proportioned; **~l** proportional; **~r** v/t to provide; to furnish

proposición f proposition; proposal

propósito m purpose; object; **a ~** by the way; on purpose; **¿a qué ~?** to what end?; **de ~** on purpose; **fuera de ~** beside the point

propuesta f offer; proposal

propuls|ar v/t to propel; **~ión** f propulsion; propelling; **~or** m propeller

prorrat|a f quota, share; **~ear** v/t to apportion; **~eo** m allotment; proportional division; com prorating

prórroga f prolongation; extension (of time)

prorrogar v/t to prorogue; to prolong; to extend (in time)

prosa f prose

prosáico prosaic; matter-of-fact

proscri|bir v/t to proscribe; to banish; **~to** m outlaw

prose|cución f prosecution; pursuit; **~guir** v/t to go on with, to continue; v/i to continue; to resume

prospecto m prospectus

prosper|ar v/i to prosper, to thrive; **~idad** f prosperity

próspero prosperous

prostitu|ir v/t to prostitute; to debase; **~ta** f prostitute

protección f protection

prote|ctor a protecting; protective; m protector; **~ger** v/t to protect; **~gido(a)** m (f) protégé, favourite

protesta f protest; **~ción** f protestation; **~nte** m, f Protestant; a protesting; **~r** v/t, v/i to protest

protesto m com protest (of a bill)

protocolo m protocol; etiquette; registry

prototipo m prototype, model

protuberancia f protuberance

provecho m profit; ¡**buen ~!** bon appétit!; **~so** profitable

provee|dor(a) m (f) purveyor; supplier; **~r** v/t to supply; to provide

provenir de v/i to arise from; to originate in

proverbio m proverb

providencia f providence; forethought; foresight

provincia f province; **~l** provincial; **~no(a)** m (f), a provincial

provisión f supply; provision; pl store; provisions

provisional temporary, provisional

provoca|ción f provocation; **~r** v/t to provoke; to annoy; to tempt; to cause

próxim|amente shortly; **~o** near; close; neighbouring; next

proyec|ción f projection; **~tar** v/t to plan; to project; **~til** m projectile; missile; **~tista** m, f tecn designer; **~to** m plan; project

pruden|cia f prudence; **~cial** prudential; wise; **~te** prudent; cautious

prueba f proof, test; evidence; dep race, competition; **a ~ de** (fuego, etc) (fire, etc) -proof; **~ de galera** galley proof; **~ selectiva** spot test; **poner a ~** to test; **~s de campo y pista** track-and-field

events

prurito m itching

psicología f psychology

psicológico psychological

psiquiatría f psychiatry

púa f barb; tooth (of a comb); sharp point; quill (of a hedgehog); **alambre de ~s** barbed wire

pubertad f puberty

publica|ción f publication; **~r** v/t to publish

públicamente in public

publicidad f publicity

público m public; audience; a public; common

puchero m cooking-pot; [stew]

púdico chaste

pudor m modesty; decency; shame; **~oso** modest; bashful

pudrir v/t to rot; to vex; **~se** to rot; to decay

pueblo m nation; people; (country) town; village

puente m or f bridge; **~ colgante** suspension bridge; **~ levadizo** drawbridge

puerc|a f sow; **~o** m hog; wild boar; **~o espín** porcupine; a filthy

pueril puerile, childish

puerro m leek

puerta f door; entrance; **~ giratoria** swing(ing) door

puertaventana f window shutter

puerto m port; mountain pass; **~ franco, ~ libre** free port [well]

pues since; because; then;

puesta f setting (of the sun); stake (at cards)

puesto m place; stand (on the market); post; job; ~ **de avanzada** outpost; ~ **de periódicos** news stand; a dressed; arranged; ~ **que** conj since; inasmuch as

pugilato m boxing; fight

pugna f battle; struggle; ~**r** v/i to fight, to strive

puja f strong; vigorous; powerful; ~**nza** f strength; vigour; ~**r** v/i to struggle; to bid

pulcr|itud f neatness; ~**o** neat; tidy

pulga f flea; **tener malas** ~**s** to be bad-tempered

pulga|da f inch; ~**r** m thumb

puli|dez f neatness; ~**do** neat; polished; ~**mentar** v/t to polish; ~**mento** m gloss; ~**r** v/t to polish

pulmón m lung; ~**ón de acero** iron lung; ~**onar** pulmonary; ~**onía** f pneumonia

pulóver m SA pullover

pulpa f pulp

púlpito m pulpit

pulsa|ción f pulsation; throb; mus touch; ~**dor** pulsating; ~**r** v/t to play (stringed instrument); v/i to throb

puls|era f bracelet; ~**o** m pulse; **tomar el** ~**o** to feel the pulse   [swarm]

pulular v/i to pullulate; to/

pulverizar v/t to pulverize

pulla f cutting or witty remark

punción f surg puncture

puni|ble punishable; ~**ción** f punishment

punt|a f point; tip; nib; end; promontory; ~**ada** f stitch; ~**apié** m kick; ~**ear** v/t to dot; to plunk; ~**ería** f aim; marksmanship; ~**ero** m pointer; SA leader; ~**iagudo** sharp; ~**illa** f narrow lace edging; tack; **de** ~**illas** on tiptoe; ~**o** m point; full stop; nib (of pen); sight (in firearms); stitch (in sewing); **hacer** ~**o** v/t, v/i to knit; **a** ~**o de** about to (do), on the point of (doing); ~**o de partida** starting point; ~**o de vista** viewpoint; ~**o y coma** semicolon; **en** ~**o** sharp; exactly

puntuación f punctuation

puntual punctual; ~**idad** f punctuality; ~**izar** v/t to fix; to detail; to describe in detail; ~**mente** punctually

puntuar v/t to punctuate

punz|ada f prick; puncture; stab (of pain); ~**ar** v/t to prick; to punch; to pierce; ~**ón** m punch; puncher

puña|da f blow with the fist; ~**o** m handful; bunch

puñal m dagger; ~**ada** f stab (with a dagger; of pain)   [handle]

puño m fist; cuff; hilt;/

pupa *f* pimple
pupil|a *f* pupil (*of the eye*); ~**o** *m* pupil, student; ward
pupitre *m* desk
puramente purely
puré *m* purée; thick soup; ~ **de patatas** mashed potatoes; potato-soup
pureza *f* purity
purga *f* purge; purgative; ~**nte** *m* purgative; *a* purging; ~**r** *v/t* to purge; ~**rse** to take a purgative; ~**torio** *m* purgatory
pur|idad *f* purity; ~**ificar**

v/t to purify; to cleanse
puritano(a) *m* (*f*), a Puritan
puro *a* pure, unmixed; *m* cigar
púrpura *f* purple
pus *m* pus
pusilánime pusillanimous; cowardly
pústula *f* pustule; pimple
puta *f* whore
putrefac|ción *f* decay; putrefaction; ~**to** putrid; rotten
pútrido putrid
puya *f* goad

Q

que *rel pron* who; whom; which; that; what; *conj* as; that; than; **¡~ venga!** let him come!; **~ yo sepa** as far as I know; **más ~,** more than; **dice ~ sí** he says yes
qué *interrog pron* what?; which?; **¿por ~?** why?; **¿para ~?** what for?; **¿~ hora es?** what's the time?; **¿~ dices?** what do you say?; *interj* what a!; how!; **¡~ niño!** what a child!; **¡~ difícil!** how difficult!
quebra|da *f* ravine; ~**dero** *m* **de cabeza** puzzle; worry; ~**dizo** brittle; fragile; ~**do** *a* broken; *com* bankrupt; *m math* common fraction; ~**ntamiento** *m* fracture, break; ~**ntar** *v/t* to break; ~**nto** *m* weakness; grief; ruin; ~**r** *v/t* to break;

to bend; ~**rse** *com* to go bankrupt
queda *f* curfew; *mil* taps; ~**r** *v/i* to remain; to stay; to be left; ~**r bien** to acquit oneself well; to come out well; ~**r en hacer algo** to agree to do something; ~**rse** to remain; to stay
quehaceres *m/pl* jobs; duties; ~ **de casa** household chores
quej|a *f* complaint; moan; grudge; ~**arse** to moan; to whine, to complain; ~**ido** *m* moan; whine
quema *f* burning; fire; ~**dura** *f* scald; burn; ~**r** *v/t* to burn; to scorch; to scald; ~**rse** to burn; to be very hot; to feel very hot; to be angry; to blow (*fuse*)
querella *f* quarrel; dispute;

~rse *for* to lodge a complaint

querer *v/t* to want, to wish; to love; to like; to need; ~ decir to mean; sin ~ unintentionally

queso *m* cheese; ~ crema cream cheese; ~ de bola Edam cheese

¡quia! come now!

quicio *m* pivot hole; sacar de ~ to exasperate (*person*); to exaggerate the importance of (*thing*)

quid *m* heart, essence

quiebra *f* crack; fissure; *com* bankruptcy, failure

quien *rel pron* (*pl* quienes) who; whom; ~quiera (*pl* quienesquiera) whoever, whosoever

quién *interrog pron* (*pl* quiénes) who?

quiet|o quiet; calm; ~ud *f* stillness; repose

quijada *f* jawbone

quijot|esco quixotic; bizarre; ~ismo *m* quixotism

quilate *m* carat

quilla *f* keel

quimera *f* chimera; dispute, quarrel

químic|a *f* chemistry; ~o *m* chemist; *a* chemical

quina *f* Peruvian bark

quincalla *f* hardware

quincena *f* fortnight; ~l fortnightly

quinielas *f/pl* (*football*) pool

quinina *f* quinine

quinqué *m* oil lamp

quinta *f* country seat; country house; *mil* conscription

quintal *m* hundredweight

quintillizos *m/pl* quintuplets

quíntuple quintuple

quiosco *m* kiosk; booth

quirúrgico surgical

quisquill|a *f* trifling dispute; ~oso touchy; fastidious; hair-splitting

quiste *m* cyst

quita|manchas *m* stain-remover; cleaning liquid; ~nieves *m* snow-plough

quita|nza *f* quittance; receipt; ~r *v/t* to take away; to take off; to deprive of; to annul, to abrogate; ~rse to take off (*hat, clothes*)

quite *m* parry

quizá, quizás perhaps, maybe

R

rábano *m* radish; ~ picante horseradish

rabi|a *f* rage; *med* rabies; ~ar *v/i* to rage; ~ar por to long eagerly for; ~eta *f* fit

of temper

rabino *m* rabbi

rabioso rabid; furious

rab|o *m* tail; tail end; back; con el ~o entre las pier-

nas *fam* ashamed; crest-fallen; ~udo long-tailed
racial racial
racimo *m* bunch (*of grapes*); cluster
raciocinio *m* reasoning; argument
ración *f* ration; portion
racional rational; ~ista *m, f,* a rationalist
raciona|miento *m* rationing; ~r *v/t* to ration
racha *f* gust (*of wind*); run (*of luck*)
radar *m* radar
radia|ción *f* radiation; ~ctivo radioactive; ~dor *m* radiator; ~r *v/i* to radiate; *v/t* to broadcast
radical|l *a* radical; *m gram, math* radical; ~r *v/i* to take root
radio *m* radius; radium; *f or m* broadcasting, radio; ~activo radioactive; ~difusión *f* broadcasting; ~grafía *f* radiotelegraphy; ~grama *m* radiotelegram; ~patrulla *f* flying squad; ~terapia *f* radiotherapy; ~transmisor *m* wireless transmitter
raer *v/t* to scrape; to grate
ráfaga *f* gust, flurry, squall (*of wind*); flash (*of light*)
raído scraped; threadbare, worn-out; barefaced
rail *m* rail
raí|z *f* root; origin; a ~z de as a result of; de ~z by the root; echar ~ces to take root

raja *f* crack; splinter; slice (*of fruit*); ~r *v/t* to split; to chop; to slice
rall|ar *v/t* to grate; ~o *m)* [rasp}
rama *f* branch, limb (*of tree*; *of family*; *of trade or knowledge*); en ~ raw (*cotton, etc*); andarse por las ~s to beat about the bush; ~l *m* strand (*of a rope*); branchline (*of a railway*)
rambla *f* sandy gully; avenue (*in Barcelona*)
ramera *f* whore, prostitute
ramificarse to branch off
ramillete *m* nosegay, posy
ramo *m* small branch; field of art *or* science; line of business
rampa *f* ramp
ramplón vulgar
rana *f* frog
rancio rancid
ranch|ero *SA* rancher; ~o *m* mess; *naut* messroom; settlement; *SA* ranch
rango *m* rank; class
ranura *f* groove
rapaz *a* greedy; rapacious; *m* youngster; brat
rapé *m* snuff (*tobacco*)
rapidez *f* rapidity; speed
rápido *m* express train; *a* speedy; rapid
rapiña *f* robbery with violence; de ~ of prey (*birds*)
rapos|a *f* vixen; fox; *fam* cunning person; ~o *m* fox
rapt|ar *v/t* to kidnap; ~o *m*

kidnapping; abduction;
ecstasy, rapture

raqueta f racket

raquítico med rachitic;
rickety; feeble; scant

rar|eza f rarity; oddity;
~idad f rarity; infre-
quency; **~ificar** v/t to
rarefy; to dilute; **~o** rare;
uncommon; **~a vez** sel-
dom

ras m levelness; **~ con ~**
on a level; **a ~ de** level
with; close to

rasa|nte f grade; **~r** v/t to
graze; to skim; to level

rasca|cielos m sky-scraper;
~dura f scratch; scratch-
ing; **~r** v/t to scratch; to
scrape

rasgar v/t to tear; to rip

rasgo m feature; trait,
characteristic

rasg|ón m tear; rip; **~uear**
v/t, v/i to strum (guitar,
etc); **~uño** m scratch

raso m satin; a flat; plain;
cloudless (sky)

raspa|dura f rasping;
scrapings; **~r** v/t to rasp;
to scrape

rastra f trail; track; rake;
mar drag

rastr|ear v/t to trail; to
track; **~eo** m trailing,
tracking; **~ero** creeping;
~illo m rake; **~o** m scent;
track; trace; rake; **~ojo** m
stubble

rata f rat

rate|ar v/t to apportion; to
pilfer; v/i to creep; **~ría** f

pilfering; **~ro** m thief;
pick-pocket

ratifica|ción f ratification;
~r v/t to ratify; to confirm

rato m while; **a ~s** from
time to time; **a ~s perdidos** in one's spare time;
pasar un mal ~ to have a
bad time

ratón m mouse

ratonera f mouse-trap

raya f line; stripe; streak;
dash; parting (of hair);
ray (fish); **~do** striped; **~r**
v/t to line; v/i to border;
~r en to verge on

rayo m ray; beam; spoke;
thunderbolt

rayón m rayon

raza f race; breed

razón f reason; cause; information; message; rate;
a ~ de at the rate of; **con ~**
rightly, with good reason;
dar ~ de to inform about;
ponerse en ~ to become
reasonable; **tener ~** to be
right; **~ social** firm name

razona|ble reasonable; **~r**
v/i to reason

reacción f reaction; **~ en
cadena** chain reaction

reaccionar v/i to react;
~io(a) m (f), a reactionary

real real; genuine; royal

reali|dad f reality; truth;
en ~dad in fact; as a
matter of fact; **~zar** v/t to
carry out; to accomplish;
to put into practice; to
realize

realmente really; actually

realzar v/t to heighten, to
enhance; to emboss

reanimar v/t to revive; to
encourage

reanud|ación f resump-
tion; **~ar** v/t to resume

reapar|ecer v/i to reap-
pear; **~ición** f reappear-
ance

rearm|ar v/t, v/i to rearm;
~e m rearmament

reasumir v/t to resume;
to take up again

rebaja f diminution; com
rebate, reduction; **~ar** v/t
to lessen; to reduce; to
diminish; to discount;
~rse to humble oneself

rebanada f slice (of bread)

rebaño m flock, herd

rebasar v/t to exceed; to
overflow; to better (a
record)

rebatir v/t to repel; to
refute

rebel|arse to rebel; to re-
volt; **~de** m rebel; a rebellious; **~día** f rebellious-
ness; disobedience; for
default; contempt

reblandec|er v/t to soften;
~imiento m softening

reborde m flange; border

rebosar v/i to run over;
~de to overflow with

rebot|ar v/i to bounce; to
rebound; **~e** m rebound

rebozar v/t to muffle up;
to dip or coat (meat or fish)
in flour (before frying)

rebusca f careful search;
~do affected; unnatural

rebuznar v/i to bray

recabar v/t to claim (responsibility, etc); to obtain
by entreaty

recado m message

reca|er v/i to relapse; **~ída**
f relapse

recalentar v/t to warm up;
to superheat   [gun]

recámara f magazine (of a)

recambi|ar v/t to re-
change; **~o** m spare part;
refill

recargar v/t to overcharge

recata|do cautious; shy;
~r v/t to conceal

recauda|ción f collection
(of funds, taxes); **~dor** m
collector; **~r** v/t to collect
(taxes, etc); to gather

recel|ar v/t to fear; to
suspect; **~o** m fear; suspicion; misgiving; **~oso**
suspicious

recep|ción f reception; ad-
mittance; acceptance; re-
ceipt; **~cionista** m, f SA
receptionist; **~tivo** receptive   [sion]

recesión f (economic) reces-

receta f med prescription;
recipe (cooking, etc); **~r** v/t
to prescribe

recib|idor(a) m (f) re-
ceiver; recipient; recep-
tionist; **~imiento** m reception; welcome; vestibule;
~ir v/t to receive; to accept;
~o m com receipt; **acusar**
~o to acknowledge re-
ceipt

recién adv (apocope of

reciente) recently; only;
~ **nacido** newborn
reciente recent; new; modern; ~**mente** recently; just
recinto m precinct; enclosure [violent\
recio strong, robust; harsh,/
recipiente m receptacle
reciprocar v/t to match
reciproco reciprocal
recita|**l** m recital (music or
reading); narration; ~**r** v/t
to recite; to deliver (a
speech)
reclama|**ción** f claim; de-
mand; ~**r** v/t to claim, to
demand
reclinar v/t, ~**se** to recline,
to lean back
reclu|**ir** v/t to shut in;
~**sión** f confinement, se-
clusion; imprisonment;
~**so(a)** m (f) prisoner
recluta m recruit; ~**r** v/t to
recruit; to levy
recobrar v/t, ~**se** to recover; to regain
recocer v/t to cook again
recodo m bend; curve;
winding
recog|**er** v/t to pick up; to
collect; to gather; to
hoard; ~**ida** f retirement,
withdrawal; harvesting
recolec|**ción** f collection
(money); gathering, har-
vesting; compilation; ~**tar**
v/t to gather; to harvest
recomenda|**ble** recom-
mendable; ~**ción** f recom-
mendation; advice; ~**r** v/t
to recommend; to request

recompensa f reward; ~**r**
v/t to reward; to compen-
sate [centrate\
reconcentrar v/t to con-/
reconcilia|**ción** f recon-
ciliation; ~**r** v/t to recon-
cile; ~**rse** to be friends
again; to become recon-
ciled
reconoc|**er** v/t to recog-
nize; to admit; to inspect,
to examine; ~**ido** recog-
nized; accepted; grateful;
~**imiento** m recognition;
inspection; med examina-
tion; mil reconnaissance
reconquista f reconquest;
~**r** v/t to conquer again
reconstitu|**ir** v/t, ~**irse** to
reconstitute; to recon-
struct; ~**yente** m recon-
stituent
reconstruir v/t to reconstruct; to rebuild
reconvención f reprimand;
reproach
récord m (sports) record
recorda|**r** v/t to remind; to
remember; ~**torio** m re-
minder
recorr|**er** v/t to travel; to
run over; to cover (a
distance); ~**ido** m journey;
distance covered; run;
course
recor|**tar** v/t to cut down,
to reduce; to clip; ~**tes**
m/pl clippings
recoser v/t to sew again; to
darn (linen); to mend
recrea|**ción** f pastime;
break, recess (at school);

~rse to amuse oneself
recreo *m* place of amusement; recreation, pastime; break, recess (*at school*)
recriminar *v/t* to recriminate
recrudecer *v/i* to recrudesce; to increase
rectángulo *m* rectangle
rectificar *v/t* to correct; to rectify
rectilíneo rectilinear
rect|itud *f* rectitude; straightness; **~o** straight; honest
rector *m* head; principal; rector; *a* ruling; governing; **~ado** *m* rectorship; **~ía** *f* parsonage, rectory
recuento *m* count, tally; recount; *com* inventory
recuerdo *m* recollection; memory; remembrance; souvenir; *pl* regards
recular *v/i* to recoil
recupera|ble recoverable; **~r** *v/t*, **~rse** to recover; to retrieve; to recuperate
recur|rir *v/i* to resort (to); to revert; **~so** *m* recourse; for appeal; *pl* resources, means
recusar *v/t* for to recuse
rechazar *v/t* to reject; to repel; to reject
rechifla *f* catcall
rechinar *v/i* to grate; to creak; to gnash (*teeth*)
rechoncho *fam* chubby
red *f* net; netting; network, web; **~ ferroviaria** the railway system

redac|ción *f* editing; wording; editorial staff; **~tar** *v/t* to compose; to edit; to write; **~tor(a)** *m* (*f*) editor
redada *f* haul, catch (*of fish*)
redecilla *f* hair-net
reden|ción *f* redemption; **~tor** *m* redeemer
redimir *v/t* to redeem
rédito *m* interest; return; proceeds [repeat]
redoblar *v/t* to double; to **~tar** *v/t* to recuperate
redond|ear *v/t* to round; to make round; **~earse** to become affluent; **~el** *m* circle; **~ez** *f* roundness; **~o** round; circular; *fig* clear, categorical
reduc|ción *f* reduction; **~ido** small; limited; **~ir** *v/t* to diminish; to reduce; **~irse** to boil down; to have to economize
reducto *m* redoubt
redundar *v/i* to overflow; to redound
reembols|ar *v/t* to reimburse, to pay back; **~o** *m* reimbursement
reemplaz|ar *v/t* to replace; **~o** *m* replacement
refer|encia *f* reference; **~ir** *v/t* to report; **~irse (a)** to refer (to)
refin|amiento *m* refinement; **~ar** *v/t* to refine; to purify; **~ería** *f* refinery
refle|ctor *m* reflector; *a* reflecting; **~jar** *v/t* to reflect; *v/i* to reflect, to think; **~jo** *m* reflex; reflec-

tion; **~jo condicionado** conditioned reflex; **~xión** f reflection; meditation; **~xionar** v/i to meditate, to reflect, to muse; **~xivo** reflective; thoughtful; *gram* reflexive

reflu|ir v/i to flow back; **~jo** m reflux

reforma f reform; ♀ Reformation; **~ agraria** land reform; **~r** v/t to strengthen, to reinforce; **~uerzo** m strengthening

refract|ar v/t ópt to refract; **~ario** refractory; obstinate; rebellious

refrán m proverb; slogan

refregar v/t to rub; *fam* to harp on; to rub in

refrenar v/t to restrain; to curb [countersign]

refrendar v/t to legalize; to]

refresc|ar v/t to refresh; to renew; **~o** m refreshment; cool drink

refriega f fray, scuffle

refrigera|dor(a) m (f) refrigerator; **~r** v/t to cool

refugi|arse to take refuge; **~o** m refuge, shelter

refundir v/t to recast; to contain; to rearrange, to adapt

refunfuñ|ar v/i to snarl; to growl; **~o** m grumble, growl

refutar v/t to refute

rega|dera f watering-can; **~dío** m irrigated land

regal|ado dirt-cheap; **~ar** v/t to present; to give;

~ía f royalty; **~o** m present

regaliz m liquorice

regaña|dientes: a ~dientes reluctantly; **~r** v/t to reprimand; to scold; to nag (at); v/i to protest; to growl

regar v/t to water; to irrigate

regate|ar v/t, v/i to haggle; **~o** m haggling; bargaining

regazo m lap

regencia f regentship; regency

regenerar v/t to regenerate

regen|tar v/t to govern; to manage; **~te** m, f regent

régimen m régime; government; *gram* government; **~ alimenticio** diet

regimiento m mil regiment

regir v/t to govern; to manage; v/i to prevail; to be in force (*law*)

registr|ar v/t to record; to register; to examine; to search; **~o** m register; registration; recording; search; examination

regla f ruler (*for drawing lines*); rule; regulation; *med* menstruation; **en ~** in order; **~ de cálculo** slide-rule; **~mentar** v/t to regulate; **~mentario** required by the rules; **~mento** m rules and regulations; by-laws

regocij|arse to be merry; to rejoice; **~o** m rejoicing; merriment; mirth

regoldar v/i to belch

regordete *fam* plump; fat

regres|ar v/i to return; **~o** m return

reguero m irrigation ditch; **como un ~ de pólvora** like wildfire

regula|ción f regulation; control; **~dor** regulating; **~r** v/t to regulate; to control; **~ridad** f regularity; **~rizar** v/t to regularize

rehabilitar f to rehabilitate; to restore

rehacer v/t to do again; to remake

rehén m hostage

rehilar v/i to whizz by, to whir [decline]

rehusar v/t to refuse; to

reimpresión f reprint

rein|a f queen; **~ado** m reign; **~ar** v/i to reign; to prevail

reincidencia f relapse into vice or error

reino m kingdom, realm; reign

reír v/i to laugh; **~se de** to laugh at

reiterar v/t to repeat

reivindicación f for recovery

rej|a f window-grating; grille; railing; **~a de arado** plough-share; **~as** pl bars; **~illa** f small grating; wickerwork; luggage rack; elec grid

rejón m lance (of bullfighter); **~oneador** m bullfighter who uses the rejón

rejuvenecer v/t to rejuvenate; v/i to be rejuvenated

relaci|ón f relation; relationship; narration, account; pl relations; connections; courtship; **~onar** v/t to relate; to connect

relajarse v/t to relax

relamer v/t to lick again; **~se** fig to relish

relámpago m flash; lightning

relampaguear v/i to lighten; to flash

relatar v/t to relate, to report

relativ|idad f relativity; **~o** relative

relato m report; narrative

relegar v/t to banish; to relegate

relev|ador m elec relay; **~ante** outstanding; **~ar** v/t to relieve; to replace; to emboss; to exonerate; to absolve; **~o** m mil relief; dep relay

relieve m (art) relief; embossment

religión f religion

religios|a f nun; **~o** a pious; religious; m monk

relinch|ar v/i to neigh; to whinny; **~o** m neighing

reliquia f relic

reloj m clock; watch; **~ de péndulo** grandfather('s) clock; **~ de sol** sun-dial; **~ de pulsera** wrist-watch; **~ería** f watchmaker's (shop); clockwork; **~ero** m watchmaker

reluci|ente brilliant; glossy;
~r v/i to shine

relumbrón m glare

rellen|ar v/t to refill; to
stuff; to pad; ~o m stuffing;
filling; padding

remach|ar v/t to rivet; ~e
m rivet

remada f stroke (in rowing)

remanente m remainder;
residue

remanso m backwater

remar v/i to row

remat|ar v/t to finish; to
knock down (auction); to
conclude; v/i to end; to
terminate; ~e m end;
highest bid; sale (at auction); SA auction; **de ~e**
utterly

remedador m mimic

remedi|ar v/t to remedy;
to repair; ~o m remedy;
no hay ~o it can't be
helped

remend|ar v/t to patch; to
darn; to mend; ~ón m
cobbler

remesa f com remittance;
consignment; ~r v/t com
to remit; to send

remiendo m patch; darn-
ing; mending

remilgarse to be finical

remira|do cautious, pru-
dent; ~r v/t to review; to
inspect

remisi|ble remissible; par-
donable; ~ón f remission;
remittance

remit|ente m, f sender; ~ir
v/t to send, to remit

remo m oar

remoj|ar v/t to soak; ~o
m steeping

remolacha f beet; beetroot; sugar-beet

remol|cador m tugboat;
~car v/t to tug; to draw

remolino m whirlpool;
eddy; flurry, whirl

remolque m towline; tow-
age

remontar v/t to surmount
(obstacle, etc); to frighten
away (game); ~se to rise;
to amount (to); to go back
(to)

remordimiento m remorse,
compunction

remoto remote, outlying

remover v/t to remove; to
stir

remunera|ción f remu-
neration; ~dor remunera-
tive; ~r v/t to remunerate;
to reward

renac|er v/i to be reborn;
~imiento m rebirth; re-
vival; ♀ Renaissance

renacuajo m tadpole

rencor m rancour; spite;
~oso rancorous; spiteful

rendi|ción f surrender;
profit; ~do submissive;
worn-out   [crevice]

rendija f crack; chink;)

rendi|miento m return;
profit; yield; weariness;
submission; ~r v/t to
render; to return; to yield;
to surrender; ~r el alma
to give up the ghost; ~rse
to surrender; to give up

renega|do *m* renegade, turncoat; *a* wicked; **~r** *v/t* to deny; to disown; *v/i* to blaspheme, to swear

renglón *m* (written or printed) line

renitencia *f* resistance; opposition

reno *m* reindeer

renombr|ado famous; **~e** *m* fame

renova|ción *f* renewal; **~r** *v/t* to renew

rent|a *f* income, revenue; interest; annuity; **~a vitalicia** life annuity; **~ar** *v/t* to yield; **~ista** *m, f* person with independent means; stockholder

renuncia *f* renunciation; **~r** *v/t* to renounce

reñir *v/i* to quarrel

reo *m* offender; criminal; *for* defendant; *a* guilty

reorganizar *v/t* to reorganize

repara|ción *f* repair; reparation, indemnity; **~r** *v/t* to repair; to remedy; *v/i* **~r (en)** to stop (at); to notice, to pay attention to

reparo *m* remark; criticism; **poner ~s** to make objections

repart|ición *f* division; distribution; **~ir** *v/t* to distribute; **~o** *m* delivery (mail); theat cast

repas|ar *v/t* to pass again; to revise; to mend; **~o** *m* revision, review; examination

repatriar *v/t* to repatriate

repecho *m* short steep incline

repel|ente repulsive; **~er** *v/t* to repel; to refute

repent|e *m* start; sudden movement; **de ~e** suddenly, all at once; **~ino** sudden

repercu|sión *f* repercussion; **~tir** *v/i* to rebound

repertorio *m* repertory; repertoire

repeti|ción *f* repetition; **~r** *v/t* to repeat

repi|car *v/t* to ring (bells); *v/i* to peal; **~que** *m* ringing; chime, peal

repisa *f* shelf; mantelpiece

replantar *v/t* to replant

replantear *v/t* to present again (a problem)

replegar *v/t* to refold; **~se** mil to fall back

repleto replete; full to the brim; crowded

réplica *f* answer; retort

replicar *v/i* to reply; to argue

repliegue *m* fold; mil falling back

repoblación *f* repopulation

repollo *m* cabbage

reponer *v/t* to replace; **~se** to recover

reporta|miento *m* restraint; **~r** *v/t* to restrain; to carry

reportero *m* reporter

reposado poised; restful; calm

reposición *f* replacement;

recovery (health); for restoration; *theat* revival

reposo m rest

repostería f confectionery; sweets; confectioner's shop

repren|der v/t to reprimand; **~sible** reprehensible, objectionable; **~sión** f censure; reprehension

represalia f retaliation; reprisal

represar v/t to dam (up)

representa|ción f representation; **~nte** m, f agent; representative; **~r** v/t to represent; to perform (plays); to play (a role); to declare; to express; **~rse** to imagine

represión f repression; suppression

reprim|enda f reprimand; **~ir** v/t to repress; to restrain

reprobar v/t to censure; to reprove

réprobo(a) m (f) reprobate

reproch|ar v/t to reproach; to censure; **~e** m reproach

reproduc|ción f reproduction; **~ir** v/t to reproduce

reptil m reptile

república f republic

republicano(a) m (f), a republican

repudia|ción f rejection; **~r** v/t to repudiate; to disown; to divorce

repuesto m spare part; store; a recovered

repugna|ncia f repugnance; reluctance; **~nte**

repugnant; loathsome; **~r** v/t to oppose; to conflict with

repulsa f refusal; rebuke; **~r** v/t to repel; to refuse

repulsi|ón f repulsion; **~vo** repulsive

reputa|ción f reputation; **~r** v/t to repute; to estimate

requebrar v/t to court; to flirt with

requemar v/t to burn; to overcook; fig to inflame (blood)

requeri|miento m intimation; requirement; for summons; **~r** v/t to require, to necessitate; to notify; to request; to induce

requesón m cottage-cheese; curd

requis|ar v/t to inspect; mil to requisition (horses); **~ición** f mil requisition (of horses); **~ito** m requisite

res f head of cattle; beast

resaber v/t to know thoroughly

resabiar v/t to pervert; **~se** to acquire bad habits

resaca f mar undertow; com redraft

resalir v/i to protrude

resalt|ar v/i to rebound; to jut out; to be outstanding; **~e** m arch ledge, projection

resarcir v/t to indemnify

resbal|adizo slippery; **~ar** v/i to slip, to slide; **~ón** m

slip; error

rescat|ar v/t to redeem; **~e** m ransom; ransom money

resci|ndir v/t to annul; to rescind; **~sión** f cancellation; annulment

rescoldo m embers

resecar v/t to dry thoroughly; to parch

resección f surg resection

resell|ar v/t to recoin; to restamp; **~o** m surcharge

resenti|miento m resentment; grudge; **~rse** to resent; to be affected (by), to weaken

reseña f summary; short survey; **~r** v/t to review

reserva f reserve; reticence; discretion; modesty; for reservation; mil reserve; **sin ~** freely; frankly; **~do** cautious; reserved; **~r** v/t to reserve

resfria|do m cold (illness); **~rse** to catch cold

resguard|ar v/t to shelter; to defend; to protect; **~o** m customs guard; warrant; voucher

resid|encia f residence; mansion; stay; **~encial** residentiary; **~ente** m, f resident; **~ir** v/i to reside; to dwell   [der]

residuo m residue; remain-

resigna|ción f resignation; acquiescence; **~r** v/t to give up; **~rse** to resign oneself

resina f resin

resisten|cia f resistance;

endurance; strength; opposition; **~te** strong; resisting; tough

resistir v/i, **~se** to resist; to offer resistance; v/t to endure; to withstand

resolu|ción f resolution; determination; resoluteness; courage; solution; **~to** resolute

resolver v/t to resolve; to decide; to solve; **~se** to resolve, to decide

resona|ncia f resonance; **~r** v/i to resound; to ring; to echo   [puff]

resoplar v/i to snort, to

resorber v/t to reabsorb

resorte m spring; resource

respald|ar v/t to back, to endorse; **~o** m back (of a chair, etc); backing; com coverage

respect|ivo respective; **~o** m relation; **~o a** or **de** with regard or respect to

respet|able venerable; respectable; **~ar** v/t to respect; **~o** m respect; **de ~o** respectable; **~uoso** respectful

respir|ación f respiration; breathing; **~adero** m vent; air-hole; **~ar** v/i to breathe; **~atorio** respiratory; **~o** m breathing; reprieve, rest, respite

respland|ecer v/i to shine; to glitter; **~eciente** resplendent, gleaming; shining; **~or** m splendour; radiance

respond|er v/t, v/i to
answer, to reply; to re-
spond; to be responsible;
~er de to vouch for; ~ón
pert, impudent

responsab|ilidad f re-
sponsibility; ~le respon-
sible

respuesta f answer, reply

restablec|er v/t to re-
-establish; to restore; ~i-
miento m restoration;
recovery (from illness)

restante remaining

restañar to staunch
(flow of blood)

restar v/t to subtract; to
deduct

restaura|nte m restaurant;
~r v/t to restore; to repair

restitu|ción f restitution;
~ir v/t to restore; to return

resto m rest; remainder;
~s mortales mortal re-
mains   [scrub)

restregar v/t to rub; to)

restri|cción f restriction;
limitation; ~ctivo restric-
tive; ~ngir v/t to restrict

resucitar v/t to resuscitate;
v/i to return to life

resuelto resolute; bold

resulta|do m result; out-
come; ~r v/i to result; to
turn out

resum|en m summary; en
~en in brief; in short; ~ir
v/t to summarize, to sum up

resurgi|miento m resur-
gence; revival; ~r v/i to
spring up again; to reap-
pear

retablo m altar-piece, re-
table; reredos

retaguardia f rear-guard

retal m remnant; clipping

retama f genista

retard|ar v/t to retard; to
delay; to slow up; ~o m
delay   [and ends)

retazo m remnant; pl odds)

retén m reserve; store;
mech catch, stop

reten|ción f retention; ~er
v/t to retain; to keep back

reticente reticent

retina f retina

retintín m tinkling; ringing,
jingle

retir|ada f withdrawal;
retreat; ~ar v/t to with-
draw; to retire; ~arse to
withdraw; to retire; ~o m
retirement; retreat; se-
clusion

reto m challenge

retocar v/t to retouch; to
touch up (photographs)

retoño m shoot, sprout

retoque m retouching;
finishing touch

retorcer v/t to twist; ~se
to writhe

retórica f rethoric

retorsión f twisting

retract|ación f retracta-
tion; ~ar v/t, ~arse to
retract; to recant

retra|er v/t to retract; to
draw in; ~imiento m
retirement

retrasar v/t to delay; to
defer; to put off; v/i to be
slow (watch); ~se to be

delayed; to be late; to be slow (watch)

retrat|ar v/t to portray; to describe; **~arse** to be photographed or portrayed; **~o** m picture; portrait

retreta f mil retreat; tattoo

retrete m water-closet; toilet

retribuir v/t to recompense; to pay

retroactivo retroactive

retroce|der v/i to go back; to recede; **~so** m backward motion

retrospectivo retrospective

retruécano m pun

retumbar v/i to resound; to rumble

reumatismo m rheumatism [tism]

reuni|ón f gathering; meeting; **~ón en la cumbre** summit meeting; **~r** v/t to join; to unite; **~rse** to meet; to get together

revalidar v/t to revalidate; to confirm; to ratify

revaluación f revaluation

revancha f revenge

revelar v/t to reveal; to develop (photographs)

revende|dor(a) m (f) retailer; **~r** v/t to retail; to resell

reventar v/i to burst; to break; to explode; **~ón** m bursting; explosion; blowout (of tyre); hard work, great effort

reverberar v/i to reverberate

reveren|cia f reverence; respect; **~ciar** v/t to venerate; to revere; **2do** igl Reverend

revers|ible med reversible; **~o** m reverse

reverter v/i to overflow

revertir v/i to revert

revés m reverse; back; wrong side; misfortune; dep backhand (stroke); **al ~** upside-down; inside-out; backwards

revesti|miento m covering; coating; **~r** v/t to clothe; to cover; **~rse de** to assume, to muster up

revis|ar v/t to revise; **~ión** f revision; **~or** m censor; a revising; **~or de cuentas** auditor

revista f review; periodical; magazine; theat revue; pasar ~ to review

revoca|ción f revocation; abrogation; **~r** v/t to revoke

revolcar v/t to knock down; to tread upon; **~se** to wallow

revolotear v/i to flit, to flutter around

revoltoso unruly; rebellious

revoluci|ón f revolution; revolt; **~onario(a)** a, m(f) revolutionary

revólver m revolver; pistol

revolver v/t to turn over; to stir up; to disturb; to upset; v/i to revolve; **~se** to move to and fro; to

change

revoque m whitewashing

revuelo m commotion, disturbance

revuelt|a f revolt, revolution; **~o** disturbed; upset

rey m king; **~erta** f quarrel, row; **~ezuelo** m kinglet

rezagante straggling

rezagar v/t to leave behind; **~se** to fall behind, to straggle

rez|ar v/t to pray; v/i to read (*paragraphs, etc*); **~o** m prayer

ria f estuary

riachuelo m rivulet

riber|a f beach, shore; **~eño** riparian, riverside

ricino m castor-oil plant

rico rich; plentiful; delicious

ridicul|ez f absurdity; extravagance; trifle; **~izar** v/t to ridicule; to make fun of [crous}

ridículo ridiculous; ludi-}

riego m irrigation, watering

riel m rail

rienda f rein; pl reins, government; **a ~ suelta** at full speed; freely; **dar ~ suelta a** to give rein to

riesgo m risk; danger

rifa f raffle; lottery; **~r** v/t to raffle

rigidez f rigidity

rígido rigid

rigor m rigour; sternness; stiffness; hardness; **de ~** prescribed by the rules; obligatory; **~oso** rigorous

riguros|idad f severity; **~o** rigorous; strict

rima f rhyme; **~r** v/i to rhyme

rincón m corner; angle; remote place

rinoceronte m rhinoceros

riña f quarrel

riñón m kidney

río m river; stream; **~ arriba** upstream

riostra f brace, stay

ripio m debris; rubbish; rubble; padding (*in speech or writing*); **no perder ~** not to miss a word

riqueza f wealth; riches; richness

risa f laugh; laughter; **morirse de ~** to laugh one's head off

risco m cliff

risueño pleasant; smiling

rítmico rhythmical

ritmo m rhythm

rito m rite

rival m rival; **~izar** v/i to rival

rivera f brook; creek

riz|ador m curling iron; **~ar** v/t to curl; to ripple; **~o** m curl; ripple; aer loop

róbalo m haddock

robar v/t to rob; to plunder; to steal

roble m oak-tree; **~do** m oak-grove

robo m theft; robbery; **con allanamiento** burglary

robust|ecer v/t to strengthen; **~o** robust, strong

roca f rock

roce m friction; rubbing

rocia|da f sprinkling; spray; **~r** v/t to sprinkle; to spray

rocín m work horse, hack

rocío m dew

rocoso rocky

roda f mar stem

rodaballo m turbot

roda|da f rut, wheel track; **~ja** f small wheel; disk; **~je** m set of wheels; vehicle tax; cine shooting, filming; **~r** v/i to roll; to revolve; to run on wheels; **~r una película** to shoot a film; to film

rode|ar v/i to make a detour; v/t to encompass; to surround; **~o** m roundabout way; detour

rodete m bun, knot (of hair); cloth ring (on head for loads) [ing)

rodilla f knee; **de ~s** kneel-J

rodillo m roller; rolling pin

roe|dor a, m rodent; **~r** v/t to gnaw; to nibble

roga|ción f request; **~r** v/t to beg; to ask, to request; **~tiva** f prayer

rojizo reddish, ruddy

rollizo plump; buxom

rollo m roll; cylinder

roman|a f steelyard; **~o** a, m Roman

romance m Romance (language); novel; ballad; **~ro** m ballad singer

romanticismo m romanticism

romántico romantic

rombo m rhombus

romer|ía f pilgrimage; village festival; picnic; **~o** m pilgrim; bot rosemary

rompe|cabezas m puzzle; riddle; **~r** v/t to break; to fracture; to tear; to begin; to interrupt

ron m rum

roncar v/i to snore; to roar

ronco hoarse

ronda f round; beat (of policeman); **~r** v/t, v/i to patrol; to prowl

ron|quedad f hoarseness; **~quido** m snore

ronrone|ar v/i to purr; **~o** m purring

roña f scab (in sheep); crust (of filth); **~oso** scabby, filthy; fam mean, stingy

ropa f wearing apparel; clothes; dry goods; stuff; fabric; robe, costume; **~ blanca** linen; **~ interior** underclothes; underwear; **a quema ~** point blank

roper|ía f cloak-room; **~o** m wardrobe

rosa f rose; rose colour; **~do** pink; rose-coloured; **~l** m rosebush; **~rio** m rosary; chain-pump

rosbif m roastbeef

rosc|a f screw thread; (turn of a) spiral; ring, circle

roseta f rose(head) (of can)

rosquilla f ring-shaped pastry

rostro m face; aspect; countenance; beak (of bird, ship)

rota *f mil* rout, defeat;
Rota (*ecclesiastical tribunal*)
rota|ción *f* rotation; **~nte**
revolving; **~tivo** rotary;
revolving; **~torio** rotating,
rotary
roto broken; shattered;
chipped; torn; **~r** *m* rotor
rotulador *m* sign maker;
ball-point pen
rotular *v/t* to label; to
mark
rótulo *m* sign; mark; label
rotundo round; plain, categorical
rotura *f* fracture; break; **~r**
v/t to break up (*new
ground*)
roza|dura *f*, **~miento** *m*
friction; **~r** *v/t* to scrape,
to rub; to grub up; to
browse; **~rse** to rub shoulders (*with*)
rubí *m* ruby
rubi|a *f* blonde (*woman*);
estate car, station wagon;
~o blond; golden
ruborizarse to blush; to
flush
rúbrica *f* red mark; flourish
(*of signature*)
rubricar *v/t* to sign with

flourish *or* initials
rud|eza *f* rudeness; **~o** rude
rueda *f* wheel; circle
ruego *m* request
rufián *m* ruffian, scoundrel
rugi|do *m* bellow; roar; **~r**
v/i to roar; to howl
ruibarbo *m* rhubarb
ruido *m* noise; din; **mucho
~ y pocas nueces** much
ado about nothing; **~so**
noisy
ruin mean; base; vile; **~a** *f*
ruin; collapse; *pl* ruins;
wreck; **~oso** ruinous, dilapidated; worthless
ruiseñor *m* nightingale
rumano(a) *a, m (f)* Rumanian
rumiar *v/t* to ruminate
rumor *m* noise; sound; rumour
ruptura *f* break; rupture
rural rural; rustic
ruso(a) *m (f)*, *a* Russian
rústic|o rustic; rural; sim-
ple; **en ~a** paper-bound
(*books*)
ruta *f* route; itinerary
rutina *f* routine; **~rio**
routine, everyday

S

sábado *m* Saturday; Sab-
bath
sabana *f SA* prairie,
savannah
sábana *f* sheet (*for the bed*)
sabandija *f* bug; *pl* vermin
sabañón *m* chilblain

saber *v/t* to know; to know
how to; to be able; **que
yo sepa** to my knowledge;
~ a *v/i* to taste of; to smack
of; **a ~** namely; *m* knowledge; learning; skill
sabi|duría *f* wisdom; **~o**

wise; learned; cunning

sablazo *m* blow with a sabre; *fam* borrowing; sponging

sabor *m* taste; flavour; **~ear** *v/t* to savour; to taste

sabot|aje *m* sabotage; **~ear** *v/t* to sabotage

sabroso tasty; juicy; delicious

saca *f* taking out; extraction; exportation; **~corchos** *m* corkscrew; **~muelas** *m* dentist; **~puntas** *m* sharpener; **~r** *v/t* to take out; to draw out; to bring out; to extract; to get; to obtain; to turn out; to produce; **~r a bailar** to invite to a dance

sacerdo|cio *m* priesthood, ministry; **~te** *m* priest

saciar *v/t* to satiate

saco *m* sack; bag; *SA* jacket

sacramento *m* sacrament

sacrific|able expendable; **~ar** *v/t* to sacrifice; **~io** *m* sacrifice

sacrist|án *m* sexton; **~ía** *f* vestry

sacro holy; sacred; **~santo** sacrosanct

sacudi|da *f* shake; jerk; **~r** *v/t* to shake; to jerk; to dust; **~rse** to shake off; to get rid of

saeta *f* arrow; bolt; hand of a clock

sagaz astute; sagacious; knowing

sagrado holy, sacred

sainete *m* short farce; one-act play

sajar *v/t* *surg* to scarify

sajón(ona) *m* (*f*), *a* Saxon

sal *f* salt; wit

sala *f* hall; large room; drawing-room; **~ de espera** waiting-room; **~ de estar** living room, sitting room

sal|ado salted; salty; charming; *SA* unlucky; **~ar** *v/t* to salt; **~ario** *m* salary; wage

salazón *f* salting; curing; salted meat *or* fish

salchich|a *f* pork sausage; **~ón** *m* large red sausage

sald|ar *v/t* *com* to settle; to liquidate; **~o** *m com* balance; settlement; clearance; sale; **~o deudor** debit balance

salero *m* salt-cellar; *fam* wit

salida *f* departure, start; exit, way out; rising (*of the sun*); *com* sales potential; outlet; sally; **dar ~a** *com* to put on the market, to sell

saliente protruding

salina *f* salt mine

salir *v/i* to go out; to leave; to depart; to appear; to rise (*sun*); to prove; to come out; *com* to cost; **~ bien** to succeed; **~se** to overflow; to leak; **~se con la suya** to get one's own way

salitre *m* saltpetre

saliva *f* saliva, spittle

salmo m psalm
salmón m salmon
salmuera f brine
salón m saloon; salon, parlour; **~ de belleza** beauty parlour; **~ de té** tearoom
salpicar v/t to splash; to spatter
salsa f sauce; gravy
salta|montes m grasshopper; **~r** v/i to jump; to spring; to leap; to burst; v/t to skip; to jump over
saltea|dor m highwayman; robber; **~r** v/t to rob on a highway; to take by surprise
salto m leap; jump; **~ mortal** somersault; **~ de agua** waterfall
salu|bre healthy, salubrious; **~d** f health; **~d pública** public welfare; **~dable** salutary; **~dar** v/t to greet; to salute; **~tación** f greeting; salutation
salva f mil salvo
salva|ción f salvation; **~dor** m saviour; rescuer; **2dor** eccl Saviour; **~guardia** f safe-conduct; **~je** wild; savage; **~mento** m rescue; **~r** v/t to save; to rescue; **~rse** to escape; **~vidas** f life-belt
salvedad f reservation
salvia f sage (plant)
salvo a safe; excepted; adv save; except; **a ~** safe and sound; **en ~** out of danger
salvoconducto m safe-conduct

san (apocope of **santo,** used before masc names) Saint; **2 Nicolás** Santa Claus
sanatorio m nursing home; sanatorium
sanc|ión f sanction; dep penalty; **~ionar** v/t to sanction
sandalia f sandal
sandía f water-melon
sanea|miento m drainage; sanitation; for reparation; warranty; **~r** v/t to put in order; to correct; to drain (land); for to warrant
sangr|ante bleeding; **~ar** v/t, v/i to bleed; **~e** f blood; **a ~e fría** in cold blood; **~ía** f bleeding; sangaree (drink); **~iento** bloody; bleeding
sanguijuela f leech
sanguíneo sanguinary; blood-thirsty
san|idad f health; public health department; **~itario** sanitary; **~o** healthy; **~o y salvo** safe and sound
santa f female saint
santiamén m instant; twinkling; **en un ~** in a jiffy
sant|idad f sanctity; holiness; **~ificar** v/t to sanctify; to consecrate; to hallow; **~iguarse** to cross oneself; **~o** a holy, saintly; m saint; image of a saint; name day, saint's day; **¡~o Dios!** goodness gracious!; **~oral** m saints' calendar;

~uario *m* sanctuary
saña *f* fury
sapo *m* toad
saque *m* service (*tennis, etc*); goal kick (*football*)
saque|ar *v/t* to plunder; **~o** *m* pillage
sarampión *m* measles
sarcasmo *m* sarcasm
sarcófago *m* sarcophagus
sardina *f* sardine
sarga *f* serge
sargento *m* sergeant
sarn|a *f* itch; mange; **~oso** mangy
sartén *f* frying-pan
sastre *m* tailor; (*traje*) costume
Satanás *m* Satan
satánico satanic
satélite *m* satellite
satén *m* sateen
satinar *v/t* to gloss; to calender
sátira *f* satire
satírico satirical
satisfac|ción *f* satisfaction; **~er** *v/t* to satisfy; **~torio** satisfactory
saturar *v/t* to saturate
sauce *m* willow; **~ llorón** weeping willow
saúco *m* elder tree
savia *f* sap
say|a *f* skirt; petticoat; **~o** *m* long loose coat
sazón *f* season; seasoning; opportunity; **a la ~** at that time; **en ~** opportunely
sazonado seasoned; ripe; witty
se *pron* 3rd person, *m* or *f*,

sing or pl used as: **1.** *reflexive pronoun standing for* himself, herself, itself, themselves; **él ~ cortó** he cut himself; **ella ~ dijo** she said to herself; **2.** *to form a reflexive verb*: **afeitarse** to shave oneself; **morirse** to die (*slowly*); **3.** *to express possession*: **~ rompió la pierna** he broke his leg; **4.** *replacing the dative* **le, les,** *of the pers pron when immediately followed by the accusative cases* **lo, la, los, las**: **~ las di** I gave them to him (her, them); **5.** *as an indefinite subject*; **~ dice** it is said; **~ sabe** it is known; **~ habla español** Spanish spoken; **6.** *to express a passive meaning*; **~ perdió el dinero** the money was lost; **7.** *as an equivalent of* each other, one another; **ellos ~ aman** they love each other
sebo *m* tallow; suet; grease
sec|adero *m* drying place; **~ador** *m* dryer; **~ano** *m* dry land; **~ante** *m* blotting paper; **~ar** *v/t* to dry (up)
sección *f* section; **~ón transversal** cross-section; **~onar** *v/t* to divide up
secesión *f* secession
seco dry; curt
secre|ción *f* secretion; **~tar** *v/t* to secrete; **~tario(a)** *m* (*f*) secretary; **~to** *m* secret; *a* secret; confidential

secta f sect; **~rio(a)** m (f), a sectarian

sector m sector

secuaz m follower; partisan

secuela f sequel

secuestr|ar v/t for to sequestrate; to sequester; to kidnap; **~o** m for sequestration; kidnapping

secular secular; centenary; age-long; **~izar** v/t to secularize

secundar v/t to second; to help; **~io** secondary

sed f thirst; **tener ~** to be thirsty

sed|a f silk; **~án** m sedan

seda|nte soothing; **~tivo** m sedative

sede f seat (of government, etc); eccl see; **la Santa ♀** the Holy See

sedería f silk shop; silks

sedici|ón f insurrection; **~oso** seditious; mutinous

sediento thirsty

sedimento m sediment; dregs; grounds

sedoso silken, silky

seduc|ción f seduction; enticement; **~ir** v/t to seduce; to entice; **~tor** m seducer; a charming

sega|dora f harvester, mower; **~dora trilladora** f agr combine; **~r** v/t to mow; to reap

seglar m layman

segmento m segment

seguida f succession; continuation; **en ~** at once, forthwith; **~mente** immediately

seguido continued; successive; straight

segui|dor m follower; **~r** v/t to follow; to go on (doing something); **¡siga leyendo!** go on reading, please!

según according to; as; depending on; **~ derecho** according to law; **~ y como**, **~ y conforme** depending on how; it depends

segund|ero m second hand (of a watch or clock); **~o** a, m second; **~o nombre** middle name; **de ~a clase** second class; **de ~a mano** second-hand; **en ~o lugar** secondly

segur|amente surely; **~idad** f safety; security; **~o** m com insurance; safety catch; **~o contra incendios** fire-insurance; **~o de responsabilidad civil** third-party insurance; a safe, secure

selec|ción f selection; choice; **~cionar** v/t to select; **~tivo** selective; **~to** select; choice

selva f forest; jungle; **~ático** wild

sell|ar v/t to stamp; to seal; to conclude (a treaty, etc); **~o** m stamp; seal; **~o de correo** postage stamp

semana f week; **~l** weekly; **~rio** m weekly paper

semblante m appearance;

aspect; countenance, face
sembrar v/t to sow; to
spread (news)
semeja|nte similar; like;
~nza f resemblance, simi-
larity; **~r** v/t to resemble
semestr|al half-yearly; **~e**
m semester; half-yearly pay
semi prefix half; semi;
~circular semicircular;
~dormido half asleep
semilla f seed
seminario m seminary
semita m Semite
sémola f semolina
sen m senna   [ator]
senado m senate; **~r** m sen-⌐
sencill|ez f simplicity; **~o**
a simple; plain; frank; m
SA small change
send|a f, **~ero** m footpath
sendos(as) one for each
senectud f old age
seno m bosom; breast;
womb; fig bosom
sensaci|ón f sensation;
feeling; emotion; **~onal**
sensational
sensat|ez f good sense; **~o**
sensible, wise
sensib|ilidad f sensibility;
sensitiveness; **~le** sensitive; emotional; susceptible; perceptible
sensorio sensory
sensual sensual
sentar v/t to seat; to set,
to establish; v/i to fit; to
suit; **~ bien** to fit; to agree
with (food); **~se** to sit
down; to settle down;
¡siéntese! be seated!

sentencia f sentence;
judgement; **~r** v/t to sentence
sentido m sense; interpretation; direction; **en
cierto ~** in a sense; **de
doble ~** two-way (traffic);
~ común common sense;
perder el ~ to lose consciousness
sentimental sentimental;
emotional; **~ismo** m sen-
timentality
sentimiento m sentiment;
feeling; grief; regret
sentir v/t to feel; to experience; to perceive; to regret, to be sorry about; m
feeling; **~se** to feel; to resent; SA to take offence
seña f sign; token; pl address; **~s personales** personal description; **~l** f
signal; mark; **~l de tráfico** road sign; **~lar** v/t to
point out; to indicate; to
mark
señor m gentleman; master;
owner; lord; mister; sir;
pl com Messrs; **muy ~es
nuestros** dear sirs; **~a** f
lady; mistress; madam;
~ear v/t to dominate; **~ía**
f lordship; **~il** lordly;
noble; **~ío** m dominion;
mastery; **~ita** f young
lady; miss
señuelo m lure
seo f cathedral
separar v/t to separate
sepelio m burial
septentrional northern

séptico septic
septiembre, setiembre *m*
  September
sepulcro *m* sepulchre
sepult|ar *v/t* to bury; **~ura**
  f burial; tomb; grave;
  ~urero *m* grave-digger
sequ|edad *f* dryness; bar-
  renness; curtness; **~ía** *f*
  drought
séquito *m* suite; following
ser *v/i* to be; to exist; to
  ~ así if so; **~** essence; being
seren|ar *v/t* to calm;
  ~arse to calm down; **~ata**
  f serenade; **~idad** *f* seren-
  ity; composure; **~o** *a* calm;
  composed, serene; *m* night-
  -watchman
seri|al *m* radio, *t v* serial;
  ~e *f* series; **en ~e** mass
  (*production*)
serio serious; sober; grave;
  en ~ in earnest; seriously
sermón *m* sermon
serp|entear *v/i* to wind;
  to meander; **~iente** *f* serpent, snake
serran|ía *f* mountainous
  region; **~o** *m* mountain
  dweller
serr|ar *v/t* to saw; **~ín** *m*
  saw-dust
servi|ble useful; **~cial**
  obliging; **~cio** *m* service;
  good turn; **de ~cio** on
  duty; **~cios públicos** public utilities; **~dor** *m* servant; **su seguro ~dor**
  yours truly; **~dumbre** *f*
  (staff of) servants; servi-
  tude; **~l** slavish; menial

servilleta *f* table napkin
servir *v/t* to serve; to
  oblige; **¿en qué puedo
  ~le?** what can I do for
  you?; *v/i* to be in service;
  ~se to help oneself
sesg|ar *v/t* to cut ob-
  liquely; **~o** *m* slant; **al ~o**
  obliquely
sesión *f* session; sitting
seso *m* brain; sense; judgment; **devanarse los ~s**
  to rack one's brains
seta *f* mushroom
seto *m* fence; **~ vivo** hedge,
  quickset
seud|o pseudo; **~ónimo** *m*
  pseudonym
sever|idad *f* severity; **~o**
  severe
sex|o *m* sex; **~ual** sexual;
  ~ualidad *f* sexuality
si *m* mus si; *conj* if; when;
  whether; **como ~** as if;
  ~ bien although; **~ no** if
  not; otherwise
sí *pron, reflexive form of
  the third person:* himself,
  herself, itself, oneself,
  themselves; **de por ~** on
  its own account; by itself;
  volver en ~ to regain consciousness
sí *adv* yes; yea; aye
siderurgia *f* siderurgy,
  iron and steel industry
sidra *f* cider
siega *f* harvesting
siembra *f* sowing; seed
siempre always; ever; **~
  que** whenever; provided
  that; **como ~** as usual;

para ~ for ever, for good
sien f anat temple
sierpe f serpent
sierra f saw; mountain range; ~ **para metales** hacksaw
siesta f hottest time of the day; afternoon nap; siesta
sífilis f syphilis
sifón m siphon
sigilo m secrecy
siglo m century
signa|rse to cross oneself; **~tura** f library number; *impr* signature
significa|ción f, **~do** m significance; meaning, sense; **~r** v/t to mean; to indicate; **~tivo** significant
signo m sign; symbol; ~ **de puntuación** punctuation mark
siguiente following; next
sílaba f syllable
silba|r v/t to hiss at; v/i to whistle; **~tina** f SA cat-call; **~to** m whistle
silencia|dor m silencer; *mech* muffler; **~o** m silence; **~oso** silent; soundless
silo m silo
silueta f outline; silhouette
silv|estre wild; rustic; **~i-cultura** f forestry
sill|a f chair; saddle; **~a de cubierta** deck-chair; **~a plegadiza** camp-stool; **~ón** m easy chair, armchair
sima f abyss
símbolo m symbol
simetría f symmetry
simiente f seed

símil like
similicuero m leatherette
simpatía f liking
simpático attractive; nice; sympathetic
simpatizar v/i to have a liking for; to sympathize
simpl|e simple; **juego de ~es** dep singles; **~eza** f simplicity; stupidity; **~i-cidad** f simplicity; **~ificar** v/t to simplify
simular v/t to simulate, to pretend
simultáneo simultaneous
sin without; ~ **embargo** nevertheless, however
sincero sincere
sincronizar v/t to synchronize
sindica|lismo m syndical-ism; **~to** m syndicate; trade union
síndico m for syndic; receiver
sinfín m endless amount, great number
sinfonía f symphony
singular a unique; sin-gular; extraordinary; m *gram* singular
siniestro a sinister; m disaster
sinnúmero m great num-ber *or* amount
sino m fate; *conj* but; ex-cept; only; **no sólo ... ~** not only ... but
sínodo m synod
sinónimo m synonym
sinrazón f wrong; injus-tice

sintaxis f syntax

sintético synthetic

síntoma m symptom

sintonizar v/t to tune in

sinvergüenza m, f scoundrel, wretch

sionismo m zionism

siquiera adv, conj at least; even; although; even though; **ni ~** not even

sirena f siren, mermaid; hooter

sirvient|a f maid-servant, housemaid; **~e** m servant

sisa f pilfering; **~r** v/t to pilfer; to take in (dresses)

sistem|a m system; **~ático** systematic

siti|ar v/t to lay siege to, to besiege; **~o** m siege; place; spot; site

situa|ción f situation; **~r** v/t to situate

snobismo m snobbery

so under; below; **~ pena de** under penalty of

soasado underdone

sobaco m armpit

sobar v/t to knead; SA to flatter

soberan|ía f sovereignty; **~o(a)** m (f), a sovereign

soberbi|a f pride; haughtiness; **~o** haughty; arrogant

soborn|ar v/t to bribe; to corrupt; **~o** m bribery

sobra f surplus; **~dillo** m arch penthouse, sloping roof; **~r** v/t to exceed; v/i to be left over; to be more than enough

sobre m envelope; prep on; upon; on top of; over; above; about; **~ las tres** about three o'clock; **~ todo** above all

sobrecarg|ar v/t to overload; to overburden; **~o** m mar purser

sobrecejo m frown

sobrecoger v/t to startle

sobrecubierta f wrapper (of book)

sobrehumano superhuman

sobremanera excessively

sobremesa f dessert; tablecloth; **de ~** after-dinner

sobrenatural supernatural

sobrenombre m surname

sobrepasar v/t to surpass

sobreponer v/t to superimpose

sobreprecio m surcharge

sobrepujar v/t to outbid

sobresali|ente outstanding; **~r** v/i to excel

sobresalt|ar v/t to startle; to frighten; **~o** m sudden fright; shock

sobrestante m overseer, supervisor; foreman

sobrestimar v/t to overrate

sobretiempo m overtime

sobretodo m overcoat, topcoat

sobrevenir v/i to happen unexpectedly

sobrevivi|ente a surviving; m survivor; **~r** v/t, v/i to survive; to outlive

sobriedad f sobriety, temperance

sobrin|a f niece; **~o** m nephew

sobrio sober

socarrón cunning

socav|ar v/t to undermine; **~ón** m cave; min adit; tunnel

soci|able sociable, friendly; **~al** social; **~alismo** m socialism; **~alista** m, f, a socialist; **~alizar** v/t to socialize; **~edad** f society; company; **~edad anónima** com joint stock company; **~edad inmobiliaria** building society; **~edad limitada** com limited company; **~o** m partner; **~o comanditario** com silent partner; **~o secreto** com sleeping partner; **~ología** f sociology

socorr|er v/t to help; **~o** m help

soez vulgar, coarse, base

sofá m sofa

sofistica|do sophisticated; **~r** v/t to falsify

sofoc|ar v/t to choke, to smother; to stifle; to suffocate; to extinguish; **~o** m annoyance

soga f rope

sojuzgar v/t to subdue

sol m sun; sunlight; **tomar el ~** to sunbathe

solado m tile floor; pavement

solamente only

solapa f lapel; **~do** deceitful, sly

solar m plot, building site

manor house; **~iego** ancestral (of house)

solaz m solace; relaxation

soldado m soldier

solda|dura f soldering, welding; **~r** v/t to solder, to weld

soleado sunny

soledad f solitude, loneliness; lonely place

solemne solemn

soler v/i to be accustomed to; **suele venir temprano** he usually comes early

solera f crossbeam

solicitar v/t to petition; to apply for

solícito solicitous

solicitud f application (for a job, post)

solid|aridad f solidarity; **~ez** f solidity

sólido solid

soliloquio m soliloquy

solista m, f mus soloist

solitari|a f tape-worm; **~o** solitary

solo a alone; m mus solo

sólo only

solomillo m sirloin

soltar v/t to unfasten; to release; **~se** to get loose; **~se a** to begin to

solter|o(a) a unmarried; m (f) bachelor; spinster; **~ón** m old bachelor; **~ona** f old maid, spinster

soltura f ease; agility

solu|ble soluble; **~ción** f solution; **~cionar** v/t to solve [solvent]

solven|cia f solvency; **~te**

486

solloz|ar v/i to sob; **~o m** sob, sobbing

sombr|a f shadow; **~ear** v/t to shade, to shadow; **~erera** f bandbox; **~erería** f hatshop; millinery; **~ero m** hat; **~ero de copa** top hat, silk hat; **~ía** f shady spot; **~illa** f parasol; sunshade; **~ío** gloomy, sombre; shady

somero superficial; summary

someter v/t to submit

somnámbulo m sleep-walker [sounding]

son m sound; tune; **~ante)**

sond|a f naut sounding, lead, sounding line; probe; prospecting gear; **~ear** v/t to sound; to explore; to probe

soneto m sonnet

sónico sonic

sonido m sound

sonor|o sonorous, resonant; clear; gram voiced; **banda ~a** sound track

sonr|eír v/i, **~eírse** to smile; **~isa** f smile

sonrojar v/t to make blush; **~se** to blush

sonsonete m sing-song voice; rythmical raps or taps

soñ|ar v/t, v/i to dream; **~oliento** sleepy

sop|a f soup; **~era** f souptureen; **~era** m soup-plate; **~eteo** m dipping (bread)

sopl|ar v/i to blow; fam to squeal; **~ete** m blow-torch; **~o m** breath; wind;

~ón m informer

soport|ar v/t to support; to bear; **~e** m support

sor eccl sister f

sorb|er v/t to suck; to absorb; **~o m** sip

sordera f deafness

sórdido sordid

sordo deaf; gram unvoiced

sorprende|nte surprising; **~r** v/t to surprise

sorpresa f surprise

sorteo m raffle; drawing (of lottery, tickets)

sortija f finger ring

sosa f soda

sosegar v/t to calm

sosiego m tranquillity; quiet

soslayo: al ~ sideways; obliquely; awry

soso insipid; dull

sospech|a f suspicion; **~ar** v/t, v/i to suspect; **~oso** suspicious

sostén m support; upkeep; brassière

sosten|er v/t to support; to hold (opinion, conversation, etc); **~erse** to support oneself; **~imiento** m support; maintenance

sota f jack; knave (in cards)

sotana f cassock

sótano m cellar; basement

soto m grove, thicket

soviético Soviet

su pron poss 3rd pers m, f sing (pl **sus**) his, her, its, your, their; one's

suav|e smooth; soft; **~idad** f smoothness; softness; **~i-**

suelo

zar *v/t* to soften
subalterno *a*, *m* subordinate, subaltern
subarr|endar *v/t* to sublet;
~**iendo** *m* for sublease
subasta *f* auction
subconsciencia *f* subcon-
scious; subconsciousness
subdesarrollado underdeveloped
súbdito(a) *m* (*f*) subject
subestimar *v/t* underestimate
subibaja *f SA* seesaw
subi|da *f* climb; rise;
ascent; ~**do** deep, bright
(colour); ~**r** *v/i* to go up;
v/t to raise
súbit|amente, ~**o** all of a
sudden
subjuntivo *m* subjunctive
subleva|ción *f* insurrec-
tion, uprising; ~**rse** to
rebel
sublime sublime
submarino *m* submarine
subordinar *v/t* to subordinate; to subject
subproducto *m* by-product
subrayar *v/t* to underline;
to emphasize
subsanar *v/t* to correct; to
compensate for; to excuse
subscribir *v/t* to subscribe
subsidi|ario subsidiary; ~**o**
m subsidy
subsiguiente subsequent
subsist|encia *f* subsistence;
existence; ~**ir** *v/i* to live,
to subsist; to endure
substanci|a *f* substance;
~**oso** substantial

substituir *v/t* to substitute,
to replace
substra|cción *f* subtrac-
tion; deduction; theft; ~**er**
v/t to subtract; to steal
subterfugio *m* subterfuge
subterráneo subterranean
subtítulo *m* subtitle; *cine*
caption
suburb|ano suburban; ~**io**
m suburb
subvención *f* subsidy; grant
subversivo subversive
succión *f* suction
sucedáneo *m* substitute
suce|der *v/i* to succeed; to
follow; to occur; ~**sión** *f*
succession; issue; ~**sivo**
successive; ~**so** *m* event;
~**sor** *m* successor
suci|edad *f* dirtiness; dirt;
~**o** dirty   [cious]
suculento succulent; lus-⌐
sucumbir *v/i* to succumb;
to yield
sucursal *f* branch establishment *or* office
sud *m* south; ~**americano**
South-American
sudar *v/i* to perspire; to
sweat
sud|este *m* south-east; ~-
oeste south-west
sudor *m* sweat
Suecia *f* Sweden
sueco(a) *m* (*f*) Swede; *a*
Swedish
suegr|a *f* mother-in-law;
~**o** *m* father-in-law
sueldo *m* salary; wage
suelo *m* soil, earth; ground;
floor; land; bottom

suelto loose
sueño m sleep; dream
suero m serum; whey
suerte f fate, destiny; luck;
echar ~s to draw lots;
mala ~ hard luck
sufijo m suffix
sufrag|ar v/t to defray; to
assist; ~io m franchise
sufri|do long-suffering; pa-
tient; ~miento m suffer-
ing; tolerance; patience;
~r v/t to suffer; to tolerate
sugerir v/t to suggest
sugestivo suggestive
suicid|a m, f suicide; ~arse
to commit suicide; ~io m
suicide
Suiza f Switzerland
suizo(a) m (f), a Swiss
sujetapapeles m (paper)
clip
sujet|ar v/t to secure, to
hold; to subject; ~o m
subject; topic
sulfúrico sulphuric
suma f sum; en ~ in short;
~r v/t to summarize; to
amount to; to add up to;
~rio summary; ~rísimo
for quick; expeditious
sumergi|ble submergible;
~r v/t, ~rse to submerge
suministr|ar v/t to supply;
~o m supply
sumi|sión f submission;
~so submissive; obedient
sumo supreme; extreme;
a lo ~ at the most
suntu|ario luxury; ~oso
rich, splendid; sumptuous,
luxurious

supera|ble superable; ~r
v/t to exceed; to conquer
superávit m com surplus
superfici|al superficial; ~e
f surface
superfluo superfluous
superhombre m superman
superintendente m superintendent; overseer
superior m superior; a
better; finer; superior;
~idad f superiority
superlativo a, m superlative
supermercado m super-
market
supersónico supersonic
supersticioso superstitious
supervivencia f survival
suplantar v/t to supplant
suplement|ario supple-
mentary; ~o m supplement
súplica f entreaty; petition
suplicar v/t to supplicate
suplicio m torture; torment
suplir v/t to complement;
to replace
suponer v/t to suppose; to
assume
suprem|acía f supremacy;
~o supreme
supr|esión f suppression;
~imir v/t to suppress
supuesto supposed; as-
sumed; por ~ of course
supurar v/i to suppurate,
to fester
sur m south
surc|ar v/t to furrow; ~o m
furrow; groove
surgir v/i to spout; to

issue forth; to crop up, to arise

suripanta f slut

surti|do m assortment; **~dor** m fountain; jet; **~dor de gasolina** filling station; **~r** v/t to supply; to stock; **~r efecto** to produce the desired effect; v/i to spout

susceptib|ilidad f susceptibility; **~le** susceptible; touchy; sensitive

suscitar v/t to stir up

suscribir v/t to subscribe

susodicho aforesaid

suspen|der v/t to suspend; to hang up; **~sión** f suspension

suspicacia f distrust; suspicion

suspir|ar v/i to sigh; **~o** m sigh

sustan|cia f substance; **~tivo** m substantive

sustent|ar v/t to support; to maintain; **~o** m maintenance; sustenance

susto m fright; shock

susurr|ar v/i to whisper; to murmur; to rustle; **~o** m whisper

sutil subtle; fine, thin

sutura f med suture; seam

suyo(a) (pl **suyos, as**) pron poss 3rd person, m and f, his, hers, theirs, one's; his own, her own, their own; **de ~** by itself; in itself

T

tabaco m tobacco

tábano m horse-fly, gad-fly

tabern|a f tavern; inn; public house, saloon; **~ero** m innkeeper; barkeeper

tabique m partition wall

tabl|a f board; plank; slab; list; mat table; **a raja ~** at any price; ruthlessly; **~a de materias** contents (of book, etc); **~as de multiplicar** multiplication tables; **~ado** m wooden platform; stage; **~ear** v/t to saw into planks; **~ero** m planking; board; counter; drawing-board; **~ero de instrumentos** dashboard; **~eta** f tablet; lozenge; **~illa** f small board; med splint;

~ón m thick plank; beam

tabú m taboo

taburete m stool

tacaño stingy, niggardly

tacita f small cup

tácito tacit

taciturno taciturn; silent; melancholy

taco m stopper; plug; wad (in cannon); billiard-cue; calendar-pad; pad (of paper or tickets); fam snack; **echar ~s** fam to swear heavily

tacón m heel

tacon|azo m clicking of the heels; **~ear** v/i fam to walk with a tapping of the heels

tacto m tact; sense of touch; skill

tach|a f defect; fault; stain; flaw; **~ar** v/t to find fault with; to cross out (writing); **~ón** m deleting mark (in writing); **~onado** studded; **~uela** f tack

tafilete m morocco leather

tahona f bakery; baker's shop

tahúr m gambler

taimado crafty, shifty

taja f cut; **~da** f slice; fam hoarseness; **~r** v/t to cut; to chop

tajo m deep cut

tal (pl **tales**) such, so as; certain; so; thus; **~ cual** such as; **~ vez** maybe, perhaps; **con ~ que** provided that; **¿qué ~?** how are you?, how is this going on?; **un ~ González** a certain Gonzalez

tala f felling of trees; destruction

taladr|ar v/t to bore; **~o** m borer; gimlet, drill; drill-hole

talar v/t to fell (trees); to devastate

talco m talc; talcum powder

taleg|a f bag; sack; fortune; **~o** m bag, sack

talento m talent; **~so** gifted

talgo m express train

talón m heel (of foot); com coupon; voucher, cheque or draft detached from a stub-book

talonario m stub-book; cheque-book

talla f carving; sculpture;

height; **~do** carved; **~r** v/t to carve; to cut (precious stones); to cut out; to appraise; **~rín** m noodle

talle m figure; waist; **~r** m workshop; **~r de reparaciones** repair shop

tallista m carver

tallo m stalk; stem

tamaño m size

tambalear v/i to stagger, to totter; to sway, to lurch

también also; too; as well

tambor m drum; drummer; **~ear** v/i to drum (with the fingers)

tamiz m fine sieve; **~ar** v/t to sift [either]

tampoco neither; not

tan (apocope of **tanto**) so; such; as; **~ grande como** as big as; **~ sólo** only; **¡qué cosa ~ linda!** what a beautiful thing!

tanda f turn; shift; relay

tang|ente f tangent; **~ible** tangible

tanque m tank; reservoir

tante|ar v/t to test; to measure; to examine; v/i to keep the score; **~o** m calculation; score (in games)

tanto a so much; as much; pl so many; as many; pron so much, so many; **por lo ~** therefore; adv so much; so long; so far; so often; **~ como** as much as; as often as; m certain quantity or sum; so much; point or score (in games); com rate; **en ~ que** in the

meantime; ~ **por ciento**
percentage; ~**otro** ~ as much
more; **no es para** ~ it is
not as bad as that; **estar al**
~ to be informed

tapa f lid; cover; cap; flap
(of envelope); cover (of
book); **~dera** f lid; cover;
~r v/t to cover; to cover
up; to put a lid on; to stop
up (hole)

tapete m rug

tapia f mud wall

tapicer|ía f tapestry; **~o** m
tapestry maker; uphol-
sterer

tapiz m tapestry; **~ado** m
upholstery; **~ar** v/t to
hang with tapestry; to
upholster

tapón m plug; stopper

taquigrafía f shorthand

taquigráfic|amente adv (in
shorthand); **~o** stenographic

taquígrafo(a) m (f) stenog-
rapher

taqui|lla f booking-office;
box-office; **~llero** m book-
ing clerk

taquimecanógrafa f shorthand typist

tara f com tare

tara|cear v/t to inlay;
~rear v/t to hum (a tune)

tarda|nza f delay; **~r** v/i to
be late

tarde f afternoon; ¡**buenas**
~s! good afternoon!, good
evening!; adv late; too late;
de ~ **en** ~ from time to
time; ~**o temprano** sooner
or later

tardío late; slow

tarea f task; job

tarifa f tariff

tarima f platform; dais

tarjeta f card; ~ **de visita**
visiting card; ~ **postal**
postcard

tarro m jar; SA top hat

tarta f tart   [mer]

tartamudear v/i to stam-

tártaro(a) m (f), a Tartar

tarugo m wooden peg;
stopper plug

tasa f rate; assessment;
measure; **~ción** f valuation; **~r** v/t to rate, to tax;
to value

tatas: a ~ on all fours

tatuaje m tattoo(ing)

taurino bullfighting

taxi m taxi-cab; **~sta** m
taxi-driver

taz|a f cup; cupful; **~ón** m
large cup; basin

té m tea

te pron pers and refl you;
to you; yourself (familiar)

tea f torch   [form]

teatro m theatre; ~ **de**
títeres Punch and Judy
show

tebeos m/pl comics

tecl|a f key (of the piano,
typewriter, etc); **~ado** m
keyboard; **~ear** v/i to
run one's fingers over the
keys

técnic|a f technique; **~o** m
technician; a technical

tecnología f technology

tecnólogo m technologist

tech|ado m roof; **~ar** v/t to

roof; ~o m, ~umbre f ceiling; roof

tej|a f tile; **~ado** m (tiled) roof; **~ar** v/t to tile

tej|edor m weaver; **~er** v/t to weave; to knit; **~ido** m texture; fabric, cloth

tejo m yew

tejón m badger

tela f cloth, fabric; film; **~raña** f spider's web, cobweb; **~r** m loom

teleférico m cable railway

telefonazo m ring, telephone call

telefonear v/t, v/i to telephone

telefonema m telephone

telefónico telephonic

teléfono m telephone

telegraf|ía f telegraphy; **~iar** v/t to wire; to cable

telegráfico telegraphic

telégrafo m telegraph

telegrama m telegram, cable

teleguiar v/t to teleguide

telepático telepathic

telesc|ópico telescopic; **~opio** m telescope

telesilla f chair-lift

televi|dente m televiewer; **~sar** v/t to televise; **~sión** f television; **ver (por) ~sión** to watch television; **~sor** m television set

telón m theat curtain; **~ de acero** iron curtain

tema m subject; theme

tembl|ar v/i to tremble; **~or** m tremor; trembling;

~or de tierra earthquake; **~oroso** trembling; shaky

tem|er v/t, v/i to fear; **~erario** reckless, rash; **~eridad** f rashness; **~eroso** timorous; **~ible** dreadful; **~or** m fear

tempera|mento m temperament; **~ncia** f temperance; **~r** v/t to temper; to moderate; **~tura** f temperature

tempes|tad f storm; tempest; **~tuoso** stormy

templa|do temperate; moderate; lukewarm, tepid; mild; **~r** v/t to temper; to moderate

temple m state of weather; mood; temper (of metals); **al ~** (art) in distemper

templo m temple; church

temporada f season

temporal m stormy weather, tempest; a temporary

temprano early

tena|cidad f tenacity; **~cillas** f/pl small tongs; curling tongs; **~z** tenacious; tough; **~zas** f/pl forceps; pincers

tende|ncia f tendency; **~r** v/i to tend; to incline; v/t to stretch; to spread; to hang out (washing); **~r la mano** to reach out one's hand; **~rse** to stretch oneself out; to lie down

ténder m fc tender

tendero m shopkeeper

tendón m sinew; tendon

tenebros|idad f gloom;

darkness; **~o** tenebrous; dark; gloomy

tenedor *m* fork; holder, bearer; **~ de libros** bookkeeper

tener *v/t* to have; to possess; to own; **~ en mucho** to esteem; **~ entendido** to understand; **~ presente** to bear in mind; **~ por** to take for; **~ que** to have to

teniente *m* lieutenant

tenis *m* tennis

tenor *m* tenor, tone; *mus* tenor

tensión *f* tension

tentación *f* temptation

tentáculo *m* tentacle; feeler

tenta|dor tempting; **~r** *v/t* to touch; to feel; to grope for; to tempt

tentempié *m fam* snack

tenue thin; faint

teñir *v/t* to dye; to tinge

teología *f* theology

teor|ético theoretical; **~ía** *f* theory

tepe *m* sod

terapéutico therapeutic

terciopelo *m* velvet

terco obstinate

tergiversar *v/t* to misrepresent; to twist (*words*)

termal thermal

termina|ción *f* termination; **~nte** final; categorical, definite; **~r** *v/t, v/i* to finish; **~rse** to end

término *m* end; ending; conclusion; term; expression; landmark; **~ medio** average; **~ técnico** techni-

cal term; **en primer ~** in the first place; **en último ~** finally

termómetro *m* thermometer

termos *m* thermos (*flask*)

terner|a *f* female calf; veal; **~o** *m* male calf

terno *m* suit (*of clothes*)

ternura *f* tenderness

terraplén *m* embankment

terrateniente *m* landowner

terraza *f* terrace

terremoto *m* earthquake

terreno *m* ground; soil;}

térreo earthen [plot]

terrestre earthly

terrible frightful; terrible

terrífico terrific

territori|al territorial; **~o** *m* territory

terrón *m* clod; patch of ground; lump (*of sugar, etc*)

terror *m* terror; dread; **~ífico** terrific; **~ismo** *m* terrorism; **~ista** *m* terrorist

terso smooth

tertulia *f* small party, gathering

tesor|ería *f* treasury; exchequer; **~ero** *m* treasurer; **~o** *m* treasure

testa|mento *m* will; **~r** *v/i* to make a will

testarudo obstinate; stubborn, hard-headed; pig-headed

testículo *m* testicle

testi|ficar *v/t* to testify; to depose; **~go** *m* witness; **~go ocular** eyewitness;

~**monio** m testimony

teta f breast; teat

tetera f tea-pot, tea-kettle

teutónico Teutonic

tevé m TV, television

textil textile

texto m text; *SA* textbook

tez f complexion; skin

ti *pron 2nd pers sing* you

tía f aunt

tibia f shinbone

tibio lukewarm

tiburón m shark

tiempo m time; period; epoch; weather; *gram* tense; **a** ~ in time; **a su** ~ in due course; **hace buen** ~ it is fine (weather); **hace** ~ some time ago

tienda f shop; ~ **de campaña** tent

tienta f *surg* probe; cleverness; sagacity; **andar a** ~**s** to grope in the dark

tierno tender; affectionate

tierra f earth; country; ~ **adentro** inland; ~ **firme** mainland; ♀ **Santa** Holy Land

tieso stiff, rigid; strong

tiesto m flower-pot

tifoidea f typhoid fever

tifón m typhoon

tifus m typhus

tigre m tiger; ~**sa** f tigress

tijeras f/pl scissors

tild|ar v/t to cross out; ~**e** f tilde (*as in* ñ)

tilo m lime-tree

tim|ador m swindler; ~**ar** v/t to cheat; to swindle

timbal m kettledrum

timbr|ar v/t to stamp; ~**e** m stamp; bell; timbre (*of voice*); ~**e de alarma** alarm bell; ~**e fiscal** revenue stamp

timidez f timidity

tímido timid

timo m swindle

timón m *naut* helm; rudder; *SA* steering wheel (*of car*)

timone|ar v/t, v/i *naut* to steer; ~**l** m steersman, coxswain

tímpano m kettledrum; eardrum

tina f large jar; vat

tinglado m shed; *fam* scheme

tinieblas f/pl darkness

tino m judgment; tact; moderation; **sin** ~ immoderately; foolishly

tint|a f ink; dye; tint; shade; **saber de buena** ~ *fam* to have on good authority; ~**e** m dyeing; tint; ~**ero** m inkwell

tintín m tinkle

tintinear v/t to tinkle; to jingle; to clink

tinto wine-coloured; red (*wine*); ~**rería** f dyer's shop; ~**rero** m dyer

tintura f tincture; smattering

tío m uncle; old fellow

tiovivo m round about, merry-go-round

típico typical

tiple m soprano, treble

tipo m type; model; *com*

rate (of interest, exchange, etc); fam fellow

tira f long strip; strap; **~buzón** m corkscrew

tira|da f throw; cast; distance; printing, edition; **~do** dirt-cheap; **~dor** m shooter; marksman

tiran|ía f tyranny; **~o** m tyrant

tirante m strap; brace; a tense; **~z** f tenseness; tension

tirar v/t to throw, to fling; to throw away; to fire (a shot); to draw; v/i to pull; to attract; **~ de** to give a pull to

tiritar v/i to shiver

tiro m cast; throw; shot; length; draught; **errar el ~** to miss one's aim

tiroides m anat thyroid

tirón m pull; tug; **de un ~** at a stretch

tiroteo m firing; skirmish

tísico consumptive

tisis f med consumption

títere m puppet; marionette

titubear v/i to stagger; to hesitate, to waver; to stammer

titula|do so-called; **~r** v/t to entitle; to name

título m title; diploma; right; **a ~ de** by way of

tiza f chalk

tiznar v/t to stain; to smudge

toalla f towel

tobillo m ankle

tobogán m toboggan

toca f bonnet; wimple (of nun)

tocadiscos m record-player; **~ automático** juke-box

tocado m head-dress; hairstyle; a fam crazy; touched; **~r** m dressing-table; ladies' room

toca|nte touching; **~nte a** with regard to, concerning; **~r** v/t to touch; to feel; to play (an instrument); to ring (a bell); to touch upon; to move; v/t to touch; to be up (to); to border; **~r a su fin** to be at an end

tocayo m namesake

tocino m bacon

tocón m stub, stump

todavía still, yet

todo a entire; whole; complete; every; **~ aquel que** whoever; **~s los días** every day; adv totally; entirely; m all; whole; everybody; everything; **ante ~** first of all; **del ~** entirely; absolutely; **con ~** notwithstanding; **sobre ~** above all

todopoderoso almighty

toldo m awning; SA Indian hut

tolera|ble tolerable; passable; **~ncia** f tolerance; **~r** v/t to tolerate

toma f taking; receiving; **¡~!** fancy!; of course!; foto, cine shot; take; **~dura** f taking; **~dura de pelo** fam practical joke; **~r** v/t

to take; to seize; to grasp;
to have (*food, drink*); ~r
cariño a to grow fond of;
~r a mal to take (*some-
thing*) the wrong way; v/i
SA *fam* to drink
tomate m tomato
tomillo m thyme
tomo m volume
ton m: **sin ~ ni son** without
rhyme or reason; ~alidad
f *mus* tonality
tonel m barrel; cask
tonela|da f ton; ~je m ton-
nage
tónic|a f *mus* tonic; key-
note; ~o a, m tonic
tono m tone; **de buen ~**
elegant
tont|ería f folly; foolish-
ness; ~o silly; stupid
top|ar v/t to bump against;
~arse con to meet, to run
into; ~e m butt, end;
buffer; highest point;
hasta los ~es up to the
brim
tópico m topic
topo m mole; *fam* awkward person
topógrafo m topographer
toque m touch; *mil* call
torbellino m whirlwind;
fam lively person
torc|er v/t to twist; to
bend; to sprain; to dis-
tort; v/i to turn; ~erse
to become twisted; to
sprain; ~ido twisted, bent
tordo m thrush
tore|ador m bullfighter;
~ar v/i to fight bulls; v/t

to fight (*the bull*); to tease;
to elude; ~o m bullfighting;
~ro m bullfighter
toril m bull-pen
torment|a f storm; thun-
derstorm; ~ar v/t to tor-
ment; ~o m torment; ~oso
stormy
torna|da f return; ~rse to
become; to change into
tornasol m sunflower
torneo m tournament
torn|illo m screw; ~iquete
m turnstile; ~o m lathe;
winch, windlass; revolu-
tion, turn; **en ~o a** about,
regarding
toro m bull
toronja f grapefruit
torpe slow; heavy; dull;
~za f heaviness; dullness
torre f tower; steeple; turret; (*chess*) castle, rook;
high-rise building; ~cilla f
turret
torrefacto toasted
torrente m torrent
torta f cake; pie
tortilla f omelette
tórtol|a f turtle-dove; ~o
m *fig* lover
tortuga f tortoise; turtle
tortuoso winding
tortura f torture, anguish;
~r v/t to torture
torunda f *med* swab
tos f cough; ~ ferina
whooping cough
tosco crude, rude
toser v/i to cough
tosta|da f toast; ~do sun-
burnt, tanned; ~r v/t to

toast; to tan (*of the sun*)
tostón *m* toasted bread
cube; *fig* bore
total total, complete; **~idad**
f totality; **~itario** totalitarian
tóxico toxic
traba *f* obstacle; fetter
trabaj|ador(a) *m* (*f*) worker; *a* industrious, hard
-working; **~ar** *v/i, v/t* to
work; to till (*soil*); to act
(*in theatre*); **~o** *m* work;
employment; **~os forzados** hard labour
traba|r *v/t* to link; to tie
up; **~r amistades** to make
friends; **~zón** *f* link; bond;
juncture
trac|ción *f* traction; **~tor** *m*
tractor
tradici|ón *f* tradition; **~onal** traditional
traduc|ción *f* translation; **~
ir** *v/t* to translate; **~
tor(a)** *m* (*f*) translator
traer *v/t* to bring; to fetch;
to cause
trafica|nte *m* dealer; monger; **~r** *v/i* to deal
tráfico *m* traffic
traga|dor(a) *m* (*f*) glutton;
~luz *m* skylight; **~monedas** *m*, **~perras** *m* slot-
-machine; vending machine; **~r** *v/t* to swallow;
to gulp down; *fig* to swallow; **no poder ~** not to
be able to stand (*someone*)
tragedia *f* tragedy
trago *m* drink; draught;
echar un ~ to have a drink

trai|ción *f* treason; **~cionar**
v/t to betray; **~cionero**
treacherous; **~dor(a)** *m* (*f*)
traitor; betrayer; *a* treacherous
traje *m* dress; suit; **~ de
baño** swim-suit; bathing
suit; **~ de etiqueta** full
dress, evening dress; **~
pantalón** pants suit
trajín *m* bustle, hustle
trajinar *v/t* to carry from
place to place; *v/i* to bustle
about
trama *f* weft; plot; intrigue; **~r** *v/t* to weave; to
hatch; to plot
tramitar *v/t* to negotiate
tramo *m* section (*of road*);
flight (*of stairs*)
tramp|a *f* trap, snare, pitfall; **~ear** *v/i* to cheat
trampolín *m* spring-board
tramposo *a* deceitful; *m*
trickster; swindler
trancar *v/t* to bar (*a door*)
trance *m* critical situation
tranquil|idad *f* tranquillity; stillness; **~izar** *v/t* to
calm; **~o** calm; quiet
transacción *f* agreement,
compromise; operation;
com transaction
transatlántico *a* transatlantic; *m* liner
transbord|ador *m* ferry
(boat); **~ar** *v/t* to tranship; *v/i* to transfer
transcribir *v/t* to transcribe; to copy
transcur|rir *v/i* to elapse;
~so *m* course (*of time*)

transeúnte m passer-by
transfer|encia f transfer;
  ~ir v/t to transfer
transforma|ción f transformation; **~dor** m elec
  transformer; **~r** v/t to
  transform; **~rse** to change
tránsfuga m deserter
transfu|ndir v/t to transfuse; **~sión** f transfusion
transgredir v/t to transgress
transición f transition
transig|ente accommodating; **~ir** v/i to give in; to
  compromise
transistor m transistor
transita|ble passable; **~r**
  v/i to travel
tránsito m passage; transit
transitorio transitory,
  transient
translúcido translucent
transmi|sión f transmission; **~tir** v/t to transmit;
  to broadcast
transparen|cia f transparency; **~te** transparent
transpirar v/i to transpire;
  to perspire
transplant|ar v/t to transplant; **~e** m transplantation; med transplant
transport|ar v/t to transport; **~e** m transport; fig
  rapture; mar transport ship
transvers|al transversal;
  ~o transverse
tranvía m tramway; streetcar
trapaza f fraud
trapear v/t SA to mop

(the floor)
trapecio m trapeze; geom
  trapezoid
trapero m rag-dealer
trapillo m savings
trapisonda f deception;
  brawl
trap|ito m small rag; **~o** m
  rag; cloth; **soltar el ~o**
  fam to burst out laughing
  or crying
tráquea f anat windpipe
traque|tear v/i to clatter;
  v/t to handle roughly; to
  rattle; **~teo** m rattle, clatter
tras after; behind; besides;
  ~ de in addition to
trascenden|cia f transcendency; consequence;
  ~tal of highest importance;
  ~te transcendent
trasegar v/t to decant; to
  turn upside down
traser|a f back; rear; **~o** m
  buttock; rump; a hind;
  rear
trashumar v/i to migrate
  from one pasture to another
trasiego m decanting; disarrangement
trasla|ción f movement (of
  the earth around the sun);
  ~dar v/t to move; to
  remove; to move;
  transfer; **~rse** v/r to
  (over)lap
traslu|cirse v/r to shine
  through; **al ~z** against the
  light
trasnochar v/i to spend the
  night; to keep late hours
traspapelar v/t to mislay

tricornio

traspas|ar v/t to pass over; to cross over; to transfer (*business*); **~o** m transfer, conveyance; violation (*of law*)

trasplantar v/t to transplant; **~se** to emigrate

trasquilar v/t to shear; to crop (*hair*) badly

trast|ada f villainy; dirty trick; mischief; **~e** m fret (*of a guitar*); **dar al ~ con** fam to finish with; **~ear** v/t to play (a guitar, etc); v/i to move things; **~o** m old piece of furniture; trash; junk; fam worthless person; pl tools; implements

trastorn|ar v/t to confuse; to upset; **~o** m confusion; upheaval; disorder; derangement

trasunto m transcript, copy

trata f slave-trade; **~nte** m dealer; **~r** v/t to treat; to address (*someone*); v/i **~ de** to try; to deal with; **~r acerca de** to deal with (a *subject*); **~rse de impers** to be a question of; **¿de qué se ~?** what is it about?

trato m treatment; manner; behaviour; deal; form of address; pl dealings

través m bias; traverse; **al ~ de** across; through

traves|ero a crosswise; m bolster; **~ía** f crossing; passage; voyage

travesura f mischief, lark, prank

traviesa f distance across; fc sleeper

travieso mischievous; naughty

trayecto m distance; stretch; section

traz|a f sketch; **~ar** v/t to trace; to sketch; to devise; **~o** m outline

trébol m clover; **~es** m/pl (cards) clubs

trecho m distance; stretch; **de ~ en ~** at intervals

tregua f truce; respite

tremendo tremendous

trémulo tremulous, trembling

tren m train; outfit; show; **~ directo** through train; **~ mixto** mixed passenger and goods train; **~ ómnibus** stopping train; **~ de aterrizaje** undercarriage (*of a plane*); **~ de enlace** connecting train; **~ de mercancías** goods train

trenza f plait, tress; braid; ply; **~r** v/t to plait; to braid

trepa|dora f bot creeper, runner; **~r** v/i to climb

trepida|ción f vibration; **~r** v/i to vibrate; to shake

triángulo m triangle

tribu f tribe

tribuna f platform; **~l** m tribunal; court of justice

tribut|ar v/t to pay (taxes); **~ario** m taxpayer; a tributary; **~o** m tribute

triciclo m tricycle

tricornio m three-cornered hat

trienio

trienio *m* period of three years

trig|al *m* wheat field; **~o** *m* wheat

trilla|do hackneyed, stale; **~r** *v/t* to thresh

trillizos *m/pl* triplets

trimestral quarterly

trimotor *m* three-engined aeroplane

trincar *v/t* to break; *naut* to lash; *v/i fam* to drink

trinch|ante *m* carver (*for meat*); **~ar** *v/t* to carve (*meat*); **~era** *f mil* trench; trench-coat

trineo *m* sleigh; sledge

trinidad *f eccl* Trinity

trinitaria *f bot* pansy

tripa *f* gut; intestine; *coc)*

triple treble [tripes]

trípode *m or f* tripod

tríptico *m* triptych

tripulación *f* crew

triquitraque *m* firecracker

triste sad; **~za** *f* sadness

triturar *v/t* to grind

triunf|ar *v/i* to triumph; **~o** *m* triumph; (*cards*) trump; *dep* win, victory

trivial trivial, commonplace; **~idad** *f* triviality

trocar *v/t* to exchange; to turn into

trocha *f fc* gauge

trochemoche: a ~ helter-skelter

trofeo *m* trophy

trole *m* trolley; **~bús** *m* trolley-bus

tromba *f* waterspout

trombón *m mus* trombone

tromp|a *f mus* horn; trunk of an elephant; trunk; bump; severe blow; **~azo** *m* bump; severe blow; **~eta** *f* trumpet

trona|da *f* thunderstorm; **~r** *v/i, v/imp* to thunder

tronco *m* trunk

trono *m* throne

tropa *f* troup; soldiers, troups

tropel *m* crowd; jumble

trop|ezar *v/i* to stumble; **~ezón** *m* slip, mistake; blunder; **~iezo** *m* stumbling; slip

tropical tropical

trópico *m astr, geog* tropic

trot|amundos *m* globetrotter; **~ar** *v/t, v/i* to trot; **~e** *m* trot

trozo *m* piece; bit

truco *m* trick

trucha *f* trout

trueno *m* thunder

trueque *m* exchange

trufa *f* truffle

truhán *m* swindler, cheat, crook

tú *pers pron* 2nd *pers sing* you

tu (*pl* **tus**) *poss pron m, f* your

tuberculosis *f* tuberculosis

tub|ería *f* tubing; piping; **~o** *m* tube; pipe; **~o de desagüe** waste-pipe

tuerca *f mech* nut

tuert|o crooked; one-eyed; **a ~as o a derechas** by hook or by crook

tuétano *m* marrow

tufo *m* vapour; stench

tul *m* tulle; ~ipán *m* tulip

tullido disabled, crippled

tumba *f* tomb

tumbar *v/t* to knock down; ~se to fall down

tumor *m* tumour

tumultuoso tumultuous

tuna *f* Indian fig

túnel *m* tunnel

túnica *f* tunic; robe

tupé *m* toupee; *fam* cheek

turba *f* crowd; peat

turba|dor(a) *m* (*f*) disturber; ~r *v/t* to disturb

turbina *f* turbine

turbulento turbulent

turco(a) *m* (*f*), *a* Turk

turis|mo *m* tourism; roadster; ~ta *m*, *f* tourist

turn|ar *v/i* to alternate; ~o *m* turn; por ~os by turns

turquesa *f* turquoise

turrón *m* nougat

tutear *v/t* to address familiarly as "tú"

tutor *m* guardian; tutor

tuyo(a) *poss pron; 2nd pers m*, *f* thine; yours

U

u (*before words commencing with o or ho*) or

ubicación *f* location; situation

ubre *f* udder

Ud. = usted

ufanarse to boast

ujier *m* usher

úlcera *f* ulcer

ulcer|arse to fester; ~oso ulcerous

ulterior farther; further; later; subsequent

ultimar *v/t* to conclude; to finish; *SA* to finish off

último last; final; latest; utmost

ultraj|ante outrageous; ~ar *v/t* to outrage; to insult; ~e *m* outrage; rape

ultramar overseas; ~ino *m* ultramarine; *pl* imported foods; *a* oversea

ultranza: a ~ at all costs

ulular *v/i* to howl; to hoot

umbral *m* threshold

umbr|ío, ~oso shady; shadowy

un (*apocope of uno*) *m*, una *f indef art a*, an

unánime unanimous

unanimidad *f* unanimity

unción *f* unction; anointing; *eccl* extreme unction

undular *v/i* to undulate

ungüento *m* ointment, salve

único only; sole, unique

uni|dad *f* unit; unity; ~do united; ~ficación *f* unification; ~ficar *v/t* to unify, to unite

uniform|ar *v/t* to make uniform; ~e *a* uniform; unvarying; *m* uniform; ~idad *f* uniformity

uni|ón *f* union; unity; ~r *v/t* unite; ~rse to join

unísono unisonous

unitario unitarian

univers|al universal; **~ali-dad** f universality; **~idad** f university; **~itario** university (as a); m university student; **~o** m universe

uno(a) a one; pl some; nearly; pron f one, someone; **~ y otro** both; **cada ~** each one

unt|ar v/t to anoint; to rub with ointment; to spread (butter on bread); to smear (with grease); **~uoso** greasy

uña f nail (of finger or toe); talon; claw; hoof; **ser ~ y carne** to be hand in glove; to be bosom friends

uranio m uranium

urban|idad f politeness; manners; **~ización** f housing estate, city planning; **~o** urbane; urban

urbe f large city, metropolis

urdimbre f warp

urgen|cia f urgency; **~te** urgent

urinario a urinary; m urinal

urna f urn; ballot-box

urraca f magpie

urticaria f nettle-rash

usa|do used; worn; accustomed; **~nza** f usage; **~r** v/t to use; to make use of; **~rse** to be in fashion; to be in use

uso m use; employment; **al ~** according to usage

usted you

usua|l customary; **~rio** m user

usufruct|o m for usufruct; profit; **~uar** v/t to enjoy the usufruct of; v/i to be fruitful

usur|a f usury; **~ero** m usurer; money-lender

utensilio m implement; tool; utensil

útero m med uterus

útil a useful; m tool; **~es de escritorio** stationery

utili|dad f usefulness, utility; **~tario** utilitarian; **~zable** utilizable; **~zar** v/t to utilize; to benefit from

utopia f Utopia

utópico Utopian

utopista m, f, a Utopian

uva f grape; **~ espina** gooseberry

V

vaca f cow; coc beef

vacación f vacation; holiday [vacant]

vacan|cia f vacancy; **~te)**

vaciar v/t to empty

vacila|ción f hesitation; **~nte** hesitating

vacío a empty; vacant; m vacuum

vacuna f vaccine; **~ción** f vaccination; **~r** v/t to vaccinate [ford]

vad|ear v/t to ford; **~o** m)

vagabund|ear v/i to rove; to loiter; **~o** m tramp; a idle; roving

vagar v/i to rove; to wander

vago adj vague; indefinite;

vagrant, stray; *m* vaga-
bond; tramp

vagón *m* carriage; coach;
~**-cama** sleeping-car; ~
frigorífico refrigerator
car; ~ **restaurante** dining
car

vagoneta *f* van; open truck

vahído *m* dizziness

vaho *m* vapour

vaina *f* sheath; husk, pod;
SA fam nuisance

vainilla *f* vanilla

vaivén *m* swinging; rocking; inconstancy; ups and
downs (*of fortune*); *mech*
shuttle movement

vajilla *f* crockery; table
service

vale *m com* voucher; promissory note; ~**dero** valid

valentía *f* courage, valour

valer *v/t* to be worth; to
cost; ~ **la pena** to be
worth while; ¡**no vale!**
it is no good! ~**se de** to
avail oneself of; ¡**válgame
Dios!** good Heavens!,
bless my soul!

valeroso brave; strong

valía *f* worth; credit; influence; faction

validez *f* validity

válido valid

valiente brave; valiant;
strong; excellent; fine

valija *f* suitcase; mail-bag

val|ioso valuable; wealthy;
~**or** *m* value; price; courage, valour; *pl com* securi-
ties; bonds; ~**or nominal**
face value; ~**oración** *f*

valuation; ~**orar**, ~**orizar**
v/t to value; to appraise

vals *m* waltz

válvula *f* valve; ~ **de seguridad** safety valve

valla *f* fence; barrier

valle *m* valley

vanagloriarse to boast

vanguardia *f mil* vanguard,
van

van|idad *f* vanity; useless-
ness; ~**o** useless; vain; **en
~o** in vain

vapor *m* steam; vapour;
steamer, steamship; ~**izar**
v/t to vaporize; ~**oso**
vaporous

vaquero *m* cowherd; cow-
boy

vara *f* stick; rod; pole;
Spanish measure; ~**r** *v/t*
to strand

varia|ble variable; change-
able; ~**ción** *f* variation;
change; ~**do** varied; ~**nte**
varying; ~**r** *v/t* to vary;
to change; to modify; *v/i*
to vary; to differ

varicoso varicose

variedad *f* variety; **función** *f* **de ~es** variety show

varilla *f* thin stick; wand;
rib; rod; ~**je** *m* ribbing (*of
umbrella, etc*)

vario various

varón *m* male; man

varonil manly

vasall|aje *m* vassalage; ser-
vitude; ~**o** *m* vassal

vasc|o(a) *m* (*f*), *a* Basque;
~**uence** *m* Basque language

vas|ija *f* vessel; **~o** *m* glass

vástago *m* shoot; sprout; offspring

vasto vast, immense

vaticinio *m* prophecy; prediction

vatio *m* watt

vaya *f* jest; *interj* indeed

vecin|al neighbouring; **~unidad ~al** community housing project; **~dad** *f*, **~dario** *m* vicinity; neighbourhood; **~o(a)** *m* (*f*) neighbour; citizen; resident

veda *f* prohibition; closed season; **~r** *v/t* to prohibit

veedor *m* inspector

vega *f* fertile plain

vegeta|ción *f* vegetation; **~l** *m* vegetable; plant; *a* vegetable; **~r** *v/i* to vegetate; **~riano(a)** *m* (*f*), *a* vegetarian

vehemen|cia *f* vehemence; **~te** vehement; vivid

vehículo *m* vehicle

veintena *f* score

veje|te *m* little old man; **~z** *f* old age

vejiga *f* bladder

vela *f* candle; watch, vigil; *naut* sail; ship; **~ mayor** mainsail; **en ~** awake; **~da** *f* vigil; soirée; **~do** veiled; **~r** *v/t* to watch; *v/i* to stay awake

velero *m* sailing-boat

veleta *f* weather-cock; *fig* fickle person

velo *m* veil

velocidad *f* speed; velocity;

aut gear; **a toda ~** at full speed

veloz speedy

vell|o *m* down; **~ón** *m* fleece; sheepskin; **~oso**, **~udo** hairy

vena *f* vein [venison]

venado *m* stag; deer;

venal mercenary, venal

vencedor(a) *m* (*f*) conqueror; victor, winner; *a* winning

venc|er *v/t* to overcome; to conquer; *v/i* to win; *com* to fall due, to expire; **~ible** conquerable; **~ido** defeated; *com* due, payable; **~imiento** *m com* maturity; expiration

venda *f* bandage; **~r** *v/t* to bandage; to swathe

vendaval *m* strong wind; gale

vende|dor(a) *m* (*f*) seller; salesman; retailer; **~r** *v/t* to sell

vendible marketable

vendimia *f* vintage

veneciano(a) *a*, *m* (*f*) Venetian

veneno *m* poison; venom; **~so** poisonous; venomous

venerar *v/t* to venerate; to worship

venéreo venereal

venga|nza *f* vengeance; revenge; **~r** *v/t* to avenge; **~rse de** to take revenge on; **~tivo** revengeful; vindictive [pardon]

venia *f* permission, leave;

venida *f* coming; arrival

venir v/t to come; to arrive; ~ a menos to come down in the world; ~ a ser to turn out to be; ~ bien to suit; ~se abajo to collapse; to fall down

venta f sale; selling; de ~ for sale

ventaj|a f advantage; ~oso advantageous

ventan|a f window; ~a a bisagra casement; ~a de guillotina sash window; ~a panorámica picture window; ~illa f wicket, small window (post-office, bank, etc); ~illo m small window

ventarrón m gale

ventila|ción f ventilation; ~dor m ventilator; fan; ~r v/t to ventilate; fig to discuss

ventisca f snow-storm; blizzard; ~quero m snow-drift; glacier

ventoso windy

ventrílocuo m ventriloquist

ventrudo pot-bellied

ventur|a f luck; a la ~a at random; por ~a by chance; ~oso fortunate

ver v/t to see; to notice; to understand; ¡a ~! let's see!; hacer ~ to show; tener que ~ con to have to do with

veranea|nte m, f holiday-maker (in summer); ~r v/i to spend the summer holidays

veras f/pl: de ~ truly; really

veraz truthful

verbena f night festival and fair on the eve of a saint's day

verbo m verb; ~so verbose, long-winded

verdad f truth; ~ero real, authentic

verd|e green; ~or m greenness, verdure; ~oso greenish

verdugo m hangman

verdu|lero(a) m (f) greengrocer; ~ra f greens; fresh vegetables

vereda f lane; path; SA pavement [ing]

veredicto m verdict; find-)

vergonzoso shameful; bashful

vergüenza f shame; bashfulness; modesty

verídico truthful

verificar v/t to verify; to confirm; ~se to prove true; to take place

verja f iron railing; grille, grating

vermut m vermouth; theat, cine afternoon performance

verosímil likely, plausible

verosimilitud f probability

verraco m boar

verruga f wart

versa|do versed; proficient; ~r v/i to go around; ~r sobre to treat of

versión f version; translation; interpretation

verso m verse

vertebra f vertebra

verte|dero m dumping
place, rubbish heap; **~r** v/t
to pour; to spill; to shed;
v/i to flow; to run
vertiente f slope
vertiginoso vertiginous;
giddy
vesícula f vesicle; blister
vestíbulo m vestibule; lobby
vestido m dress; clothing
vestigio m trace; vestige
vestir v/t to clothe; to
dress; v/i to look elegant;
to dress; **~ de** to wear;
~se to dress; to get dressed
veterano m veteran; a ex-
perienced
veterinario m veterinary
surgeon
veto m veto
vez f time; occasion; turn;
a la ~ at the same time; **a
su ~** in turn, in his turn;
cada ~ más more and
more; **de ~ en cuando**
from time to time; **rara ~**
seldom; **tal ~** perhaps;
una ~ once; **una ~ que**
since; **a veces** sometimes;
muchas veces often; **pocas veces** rarely; seldom;
repetidas veces time and
again
vía f way; road; manner;
~ férrea railway; **por ~
marítima** by sea; **por ~
de** by way of; **♀ Láctea**
Milky Way
viable practicable
viaj|ante m, f traveller; **~ar**
v/i to travel; **~e** m journey;

(**marítimo**) voyage; **~e de
negocios** business trip;
~ero m traveller
víbora f viper
vibra|ción f vibration;
~dor m vibrator; **~r** v/i to
vibrate   [vicar]
vicar|ía f vicarage; **~io** m♂
vici|ar v/t to spoil; to
corrupt; **~o** m vice; **~oso**
vicious; depraved
vicisitud f vicissitude
víctima f victim
victimar v/t SA to kill
victori|a f victory; **~oso**
victorious
vid f vine; grape-vine
vida f life; living; **¡en la ~!**
never in my life!; **¡por ~
mía!** upon my soul!
vidente m, f seer
vidrier|a f glass window;
~o m glazier
vidrio m glass; glassware;
~ fibroso fibre glass; **~so**
glassy (eyes, etc)
viejo(a) a old; ancient; m
(f) old man (woman)
vienés(esa) a, m (f) Viennese
viento m wind; air
vientre m abdomen; belly
viernes m Friday; **♀ Santo**
Good Friday
viga f beam; girder
vigen|cia f force, use;
estar en ~cia to be in
force; **~te** in force
vigía f lookout (post),
watchtower
vigilan|cia f vigilance; **~te**
a vigilant; m watchman;

shopwalker

vigilia f vigil, watch

vigor m vigour; strength; force, effect; **en ~** valid; in force; **~oso** vigorous

vil vile; base; **~eza** f vileness; villainy

villa f town; municipality; villa

villancico m Christmas carol

villorrio m hamlet; little village

vinagre m vinegar; **~ra** f vinegar cruet, castor

vínculo m bond; tie

vino m wine; **~ de Jerez** sherry; **~ generoso** fine dessert wine; **~ tinto** red wine

viñ|a f, **~edo** f vineyard

viola f mus viola

viol|ar v/t to violate; **~encia** f violence; **~entar** v/t to force; **~entarse** to force oneself; **~ento** violent

violeta f violet

viol|ín m violin; **~ón** m double bass; **~oncelo** m violoncello [veer]

virar v/t naut to tack; to]

virg|en f virgin; **~inidad** f virginity

viril virile, manly; **~idad** f virility; manhood

virrey m viceroy

virtu|al virtual; **~d** f virtue; **~oso** virtuous

viruela f smallpox

virulen|cia f virulence; **~te** f virulent

virus m virus

viruta f wood shaving

visa f, **visado** m visa

visaje m grimace

visar v/t to visa; to countersign

vísceras f/pl viscera

visc|osidad f viscosity; **~o** sticky; viscous

visib|ilidad f visibility; **~le** visible; evident

visillo m lace-curtain

visión f vision, sight

visit|a f visit; **~ar** v/t to visit; **~eo** m frequent visiting

vislumbr|ar v/t to glimpse; **~e** f glimpse, glimmer

viso m sheen (of cloth)

visón m mink

visor m foto viewer, viewfinder

víspera f eve; **~s** f/pl evensong; **en ~s de** on the eve of

vista f sight; vision; eyesight; aspect; **a la ~** in sight; in view; **com** at sight; **de ~** by sight; **en ~ de** in view of; **está a la ~** it is obvious; **hasta la ~** see you again; so long; **hacer la ~ gorda** to pretend not to see; **perder de ~** to lose sight of; m customs officer; **~zo** m glance

visto in view of; **~ bueno** approved; O. K.; **está ~** it is clear; **por lo ~** apparently

vistoso beautiful; attractive

visual visual

vital vital; **~icio** lifelong;

life, for life; **~idad** *f* vitality

vitamina *f* vitamin

viticultura *f* wine-growing

vitorear *v/t* to acclaim; to cheer

vítreo glassy; vitreous

vitrina *f* show-case

vituperar *v/t* to vituperate; **~io** *m* vituperation

viud|a *f* widow; **~edad** *f* widow's pension; **~ez** *f* widowhood; **~o** *m* widower

viva|cidad *f* vivacity; brilliance; **~racho** vivacious, lively, gay; **~z** bright, witty; lively

víveres *m/pl* provisions

vivero *m* hatchery; *bot* nursery

viveza *f* liveliness; brilliancy; smartness

vivien|da *f* dwelling; abode; **~te** living

viv|ificar *v/t* to vivify; **~ir** *v/t, v/i* to live; to last; **¿quién vive?** *mil* who goes there?; **~o** alive, living; lively; vivid; bright; intense; clever; *t v* live

vizconde *m* viscount; **~sa** *f* viscountess

vocab|lo *m* word; **~ulario** *m* vocabulary

vocación *f* vocation; calling

vocal *f* vowel; *m* voting member of a committee; **~izar** *v/i* to vocalize; to articulate

voce|ar *v/i* to shout; to announce; **~río** *m* shouting

vociferar *v/i* to shout; to vociferate

volad|izo jutting out; projecting; **~or** flying; **~ura** *f* explosion; blasting

vola|nte *m* steering-wheel; fly-wheel; balance (*of watch*); hand-bill; badminton; flounce; **~r** *v/i* to fly; to run fast; to pass quickly; *v/t* to blow up; to blast

volátil volatile; changeable

volatilizar *v/t* to volatilize

volcán *m* volcano

volcánico volcanic

volcar *v/t* to overturn; to upset; to make angry

voleo *m* (*tennis*) volley

voltaje *m* voltage

volte|ar *v/t* to turn; to revolve; *SA* to tip, to turn over; *v/i* to tumble; **~reta** *f* somersault

voltio *m* volt

volum|en *m* volume; **~inoso** voluminous

volunta|d *f* will; intention; **a ~d** at will; **de buena ~d** with pleasure; **~rio** *a* voluntary; *m* volunteer

voluptuos|idad *f* voluptuousness; **~o** voluptuous; luscious

volver *v/t* to turn; to replace; to return; **~ loco** to drive mad; *v/i* to return; **~ a hacer algo** to do something again; **~ en sí** to regain consciousness; **~se** to turn, to become

vomitar v/t to vomit, to throw up

vómito m vomiting

vora|cidad f voracity; ~z voracious

vos pers pron you

vot|ación f voting; (total) vote; ~ar v/t to vote, to vow; to curse; ~o m vote, ballot; vow; pl wishes

voz f voice; noise; word; **a una ~** unanimously; **dar voces** to shout; **en alta ~** aloud

vuelco m overturning

vuelo m flight; flare (of a dress); projecting part (of a building); **al ~** on the

wing; immediately

vuelta f turn; walk; bend, curve; reverse; **a ~ de correo** by return mail; **a la ~** around the corner; overleaf; **dar una ~** to take a stroll; **dar ~s** to go round, to revolve; **estar de ~** to be back; **poner de ~ y media** to insult; to call names

vuestro(a, os, as) poss pron your, yours

vulcanizar v/t to vulcanize

vulgar common; ordinary, vulgar; ~**idad** f vulgarity

vulnera|ble vulnerable; ~r v/t to hurt

X, Y

xenófobo(a) m (f), a hater of foreigners

xilófono m xylophone

y and

ya already; ~ **no** no longer; ~ **que** since; as; ¡~! oh, I see!; ~ **... ~** now ... now; ¡~ **lo creo!** indeed!; of course!

yace|nte lying; ~r v/i to lie; to lie in the grave

yacimiento m deposit; bed (of minerals); ~ **petrolífero** oil-field

yapa f SA bonus, extra

yarda f yard (measure)

yate m yacht

yedra f ivy

yegua f mare

yelmo m helmet

yema f bud; yolk (of egg); ~ **del dedo** tip of the finger

yermo uncultivated, desert, waste

yerno m son-in-law

yerro m error, mistake

yes|ería f plasterwork; ~o m plaster; plaster cast; ~o **blanco** plaster of Paris

yo pers pron I

yodo m iodine

yola f yawl

yugo m yoke

yugoeslavo(a) a, m (f) Jugoslav

yunque m anvil

yunta f yoke (of oxen)

yute m jute

Z

zafar v/t to adorn; to lighten (a ship); **~se** to run away

zafiro m sapphire

zagal m boy; shepherd

zagual m paddle

zaguán m doorway, entrance

zaguero m dep back, defense player

zahúrda f pigsty

zaino fig false; treacherous

zalamería f flattery

zalema f salaam; bow

zamarro m sheepskin jacket

zambo(a) m (f) halfbreed of Negro and Indian blood

zambullirse to dive, to plunge

zampar v/t to hurl

zanahoria f carrot

zan|ca f long leg, shank; **~cada** f stride; **~cadilla** f trick; trap; **~co** m stilt; **~cudo** a longlegged; m SA mosquito

zangamanga f fam trick

zángano m drone; sponger

zanja f ditch; trench

zanquear v/i to waddle

zapa f spade; **~dor** m mil sapper, pioneer; **~r** v/t to sap

zapat|ería f shoe-shop; **~ero** m shoemaker; (a o) m

zar m czar   [shoe]

zaragata f quarrel

zarandear v/t to sift; to sieve

zarcillo m tendril

zarpa f paw; **~r** v/i to weigh anchor, to sail

zarrapastroso ragged

zarza f bramble; **~mora** f blackberry

zarzuela f musical comedy

zazoso lisping

zigzaguear v/i to zigzag

zócalo m socle; mar shelf

zodiaco m zodiac

zona f zone; district

zonzo silly, foolish

zoología f zoology

zoológico zoological

zopo clumsy

zoquete m blockhead

zorr|a f vixen; fig cunning person; fam slut; tart; **~o** m fox

zozobra f naut capsizing; fig worry; **~r** v/i to founder; to be in danger

zueco m wooden shoe, clog

zumb|ar v/i to buzz, to hum; to hit, to slap; v/t to joke with; **~arse de** to make fun of; **~ido** m buzzing

zumo m juice

zurcir v/t to darn; to stitch

zurdo left-handed

zurrar v/t to spank, to thrash, to tan

zurri|ar v/i to buzz; to hum; to rattle; **~do** m humming; buzzing

zutano m so-and-so

Numerals

Numerales

Cardinal Numbers — *Cardinales*

0 cero, *nought, zero*
1 uno(a) *one*
2 dos *two*
3 tres *three*
4 cuatro *four*
5 cinco *five*
6 seis *six*
7 siete *seven*
8 ocho *eight*
9 nueve *nine*
10 diez *ten*
11 once *eleven*
12 doce *twelve*
13 trece *thirteen*
14 catorce *fourteen*
15 quince *fifteen*
16 dieciséis *sixteen*
17 diecisiete *seventeen*
18 dieciocho *eighteen*
19 diecinueve *nineteen*
20 veinte *twenty*
21 veintiuno *twenty-one*
22 veintidós *twenty-two*
30 treinta *thirty*
31 treinta y uno *thirty-one*
40 cuarenta *forty*
50 cincuenta *fifty*
60 sesenta *sixty*
70 setenta *seventy*
80 ochenta *eighty*
90 noventa *ninety*

100 ciento, cien *a (or one) hundred*
101 ciento uno *hundred and one*
200 doscientos *two hundred*
300 trescientos *three hundred*
400 cuatrocientos *four hundred*
500 quinientos *five hundred*
600 seiscientos *six hundred*
700 setecientos *seven hundred*
800 ochocientos *eight hundred*
900 novecientos *nine hundred*
1000 mil *a (or one) thousand*
1976 mil novecientos setenta y seis *nineteen hundred and seventy-six*
2000 dos mil *two thousand*
100000 cien mil *a (or one) hundred thousand*
500000 quinientos mil *five hundred thousand*
1000000 un millón *a (or one) million*
2000000 dos millones *two millions*

Ordinal Numbers — *Ordinales*

1.º primero (primer) *first*
2.º segundo *second*
3.º tercero *third*
4.º cuarto *fourth*
5.º quinto *fifth*
6.º sexto *sixth*
7.º sé(p)timo *seventh*
8.º octavo *eighth*
9.º noveno, nono *ninth*
10.º décimo *tenth*
11.º undécimo *eleventh*
12.º duodécimo *twelfth*
13.º decimotercio *thirteenth*
14.º decimocuarto *fourteenth*
15.º decimoquinto *fifteenth*
16.º decimosexto *sixteenth*
17.º decimoséptimo *seventeenth*
18.º decimoctavo *eighteenth*
19.º decimonono *nineteenth*
20.º vigésimo *twentieth*
21.º vigésimo primo (primero) *twenty-first*
22.º vigésimo segundo *twenty-second*
30.º trigésimo *thirtieth*
40.º cuadragésimo *fortieth*
50.º quincuagésimo *fiftieth*
60.º sexagésimo *sixtieth*
70.º septuagésimo *seventieth*

80.º octogésimo *eightieth*
90.º nonagésimo *ninetieth*
100.º centésimo (one) *hundredth*
101.º centésimo primero *hundred and first*
200.º ducentésimo *two hundredth*
300.º trecentésimo *three hundredth*
400.º cuadringentésimo *four hundredth*
500.º quingentésimo *five hundredth*
600.º sexcentésimo *six hundredth*
700.º septingentésimo *seven hundredth*
800.º octingentésimo *eight hundredth*
900.º noningentésimo *nine hundredth*
1000.º milésimo (one) *thousandth*
2000.º dos milésimo *two thousandth*
100000.º cien milésimo *hundred thousandth*
500000.º quinientos milésimo *five hundred thousandth*
1000000.º millonésimo *millionth*